2011年

2011 5月

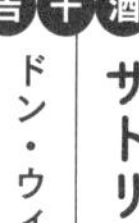

吉 千 酒 北

サトリ

ドン・ウィンズロウ／黒原敏行訳
早川書房

敵地潜入もののエスピオナージュだが、任務遂行、救出、脱出という常套パターンながら、最後まで緊張感を持続させるのは見事。このシンプルな話をここまで読ませるのはウィンズロウのうまさだ。（北）

今月は『シブミ』の前日譚たる『サトリ』を選びます。筆致はトレヴェニアンに瓜二つながら、社会からはみ出した若者の流離、という味付けでウィンズロウ自身の個性も刻印。謀略スリラーとしても上出来、おまけに圧倒的に読みやすいと、三拍子も四拍子も揃った力作なのである。（酒）

あのトレヴェニアンの名作『シブミ』の前日談と聞いて「大丈夫か？」と思ったのは私だけではなかった筈だが、奇手を用いず、真っ正面からトレヴェニアンの作品世界の再現に挑んでいて感心させられた（それでいて著者らしさも失わないあたりも）。「お約束の美学」に溢れた正

統的冒険小説＋エスピオナージュの快作だ。（千）

ウィンズロウならではの軽妙洒脱な味わいを堪能した。物語はしっかり冒険小説の王道を行きながらトレヴェニアンとはまた違った趣なのだ。今月は他にニッキ・フレンチ『生還』（KADOKAWA／角川文庫）の極限までにヒロインが追いつめられていく緊迫感と事件をたどるサスペンスを味わい、しごく満足。（吉）

杉

アンダー・ザ・ドーム

スティーヴン・キング／白石朗訳
文藝春秋

上巻で『蝿の王』の一節が引用されたとき、これは必読の小説だと確信した。メイン州の小さな町が、ある日突然、透明なドームによって外界と隔絶される。閉じた空間の中で、人々の憔悴はつのり、最悪な形で獣性が解放されていくのだ。変形のロビンソン・クルーソー譚と見ることもできるし、ミステリーでいえば『ガラスの村』などの流れを汲む魔女狩り小説でもある。またキングの書きぶりが巧いのだ。一般小説のファンにもお薦めしたい。（杉）

川

生還

ニッキ・フレンチ／務台夏子訳
KADOKAWA／角川文庫

読み始めた瞬間に心のなかでアラームが真っ赤に点灯した。これより先は怪物領域だと。避けようのない悪意は存在するという理不尽で過酷な現実に対して、凛然と立ち向かい生き残ることを第一義に孤軍奮闘するヒロイン。安易で居心地の良いハッピーエンドでも単純で分かり易い悲劇でもない、痛みと苦み、さらには独特の諦念と充足感をともなって幕を閉じる〝大人の味〟のサスペンスをぜひ味わってみて欲しい。（川）

霜

ムーンライト・マイル

デニス・レヘイン／鎌田三平訳
KADOKAWA／角川文庫

超大作『アンダー・ザ・ドーム』も年間ベスト級なれど、これを採る。ノワールのリアリズムを通過しているからこその「21世紀の苛烈な正義の物語」。ローレンス・ブロックが拓いた「20世紀末の正義」のさらに遠くへ――本シリーズは歴史的名作と言っていい。真摯なヘヴィネスと目の覚めるような鮮烈な場面、一気読みのサスペンスに、忘れがたいキャラまでそろったミステリなどそうそうない。感動。苦味の解る大人にこそすすめたい。（霜）

先月に続き、早川書房の作品がぶっちぎりで首位に。『サトリ』、やはりみんな待っていたんですねえ。それ以外にも久々の「レ」ヘイン、キングの大作、サスペンスの新女王と、目移りがするほどに話題作が刊行されたのが4月でした。どれも必読！　さて来月は、どんな作品が上がってきますでしょうか。お楽しみに。（杉）

酒 川

最初の刑事 ウィッチャー警部とロード・ヒル・ハウス殺人事件

ケイト・サマースケイル／日暮雅通訳
早川書房

十九世紀半ば、典型的な中流階級一家が暮らす田舎の屋敷で起きた惨殺事件が、ヴィクトリア朝英国に〝探偵熱〟を巻き起こす。後の作家に多大なる影響を与え、カントリーハウスを舞台とした〝英国探偵小説〟成立の礎となった事件をミステリの手法で描いた渾身のノンフィクション。巻頭に掲げられた三葉の画の意味が明らかになる終盤、思わず息をのんでしまった。古典のみならずあらゆるミステリ・ファン必読の〈始まりの書〉だ。（川）

19世紀中葉における刑事＝探偵がどのような存在であったかを稠密に描き出したノンフィクション。当時話題をさらった幼児殺害事件の意外な真相が顕現する終盤は、出来過ぎなぐらいスリリング。当時の倫理観、宗教観、階級意識なども完璧に捉え切っていて、圧倒されました。この時代を前提として探偵小説は発展したのかと思うと、感慨も一入です。（酒）

吉

アンダー・ザ・ドーム

スティーヴン・キング／白石朗訳
文藝春秋

あらためてキングの想像力と創造力の偉大さに脱帽。一気に読んでしまったのがもったいないくらい。できればまたじっくりと読みかえしたい。あと今月は、ニック・ピゾラット『逃亡のガルヴェストン』（ハヤカワ・ミステリ）、とくに元恋人のもとを訪れる場面を読み、これだけ胸が熱くなったのも久しぶり。かつてない最強のダメ男クライムだ。（吉）

北

逃亡のガルヴェストン

ニック・ピゾラット／東野さやか訳
ハヤカワ・ミステリ

これまでに読んだことのあるような話だが、そのわりに妙に新鮮である。それは構成が秀逸だからだろう。ラストもいい。（北）

霜

ねじまき少女

パオロ・バチガルピ／田中一江、金子浩訳
ハヤカワ文庫SF

かつて僕は『ニューロマンサー』をクロームきらめくクライム・ノワールとして読み、『虎よ、虎よ！』を白熱テクニカラーの冒険小説として読んだ——本書は船戸与一やル・カレらのコロニアル・スリラーの系譜に連なる。めくるめくヴィジョンと血臭が、異形の色彩と芳香に満ちた街路で交錯する。失われた誇りと損なわれた尊厳をめぐる叛逆の物語。緻密で熱く、壮大で感動的。（霜）

杉

ピザマンの事件簿2 犯人捜しはつらいよ

L・T・フォークス／鈴木恵訳
ヴィレッジブックス

続きが出るのがいちばん楽しみなシリーズ作品がこれ。あと一冊で、今のところは続きがないというのが非常に残念だ。気のいい男の周りに同じような好漢が集まっただけで話が進展していくというのが心地よく、最初の数ページを読んだだけですぐに引き込まれてしまう。主人公は誰かを連想させると思ったら、ゲッツ板谷氏だった。似てない？　こういうリズムで読ませるような話は、もっと訳してもらいたいなあ。（杉）

千

ロザムンドの死の迷宮

アリアナ・フランクリン／吉澤康子訳
創元推理文庫

時は十二世紀、イングランド王ヘンリー二世の愛人が毒を盛られ、王妃エレアノールに嫌疑がかかった。夫婦喧嘩が即戦争に発展しかねない危険な事件の真相に、異国から来た女医アデリアが迫る。キリスト教の抑圧、女性蔑視、異国人への警戒、内乱勃発の危機、そして姿なき連続殺人犯……二重三重どころか四重五重に不利な状況下、知性と勇気を武器に謎と向かい合うアデリアの姿が魅力的だ。（千）

ノンフィクションながら『最初の刑事』とポケミス『逃亡のガルヴェストン』が人気です。先月に続き、早川書房強し！　あ、バチガルピも早川か。さて来月は、どんな作品が上がってきますでしょうか。お楽しみに。（杉）

犯罪

フェルディナント・フォン・シーラッハ／酒寄進一訳
東京創元社

現実に起きた事件をベースに現役の弁護士が語る十一人の人間が犯した十一の異様な犯罪。罪科を犯すに至った顛末を極端に切りつめた文章で綴ることで咎人となってしまった人の人生を浮き彫りにするとともに、罪とは何かという根源的な問題をも摘出する苦くとも滋味豊かな珠玉の短編集だ。なにはともあれ冒頭の「フェーナー氏」を読んで欲しい。次の瞬間、あなたはレジへと向かっているに違いない。（川）

罪を犯す人が辿る11の数奇な運命を、語り手の弁護士が一歩引いた所から淡々と描き出す。超現実的な出来事こそ起きないが、登場人物の心象風景はいずれも極めてシュールで、奇妙な味わいが濃縮されている。切り詰めた簡潔で禁欲的な文体が、かえって豊かなエモーションを引き出しているのも上手い。異色作家好きはマスト・バイの逸品である。（酒）

短く鋭く研ぎ澄まされた犯罪と犯罪者の物語が並ぶ。すばらしい。一瞬も気を抜けない——ふいに日常にぱくりと口を開ける闇と、黒い笑いと、少しの痛快が敷きつめられた毒針のむしろ。ミステリの定義を狭くとることの不毛はこれを読めば明らかだと私は思う。（霜）

今月はこれを推さなければどうしようもない。一言で表すなら「犯罪を選んでしまった人」についての小説なのだが、人間の心がいかに傷つきやすいものかということがさまざまな事例によって描かれている。連想したのはロイ・ヴィカーズ『迷宮課事件簿』シリーズ（ハヤカワ・ミステリ文庫）だ。私の一押しは不気味極まりない「正当防衛」だが最後の一撃ものとしても読める「緑」もよい。おそらくは人によってベストの作品が違う短編集である。冷え冷えとする手触りであるのに、どこかに人間性への信頼が見えるのも好ましいところだ。（杉）

本書を読んで、これは犯罪小説の世界における「待庵」（千利休が作った、わずか二畳の茶室）ではないか……という、我ながら奇妙な思いつきが浮かんできた。極限近くまで無駄を削ぎ落としたからこそ、かえって伝わってくる無限の滋味。一見素っ気ない文章から戦慄と悲哀が立ちのぼる、忘れ難い犯罪小説集だ。（千）

平凡な、もしくは奇妙な「犯罪」に隠された真実が淡々と語られていく。そこにあるのは人生そのものだ。圧倒的な面白さに恐れ入るばかり。クライム・ノヴェルの好きな方は絶対に読みのがしてはならない。ぜったいに。（吉）

北

闇の記憶

ウィリアム・K・クルーガー／野口百合子訳
講談社文庫

この手ありかなあ。ずいぶん以前に同様の趣向の翻訳ミステリーがあったと思うけど、それがなんであったのか、書名を思い出せない。コーク・オコナー・シリーズの第5作で、このシリーズのピークは第3作『煉獄の丘』であったと思うけど、それを今回は超える予感が。予感で終わってしまうところが最大の問題なのである。（北）

本欄初、六人の票が一作に。ドイツから来た隠し玉が七福神の心をわしづかみにしてしまったようです。こういうこともあるんですね。さて来月はどのような結果が待っていますか。お楽しみに。（杉）

杉 酒 北 川

背後の足音

ヘニング・マンケル／柳沢由実子訳
創元推理文庫

これまで、グローバリゼーションという大浪がもたらす新たなタイプの犯罪に、怒り、悩み、戸惑いながらも立ち向かってきた警察官ヴァランダー。本書で、ついに社会の変化がある段階を超えてしまったことを悟った彼が、ラストで下す決意が胸を打つ。八五〇ページという大部ながら一気に読了。シリーズの未訳があと数作しか残っていないなんて！　現代ミステリ屈指の傑作シリーズを、ぜひ手に取ってみて欲しい。（川）

上巻を読んでいるときに、「そのシリーズ、北上さん、解説を書きましたよね?」と声をかけられた。えっ、と思ったが、その表情をみて、「覚えてないんですか!」と言われたので、そんなばかなことがあるわけない覚えてるにきまってるぜという表情を急いでつくった。家に帰って調べてみたら、前作『五番目の女』の解説を書いていた！　以上のことは全部秘密だ。（北）

同僚刑事が殺されるシリアスな事件、綿密で着実な捜査、やがて浮かび上がる現代社会の歪み、そしてヴァランダーが糖尿病になってしまうというユーモラスな要素が、圧倒的に達者にまとめ上げられている。煽らない小説なのに夢中になって読める、刑事／警察小説のお手本である。（酒）

本書を読んで「うわっ、『目くらましの道』の解説で、シリーズに登場する警察官の全リストを作った私は先見の明があった！」と自画自賛したのだが、なんのことかわからない方は、とりあえず『背後の足音』を読んでください。作風としては『五番目の女』の延長上にある作品だが、ヴァランダーが「でたらめ」「ばらばら」と印象を述べる事件の様相が不気味である。真相が判明した後に、心に波風が立つような感じを覚える。なんと強い印象を残す小説なのだろう。（杉）

吉 霜

アンダーワールドUSA

ジェイムズ・エルロイ／田村義進訳
文藝春秋

10年のブランクがどう作用するか心配していた――杞憂だった。スタッカート文体に同調して心拍が疾り、体温を上げる。エルロイ特有のフィーヴァードリーム感は、今回、魔術的なヴードゥーのトライバル・ビートで加速し、踊る／躍る。前2作から流れ込む国家と犯罪のカオティックな怒濤は、ゾンビ・ゾーンに濾過されて、あとに悲恋／運命／歴史／復讐の暗い結晶を残す。これは負の成長小説である。（霜）

アメリカの絶頂期が終わりにさしかかっただけではなく、世界中が火山噴火のもとにあったような

一九六八年という激動の年から物語が始まるだけに、これまで以上にカオスな世界が展開されており圧倒された。あと今月は小品ながらA・D・ミラー『すべては雪に消える』のほろ苦さが胸に残った。（吉）

千

ライヘンバッハの奇跡 シャーロック・ホームズの沈黙

ジョン・R・キング／夏来健次訳

創元推理文庫

ライヘンバッハの滝から姿を消した直後のホームズと、若き日の幽霊狩人カーナッキの奇想天外な共演。全く異なる世界観の中に住む二大探偵を同一作品に登場させても不自然にならないよう、作者が凝らした数々の工夫に読みどころがある。犯罪王モリアーティの過去が明かされる第二部が特に出色だ。（千）

ヘニング・マンケル、ジェイムズ・エルロイと上下巻の作品が選ばれました。夏休みに読む本を探している、という方はぜひ挑戦してみてください。では来月またお会いしましょう。（杉）

2011 9月

吉 霜 北

エージェント6

トム・ロブ・スミス／田口俊樹訳

新潮文庫

レオ・デミドフの物語がついに完結だ。今回の隠しテーマは善良であるとは何か、だ。人が善良であろうとするその源は何か。群を抜く人物造形と波瀾万丈のプロット、すべてが素晴らしいが、物語の底にその問いがひっそりと横たわっている。（北）

今月はコナリー級の驚愕プロットと黒いユーモアの冴える『ビューティ・キラー3 悪心』だ！ と決めていたが、〆切ギリギリで本書が鼻骨粉砕の殴打をカマしてきた。人間性と国家が不協和音しか起こさぬ世界。全編に響くのはギギギギギと心のきしむ音。大いなる物語を巡った末に到達する、暗く狭く小さい場所での閉幕。忘れがたい。ヘヴィな話だが弛緩ゼロ。キャラも立ちまくり。傑作。（霜）

レオ三部作の完結編は、期待を上まわる出来ばえで興奮するばかり。作者はどこまで主人公に受難の道を歩ませるのか。あと冒頭を読みかけたジェデダイア・ベリー『探偵術マニュアル』は、テリー・ギリアムのような奇妙で愉快な世界観が感じられ、はやく続きが読みたい。（吉）

酒 川

探偵術マニュアル

ジェデダイア・ベリー／黒原敏行訳
創元推理文庫

突如、〈探偵〉に抜擢された〈記録員〉アンウィン。殺人事件に巻き込まれた彼は、几帳面な性格と、眼鏡っ娘の助手、そして『探偵術マニュアル』を頼りに怪しげなサーカスの謎を追って悪夢の中を彷徨う羽目に。ファンタスティックな世界に心地よく眩惑されていたら、ラストでいかに巧妙に伏線が張られ手掛かりが織り込まれていたかが分かってびっくり。お見それしました！　それにしてもピンカートン探偵社のキャッチコピーから、こんなとんでもない物語が生まれてくるとは。（川）

ハメット賞受賞作だが、幻想小説にミステリの意匠を凝らした、といった風の小説である。奇妙な街にそびえる〈探偵社〉にまつわる奇妙な事件は、イタロ・カルヴィーノが基本設定を考えたと言われても違和感がないほど夢幻的。ただし野放図にイマジネーションを垂れ流さず、風呂敷も制御可能な範囲で広げるにとどめる辺り、ミステリとして締めるべき所をきっちり締めてきて、なかなか侮れない。柔弱な青年主人公とハードボイルド型の探偵たちの対照性も印象的な、ジャンルの枠を超えた小説である。（酒）

杉

謝罪代行社

ゾラン・ドヴェンカー／小津薫訳
ハヤカワ・ミステリ

謝罪代行業なる新ビジネスを始めた四人の若者が、正体不明の殺人者に脅迫されて死体処理をさせられる。有無を言わせぬ状況設定でぐいぐいとサスペンスの中に読者を巻き込んでいくやり方が凄まじく、目が回りそうになる。三つの時制が不思議な形でばらまかれた叙述も特徴的で、終盤になって何がどうなっていたのかが判ると不思議な感動があるのだ。ポケミス版と文庫版が同時発売。（杉）

千

ブラッド・ブラザー

ジャック・カーリイ／三角和代訳
文春文庫

刑事になった弟と、連続殺人犯になった兄。その兄が施設を脱走した時から、弟による地獄巡りのような追跡が再開される……。サイコ・サスペンス＋警察小説の装いの下から浮かび上がる、洗練された本格ミステリとしての骨格。作中の互いに無関係に見えるエピソードがパズル的に組み合わさってゆく知的スリルは、日本の作家で譬えるなら京極夏彦に近いかも。（千）

幻想風味の不思議な『探偵術マニュアル』とロシアの冒険スリラーが人気を集めました。さて来月はどのような作品が挙がってくるでしょうか。どうぞお楽しみに。（杉）

吉 杉 霜

ねじれた文字、ねじれた路

トム・フランクリン/伏見威蕃訳
ハヤカワ・ミステリ

ミステリ年度末なので巨弾がくるかな? と身構えていたけれど、蓋を開ければ良き小品が多数という印象の9月、静かに悲しく孤独な本作を推しましょう。もっと酷薄だったら大傑作だったのにと、個人的には思わぬでもないですが、ジョン・ハートは線が細すぎ、とお嘆きの貴兄におすすめします。ハナ差で2着は『ブラッド・ブラザー』。本格ファンはこちらをどうぞ。(霜)

大いに笑わせてくれたイアン・マキューアン『ソーラー』(新潮社)とどっちにしようか迷ったんだけど、こっちに。短篇集『密猟者たち』以来ずっと待っていたわけですからね。スティーヴン・キングを愛するオタク少年が、ド田舎でマッチョな親父のいる家に生まれてしまったために本来の自分を出すことができずにねじくれ、あげくの果てに少女誘拐殺人犯の濡れ衣を着せられてしまうというプロットがもう他人事ではなくてさ。彼は四十一歳になっても童貞で、一人の友達もいなくて孤独に暮らしているんだよ。もうその境遇を想像するだけでいてもたってもいられません。文章も美しく、素敵な小説だ。(杉)

今月の、というよりも間違いなく今年のベストに入る作品。少年時代を回想する過去の場面、中年のいまを描く現在のシーン、そのどちらも胸に迫るエピソードで埋め尽くされている。南部に生きる人びととその風土がこれ以上ないほど濃密に描かれた傑作だ。(吉)

北

変わらざるもの

フィリップ・カー/柳沢伸洋訳
PHP文芸文庫

あのグンターが15年ぶりに帰って来た。とはいっても、第1作『偽りの街』以外はほとんど忘れているので、おそるおそる読み始めたら、面白い。特に後半は一気読みだ。(北)

川

ブラッド・ブラザー

ジャック・カーリイ/三角和代訳
文春文庫

連続殺人犯の兄と警察官の弟。互いに手の内を知り尽くした二人がニューヨークを舞台に繰り広げる知的対決の行く末は? 周到に張り巡らされた伏線、大胆に埋め込まれた手掛かり。軽妙洒脱な会話と口当たりの良い展開に読み進めているとラストで想定外の一撃を食らい唖然と

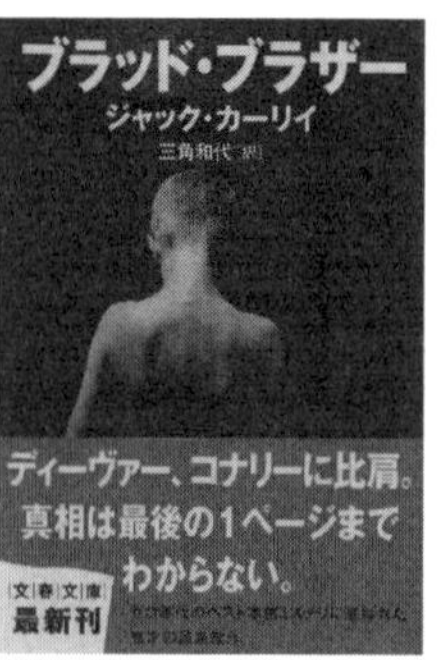

すること必至。これは読者を最大限に驚かすために結末から逆算して周到かつ大胆に組みあげた複雑精緻な《逆ピラミッド》なのだ。一切の無駄がなく、すべてが驚愕の真相のために奉仕する極めて潔くて理知的なミステリを読み逃すな。（川）

千

シャンハイ・ムーン

S・J・ローザン／直良和美訳
創元推理文庫

現代のニューヨークで起きた殺人事件の背後から、第二次世界大戦前後の悲話と、それにまつわる宝石の伝承が少しずつ浮かび上がってくる。私立探偵小説の枠を借りて、国家と民族と個人を翻弄する歴史の残酷さ、人間の運命の数奇さ、そして欲望に振り回され幻に固執することの愚かしさを描ききった、奥行きの深い傑作。（千）

酒

三つの秘文字

S・J・ボルトン／法村里絵訳
創元推理文庫

今月は「えっ、これってそういう話だったの?!」と驚かされた『三つの秘文字』を選びます。際物では全くなく、達者にして堅実な語り口が最初から読者の心を摑むはず。アン・クリーヴスとは全く異なる、しかし同じぐらいリアルで魅力に溢れたシェトランド諸島での、芯の強いヒロインの冒険をお楽しみください。（酒）

『ねじれた文字、ねじれた路』が三人と多かったですが、大差という印象はなかった一月でした。いよいよ十月、読書の秋も本番真っ盛りですね。来月はどのような本がここに並びますやら。どうぞお楽しみに。（杉）

酒 北

ローラ・フェイとの最後の会話

トマス・H・クック／村松潔訳
ハヤカワ・ミステリ

少年のころの夢破れて失意の人生を送っている中年男の前に、父親の愛人だった女性が20年ぶりに現れて、二人の会話がはじまっていく。構成はシンプルだが、中身は豊穣だ。今回のモチーフは、人は過ちを償うことはできるのか、だ。読み終えると私たちは愚かな生き物だが、しかし

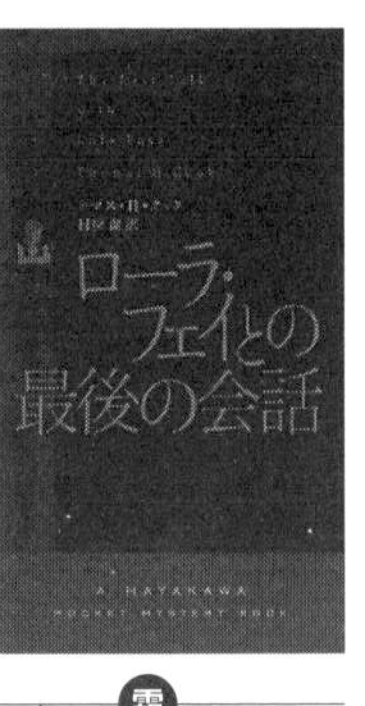

人生は捨てたものではないという感慨がこみあげてくる。いい小説だ。胸に残る小説だ。（北）

絶望と諦念が支配する作品を多く書いてきたクックだが、ここに来て未来に向けての希望が仄見える作品を出して来た。20年前、父母を亡くすきっかけとなった故郷での出来事の真相を、主人公は、当時の知り合いローラ・フェイとの一晩の会話を通して知ることになる。失われた時、取り戻せない過去、やり直せない現実の向こうに、温かい何かが残る。これはそういう小説です。作品中では敢えて積極的には語られない、主人公と元妻の関係も忘れがたい。親と呼べる存在を持った、全ての人に読んでいただきたい。（酒）

霜

ウィンターズ・ボーン

ダニエル・ウッドレル／黒原敏行訳
ACクリエイト

口当たりは粗暴で、棘々しく喉を焼く。しかし残るのは芳醇な香りであり、酔い心地はこころよい――文明に見捨てられ文明を見捨てた僻地で醸された極上の密造酒。それが本書だ。派手な道具立ても複雑なドラマもここにはない。あるのは一個の身体と意志のみ。法にも国家にも経済にも頼らず動く少女の身体に、ハードボイルドの原初のありようが受肉している。（霜）

吉

シャンタラム

グレゴリー・デイヴィッド・ロバーツ／田口俊樹訳
新潮文庫

スラム、美女、監獄、戦場……、花も嵐も踏み越えて行くが男の生きる道。上中下巻というボリュームに、インドの底辺や暗黒街で生き抜く脱獄囚白人の波乱万丈人生が濃密に描かれており、圧巻。そのほかやりたい放題で痛快無類のクレイグ・マクドナルド『パンチョ・ビリャの罠』やしみじみと読ませる復讐ものの犯罪小説マイクル・コリータ『夜を希う』なども佳作として挙げておきたい。（吉）

川

007 白紙委任状

ジェフリー・ディーヴァー／池田真紀子訳
文藝春秋

衣装は最新に、されど魂はそのままに。蘇ったジェームズ・ボンドは、複雑精緻なディーヴァー印の陰謀劇の中を機略に富む強敵と相手の裏の裏を読みあいながら縦横無尽に駆け巡る。アクションと頭脳プレイが絶妙にブレンドされページを繰る手が止まらない。「翻訳ミステリを読みたいけれどどれから読んで良いかわからない」という方にも自信を持って薦められる逸品。（川）

千

装飾庭園殺人事件

ジェフ・ニコルスン／風間賢二訳
扶桑社ミステリー

本格ミステリめかした邦題だが、本格ファンの大部分は本書の真相に怒るのではないか。とはいえ、本格ミステリに具わったパロディ精神とあくなき意外性の追求の果てには、本書のような異形の作品が必ず現れるのである。……といったお堅い話は抜きにしても、登場する奇人変人（および変態）たちの右往左往ぶりだけでも充分愉しめる小説だ。多少、毒気は強いにしても。（千）

杉

パンチョ・ビリャの罠

クレイグ・マクドナルド／池田真紀子訳
集英社文庫

メキシコ革命の大立者、パンチョ・ビリャの首がお宝扱いされて争奪戦が巻き起こるという序盤の展開だけで十分おなかいっぱい。首を狙って続々と敵が押し寄せてくるので「スペアの首」を準備しようと、主人公が無関係なメキシコ人の墓を暴き始めるあたりで、もうハートを射抜かれました。アーネスト・ヘミングウェイやオーソン・ウェルズ、マレーネ・ディートリッヒなど実在の人物を登場させる遊びもあり、楽しいとしかいいようがない一冊。後半がやや失速気味なんだけど、これだけわくわくさせてくれたんだから不問に付します。（杉）

ジェフ・ニコルスンの怪作からトマス・H・クックの感動作まで、バラエティに富んだ一月になりました。来月はどんな作品が上がってくるのでしょう。お楽しみに。（杉）

2011 12月

吉 千 霜

シンドロームE

フランク・ティリエ／平岡敦訳
ハヤカワ文庫NV

呪術と害意が渾然となってドロドロしている私立探偵小説大作『ミスター・クラリネット』と迷ったが、こちらを。ノワールの最深部を病みきった散文詩のかたちで探索してきたティリエが何とクライトン風のアプローチを見せた。だが「心の闇」という安易な名をつけられたフォルダの中を徹底してほじくりほじくりほじくり返す姿勢にビタ一文もブレはない。何よりも社会の暗部のおぞましさを焼きつけた不吉なフィルム！——病いの幻視者の忌まわしい詩学は健在だ。（霜）

今月はこれとニック・ストーン『ミスター・クラリネット』のどちらにするか迷ったが（ヘヴィーさ、禍々しさなら互角）、奇想度の高さでこちらを選んだ。セオドア・ローザック『フリッカー、あるいは映画の魔』、鈴木光司『リング』、古川日出男『13』、倉数茂『黒揚羽の夏』といった、映像の魔力を文章で再現

しようとする果敢な試みの系譜に、また新たな作例が加わった。（千）

謎の短編映画にまつわる奇怪な事件、および工事現場から発見された、脳味噌の抜き取られた五体の死体をめぐり、二人の刑事が活躍する。おぞましいサイコホラーものかと思って読んでいくと、どんどんスケールの大きな展開を見せていく。いろいろな意味で読みどころたっぷりのフレンチ・スリラーだ。（吉）

酒 北

シャンタラム

グレゴリー・デイヴィッド・ロバーツ／田口俊樹訳
新潮文庫

スラム街小説であり、刑務所小説であり、戦場小説だが、同時に犯罪小説でもあり、家族小説でもあり、恋愛小説でもある。小説のあらゆる要素をぶち込んだ迫力満点の小説だ。正月休みの読書に最適の一冊だ。（北）

インド社会のカオスっぷりを、これほど鮮烈に描破し得た作品はなかった。インドを多面的に描くために用意されたプロットに、波瀾万丈のストーリー（スラム！　ギャング！　戦争！）、奥行き深い人物描写、鋭くも豊かな文明批評が盛り込まれ、無上に豊穣な小説世界を顕現させている。なお今月は、ニック・ストーン『ミスター・クラリネット』が、ハイチを舞台に、失敗国家ならではの戦慄のノワール劇を展開し、これまた無上に素晴らしい。インドとハイチ、貴方はどっち？（酒）

杉

転落少女と36の必読書

マリーシャ・ペスル／金原端人・野沢佳織訳
講談社

引越しを繰り返し、各地で愛人をこしらえる大学教授の父と濫読生活の娘・ブルー。この二人に出会った瞬間にノックアウトされてしまった。お話はブルーがハイスクールで遭遇することになる事件、事態を描いたものなのだけど、とにかく本文中に出てくる本や文学についての情報量がものすごい。章題はすべて実在の文学（一つだけ架空のものが混じっている）からとられており、章の内容もその原典と呼応しているのである。ミステリー好きだけではなく読書家全般にぜひこの小説を読んでもらいたい。（杉）

川

緋色の十字章　警察署長ブルーノ

マーティン・ウォーカー／山田久美子訳
創元推理文庫

素朴だけれどもゆったりと平穏な生活を送る人びとが暮らすフランスの最奥部と呼ばれる小村で起きた老人殺しの背後には、今なお消えぬ第二次世界大戦の深い爪痕と増え続けるアラブからの移民問題が。美しく有能な仕事仲間に自家製胡桃ワインを振るまい、トリュフ入りオムレツでテニス仲間を饗する村でただ一人の警察官ブルーノは、愛するコミュニティを護るために初めての殺人事件に奮闘する。嗚呼、フランス家庭料理を食べに行きたい！（川）

大作揃いの月間になりました。次回はいよいよ二〇一一年最後の月。どんな作品が挙がってくるのでしょうね。次回もお楽しみに。（杉）

COLUMN

十一月は変化球の月

霜月蒼

さて、七福神のひとりとして毎月のラインナップを見ていると、十一月のベストが毎年ヘンなことになっていることに気づく。なぜかといえばこの月は「翻訳ミステリーの農閑期」であるからである。

翻訳ミステリー界では、年末のミステリーランキング入りを狙って、八月から十月にかけて版元のイチオシや巨匠の最新作が刊行される傾向がある。したがって、それを終えた十一月は、刊行される翻訳ミステリーの点数が比較的少なくなる。

そんな状況下で何を選ぶのか？　というのが七福神の腕の見せどころなのである。結果、この月のラインナップは異彩を放ったり、妙にバラエティに富んだりすることが多い。「ミステリーじゃないです、ごめんなさい」などと言いつつ、僕らは次のようなものを挙げている。

・現代文学＝『２６６６』（12年、霜月）、『図書館大戦争』（15年、杉江）ほか多数
・別ジャンル作品＝『宙の地図』（12年、北上・吉野）、『嘘の木』（17年、川出・千街）ほか多数
・見逃されがちなシリーズ作品＝『葡萄色の死』（12年、酒井・千街）、『鷹の王』（18年、北上・霜月）ほか多数
・戯曲集＝『グラン＝ギニョル傑作選　ベル・エポックの恐怖演劇』（10年、川出）
・アメコミ＝『ビフォア・ウォッチメン：コメディアン／ロールシャッハ』（13年、霜月）

この月に傑作が出ると一気に票が集中したり（19年『パリのアパルトマン』川出・酒井・千街・吉野・杉江）することもあるが、どんなときも「ミステリー読みが面白がる」ものを見つけてみせるという七福神の心意気が十一月の読みどころなのです。「ミステリー」の愉しみは、版元が「ミステリー」とラベルを貼った小説にのみ宿っているわけではないのです。

ちょっと変わった味わいのものを読みたい――そんな気分になったときは、十一月の七福神をご覧ください。あなたのニーズに応える作品が、そこには揃っているはずです。

2012年

2012 1月

吉 酒

解錠師

スティーヴ・ハミルトン／越前敏弥訳
ハヤカワ・ミステリ

言葉を失った少年の、甘酸っぱく切なく仄暗く、そしてスリリングな青春を描く、素晴らしきクライム・ノベル。人生を静かに振り返る、老成したかのような主人公（でも二十代）の語り口が、えもいわれぬアトモスフィアを醸し出す。（酒）

ロックされたものなら何でも解き開ける犯罪者マイクル、その劇的な半生。なのだが、刑務所において過去を振り返る構成と口が利けない主人公キャラ設定が実に効果的だ。読み出したら止められなかった。あと、子どもを含む登場人物全員の性的な姿と他人がそれをどう見てるかという「世間」が容赦なく暴かれたミネット・ウォルターズ『破壊者』に恐れおののく。（吉）

千 杉

都市と都市

チャイナ・ミエヴィル／日暮雅通訳
ハヤカワ文庫NV

奇想によって構築された都市を舞

台とする警察小説。こう書くだけでおもしろそうだ。作者は都市のディテールを執拗に書き込んでいて、そのために半端ではない説得力がある。ありえない街の情景が浮かんで見えるのだ。さらに、主人公の「刑事魂」の描かれ方もいい。プロット自体は単純なものだが、主人公への感情移入が強いために幕切れが胸に迫る。SFという要素を別にしても素晴らしい小説である。次点は自分で解説を書いた『破壊者』。ウォルターズの中でも上位に入る作品だと思う。（杉）

聞いたこともない地名や馴染みのない固有名詞が大量に出てくるにせよ、物語は一見、普通の警察小説のように始まる。ところが、舞台となる二重都市国家を支配する異常な掟が明かされてからは、あまりにも不条理な設定に呆気にとられることは必定だ。現実にあり得ない異世界にただならぬリアリティを付与してみせた著者の想像力と筆力に畏怖すべし。（千）

川

破壊者

ミネット・ウォルターズ／成川裕子訳
創元推理文庫

暴行され死体となって入江に打ち上げられた母親と二十キロ離れた港町で一人歩いているところを保護された三歳になるその娘。嘘をつく人びとの証言を吟味し、被害者と容疑者の内面を彫刻して、「いったい何が起きたのか？」を明らかにしていく意表をつく展開のなんと面白いことか。読後、Who are you? という問いが澱となって残る構成力と演出力に秀でた謎解きミステリの傑作だ。（川）

霜

ブエノスアイレス食堂

カルロス バルマセーダ／柳原孝敦訳
白水社

この作品を読み逃していたクライム・フィクション・ファンは僕だけではないだろう。帯に曰く、「アルゼンチン・ノワール」。だが英米仏日のそれとは趣を変える。日常と歴史を同時に収めるスペイン語圏独特のパースペクティヴが愛と美食と暴虐の神話を描き出す――淡々と／酷薄に／官能的に／わずかな皮肉とともに。ジェフ・ニコルスンの怪作『食物連鎖』を思い出す怪作。（霜）

北

リヴァイアサン

スコット・ウエスターフェルド／小林美幸訳
早川書房

「銀背」のSFシリーズが37年ぶりに復活して、その第1回配本がこれだから、本来なら当欄の対象外だろうが、しかし少年少女の冒険活劇でもあるので、SFファンだけに読ませておくのはもったいない。昔懐かしい香りが漂う冒険小説として読みたい。三部作の第一部なので、まだ何もはじまってないけれど、今後の展開が楽しみだ。（北）

またもや傑作揃いでした。ここいつは春から縁起がいいや。さあ、2012年が始まります。読書を楽しんでまいりましょう。（杉）

火焔の鎖

ジム・ケリー／玉木亨訳
創元推理文庫

猛暑が続く英国東部の沼沢地帯で米空軍機が農場に墜落。荒れ狂う炎の中で農場主の娘は、なぜ生後間もない我が子と現場から救出した他人の赤ん坊とをすりかえたのか？　二十七年の後、〝過去からの長い炎の腕〟が誘発した悲劇は、いくつもの事件と複雑に絡み合って錯綜を極める。ウェルメイドな謎解きとひねりの利いたユーモアを兼ね備えた英国探偵小説の正当なる裔と呼ぶに相応しい逸品だ。（川）

一作目の『水時計』を読んで「あれ、この人って意外と化ける作家なのかも」という予感を抱いたのが見事に的中。冷たい水のイメージからあたりを舐めつくしていく炎へと見事に転じ、好評を博した作品の続篇というプレッシャーをはねのけてみせました。えらいね、どうも。効果的な背景の使い方といい、妻との関係を描いて主人公の人物像を浮き上がらせていく筆法といい、巧いとしかいいようがない。まさに読むご馳走だ。先年亡くなったレジナルド・ヒルの穴を埋め、英国ミステリ界の中軸としてがんばってください。第三作も必読だよ、きっと。（杉）

千　霜

真鍮の評決

マイクル・コナリー／古沢嘉通訳
講談社文庫

ユーモアをビートの随所に利かせてリズミカルに駆ける語り口。その底には息づまるような危機の感覚がウォーキングするベースのように一貫して脈打つ。中盤で明かされる大胆な策略／クライマックスの法廷劇／意外な犯人の登場——過去のミステリの美点を咀嚼したから生み出せた現代ミステリのお手本のごとき快作。ときにコナリーの叙情は過剰な深刻さを帯びるが、本書の軽快な文体が、その美点を100％活かした。すばらしく楽しい一冊。本書と『解錠師』（これも傑作！）が2012年の初泣き本だったことも付記しておく。（霜）

『リンカーン弁護士』に登場した刑事弁護士ミッキー・ハラーと、お馴染みハリー・ボッシュ刑事の共演篇。一見無駄な脇道に思えるエピソードがひとつに繋がってどんでん返しを演出するカタルシスに、技巧派コナリーの本領が発揮されている。単独で読んでも面白い作品だが、ハラー、ボッシュ両シリーズのファンならもっと愉しめる筈だ。（千）

北

アイアン・ハウス

ジョン・ハート／東野さやか訳
ハヤカワ・ミステリ

孤児院で育った兄弟が生き別れになり、兄は殺し屋になり、弟は作家になって再会する——という帯の惹句に「なんだか読んだことのあるような話だなあ」と思って読み始めるととんでもない。意外な話が意外な方向に展開する。いや、違うな。キャラが意外なのだ。だから初めての小説であるかのように新鮮なのである。やっぱりジョン・ハートはうまい。（北）

酒

裏返しの男

フレッド・ヴァルガス／田中千春訳
創元推理文庫

狼男をモチーフに配した奇妙な事件を、どこかつかみ所のない印象を受ける登場人物たちが彩る。謎はホラーテイスト満載で、ストーリーも随所で急展開するにもかかわらず、泥くさく血なまぐさい恐怖感や緊迫感はない。だが、とても強く惹きつけられる。これはそういう不思議で魅力的な小説なのである……などと澄ましていると、伏線の多さに足元をすくわれます。本書は、品の良いフランス・ミステリ（と言うと拒否感出る人もいそうだけれど、実際、上質な「品の良いフランス・ミステリ」は、これはこれで味だし、面白いんです）であると同時に、裏でしっかり本格もしてくれているのです。（酒）

吉

パーフェクト・ハンター

トム・ウッド／熊谷千寿訳
ハヤカワ文庫NV

冒頭からたたみかけるように展開していくのはプロの暗殺者が七人の刺客との凄まじい銃撃戦。この描写の密度が濃く、半端ない緊迫感と迫力なのだ。機密の奪い合いを含め、すべて型通りの物語ながら、活劇のアイデアを惜しげなくぶちこみ、死闘を描ききった冒険アクション巨篇として、その筋の愛好者は必ず絶対なにがあっても読むべし！（吉）

大ベストセラーこそないものの、今月も粒ぞろいでしたね。ここで一つ告知です。二〇一一年度にいちばんおもしろかった作品に読者が投票して決めるtwitter文学賞（※）が現在開催中です。公式アカウントはこちら。twitterユーザーで、まだ投票をお済ませではない方はぜひ参加してみてくださいね。それではまた、来月お会いしましょう。（杉）

※２０１９年度で終了。２０２０年度からは「みんなのつぶやき文学賞」として装いも新たに開催されている。

吉 千 杉

罪悪

フェルディナント・フォン・シーラッハ／酒寄進一訳
東京創元社

あれだけ第一作はおもしろかったのだからもう十分二作目は過度な期待は禁物、と思って読み始めたのだがとんでもなかった。第二作のほうがはるかに上じゃん！ 冒頭の「ふるさと祭り」。少女のレイプ犯罪を巡る話で、とても短いのにぐっと心に迫る内容がある。「間男」は法廷

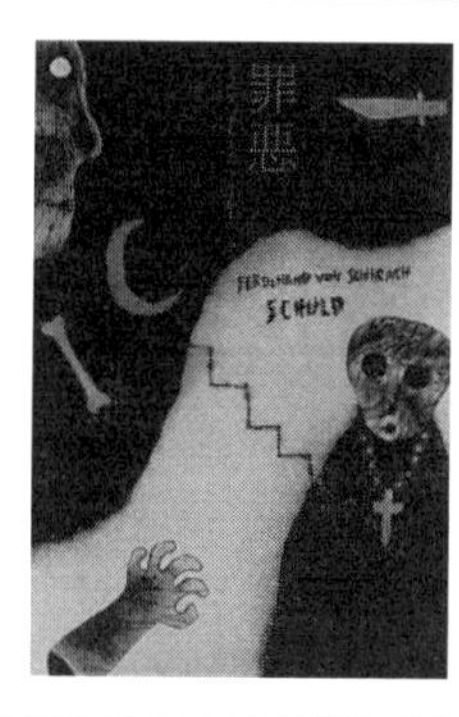

ミステリとしても傑作だ。そして「鍵」のオフビートな味よ！　頭の中に映像が浮かんでくる。笑いが止まらなくなる。これだけバラエティに富んだ内容を、抑えた筆致で書き上げた技量はおそるべきものがある。ハードルは高くなるばかりだ。どこまで行くんだよ、シーラッハ！　（杉）

昨年の話題作『犯罪』に続くシーラッハの第二短篇集。恐るべきことに前作より更に叙情性を削ぎ落とした本書にあっては、原因と結果を結ぶ糸はあちこちで絡まりあい、法は真実を暴く力を喪い、罪と罰の均衡を計る天秤は狂っている。すべての蝶番が壊れた荒涼たる世界にあって、人間が罪悪へと堕ちてゆく短い物語だけが絶え間なく紡がれてゆくのだ。（千）

前作『犯罪』同様、なにかこの世の見てはいけない部分をのぞきこんでしまったような畏怖を感じさせられる作品がならぶ。読む側も「罪悪」を感じてしまうのだ。あらためて作者の犯罪を見る視線と描写の凄みに恐れいった。『犯罪』に魅入られた方はこちらも必読である。（吉）

川

粛清

ソフィ・オクサネン／上野元美訳
早川書房

凍土にも似た諦念と埋み火の如き情念の半世紀にもわたる相剋を胸に、地と血にこだわり生き抜いてきたエストニア人の老婆。信じた未来に裏切られすべてを失いながらも、唯一つの目的を胸に老婆の家にたどり着き、行き倒れたロシア人の娘。過去と現在との往還から徐々に明かされる二人の女性の人生が重く響く。ミステリとして読むのは邪道だろうが、鈍い斧で切り出すようにして、徐々に真相を開示していくこの物語を、サスペンスを愛する者としては推さずにはいられない。（川）

霜

第六ポンプ

パオロ・バチガルピ／中原尚哉、金子浩訳
ハヤカワ新ＳＦシリーズ

長編『ねじまき少女』は滅びゆく世界に鬱積するトロピカルな熱を内燃機関としたスリラーだったが、同質の暗い気配に支配された初短編集『第六ポンプ』には、「ノワール」と断言できるほどの酷薄さが宿っている。ことに「イエローカードマン」の幕切れに痺れた。明白にフィルム・ノワールのロマンティシズムをたたえた「ポップ隊」も素晴らしく絶望的。壮大なパースペクティヴを持ちつつも、視点は薄汚れた路上に——だから僕はバチガルピに惹かれるのだ。ノワール者必読。（霜）

北

パーフェクト・ハンター

トム・ウッド／熊谷千寿訳
ハヤカワ文庫ＮＶ

いやあ、面白い。アクションの緊度、迫力、リズム、すべてが申し分ない。久々に堪能できる冒険小説だ。注文も、ないわけではないが、ここまで書ければ十分だ。（北）

冬の灯台が語るとき

（酒）

ヨハン・テオリン／三角和代訳
ハヤカワ・ミステリ

昔からいくつもの悲劇を見て来た双子の灯台。そして今また、その近くに引っ越して来たヨアキムが、家族を失い、沈んだ日々を送る――本書の核は間違いなく、このヨアキムの喪失感であり、全篇に刻印された哀感に打たれない読者はいまい。しかしヨハン・テオリンはそれだけにとどまらず、職業犯罪者や女性警官の苦悩を描くプロットを絡めた上で、巧緻な計算によって《意外にして論理的な真相》すら用意する。全体のバランスもいい。強固な構成と豊かな肉付けが両立した、味わい深い小説である。（酒）

おそるべきシーラッハ。そして他の作品も魅力的です。年度末になり、みなさんお忙しいかとは思いますが、どうぞ読書のためにお役立てください。では、来月。またお会いしましょう。（杉）

2012 4月

居心地の悪い部屋

（千）

岸本佐知子編訳
角川書店

瞼を縫われた男と縫った男の会話、頭の傷口から溢れ出す人生の思い出、電話の向こうで進行しているらしいただならぬ事態……。底無しの不安がじわじわと心を黒く蝕むような短篇ばかりなのに、読み進めるうちに何故か心地良さに浸っている自分に気づいてしまう、摩訶不思議な海外奇想小説アンソロジー。ミステリ集として編まれた本ではないけれど、江戸川乱歩が言うところの「奇妙な味」の範疇に入る作品は多く収録されていると思う。（千）

インフォメーショニスト

（北）

テイラー・スティーヴンス／北沢あかね訳
講談社文庫

行方不明になった女性を捜しにアフリカに赴くというものだが、主人公も女性。このヒロインがやや理解しがたい点は残るものの、緊迫したアクションの頻出に票をいれたい。（北）

杉

結婚は殺人の現場

エレイン・ヴィエッツ／中村有希訳
創元推理文庫

三月ではなく四月の刊行なのだがぎりぎりのタイミングで読んでしまったのであえて挙げる。鉄の神経お許しを。だって、デッドエンド・ジョブ・シリーズの新刊が三年半ぶりに出たのだから、仕方ないじゃない。とある事情から逃亡中のヘレンが、ワーキング・プアの生活の中で迷惑なことに殺人事件に巻き込まれてしまうというこのシリーズ、今回の彼女の勤め先はブライダルサロンで、結婚にまつわるさまざまな人生模様も浮き彫りになる。というかこれを読むと、結婚するのが怖くなるかもしれないね。（杉）

霜

3秒

マルク＝アントワーヌ・マチュー／原正人訳
河出書房新社

ぴぃんと静かに張った緊迫と、クールなアートの眩暈感覚。本書はマジカルなグラフィック・ノヴェル。描かれるのは、とある部屋に佇む男と、背後で拳銃を発射する男。その光景から発する光が金属や鏡や電球などに反射、旅客機から宇宙にまで巨大なギザギザを描いて飛散。それにそって読者の眼／認識もギザギザに飛び回る。読んでいるとマジで息が詰まる。核にあるのは歴（れっき）とした犯罪なので、これはクライム・フィクションだし、視界の変容で起きる小さなドンデン返しの連続は泡坂妻夫『生者と死者』を思い出さずにおれない。映画《メメント》にも似てます。ミステリ・ファンは是非。（霜）

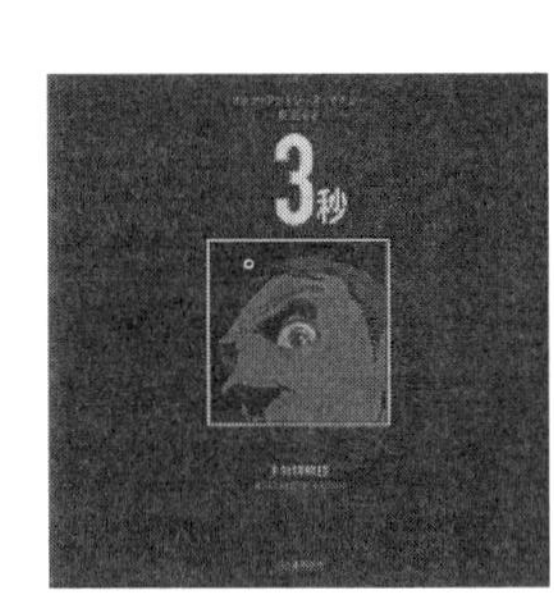

吉

シンデレラの罠（新訳版）

セバスチアン・ジャプリゾ／平岡敦訳
創元推理文庫

そんなの旧版で読んだよ、という人も必ずこの新訳版を手に取るべし。理由は最後まで読めば自ずとわかる。他にミステリ作品集ではないものの、どの短編も、めまいのするよな気分が胸に張りついて離れない、岸本佐知子訳編『居心地の悪い部屋』（角川書店）が最高。「潜水夫」なんて、これハイスミス作、って嘘つかれたら信じちゃう。（吉）

川

骨の刻印

サイモン・ベケット／坂本あおい訳
ヴィレッジブックス

舞台はスコットランド沖に浮かぶ嵐の孤島。摩訶不思議な焼け方をした死体の検証のために訪れた法人類学者を待っていたかのように、閉鎖的なコミュニティで次々と殺人事件が起きる。ばっちりときまった道具立ての上で、〝骨に刻まれた真実の声〟を聞き取ることのできる法医学者の名探偵が、丁寧に配された布石をたどりばらまかれた赤い鰊を見やぶって、論理的に解き明かす。

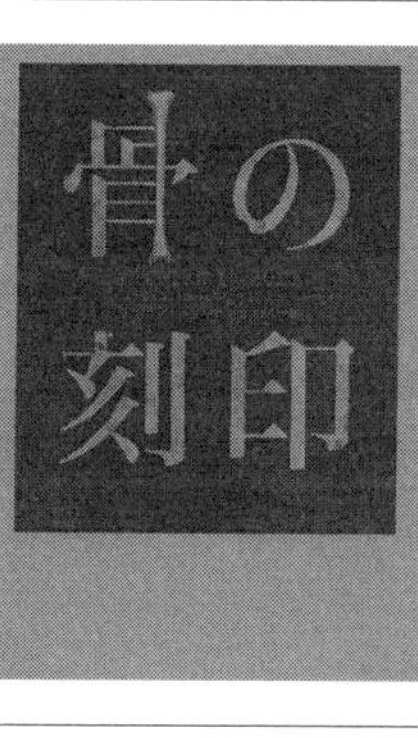

おおっ、これぞ本格ミステリ。前作『法人類学者デイヴィッド・ハンター』から待つこと三年、ようやく渇を癒すことが出来たぜ。（川）

酒

マシューズ家の毒

ジョージェット・ヘイヤー／猪俣美江子訳
創元推理文庫

題名から予想される通り、金持ち一族で起きる毒殺事件を扱っているのだが、この一族が揃いも揃って曲者ばかり。捜査官であるハナサイド警視らが手こずるのはもちろん、当の一族同士もいがみ合って、互いのムカつく行動にキリキリ舞い。かと思えば、この反応はどう考えてもツンデレだよな的な言動も挟まり、人間模様がとても楽しく読めてしまうのである。そして事件の構図もなかなか頓知が利いていて面白い。完成度や人間描写の深度も、前作『紳士と月夜の晒し台』を上回る。クラシック・ミステリ好きは必読でしょう。（酒）

なんというか、このばらつきようはすごいな。境界文学の短篇集あり、バンド・デシネあり、の混成軍でお届けしました。さて、次月はどのようなラインアップになりますことか。お楽しみに。（杉）

暴行

ライアン・デイヴィッド・ヤーン／田口俊樹訳
新潮文庫（絶版・版元品切れ）

最悪の暴力行為が目撃されているのに誰も助けない、都会的無関心を描く小説——では実はない。加害者、被害者、そして全ての傍観者により構成される主要登場人物は、全員、暴力行為と時を同じくして、人生と人生観の転機を迎える。もちろん中核には、鬱屈に満ちた、やり切れない犯罪行為がある。だが同時に、かけがえのない大切な何かが、ここには確かに息づいているのである。だからこそ、本書は素晴らしい小説になっているのだ。（酒）

コンクリートとアスファルトと街灯。その直線の影の中で起こる理不尽な惨劇と、その周囲に蠢（うごめ）くさまざまな「暴力」。——だから原題はActs of Violence と複数なのだ。ここでの暴力は人間の切実な何かの発露であり、そう思わせるに十分なくらい著者の筆致は誠実だ。だが安易な救いはここにはなく、おれたち読者は読後の苦味を舌でゆっくり転がして、わずかな希望を探さねばならない。神のごとく冷えた文体はジャック・ケッチャムのまなざしにも通じる。傑作。BGMには都会の殺伐と冷徹と激情を同時に鳴らすニューヨークのバンド、Unsaneの名盤『OCCUPATIONAL HAZARD』

を推す。ジャケットも本書のカバーにぴったりである。（霜）

吉 北

マイクロワールド

マイクル・クライトン＆リチャード・プレストン／酒井昭伸訳
早川書房

人間の体が2センチになって、それでジャングルを旅するから、昆虫と闘うんだなと思うでしょ。そんなの新味がねえな、と思うところだが、これがすごい。読み始めたらやめられないほどの臨場感と迫力に満ちている。これはたぶんリチャード・プレストンの功績だ。（北）

クライトンの遺稿をプレストンが書き継いだSF大自然サバイバル小説。ミニサイズにされた学生たちが、ハワイのジャングルに放り出されるという大胆な奇想にとどまらず、次から次へと繰り出される生死を賭けた冒険サスペンスが最後まで楽しめる。痛快きわまりないのだ。（吉）

川

アイ・コレクター

セバスチャン・フィツェック／小津薫訳
ハヤカワ・ミステリ

いや、何かやるとは思っていたよ、あの『サイコブレイカー』の生みの親なんだから。そにしても章立てとノンブルを逆にしてラスト〝1ページ〟に向けてカウントダウンしていくとはね。しかも見かけ倒しのギミックじゃなくって、ラストで思わず「えっ！」と声が出てしまう精緻に組みあげられた超絶技巧ミステリなのだから嬉しくなってしまう。日本の新本格ミステリにこれほど近い翻訳ミステリも珍しい。既訳作品を読んできた人ならば、思わずニヤリとしてしまう＋αのサービスもあって満足満足。（川）

杉

LAヴァイス

トマス・ピンチョン／栩木玲子・佐藤良明訳
新潮社

あのピンチョンだから、と身構えて読み始めたのだが杞憂であった。するする読めるよピンチョン！1970年、チャーリー・マンソン事件の余波に揺れるロサンジェルスが舞台で、ヒッピー出身の私立探偵が富豪とともに失踪した元恋人の行方を追う。オーバードーズで死亡したはずのミュージシャンがゾンビよろしく復活したり、〈黄金の牙〉なる陰謀集団が暗躍したり、と事件は盛り沢山で、美女に弱いヒッピー探偵は下半身の疼きをこらえながらそれらの謎を追っていく。一九七〇年代アメリカが直面した巨大な無力感を描いてエルロイ〈アンダーグラウンドUSA〉連作と好一対をなす作品でもある。なにより文体のメロウさが癪で、ついほろりとしてしまう場面もあるのだよピンチョン！読むのだピンチョン！（杉）

千

迷走パズル

パトリック・クェンティン／白須清美訳
創元推理文庫

自分自身の声が殺人を予告するのを聞く——という異様な出来事を発端として、療養所内で連続する怪事件を描いた本格ミステリ。この作品に関しては、何の予備知識もない状態で読むより、演劇プロデューサーのピーター・ダルースが主役を務めるシリーズの第一作だということを知っておいたほうが結末の意外性を味わえるかも。四月はセバスチャン・フィツェック『アイ・コレクター』のトリッキーな構成にも惹かれたけれど、真相がある映画と同じなので選ぶのに躊躇せざるを得なかった。（千）

これまたバラエティに富んだ一月でした。四月はこれ以外にも文庫作品に秀作が多かった印象が。さてゴールデンウィークを挟んで五月にはどんな作品が紹介されるのでしょうか。また来月、お楽しみに。（杉）

2012 6月

吉 千 酒

尋問請負人

マーク・アレン・スミス／山中朝晶訳
ハヤカワ文庫NV

主人公ガイガーは、タイトル通り、尋問請負人である。人間に拷問まがいの苦痛を与え、真実を聞き出すのだ。このガイガー、感情をほとんど表に出さず、仕事ぶりは骨の髄までプロフェッショナル、生き様は極度にストイックと、職業犯罪者として、魅力的なまでに非人間的に描かれている。主人公の印象の強さは、今年一番と言ってもよい。問題は、このガイガーに「仕事の関係で知り合った、犯罪組織に捕まった少年を助けて、巨悪と戦う」という、人物造形の割には常套的なドラマを演じさせていることだ。ストーリーも語り口も悪くはなく、水準以上に楽しめはするのだが、この主人公を受けるには弱い。とても残念である。（酒）

ダーティーな仕事で生計を立てていた男が、あるきっかけで依頼人を敵に回してしまい、救った少年とともに逃亡の身となる……というストーリーの骨格自体はありがちだけれども、あらゆる拷問のテクニックを駆使して百パーセントの確率で情報を引き出し、なおかつ相手を死なせたことは一度もない……という主人公のキャラクターが実にユニークだ。中でも、同業者との対決シーンの緊迫感が出色である。（千）

固く閉ざした対象者の口を割り、秘密を聞き出す尋問のプロが登場。NYの裏世界を舞台にした犯罪サスペンスだ。しかし主人公ガイガーは記憶喪失者で相棒ハリーの妹は心の病にかかっている。そんなこんなが絡み合い、ひねりのある展開で一気に読ませる快作。地味で単純な題名に騙されるな！（吉）

霜

大追跡

クライブ・カッスラー／土屋晃訳
扶桑社文庫

語りの妙と冷たく苛烈な世界観で

圧倒する『極北』（中央公論新社）と迷ったが、熱い熱いこっちを。西部の物語が終わりを迎えた時代を舞台に冷血の強盗を追う熱血正義漢の冒険。快活にスウィングする筆致には黄金時代ののカッスラーの顔が覗ける。『タイタニックを引き揚げろ』あたりに匹敵するとは言わないが、明朗にクラシックカーをぶっ飛ばし、とことん「男の子のかんがえるカッコよさ」を追究する姿勢がいい。予定調和？　何それ食えんの？　（霜）

川

追撃の森

ジェフリー・ディーヴァー／土屋晃訳
文春文庫

〝赤い鰊〟をばらまき罠を仕掛けて逃走する二人の女と、ブラフを見抜き着々と迫る二人の殺し屋。人気も人目もない広大な森の中で、追われる者と追う者がともに相手の裏の裏をかくべく繰り広げる命がけの騙しあいは、ノン・シリーズゆえの緊張感も加わって実にスリリングだ。文明の地から野生の地へバトル・フィールドを移し、頭脳戦にアクションを追加したディーヴァー十八番のサスペンスを堪能あれ。（川）

北

湿地

アーナルデュル・インドリダソン／柳沢由実子訳
東京創元社

北欧ミステリーが次々に翻訳されているが、「ラーソン以降」の作家ではこの人がベスト。主人公のキャラ(家族をうしなっている50男)がいちばんだが、構成も展開も、なかなかにうまい警察小説だ。（北）

杉

森の奥へ

ベンジャミン・パーシー／古屋美登里訳
早川書房

書店でこの本を手に取ってぱらぱら読み出した瞬間、他の作品のことは頭からすっとんだ。邦題通り、これは森の奥への徒歩行を描いた作品だ。頑固な性格の父親と、内気で「いい子」な息子とともに主人公が森へ入る。親子三代にわたって意志疎通が難しい、というのがおもしろい。森は内的世界のメタファーでもある。森の奥に進むに従って自然は本来の凶暴な姿を露わにしてくる。それが三人の関係にどう変化を与えてくるのか、というのが本書の読みどころだろう。さらに念の入ったことに、作者は家に残った主人公の妻カレンにも別の危機的事態を準備している。日常のゆらぎを描いた傑作。あと熊が出るよ、熊が！　（杉）

七人中二人がフライングですよ！『尋問請負人』が人気を集めた五月でした。果たして次はどんな作品が出てくるのか。来月もお楽しみに。（杉）

2011
2012
2013
2014
2015
2016
2017
2018
2019
2020
さくいん

吉 杉

湿地

アーナルデュル・インドリダソン／柳沢由実子訳
東京創元社

豊作の月ではあったが、結局これを読んだときの感慨がすべてを上回っていたという気がする。展開の妙で読者を惹きつける作品であるためあらすじに触れることは避ける。これはいろいろな実作者に聞いてみたいのだが、ミステリーという形式を持つ小説の中で作者がやりたいのは、この作品で実現されているようなことではないかと思うのだ。読み終えたとき、もしかすると夢のミステリーを読んでしまったのかも、という考えが頭に浮かんだ。誉めすぎかな。うん、誉めすぎか。でも次回作を読むまで、この思いはそのままとっておきたい。なんかすごいものを読んだ。インドリダソン、名前がおぼえにくいのが玉に瑕。（杉）

薄暗い場所の底に埋められた、湿って腐った過去が暴かれていく。派手さはないが、読み応え十分の警察小説。だが、もっと作品を読んでみたい。読み重ねることで、より作家の魅力を知るようになるだろう。それは本邦初登場のネレ・ノイハウス（『深い疵』）やデオン・マイヤー（『流血のサファリ』）も同じだ。今月はベテラン勢を含め充実の月。（吉）

霜 川

吊るされた女

キャロル・オコンネル／務台夏子訳
創元推理文庫

アーナルデュル・インドリダソンの『湿地』とネレ・ノイハウスの『深い疵』は、いずれも今年の翻訳ミステリ界の大きな収穫だけれど、キャシー・マロリーが還ってきた以上、躊躇はない。前作『魔術師の夜』の翻訳から早六年半。マロリーがいかにしてストリート・チルドレン時代を生き抜いてきたかが明かされる『吊るされた女』は、待った甲斐ありの逸品だ。ちなみに過去のシリーズ作のネタバラシもなければ、前提条件も不要という親切設計なので、シリーズ未体験の方にも躊躇無く薦められる。

刈られた金髪を口中に押しこまれ、両手を縛られて吊るされた女たち。二十年前の未解決事件との相似が意味するものは何か。ラスト一段落が胸を打つ、巻擱くあたわざる傑作だ。（川）

ミステリの世界で一番の女性ヒーローは誰か？　キャシー・マロリーだと僕は言う。このシリーズはミステリの体裁で描いたスーパーヒーロー譚、超冷徹な主人公マロリーは女性版〝ダークナイト〟なのだ――氷の美貌とクールな衣裳、怜悧な頭脳と357口径の拳銃、そして心の底に沈む悪しき過去の記憶。彼女が久々に現代NYの犯罪に立ち向かい、その過去が明らかになる最新作。マロリーの静かなカッコよさ

を堪能いただきたい。少女時代の彼女のキュートな勇姿とともに。（霜）

千

深い疵

ネレ・ノイハウス／酒寄進一訳
創元推理文庫

　ホロコーストを生き残ったユダヤ人と思われていた人物の他殺死体から、ナチス親衛隊員だったことを示す刺青が見つかった。富豪一族をめぐる複雑極まりない人間関係。陰惨な連続殺人事件を覆う虚栄と偽善のヴェールを、貴族出身の切れ者警部が剝ぎ取ってゆく。ドイツ史の暗部をモチーフにした、重厚な読み心地の警察小説だ。（千）

北

特捜部Q　Pからのメッセージ

ユッシ・エーズラ・オールスン／福原美穂子、吉田薫訳
ハヤカワ・ミステリ

　シリーズ第3作だが、これまでの2作で「もういいや」と思った人、あるいはこれまでの2作を読んでない人は、ぜひ読まれたい。どうしてこんなに急に変わるのか、まったくの驚きである。物語の躍動感は素晴らしく、あっという間に一気読みだ。（北）

酒

少年は残酷な弓を射る

ライオネル・シュライヴァー／光野多惠子、真喜志順子、堤理華訳
イースト・プレス

　出産直後から、なぜか息子が不気味で仕方がない母親。息子は概ね良い子として振舞うが、母は、ふとした拍子の息子の視線に邪悪を感じ、断続して起きる不審な出来事に懸念と疑念を深め、息子が怪物であるとますます確信するようになる。周囲の人への警告はしかし聞き入れられず、息子は遂に、学校内で大量殺人を起こすのだった。

　本書はその事件の後に、母親が夫に宛てた手紙の中で、昔を振り返るという体裁で進む。卓抜したストーリーテリングのもと、実子を愛せないばかりか、恐怖すら抱く母親の内面が、これ以上ないほど濃密に立ち上がってくる。息子が怪物になったのは、母が感じるとおり元々そうだったのか、母の愛が足りなかったためか。答えの出ない疑問を前に、読者はただ立ち尽くすのみ。サイコサスペンスであると同時に、親子関係とは何かを深く抉る、ヘヴィーな作品である。（酒）

　というわけで、思いのほか票は割れなかったのでした。北欧・ドイツ勢強し、というところでしょうか。これはもう一過性のブームではなくなったような感じですね。さて、来月はどのような作品が上ってくるのか。次回もお楽しみに。（杉）

2012 8月

天使のゲーム

吉 霜

カルロス・ルイス・サフォン／木村裕美訳
集英社文庫

ただ「面白い!」と唸ればそれでよいほどに、「物語」の原初的な快楽を味わわせてくれるのがサフォンという作家だ。前作『風の影』には波乱万丈の物語を読んだ子供時代の昂揚をおぼえたが、本作は初めてポプラ社版のルパンを読んだときのダークな興奮をもたらしてくれた。暗く美しき愉悦はダリオ・アルジェント演出によるグラン・ギニョールの如し。「物語」を愛する者すべてにすすめられうる「物語の魔の物語」。密度は高いが読み心地は実に軽快だ。（霜）

大ベストセラー『風の影』を読み、気に入った方ならば必ずや大満足することだろう。主人公がたどる数奇な人生模様の面白さはもちろんのこと、今回もまた、小説、本、書店などにまつわるエピソードがことごとく胸に迫り、もう、たまりませんわ。（吉）

鷲たちの盟約

酒 北

アラン・グレン／佐々田雅子訳
新潮文庫

1933年にマイアミでもしもルーズヴェルトが暗殺されていたら（実際には被弾せず、4期の長期政権を築いていくが）という歴史改変小説だが、主人公の設定も造形もよく、さらにたたみかける展開もスピード感十分で、たっぷりと読ませる。同版元から翻訳の出た『ユダヤ警官同盟』の作者マイケル・シェイボンに教えてあげたい。これがエンタメなのだと。（北）

SJ・ワトソン『わたしが眠りにつく前に』にも目移りしたが、「自由」が世界的に敗北しつつあるパラレル・ワールドを、一刑事の視点から描いた本書を選ぶ。刑事の誇りが人間の誇りとシンクロして、閉塞感の強い全体主義国家アメリカに個人が抗おうとする物語に転じていく過程には手に汗握る。ただし絶賛できるのは上巻まで。下巻では、主人公の家族が国家的キーマンになり過ぎているのが気になった。その意味では、トム・ロブ・スミスのソ連三部作が好きな人はマスト・バイなのである。（酒）

the 500

千

マシュー・クワーク／田村義進訳
ハヤカワ・ミステリ

アメリカの政治を影から動かすロビイストの世界を背景にした犯罪小説。どこまでが現実を反映していて、どこからが作者の空想なのかが気になる。ダーティーな世界に身を投じながらも真の悪党には魂を売り渡さない主人公のキャラクター造形が爽やかで、巨悪との戦いを描きつつも軽快な印象。（千）

杉

失脚／巫女の死

フリードリヒ・デュレンマット／増本浩子訳
光文社古典新訳文庫

候補作はいろいろあって目移りしたのだけど、選ぶとすれば7月はこの一冊。デュレンマットの短篇集が出たのだもの、これを読まないと絶対に後悔しますよ。舞台裏の醜いものが見たくなくて、それが入りこんでくることを防ぐために体中の穴という穴を塞いでいる、という男が列車に乗るところから始まる「トンネル」で、間違いなく読者は心を鷲摑みにされるでしょう。この幕切れ、なに？　天才なの？　全四篇、どれも非常に高いレベルで楽しませてくれます。ちょっと前に出た『判事と死刑執行人』はハヤカワ・ミステリ『嫌疑』収録作の新訳版ですが、異常な迫力があってこれもお薦め。

（杉）

川

ダークサイド

ベリンダ・バウアー／杉本葉子訳
小学館文庫

英国南西部に広がる荒野の寒村で起きた全身マヒの老女殺し。話すことさえできない彼女をなぜ殺したのか？　州都から乗り込んできた田舎嫌いの警部に目の敵にされ、捜査から閉め出されてしまった地域でただ一人の巡査のもとに、「それでも警察か？」という挑発的なメッセージが届く。そして第二の殺人が。

ＣＷＡ賞ゴールドダガー賞を受賞したデビュー作『ブラックランズ』と同じスモールタウンを舞台にした、ひねりの利いたWhodunit & Whydunitだ。不条理な出来事によって人生を変えられてしまった人々の懊悩と葛藤を、随所に黒いユーモアを交えつつ冷徹に描いた独特の風味の犯罪小説。舌に残るよ、この後味は。

（川）

上下巻の大長篇に話題が集中した観がある一月でした。まあ、私は短篇集を贔屓しますがね！　八月にはあれやらこれやらの話題作が出るという噂で激戦必至。来月もどうぞお楽しみに。

（杉）

千　霜　川

占領都市　TOKYO YEAR ZERO II

デイヴィッド・ピース／酒井武志訳
文藝春秋

占領軍がもたらした強烈な白光の下で、闇へと追いやられ埋み火の如く燻り続けた情念が、暗く重く執拗につぶやく、おれを思い出せと。ヒエロニムス・ボッシュの三連祭壇画にも似た《東京三部作》の第二弾は、「帝銀事件」に憑かれ／呪われた生者と死者の語りで彫刻された狂気の十二芒星（ドデカグラム）だ。その中心にある底知れぬ孤独と絶望に、『太陽黒点』を頂点とする山田風太郎の傑作群を彷彿としたよ。読め、そして震えろ！（川）

V・ソローキン『青い脂』、H・C・モヤ『無分別』、そして『占領都市』――クライム・フィクションと現代文学の境界を言葉と幻視で越境する作品に脳を犯された夏だった。いずれも人間の残虐と狂気の疫病じみた感染力を歴史を通じて描き、また「言葉」を「文字」に還元して、そのヴィジュアルの力で読む者の脳内を侵犯する。ミステリたる『占領都市』を代表として挙げるが、甲乙はつけがたいから全部読むべし。3作に宿るのは世界と人間の後ろ暗い半身の蠢動であり、これらがもたらすのは決して日常では得られない／得るべきでない罪深い精神トリップなのである。「癒し」？「絆」？「あたたかな心のふれあい」？そういうのは読むんじゃなくて日常で実践しあうものなんじゃないの？（霜）

TOKYO YEAR ZERO II
DAVID PEACE
デイヴィッド・ピース 酒井武志［訳］
占領都市
OCCUPIED CITY

東京という街がこれほど禍々しく描かれたことがかつてあっただろうか。戦後日本を震撼させた大犯罪「帝銀事件」をめぐる十二人による十二通りの語りが、テキストから致死量の狂気と呪詛を溢れさせてゆく。この黒魔術の教典めいた作品世界を全く受けつけない読者は多いだろうが、邪眼に魅入られたように本作に魂を奪われてしまう読者もきっと存在するに違いない。（千）

北

濡れた魚

フォルカー・クッチャー／酒寄進一訳
創元推理文庫

「1929年からはじまって一話完結で一年ずつ物語が進行し、1936年に大団円を迎える予定」（訳者あとがき）の全8作シリーズの第1巻である。ベルリンを舞台にした警察小説だ。本作もなかなか快調なので、今後の展開にも期待できる。主人公がダメ男であるのも私好みだ。（北）

酒

毒の目覚め

S・J・ボルトン／法村里絵訳
創元推理文庫

8月に一番夢中になって読めたのはコレ。毒蛇が大量発生したイギリスの田舎村を舞台に、偏屈な若き女性獣医クララが、毒蛇にまつわる怪事件を調べ回るのだが、とにかくストーリーテリングがうまい。田舎のスモール・コミュニティぶりを活用して人物面／現象面双方で焦点を絞りつつ、毒蛇による不気味な恐怖感と緊迫感を盛り立てる。おまけに、ヒロインのコンプレックスにも踏み込んで、ロマンス成分と混ぜることで読者をやきもき（またはキュンキュン）させる。主人公が容疑者になってしまうという定番の展開も功を奏し、ぐいぐい読まされてしまうのである。（酒）

杉

フリント船長がまだいい人だったころ

ニック・ダイベック／田中文訳
ハヤカワ・ミステリ

スティーブンソン『宝島』が幼き日の愛読書であったため、そのオマージュ作品だというだけでも泣け

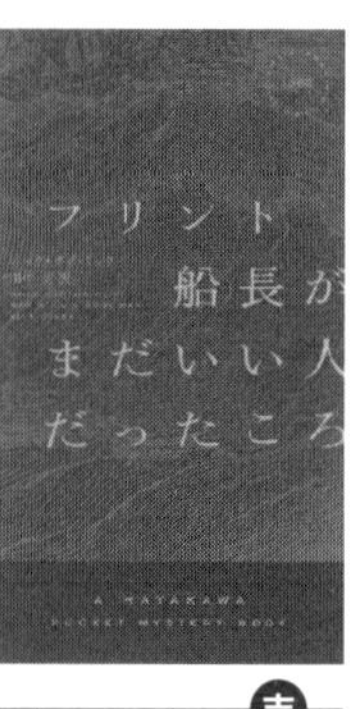

そうになってくる。舞台はとある漁師町だ。主人公カル・ボーリングズもやはり漁師の息子である。『宝島』のジム少年はリンゴ樽の中でうたたねをしていて海賊たちの密談を偶然聞いてしまった。それと同じような状況下に置かれてしまったカルが、なかば無理矢理のような形で少年期の終りと直面させられるのである。そこに愛を求めても与えてくれない母親とのエピソードが重なる。犯罪小説であり、胸が痛くなるような青春小説でもある。そう、こういう小説が読みたかったの。（杉）

吉

鷲たちの盟約

アラン・グレン／佐々田雅子訳
新潮文庫

史実とは異なった世界を描いた歴史改変ものだが、今月の、というより今年の収穫にあげたい謀略活劇大作。そのほか、一九二九年のベルリンを舞台とした大河警察小説、フォルカー・クッチャー『濡れた魚』（創元推理文庫）は、主人公とその周囲のキャラクターがなかなか魅力的で今後の作品が楽しみだ。（吉）

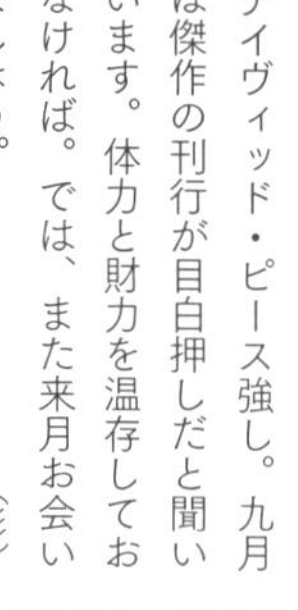

デイヴィッド・ピース強し。九月には傑作の刊行が目白押しだと聞いています。体力と財力を温存しておかなければ。では、また来月お会いしましょう。（杉）

杉 酒

ファイアーウォール

ヘニング・マンケル／柳沢由実子訳
創元推理文庫

海外ミステリ読みにとって、マンケルはディーヴァーと並ぶ安全牌であり、彼を選ぶのは面白味に欠けるだろう。しかし実際にとても面白いのだから仕方がない。国際化と情報化、そしてテロの時代の幕開けを予感させる、現代につながるテーマがてんこ盛りの、高水準の刑事&警察小説である。欲を言えば、今回はちょっとヴァランダー自身に照準が当たり過ぎたかな。（酒）

開巻早々過去の事件への言及が行われ、グランドフィナーレが近いとの思いを新たにさせられる。いささか淋しい。そのためか、今回はヴァランダー自身の葛藤に焦点が当たる場面も多く、初期に回帰したかの錯覚を催させる。だが内容は確実に進化している。現代ミステリーの到達点の素晴らしさを堪能できる、どこをとっても非の打ち所のない小説だ。マンケルはまだまだ底を見せていない作家である。できればヴァランダーシリーズ以外の作品も訳出してもらいたいものだ。（杉）

吉 北

無罪

スコット・トゥロー／二宮磬訳
文藝春秋

『推定無罪』のときに四十歳だった

ラスティ・サビッチが六十歳になって帰ってきた！　死んだ愛人を思って泣く四十歳のラスティが印象深かったが、この男、六十になってもまだふらふらしているから、ダメ男は生涯ダメ男のままということだろう。四十歳でふらふらしているやつは六十になってもふらふらしている、というのが今月の教訓だ！　もちろん小説の中身も素晴らしい。（北）

何十年ぶりかで『推定無罪』を再読した後、この続編を読んだ。そのせいか、ある登場人物の凄みをあらためて感じさせられた。そのほか、ダイアン・ジェーンズ『月に歪む夜』（創元推理文庫）は、男女四人の若者たちの間で起きた青春の悲劇を回想する物語なのだが、帯にあるとおりバーバラ・ヴァイン（レンデル）風のサスペンスで、その語り口が見事。個人的には「今年の三冊」にあげたいほどのお気に入りだ。（吉）

霜

償いの報酬

ローレンス・ブロック／田口俊樹訳
二見文庫

その語り口を味わうだけで満足させる小説が稀にある。本書もそのひとつだ。暴力性と苛烈さを増した『墓場への切符』以降の本シリーズは、いずれも現代ミステリの究極に達した傑作ばかりだが、『暗闇にひと突き』の頃に回帰した本書は時代を超えて素晴らしい。尖ってはいない。エクストリームでもない。だが大人が静かに味わうに足る熟成した傑作。こういう小説を読むというエクスペリエンスこそが、私がミステリを読むひとつの理由だ。（霜）

千

冷たい川が呼ぶ

マイクル・コリータ／青木悦子訳
創元推理文庫

ある壜詰めの水を口にしたことから幻影が見えるようになった男が、過去の秘密に分け入ってゆくホラー・ミステリ巨篇。自分の精神がおかしくなったのではないかと懊悩する主人公、大富豪の封印された過去、邪悪なものに魂を乗っ取られてゆく小悪党、気象を観察することに魅せられた老婦人——複雑に絡まりあった謎と恐怖は、暴風雨の中で劇的なクライマックスへと収斂してゆく。スティーヴン・キングやピーター・ストラウブを思わせるアメリカならではの正統派モダンホラーを久々に堪能した。（千）

川

マッドアップル

クリスティーナ・メルドラム／大友香奈子訳
創元推理文庫

庇護者であり支配者でもある母の死によって、母娘二人っきりの〝楽園〟から出ることになったアスラウグ。初めて外の世界に触れた十五歳の少女が、新たな環境の下で父親の正体を探る一人称の物語の合間に、四年後の彼女が殺人の罪で裁かれている三人称の裁判劇が挿入される。自然と科学、宗教と神話を連関させ、過去と現在を往還することで徐々に真実を彫刻する手腕に思わず唸った。今まで味わったことのないダークで歪んでいるけれども、清冽で真摯な愛憎劇。恐るべき新人が出てきたものだ。（川）

どの作品をとっても重量級のもの

ばかり。これは睡眠不足が心配ですね。この調子でいくと十月はどんなことになってしまうのか。怖いような嬉しいような。また来月お会いしましょう。（杉）

2012 11月

千 杉 川

バーニング・ワイヤー

ジェフリー・ディーヴァー／池田真紀子訳
文藝春秋

巧い、巧いなぁジェフリー・ディーヴァー。毎度毎度、名探偵対名犯人の火花散る逆転劇で読者を翻弄し、へとへとになるまで楽しませるサービス精神には頭が下がるばかり。今回、小刻みのツイストを控えめにし、貯めに貯めたパワーで鮮やかに一発逆転をきめてくるのだけれどすっかり騙されてしまった。見えない凶器に見えない犯人、そして見えない目的。見事です。第一作『ボーン・コレクター』を彷彿とさせる設定にオール・スター総出演、そして宿敵との三度目の対決と、シリーズの節目となる逸品です。（川）

機会があってシリーズをすべて再読してみたのだが、リンカーン・ライム・シリーズは数作ごとに環が形成され、それが鎖状に連なっていくという構造を持っている。前作『ソウル・コレクター』は電子の網を舞台にひとびとの暮らしの安全を脅かす者が犯人だったが、今回は「電気（というか電力）」が問題の焦点になる。二作続けてインフラが主題になったのだ。この鎖の次には何が結ばれるのか。成長し続けていくシリーズは「その先」を想像するだけでも充分に楽しい。（杉）

十月は翻訳ミステリーの冊数が少なかったということもあって、久しぶりに少しも迷わずベストを選べた。お馴染みリンカーン・ライムと、電気を操りニューヨークをパニックに陥れる知能犯とが繰り広げる白熱の頭脳戦は、さながら現代に蘇ったシャーロック・ホームズとモリアーティの対決を見るが如し。先日のハリケーン来襲によるニューヨークの停電や発電所爆発のニュース映像を見ると、まるでこの物語の恐怖が現実を侵蝕したかのようだった。（千）

暗殺者グレイマン

マーク・グリーニー／伏見威蕃訳
ハヤカワ文庫NV

「世界12カ国の殺人チームに立ち向かう一人の男！」という帯の文句に躊躇するも、読んでみれば、練られたアイデア、書き込まれたディテイル、飽きることなく読ませるアクションの連続と、冒険活劇好きの欲求を満たす傑作。ゲテモノ好きなら、ブラッドレー・ボンド＋フリップ・N・モーゼズ『ニンジャスレイヤー ネオサイタマ炎上1』（エンターブレイン）がちびりそうなほど衝撃的！（吉）

アンドロイドの夢の羊

ジョン・スコルジー／内田昌之訳
ハヤカワSF文庫

ジョン・スコルジーが『老人と宇宙』の作者だと知らなくても、このタイトルとこのカバーなら手に取るかもしれないが、『老人と宇宙』の読者ならすぐに手に取る。そして期待は裏切られない。ショッピング・モールで突如始まるアクションシーンの切れをみられたい。物語の背景も、登場人物の造形も、もちろんいいが、ジョン・スコルジーはストーリーの転がし方が実にうまい。ようするに娯楽小説の職人なのだ。だから一気に読まされる。SF文庫の新刊だが、むしろ冒険活劇ファンにおすすめしたい。（北）

濡れた魚

フォルカー・クッチャー／酒寄進一訳
創元推理文庫

いまさら読んで感動。読み逃していたのがお恥ずかしいかぎりです。刑事の個人の罪と、ナチ台頭前夜の国家の罪と、それでも刑事たちに宿る正義への意思とが、熱い焦燥のカオスとなって奔る！『ブラック・ダリア』と『ビッグ・ノーウェア』の狭間にありえた警察小説を僕は夢想した。大きな正義と小さな正義、システムと個人のきしみを描くのも警察小説の得意技でしょう。主人公の不器用な若さもいいし、実在の人物ふくめキャラもガン立ち。この連作の邦訳が中絶したら、それは大いなる罪だ。だから読め、買え。（霜）

量子怪盗

ハンヌ・ライアニエミ／酒井昭伸訳
新★ハヤカワSFシリーズ

手っ取り早く言えば、アルセーヌ・ルパンのガチガチSF版である。そんなこと言われても全くイメージが湧かないかも知れないが、中盤まで読んだらピンと来るはずである。逆にSFファンには、ジョン・C・ライト『ゴールデン・エイジ』の主人公が怪盗と言えばわかりやすいかな。なお作者はフィンランド人である。最近はアイスランド作家すら評判をとり北欧ミステリは百花繚乱だが、不思議とフィンランドの新人は未紹介であった。なるほどフィンランドは警察小説ではなく怪盗小説に舵を切ったのか……（違います。たぶん）。（酒）

定番作品に人気が集中したかと思えばSFにも二票が入る、変化の多い月になりました。さて次月はどのようになりますことか。お楽しみに。（杉）

吉 北

宙(そら)の地図

フェリクス・J・パルマ／宮﨑真紀訳
ハヤカワ文庫NV

前作『時の地図』とは違って、今度は完全なSFなので、ここにあげるのはためらったけど、ハヤカワNV文庫の1冊なので、強引にあげてしまおう。とにかく面白いんである。火星人が襲ってくるんだぜ。H・G・ウェルズが立ち向かうんだぜ。あとは黙って読むべし。　（北）

パルマの前作『時の地図』は、次々と意外な展開が連続する、ミステリ趣向満載の超大型エンタメだった。しかし『宇宙戦争』をもとにした今回はほとんどSF。それでも南極を舞台にした「遊星からの物体X」仕立てのシーンをはじめ、全体に張り巡らされた仕掛け、予測不可能な展開、時代がかったロマンスの妙に加え、ある重要人物が登場するゆえ、ミステリ読者も必読だ。読めば満足、大喝采となるだろう。　（吉）

千 酒

葡萄色の死
警察署長ブルーノ

マーティン・ウォーカー／山田久美子訳
創元推理文庫

田舎での生活は、一地方ならではの風習とか、狭いコミュニティ内でのちんけな悲喜こもごもが眼目となり、現代社会や遠い都会、あるいは国家レベルのあれこれからは取り残されているのだろうか？　否！　断じて否！　そう主張するのが《警察署長ブルーノ》シリーズなのである。フランス南西部の小村を舞台にしたシリーズであるにもかかわらず、コージー要素のみならず、意外とシリアスな社会派の顔も併せ持つのだ。今回も、遺伝子組み換え作物試験場が放火され、エコエコしい住民が疑われたりする。おまけに大資本によるワイン農場開設の話も持ち上がり、この小村もまた、現代社会と資本主義の洗礼を受けていることがまざまざと示されるのである。ブルーノ署長の堅実な捜査と、二人の女性（それぞれ都会と田舎を象徴している）の間で揺れる心理描写も上手い。こういうウェルメイドな作品は年末ベストだと目立たないが、いい作品だと思います。安心して読めるので、あなたも是非。　（酒）

長閑な村で起こる放火事件、そして住人の変死。心優しき警察署長ブルーノの奔走を描くシリーズの第二弾。魅力的な登場人物たち、美酒と美食、ユーモア、恋愛模様など、さまざまな美味しい要素が詰まったこの作品世界を前にしては、思わず口あんぐりの真相も許せてしまう。　（千）

川

世界が終わるわけではなく

ケイト・アトキンソン／青木純子訳
東京創元社

ソファでゆったりとくつろぐ伏し目がちな女性。その隣には背筋を伸ばし悠然と脚を組み、ハーゲンダッツの容器に指を突っ込んでいる巨大なネコが！　この表紙絵を見た瞬間、頭の中に“？”が飛び交い、読み始めた途端に“！”が加わり、読了後“!!!”状態に。

神話が現実と混じり合い、時空の切れ目から隣の世界がチョロリと顔を出す。節度ある黒いユーモアと不条理さが心地よい自由奔放に紡ぎ出された12の物語は、ゆるやかに連関し、切なさと暖かさを胸に残して幕を閉じる。特定のジャンルに閉じ込めてしまうことのできない魔術的な魅力に満ちたこの珠玉の短篇集を、ミステリ・ファンにも是非とも手にとってみてほしい。（川）

杉

祖母の手帖

ミレーナ・アグス／中嶋浩郎訳
新潮クレスト・ブックス

サルディーニャ島生まれの女性が「男性を愛する」という感情を知らなかったために数奇な運命を辿ることになる。変形の手記文学なのだが、記述に奥行きがあって真偽の判別が難しい。そこに謎が生まれるのである。中篇程度の長さだが、読めば読むほど発見があり、楽しめる。艶笑譚の要素もあるので、肩肘を張らずに読むことができるはずだ。今月はジョン・ル・カレ『われらが背きし者』もあり、こちらは一応ジャンルに収まる小説なのだが、ミステリーの興趣以外の部分で私は楽しめた。（杉）

霜

２６６６

ロベルト・ボラーニョ／野谷文昭、内田兆史、久野量一訳
白水社

２０１２年に考えつづけてたのは自分にとって「ミステリ／crime fiction」という語が何を意味するか、ということだった。crimeとfictionという2語はどんな化学反応を起こしうるか。２０１２年が、「文学」と「ミステリ」の境界上の傑作に彩られた年だったせいもある――セロー『極北』、オクサネン『粛清』、ピンチョン『LAヴァイス』、パーシー『森の奥へ』、ピース『占領都市』、ソローキン『青い脂』、モヤ『無分別』（ジャンル・ミステリの気配の強い順）。そんな年をしめくくるにふさわしい大作が『２６６６』だ。あの荒々しい世界。個人と風景。人間と世界。凄惨な骸（むくろ）の連なりを語る言葉が風景そのものとなり、また蛮行の叙述の集積が呪術となって世界に穴をあける。この言葉の魔術。そして終幕の美。震撼／戦慄／感動した。ここにあるのがcrime fictionの力だ。（霜）

地中海沿岸を舞台にした作品とSF・非ジャンル小説が人気という一月でした。実は今日はもう一つのお楽しみがあるのです。午後になったらアレを公開しますよ。そう、アレです（※）。少々お待ちを。（杉）

※不明。なんだったのか。

10年間のベスト

川出正樹

この十年で本当に様々な国のミステリが紹介されるようになった。世界中を席巻した《ミレニアム》三部作の上陸を皮切りに、堰を切ったかのように北欧五カ国から新たな作家がお目見えし、次いで新星のごとく登場した『犯罪』により、それまで顧みられなかったドイツが俄然注目を集める。片や『その女アレックス』の爆発的ヒットが起爆剤となり、訳出数が激減していたフランス産が息を吹き返す。さらにイタリア、スペイン、ポーランドなどの南欧・東欧勢から中華圏、韓国、アフリカ諸国とますます広がりをみせており、胸が踊ることこの上ない。

そんな十年間に、翻訳ミステリ大賞シンジケート・サイトの〈書評七福神の今月の一冊〉コーナーで紹介した一〇〇冊を超える傑作群の中からベスト10を選ぶのは至難の業だろうなと思ったのだが、意外にもすんなりと決めることができた。

一位はフランシス・ハーディング『嘘の木』。精緻な謎解きミステリにして成長小説でもある間然する所無き傑作。作者は一貫してファンタジーという土台の上で知性と魂を押し込められた少女がアイデンティティを獲得すべく枷だらけの世界に抗う物語を紡いでいる。『カッコーの歌』『影を呑んだ少女』と甲乙つけがたいが、ミステリ要素が強い本書を選んだ。

二位はアンデシュ・ルースルンド&ベリエ・ヘルストレム『三秒間の死角』。ルースルンドは、ヘニング・マンケルと双璧をなす北欧ミステリ界の柱であり、『死刑囚』『熊と踊れ』も必読。シンジケート・サイトに掲載された、本書に纏わる奇跡と感動の実録〈『三秒間の死角』のバトンを受けとるのはあなた!（執筆者・猫谷書店）〉もぜひ。

三位はケイト・モートン『湖畔荘』。謎と企みに満ちた喪失と再生の物語に魅せられて、既訳四作すべて〈七福神〉で取り上げた。『忘れられた花園』に出てくる「人生は自分が手に入れたもので築き上げるものよ、手に入れ損なったもので測っちゃ駄目」という台詞が彼女の世界を象徴している。

四位はジャック・カーリイ『ブラッド・ブラザー』。〈ゼロ年代最強の海外翻訳ミステリ作家〉として顕彰された側面が強調されがちだが、PC的な目配りが行き届いており、猟奇的な内容ながら読後感爽やかという点もポイント高し。

五位はマイケル・オンダーチェ『戦下の淡き光』。『名もなき人たちのテーブル』もそうだが、少年時代の終わりの物語を描くのが抜群に巧い。美しき文書でミステリの技法を巧みに駆使して秘密と謀略のベールを剥がしていく手際も見事。

六位はドット・ハチソン『蝶のいた庭』。レビュー内で触れたものの、その月のベストには別作品を選んだ。けれどもやはりこれは外せない。「選択をしないことが選択なの」「実際に中立で生きられる人間なんていないの」という主人公の冷徹な台詞が胸に刺さる。同じFBI捜査官が登場するシリーズの未訳三作も、ぜひとも翻訳して欲しい。

七位はジェフリー・ディーヴァー『スキン・コレクター』。『ボーン・コレクター』『エンプティー・チェア』『ウォッチメイカー』に匹敵する満足感を、シリーズ十一作目にして味わわせてくれるとは。やはりディーヴァーはものが違う。

八位はフランシスコ・X・ストーク『マルセロ・イン・ザ・リアルワールド』。発達障害を持つ十七歳の少年が選択と喪失を通じて大人の世界を垣間見る一夏の物語。しみじみと良い。〈10代からの海外文学〉を厳選した岩波書店の《STAMP BOOKS》は本当に信頼の置けるブランドだ。

九位はソフィ・オクサネン『粛清』。フィンランド人の父とエストニア人の母を持つ作者が、ロシアにより蹂躙されてきたエストニア現代史を、二人の女性の人生を通じて彫刻した胸に重く響く逸品。ミステリとして書かれたわけではないが、ぜひ。

十位はケイト・アトキンソン『マトリョーシカと消えた死体 探偵ブロディの事件ファイル』。恐ろしく意外なのにすべてが必然という構成の妙と、シリアスな展開に斜め上からユーモアを降臨させるセンスが堪りません。偏愛してます。

ラインナップを眺めて改めて思ったのだが、結局自分はミステリの要素と登場人物の人生とが密接に結びついた物語が好きなのだ。犯罪という極限状況と対峙せざるをえなくなった人——被害者、加害者、そして解明者——が、何を選択し、どう生きていくのかを描いた物語にたまらなく惹かれてしまうのだ。

吉千霜酒

喪失

モー・ヘイダー／北野寿美枝訳
ハヤカワ・ミステリ

少女の誘拐に隠された驚愕の真相に、被害者家族ばかりか捜査陣もそれぞれ大いに苦悩しながら肉薄する小説だ。シリーズの未訳作品を読まないと、レギュラー陣の抱える事情がはっきりしないという欠点はあるが、胸にずしりと応える「話の重さ」を、とりあえずは本物と判断したい。他には、『World War Z』をゾンビではなくロボットでやった『ロボポカリプス』を面白く読んだが、こちらはSFなのでここで選ぶのは控えました。（酒）

モー・ヘイダーといえばミステリ史に暗澹たる負の光を放つ名作『悪鬼の檻』の著者。最悪の鬱展開を描かせたら、ケッチャム、ルースルンド&ヘルストレム、平山夢明に並ぶ。その新作がこちら。あの異常なまでの陰惨さは薄れたものの、スピードとサプライズは増量、ミステリとしての風呂敷のたたみかたも見事だ。なのにミステリらしい硬質の美より、居心地の悪い病んだ感じが読後に残

る。サブプロットとメインプロットのつながり方や、物語の展開の作法などが、どこか決定的に歪んでいるからだろう。この名状しがたい具合の悪さ、物語の深層にあるsickな感じ、これこそがヘイダー節。後を引くのだ。もっと訳してくださいお願いです。（霜）

子供たちを次々と狙う狡猾な誘拐犯と、痛ましい過去を持つ警部の対決。家族を奪われた人間の悲しみと怒りをさまざまな角度から描いた力作……ではあるのだが、シリーズ第三作と第四作が未訳なので、あるレギュラー・キャラクターの異様な行動の背景を理解するのに時間がかかった。シリーズものの途中を飛ばすとこういう事態に陥りがちなのが、海外ミステリの紹介につきまとう問題点である。（千）

少女誘拐事件を扱った作品だが、主人公キャフェリー警部の捜査模様のみならず、ウォーキングマンという奇妙なホームレスの登場やもうひとりの主役といってもいい潜水捜索隊のフリーによる迫力あるケイヴィング（洞窟探検）場面が出てくるなど、読みごたえのある一作。また、スティーヴン・キング『1922』（文春文庫）は、父が息子と共謀して妻を殺す犯罪もの。これ以上ない最悪の状態のあと、もっと怖ろしい事態が待ち構えている。ある意味キング版『シンプル・プラン』これ、すごい。（吉）

川

終わりの感覚

ジュリアン・バーンズ／土屋政雄訳
新潮クレスト・ブックス

歴史とは記憶である。それは勝者の嘘の塊であると同時に敗者の自己欺瞞の塊だ。六十歳を過ぎリタイアした男が、青春時代に体験した初恋と友情を思い起こして綴ったエロスとタナトスに満ちた半生記。ウィットに富む端正な文章で描かれた、このほろ苦いスケッチを心地よく読み進めていたら、終盤、思わず息をのんでしまった。ここで読者にそれをつきつけるのか、と。そして訪れる容赦ない結末。ブッカー賞受賞作という箱書きに恐れることなく多くのミステリ・ファンに手にとって欲しい。これは、入念に布石を打ち丁寧に伏線を張りめぐらして構築された油断のならない滋味深き心理サスペンスの傑作だ。（川）

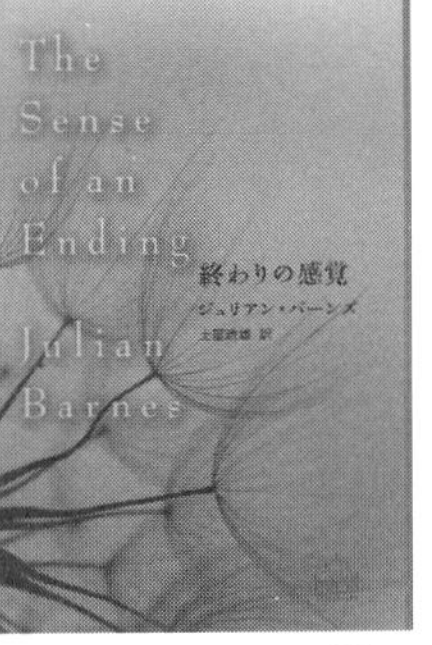

杉

チェットと消えたゾウの謎

スペンサー・クイン／古草秀子訳
東京創元社

シリーズものの第三作なのだが、ごくごく私的に応援している作品なのでお許しを願いたい。警察犬学校を落第して今は私立探偵に飼われているチェットが語り手をつとめる犬ミステリーの最新邦訳である。今回はサーカスからゾウが消えた謎を追うという趣向で、サーカス好きとしてはまたまた点が甘くなってしまう。そしてなんといってもゾウと犬とい

う取り合わせ。そう、期待通りその二者が一緒に活躍する場面があるのだ。ぱおーんわんわん、てなもんですね。このシリーズも当初の緊張感が若干薄れつつあり、私立探偵小説とコージーの中間をいくような感じが後者のほうに舵を切った観がある。まあ、それはそれでいいんだけど、ルーティンの展開が多くなってくるとこのままの刊行形態ではきついかな、という気もする。そろそろ文庫化すべきタイミングなのかも。しかしなんにしろ、わんわんとぱおーんですからお薦めせざるをえんということですよ！　（杉）

北

葡萄色の死

マーティン・ウォーカー／山田久美子訳
創元推理文庫

警察署長ブルーノを主人公とするシリーズの第2作だが、今回はなん

といっても村のみんなで葡萄を踏むシーンが白眉。ゾラが描く食事シーンを思い出す。つまり、猥雑で、官能的で、愉しくなるのだ。ここに人間の営みがある。　（北）

はい。というわけでモー・ヘイダーの月でした。ご存じのとおり、英訳版『容疑者Xの献身』を破ってMWA最優秀長篇賞を受賞した作品です。東野圭吾を破った作家、ということで人気が出るといいのにな。未読のやつ読みたいんだけど。さて、来月はどのような作品が挙げられてくるのか、お楽しみに。　（杉）

霜

アウトロー

リー・チャイルド／小林宏明訳
講談社文庫

いまもっとも日本で過小評価されてる作家はリー・チャイルドだと思うのです。カッコいい！と理屈抜きで思わせるヒーロー像とアクション、精緻なプロットと、律儀な謎解き。読めば確実にスカっとできる安心のエンタメとして、本当ならディーヴァーやコナリーとともに毎年の新作を待ち望まれるべきシリーズなん

（版元品切れ・重版未定）

ですよ！　一見すると犯人が見え見えの無差別狙撃事件に隠された真相を暴く本作も、狙撃現場で手がかりを緻密に拾ってゆくプロセスはガチのミステリ、クライマックスは痛快の極み！　シリーズ中でも屈指の傑作です。

なお、繊細な心理ミステリ好きには『アサイラム・ピース』（アンナ・カヴァン）をすすめます。氷のように繊細な心が細い細いガラスのペンで書いたかのごとき脆く透き通った作品集。　（霜）

川

あの夏、エデン・ロードで

グラント・ジャーキンス／二宮磬訳
新潮文庫

一九七六年夏、のどかなジョージア州の片田舎に住む十歳の少年カイルは、家の近くにあるエデン・ロードで自転車を漕いでいた時に自動車事故に遭遇。それが引き金となり、少年の小さくも安全な世界に、〝地獄へと通じる黒い道〟が舗装され、幸福な子供時代は悪夢世界へと変容する。頻繁に視点を切り替え、時間を前後しながらゆらゆらと語られる物語が読む者の不安を増幅するサスペンスの逸品。「2013年イヤミスNo.1」という帯の惹句を見て、安易な覗き趣味を満足させようと手に取ったら後悔することだろう。一瞬だけ躊躇った。けれども推す。ここに描かれた異様な世界に惹かれてしまったのだ、私は。（川）

千

1922

スティーヴン・キング／横山啓明・中川聖訳
文春文庫

二つの中篇が収録されているが、とにかく表題作「1922」が圧倒的。息子に手伝わせて妻を殺害した男のその後の人生を描いた内容は、憎悪と自己正当化に溢れた主人公の暗澹たる心理描写に、死体処理シーンの生理的嫌悪感をそそるグロテスク描写、親の罪業がその子に報いる因果の悲惨な連鎖、そして執念深い亡者の祟りまで絡まって、まるで鶴屋南北の『東海道四谷怪談』か三遊亭円朝の『真景累ヶ淵』のようだ。思わず絶句の結末まで、一ページたりとも救いが存在しない傑作。（千）

酒

終わりの感覚

ジュリアン・バーンズ／土屋政雄訳
新潮クレスト・ブックス

本来は12月中に読んでおくべきだったのだが、結局1月にずれ込んだのだから仕方がない。とにかく上手い。饒舌かつ簡素という、普通は両立しない語り口を両立させたのも凄ければ、一人の普通の男の約半世紀にわたる人生録かと思わせておいて後半でガツンと来る驚愕の展開も素晴らしい。そして何より、その《ガツンと来》た後に読者の心に広がる、小説としての味わいは格別である。あ、1月中の新刊なら、ヘレン・マクロイ『小鬼の市』を推します。（酒）

北

消えゆくものへの怒り

ベッキー・マスターマン／嵯峨静江訳
ハヤカワ・ミステリ文庫

愛する夫にも心を開かず、殺人鬼と闘う59歳の孤独なヒロインがいい！　ニューヒロインの誕生だ。（北）

杉

護りと裏切り

アン・ペリー／吉澤康子訳
創元推理文庫

どう見ても状況証拠では不利な殺人容疑で裁かれる被告人がいて、弁護士や探偵が救いの手を差し伸べようとしているのに、「私のことはほっといてください。有罪なんですから死にます、キーッ！」と切れられてしまうというお話。そういうシチュエーションの法廷ミステリーっ

ていっぱい読んだよね、と思ったあなたは作者を舐めています。下巻のだいたい三分の二が裁判の場面に当てられるのだけど、近年これほど被告人を応援したくなる作品というのは無かったと思うのだ。つまり「なんとか助かってくれ！」と感情移入したくなるということ。それほど緊迫感のある法廷場面です。ヴィクトリア朝という背景を存分に用い、この時代でしか成立しない物語を作り上げたことにも成功の一因はあるでしょう。法廷ミステリーの読者にも時代もののファンにも等しくお薦めできる作品です。あ、これ、モンク・シリーズの第3作なんだけど、まったく気にする必要ないから。モンクはたいして活躍しませんし。（杉）

吉

六人目の少女

ドナート・カッリージ／清水由貴子訳
ハヤカワ・ミステリ

連続猟奇殺人を扱ったイタリア産サイコ・サスペンス。ケレン味あふれる趣向やショッキングな映像を喚起させる舞台の数々に加え、凝ったプロットにより最後まで面白がらせてくれた娯楽作だ。また、傑作集『厭な物語』（文春文庫）は、ハイスミスなどに加え、新訳でフラナリー・オコナー『善人はそういない』（佐々田雅子訳）が収録。優れたノワールが白／黒のはるかむこう側へ連れ去ることを知る者ならば、うわべの好／嫌をこえた魂の震えを感じるだろう。（吉）

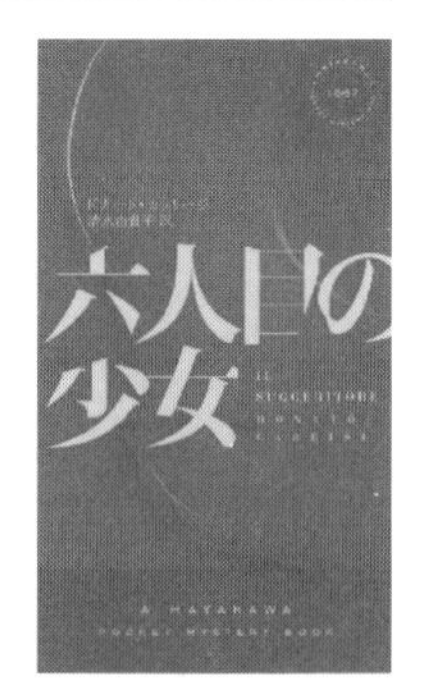

見事に票が割れました。年末から刊行点数が少なくなっていたのですが、ここに来て盛り返した観があります。春に向けて、これからはどんな作品が翻訳されるのでしょう。来月が楽しみです。（杉）

2013 3月

吉 千 酒 川

遮断地区

ミネット・ウォルターズ／成川裕子訳
創元推理文庫

いや、本当に驚いた。まさかミネット・ウォルターズがこういう作品を書くとは思わなかった。

〝暗くて、重くて、じっくりと〟。そんな噂を耳にして彼女のミステリを敬遠してきた方へ。この『遮断地区』は違います。

孤独な老人とシングル・マザー

と父親のいない子供たちばかりが暮らす低所得者向け住宅団地で、家族の安全を願って始めたはずのデモは、いつのまにか制御不能な暴力行為へと変容し悲惨な結末へと突き進む。一方、失踪した少女の行方を捜索するうちに、親の愛情に飢えた十歳の娘を中心とする歪んだ人間関係が浮き彫りになってくる。分刻みで刻々と変わる局面に目が釘付けとなり、五〇〇ページの大部を一気に通読、読み終えた瞬間に思わず深く息を吐いてしまった。ああ、ようやくこの閉塞空間から解放される、と。緊迫した警察捜査小説であると同時に、血と暴力と狂熱に彩られた、今年度一押しのサスペンスフルな犯罪小説を絶対の自信を持ってお薦めします。（川）

これは傑作だ。作品の近景には、小児性愛者や性格破綻者、崩壊した家庭などの問題が転がっているが、遠景には格差社会が厳然とそびえ立つ。キモはキャラクター造形の素晴らしさ。リアルな問題にリアルな人物をリアルに対峙させ、物語をテンポよく進めて読者を一気に引き込んでいく。個人的に興味深かったのは、2001年の作品なのに、本書で起きる騒乱が、直接の要因は異なる2011年のイギリス暴動を想起させることだ。個人も社会も病んでおり、解決の糸口すらつかめない。しかし絶望にはまだ早いと言わんばかりに、希望の光が差し込みもする。一筋縄では行かないテーマを扱う小説としては、ほぼ完璧な出来である。（酒）

団地に小児性愛者が引っ越してきたという情報が流れたことから起きた抗議デモは、あっというまに大暴動へと発展してゆく。意図せずして暴動を引き起こしてしまう関係者たちのエゴや愚かさの辛辣な描写は流石ウォルターズだが、一方で、パニックの中でも失われない人間の知性や冷静さも夜空の星のように輝きを放ち、感動を誘う。並行して語られる女児失踪事件の捜査のくだりが、暴動の凄まじい臨場感の前で霞んでしまった感はあるものの、ウォルターズの新境地にして傑作であることは間違いない。（千）

荒廃した団地で起きた小児性愛者排除の大規模な暴動デモのゆくえとイカれた親子に監禁された女医の絶体絶命たる危機、そして少女失踪事件と警察捜査をめぐる三つ巴のサスペンス。まるで映像ドキュメンタリーを活字にしたごとき筆致により、「いま、ここ」で進行中の事件のような臨場感と凄まじい迫力が味わえる傑作だ。（吉）

杉

とうもろこしの乙女、あるいは七つの悪夢

ジョイス・キャロル・オーツ／栩木玲子訳
河出書房新社

今、定期的に主流文学の翻訳小説を紹介するイベントをやっているのだけど、ミステリーの興趣を備えた作品が挙げられてくることも多く、ジャンルとは地続きの場所に肥沃な土地がまだ残されているという事実を改めて思い知らされている。そのイベントで読ませてもらったのが、オーツの短篇集だ。わーい、オーツ大好き。表題作は、両親を含めた大人の世界を拒絶する少女が、仲間と語らって同じ学校に通う娘を誘拐し、

「とうもろこしの乙女」と名付けて飼育し始めるというお話。オーツならではの異常性の描き方で、凡百のサイコスリラーなど足下にも及ばない迫力がある。このように読者に異物感や恐怖を味わわせる短篇が七つ。ミステリーファンなら絶対に読むべきだ。それ以外ではチェコスロバキアの作家ラジスラフ・フクスが1960年代に発表した『火葬人』がこれまたたいへんに気持ち悪い作品でおもしろかった。この小説の異常心理の描き方もまた出色です。

（杉）

霜

護りと裏切り

アン・ペリー／吉澤康子訳
創元推理文庫

あえて言う――これは冒険小説の傑作です。冒険小説の核心が、死力を尽くして絶対的な危機を乗り越え、不屈の意志で強大な敵を倒すことにあるならば、本書後半を占める法廷闘争はまさにそれだ。銃弾の代わりに言葉、銃撃の代わりに弁論をもちいた戦い、不正を糺すための熱い闘争。開廷するや心は爆燃、あとは一気読みである。ダークな影をまとう熱血漢・清廉な若き紳士・まっすぐに立つ戦場帰りの看護婦、という主人公トリオはじめ、全キャラが見事に立った全方位OKな娯楽大作。先月すでに杉江松恋氏が挙げているが知るか。これは傑作だからだ。

（霜）

北

ライアンの代価

トム・クランシー／マーク・グリーニー／田村源二訳
新潮文庫

いまさらどうしてクランシーなのだ、と言われるかもしれないが、しかし待て。これを読んでから言ってくれ。共著者があのグリーニーなのだ。『暗殺者グレイマン』を読んだ人なら、絶対に読みたくなる。そして期待は裏切られない。パリの市街戦、インドの高速道路における死闘、そしてロシアとパキスタンでの戦闘と、アクションの迫力が半端ないのだ。もちろんアクション担当はグリーニーだ。構成は甘いが（たぶんクランシーの担当だ）、緊密なアクションは物語に躍動感を与えている。これがグリーニーの教訓だ。クランシーの空疎な国際謀略小説が一変するから、すごいぞ。印税の7割はグリーニーにやってくれ。しかしこれ、クランシーの部分は邪魔だな、全編グリーニーで読みたいなと思うファンに朗報。3月末に第2作『暗殺者の正義』が出る。解説を書く関係ですでにゲラを読んだが、やっぱりグリーニーは天才だ。それまで待てない人は、この『ライアンの代価』を読んで我慢すること！

（北）

ミネット・ウォルターズ強し。マーク・グリーニーの新作にも期待が膨らみますね。さて来月にはどんな作品をご紹介できるのでしょうか。次回をお楽しみに。

（杉）

2013 4月

千 杉

青雷の光る秋

アン・クリーヴス／玉木亨訳
創元推理文庫

読んでいて「え、えええええええ」と声を上げてしまった作品だ。すごいことをするなあ。シェトランド四重奏の現時点における最終作ということで私には感慨もあるが、それだけでお薦めするわけではない。読み口は完全に古典的な英国探偵小説だから、前作までを未読の方でも間違いなく楽しめる。厭なやつがいて、周囲に彼女を殺したい人間がうようよいて、やがて死体が発見されて、という序盤のストーリー展開が完全にそういう感じでしょ？　探偵役の刑事が婚約者を連れて実家に帰る話がサブプロットを構築しており、人間関係がぎくしゃくするあたりは大人の読者はうひうひ言いながら読むはずだ。しかも登場人物の造形が複雑で、最初に見せた顔はストーリー展開につれてだんだん修正されていく。そのへんの膨らみのある描き方もおおいに魅力的なのである。シリーズの4作目ということで忌避するにはあまりにももったいない良作です。（杉）

たぶん今年最も賛否両論を呼びそうなのがこの作品だ。イギリス現代本格のマスターピースとも言うべき〈シェトランド四重奏〉が、まさかこのようなフィナーレを迎えるとは（「衝撃の結末」という帯の惹句は少しも誇張ではない。それが読者が期待していたタイプの衝撃であるかどうかを別とすれば）。傑作というよりは、作者に意図を問いつめたくなる問題作という印象だが、敢えて一読の価値ありと言っておく。（千）

霜

アイス・ハント

ジェームズ・ロリンズ／遠藤宏昭訳
扶桑社ミステリー

巨大な氷山をくりぬいてつくられた謎の研究所。氷の迷宮。そこに閉ざされた秘密。ソ連の陰謀。米ロの特殊部隊。潜水艦。強いヒーローと不屈のヒロイン。人体実験。銃撃。機略。大雪原。大爆発。そして怪物！　――カツカレーにコロッケとポテトサラダをのせて福神漬けも山盛り、みたいなチープゴージャスな快作。リアルと無茶の境い目をフラフラするのもご愛嬌、盲目的なアメリカ万歳にも陥らず、キャラがしっかり立ってるので意外と食べ飽きない。かつてカッスラーとかを愛した皆さんのための、活字のカツカレーデラックス。（霜）

川

マルセロ・イン・ザ・リアルワールド

フランシスコ・X・ストーク／千葉茂樹訳
岩波書店ＳＴＡＭＰ ＢＯＯＫＳ

久々に本に喚ばれた。ＹＡ（ヤングアダルト）で本邦初訳、しかも狭義のミステリに非ず。通常だったらスルーするところだけれど書店で面陳されているのを見た瞬間、思わず

手が伸びた。そして今、温かく清々しい気持ちでこの文章を書いている。これは買いだ。

高校生活最後の学年を前にした夏休み。発達障害——アスペルガー症候群と呼ぶのが最も近い——を持つ十七歳の少年マルセロは、父親の強い要請を受けて彼が経営する法律事務所でアルバイトをすることになる。これまでの守られた世界から〈リアルな世界〉へ。やがて偶然目にした一枚の写真に写った少女になぜか強く引きつけられた彼は、事務所の秘密を知ってしまう。人生とは、何かを決断するたびに何かを失い、それに耐えながら生きていくことだと学んだマルセロが最終的に選んだ路とは？　痛みと心地よさ、苦さと甘さとがないまぜとなった独創的であると同時に普遍的な教養小説。こんな素敵な物語を紹介してくれた岩波書店の新レーベル《STAMP BOOKS》を心から応援したい。（川）

酒

ファイナル・ターゲット

トム・ウッド／熊谷千寿訳
ハヤカワ文庫NV

3月の個人的ベストはダントツでチャイナ・ミエヴィル『言語都市』なんですが、さすがにこのSFをミステリとするのは強弁のような気がする。代わりに次点のこちらを。次点とはいえ、ストイックな殺し屋ヴィクターの冒険活劇と生き様が、ストイックに語られる様は、前作『パーフェクト・ハンター』同様、癖になります。何より、浪花節が一切なく乾いた読み口なのが素晴らしい。なお前作を知らずとも独立して読めます。（酒）

吉

ジャッキー・コーガン

ジョージ・V・ヒギンズ／真崎義博訳
ハヤカワ文庫NV

本筋とは関係のない無駄話、与太話、昔話がとめどなく続き、そのあいまに犯罪がらみの話が加わって構成されているクライム・ノヴェル。饒舌で脱線した語りが楽しくってしょうがない。タランティーノ映画やエルモア・レナードの諸作を好む人にお薦めだ。（吉）

北

夜に生きる

デニス・ルヘイン／加賀山卓朗訳
ハヤカワ・ミステリ

実は私、ギャング小説は苦手である。ジョバンニは好きだが、あれはギャング小説からズレているからいいのだ。ところがこの『夜に生きる』、まぎれもなくギャング小説なのだが、すごくいいので困ってしまう。なぜこの物語にひきつけられるのか、ただいま思案中である。その結論が出るまで時間がかかりそうなので、とりあえず推薦しておきたい。（北）

今月は票が割れました。冒険小説からギャング小説、ヤングアダルトに古典的探偵小説と傾向もバラバラでしたね。みなさんのお眼鏡にかなう作品がありましたでしょうか。では来月も、この欄でお会いしましょう。（杉）

吉 霜 北

暗殺者の正義

マーク・グリーニー／伏見威蕃訳
ハヤカワ文庫NV

短いスペースなのでストーリーはいっさい紹介しないが、冒険小説ファンに絶対のおすすめ。2013年のいま、こういう冒険小説を読むことができるとは信じがたい。本年度のベスト1だ！　（北）

豊作の4月。僕をもっとも昂奮させたのはこれだった。暗殺のためのスーダン潜入、計画の齟齬と孤立無援の荒野横断、逆境のなかでの実行準備。そしてミッション開始！　そこからはじまる長い長い銃撃戦は冒険小説史上でも稀な壮絶さだ。連射で灼けるアサルト・ライフルの銃身のように、読む者の脳神経も真っ白く灼熱するのである。空間把握の甘さはまだ残るが、テクニックなど後から身につければいい。物を言うのは天性の活劇と銃撃のセンスであり、グリーニーのそれは本物だ。ようやくクレイグ・トーマスを継げるやつが現われたのだ、よろこべ諸君。なお文芸派の読者にはロン・カリー・ジュニア『神は死んだ』をおすすめする。酷薄でコミカルで沈鬱でクールなこっちの傑作も、不思議なことにスーダンが舞台となる。　（霜）

冒険活劇ファンに支持された『暗殺者グレイマン』の続編。またもや興奮につぐ興奮の展開だ。単なるアクションではなく、そこにアイデアがこれでもかとつめこまれている。すばらしい！　あと、キング『ビッグ・ドライバー』の犯罪小説二編が期待を裏切らぬダークな味わいで大満足。　（吉）

千

赤く微笑む春

ヨハン・テオリン／三角和代訳
ハヤカワ・ミステリ

テオリンの「エーランド島シリーズ」第三作。これまでの二作でお馴染みの元船長イェルロフと彼の新たな隣人たちが、かつてポルノの出版に関わっていた老人をめぐる連続怪死事件の真相にそれぞれ迫ろうとする。関係者の過去に遡ることで真実が繙かれてゆくという定番の構成ながら、住民たちがエルフやトロールの存在を身近に感じているという設定が、このシリーズならではの幻想味を醸し出していて見事なアクセントとなっている。　（千）

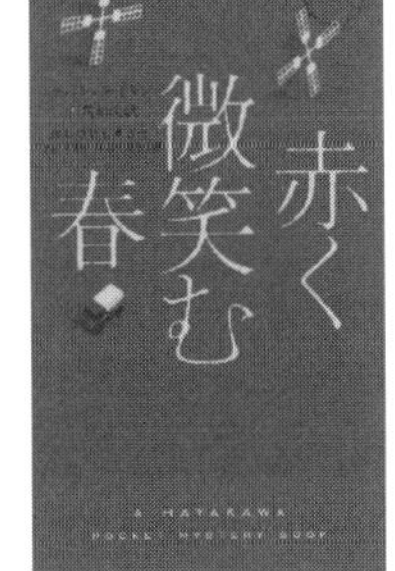

川

黄金の街

リチャード・プライス／堀江里美訳
講談社文庫

ロウアー・イースト・サイドの路上で射殺された若きバーテンダー。一人の青年の死は、水面を伝わる波紋のように静かにされど確実に周囲の人々の生き方に影響を及ぼしていく。作者リチャード・プライスは、華々しい世界と隣接する厳しく陽の当たらない場所に生きる人々の日常をあえて〝非〟劇的に活写する。その冷徹なれど温かな眼差しが心地よい。かつてアメリカン・ドリームを胸に抱いた移民たちが初めて住み着いた街の今の喧噪と静寂を、ゆっくりと味わって欲しい。（川）

杉

神は死んだ

ロン・カリー・ジュニア／藤井光訳
白水社エクス・リブリス

人間の女性の姿に身をやつした神が死に、その身体を犬が食う、という出来事から物語は始められ、最後は陰鬱で物悲しい終焉の景色とともに幕が閉じられる。連作短篇集から味わえる満足度という意味では、本書には満点を差し上げたいと思う。特にミステリーファンにお薦めするのは中盤に収録されている短篇「小春日和」である。絶望と拳銃だけを持ち寄って集まった若者たちが、互いの眉間に銃口を押し付け、ただ殺しあうだけの物語だ。この一篇を味わうためだけでも本書を読む価値はある。絶対のお薦め作である。

なお、最後までフェルディナント・フォン・シーラッハ『コリーニ事件』と本書で、どちらを一席にするかを悩んだことを告白する。『コリーニ事件』の簡潔さ、緊密さを心より愛する。過剰な描写、饒舌な語りよりも最近はこうした静謐さに心が強く惹かれるようになった。（杉）

酒

コリーニ事件

フェルディナント・フォン・シーラッハ／酒寄進一訳
東京創元社

今月は悩みに悩んだ。純粋な娯楽としての読書体験を望む人には、スティーヴン・キングの中篇集『ビッグ・ドライバー』が鉄板である。収録二作はどちらも出色で、スリリングでサスペンスフルな狂気の心理劇を堪能できる。

しかし、娯楽や趣味の範囲を突き抜けて、読者の心の余裕を切り裂き、精神に直接突き刺さり、響きわたり、染み入り、いつまでも残る作品は『コリーニ事件』を措いて他にない。内容について多くは語らない。そして、ぜひ再読してほしい。無駄な文章が一行もないことが、恐ろしいほどはっきりとわかるからである。本書の真価は、それを理解してはじめて実感できるはずだ。本書においては、ありとあらゆる箇所が、いずれかの登場人物の内面や生き方を示唆するために使われている。一見簡素に見える文体の、底知れぬ静かな深さ。それこそが本書の魅力の源泉である。（酒）

コンベンション（※）では熱くグリーニー愛を語ってくださった北上さん。ついにはグリーニー以前／以降に冒険小説は分類できるという発言まで飛び出しました。それ以外にも秀作揃い、豊漁の四月だったと思います。さあ、来月はどんな本が読めますことやら。またお会いしましょう。（杉）

※第四回翻訳ミステリー大賞贈賞式。

吉 杉 霜 川

シスターズ・ブラザーズ

パトリック・デウィット／茂木健訳
東京創元社

今回は迷った。アウトローの兄弟を主人公にした二つの米国産物語のどちらにするか。かたや禁酒法時代に最も〝ウェット〟だったと言われるバージニア州の田舎町を舞台に、密造酒の製造・販売を稼業とした三兄弟と腐敗した法執行官との抗争の顛末を鮮やかに描いたマット・ボンデュラントの『欲望のバージニア』。かたやゴールド・ラッシュに沸く西部を舞台に、殺しを生業とする兄弟――粗野で計算高く冷血な兄と心優しく純朴ながら一度切れるととんでもないことになる弟――の道中記『シスターズ・ブラザーズ』。

悩んだ末に後者を推すのは、乾いたユーモアとあっけらかんとした語り口に魅せられてしまったからだ。非道にして粗暴、けれどもなぜかニッコリとせずにはいられない。こんな話を待っていた。（川）

現時点で**今年のベスト**。19世紀末アメリカで、ひとりの男を殺しに旅立つ殺し屋兄弟。その道中が弟の視点で語られてゆく。語り口もセリフも素晴らしい。ユーモアは素晴らしく可笑しく、文章はときに素晴らしく詩的で、ほんの脇役や動物に至るまでキャラは素晴らしくヴィヴィッド。冷酷な殺しも鮮烈なガンファイトもあるが読み口はすこぶる清涼だ。平易な語り口ながら、それは「生きてゆくということ」についての大いなる真実にしばしば触れる。おれはこの物語に登場したやつらのことをずっと忘れないだろう。そう確信できる小説などめったにない。なお、本作さえなければ『KGBから来た男』を選んでいた。こっちも年間ベスト級。（霜）

二つの理由からこの小説を選ばなければならないという気持ちになった。一つは暴力の描写が簡潔で、かつむき出しで荒々しいことである。小説の主人公は兄弟の殺し屋なのだが、とある切り札の手を使ったとき、それをうっかり見てしまった相手を殺さなければならなくなる（これがもう、うんざり、仕方ないなあ、という感じで「そうしなければならない」理由が語られるのである）。物陰に隠れて出てこない相手に兄弟は言うのだ、「ほら、これ以上手を焼かせるな。おまえと遊んでいる暇なんか、おれたちにはないんだ」と。この残酷さは、小説の文脈で読むとさらに際立つ。

第二の理由は、こうした粗野な要素があるにもかかわらず、限りなく美しい一場面がこの小説には描かれているということである。その「どれだけ長生きしようと、二度と味わえないであろう最高に幸福な一瞬」を私は忘れないだろう。絶対に。（杉）

殺し屋兄弟が西へと向かう旅路をつづったユーモラスな西部劇なれど、

欲深き人間ゆえの愚かさに対する、憐れみ、切なさ、虚しさなど、さまざまな感情が喚起される小説。これはもう無類の面白さだ。（吉）

千 北 白雪姫には死んでもらう

ネレ・ノイハウス／酒寄進一訳
創元推理文庫

　創元らしくないが、邦題が、4行に配置するという装丁を含めて、素晴らしい。さらに主人公のダメ男ぶりがいい。なんだか最近はこういうダメ男が増えているような気がする。ずいぶん昔、そういうダメ男が世を席巻していて、それを「ラブコールの時代」と評したことを思い出す。（北）

　今回はどれを選ぶかかなり悩んだ。乾いた笑いが溢れる珍道中記が哀しみの物語へと転調するパトリック・デウィット『シスターズ・ブラザーズ』か、目も眩む壮大なハッタリの連続で読者を引きずり回すフランク・ティリエ『GATACA』か。しかし、ヘヴィーな読み応えという点で、ドイツ版『八つ墓村』とも言うべきこの作品を推す。刑期を終えて出所した男に向けられた村の住民たちの悪意、中盤から明らかになってゆく人間関係のおぞましさ、十数年の歳月を超えて渦巻く情念……閉鎖的な人間関係ならではの謀略は、警察サイドも含むあらゆる登場人物を巻き込んだ末、衝撃的な結末へ向けて崩壊してゆく。シリーズ前作『深い疵』を凌ぐ出来だ。（千）

酒 半島の密使

アダム・ジョンソン／佐藤耕士訳、蓮池薫監訳
新潮文庫

　北朝鮮をここまでガチンコで題材とした謀略小説が出ようとは……！　しかも主人公の恋敵はキム・ジョンイル！　登場人物の科白は概ね、北朝鮮のあの誇大妄想的言辞に塗れているのだが、実際に描き出されるのは、かの国の過酷かつ閉塞的な生活である。科白と実態の乖離は芸術的なほどにシュールで、何かの寓話かとすら思える独特な雰囲気を作品にもたらしている。指導者を除き、ユーモラスな行動など誰もとっていないしとれない状況を前に、読者は終始、黒く哀しい乾いた笑いから逃れられまい。こんな読み心地は初めて。唯一無二の読書体験をもたらす、ピュリッツァー賞受賞も納得の作品である。（酒）

　というわけでドイツの警察小説とゴールドラッシュを描いた西部小説に票が集まりました。結果的には集中しましたが、良作が豊富で選ぶのが難しい月間だったと思います。さあ、来月はどんな書名が上がってくるのでしょうか。お楽しみに。（杉）

2013 7月

ミステリガール

千 杉 川

デイヴィッド・ゴードン／青木千鶴訳
ハヤカワ・ミステリ

未完の実験的小説を書きためるも、いまだ一編も売れず、〝助手〟稼業のプロとして糊口をしのいできた小説家志望の冴えない中年男サム。勤め先の古書店が潰れ、その上妻から別れ話を切り出された彼は、巨漢の引きこもり探偵の助手となり、〝ミステリガール〟と呼ばれる女性の素行調査を始めるが……。

奇矯な天才型名探偵に謎の美女、カルト・ムービーに実験小説。全編にぶちまけられたジャンクなガジェットといかれた人物が醸し出す熱気にあてられつつ、次から次へと変化するストーリーに、「これぞパルプ」と酔いしれていると、終盤に至って周到に練り上げられたミステリだと解ってびっくり。好きだな、こういう娯楽作。（川）

ジャンルを代表する傑作ということでは、この作品を挙げなければ仕方ない。ミステリー者にわかりやすく要素を3つ書いておくので気になる人は読んでください。「その1：セオドア・ローザック『フリッカー あるいは映画の魔』（文春文庫）を連想させるカルト映画監督の作品探しを主筋としたシネマ・ミステリーである」「その2：主人公が助手を務めることになる巨漢探偵は明らかにネロ・ウルフをモデルにしている」「その3：全体の物語はロス・マクドナルド系列に入る一人称私立探偵小説のもの。そこで大胆な実験が行われている」。その3が実は特に重要なのだが、詳しくは読んでください。

ジャンルと関係なく1冊を選ぶと、実はハリー・マシューズ『シガレット』（白水社）が浮上してくる。13人の登場人物を語り手とし、次々に彼らが交代しながら物語を紡いでいく形式の小説なのだが、情報の遅延やほのめかしなどによってある真相の開陳が終盤まで温存されていく。終章を読んだときにすべての絵図が浮かびあがってカタルシスが得られる構図になっている。プリズムのような乱反射が楽しめる小説で、実験小説ながらミステリーファンこそ読むべき一冊だと私は思います。（杉）

『二流小説家』の著者の第二作は、小説家になれなかった男が映画界に潜む闇に呑み込まれてゆく物語。才気溢れる語りと、連載小説の「次号への引き」のように章の切り替えでサプライズを炸裂させる技巧で、ラストまで一気に読ませる。ただしミステリとしての辻褄合わせは微妙なので、前作ほど高く評価する気にはなれないけれど。（千）

GATACA

霜

フランク・ティリエ／平岡敦訳
ハヤカワ文庫NV

当然『冬のフロスト』（R・D・ウィングフィールド）は素晴らしく

面白いし、全既婚者が（悪い意味で）号泣必至の『ゴーン・ガール』（ギリアン・フリン）もよかった。だが俺は『GATACA』を挙げておきたい。5月には傑作が出すぎて、『GATACA』は割を食った――「月間」でくることで不運な目にあった作品をきちんと救っておきたい。

　エルロイとデイヴィッド・ピース由来のダークネスで、人類と暴力という壮大なテーマに迫り、一瞬たりともダレ場のない恐るべき傑作なのである。《絶望を見つめるクライトン》というべき新世紀のエンタメ。これを埋もれさせてしまったら日本のミステリ者の名折れである。（霜）

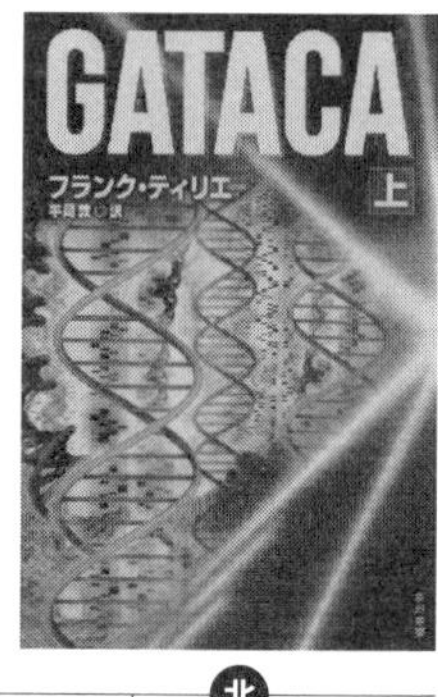

北　ジェイコブを守るため

ウィリアム・ランデイ／東野さやか訳
ハヤカワ・ミステリ

　第1作『ボストン、沈黙の街』は傑作で、第2作『ボストン・シャドウ』はそれに比べてちょい落ちで、どうしたんだランデイと思っていたら、この第3作はふたたび傑作！　例によって父と子の、母と子の、親子小説で、この手のものが好きでない方は「またかよ」と思われるかもしれないが、「またかよ」でいいのだ。さらに今回は構成がいい。最初に「手遅れだ」という主人公の述懐があって始まるのである。手遅れといっても、いろいろなパターンがあるわけで、いったいどの種の手遅れなのかと気になって気になって、どんどん物語に引き込まれていく。うまいなランデイ。（北）

酒　チャーチル閣下の秘書

スーザン・イーリア・マクニール／圷香織訳
創元推理文庫

　6月新刊から年間ベスト・アンケートで挙げるのは『半島の密使』や『ミステリガール』にします（断言）。しかし単月では、敢えてこちらを挙げておきたい。表紙から推察されるとおり、本書のストーリーは、いま流行り（？）のお仕事ミステリーを基調とする。お決まりの女性差別にプンスカする高学歴の理系ヒロインが、ハウスメイトの面々や仕事場の仲間たちと繰り広げる丁々発止としたやり取りと活発な働きぶりは、読んでいて実に楽しい。だが本書の舞台は、1940年のイギリス劣勢時の第二次世界大戦下、しかもヒロインの職場はチャーチル首相のオフィスである。恐るべき空襲に、枢軸側やアイルランドが絡む陰謀、そしてヒロインの父親の秘密が次第に物語を違う方向に導いていく。第二作が絶対に読みたくなる終盤の展開も必見である。要は好シリーズの誕生ということです。対ナチス戦下

のロンドンの空気も鮮やかに描き出されるので、コニー・ウィリス『ブラックアウト』&『オール・クリア』が好きな人にもオススメしたい。（酒）

吉

崩壊家族

リンウッド・バークレイ／高山祥子訳
ヴィレッジブックス

秘密という秘密が次々と明らかになっていく予測不能なドメスティック・スリラーの傑作だ。個性豊かな脇役陣とそのエピソードの描き方も上手い。前作『失踪家族』を堪能した方はこちらも必読！ さらに読後、前半部を読みなおして関心したのは、随所にしっかりと伏線の記述があるばかりか、さらにひねりの展開へとつなげているところ。ギリアン・フリン『ゴーン・ガール』と併せてぜひ！（吉）

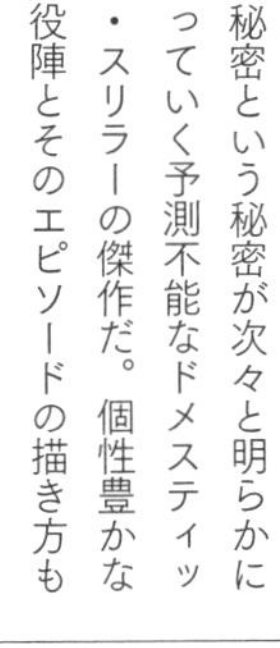

六月に引き続き、今月も秀作揃いの一ヶ月でした。この調子でおもしろい作品ばかり発表されていくと、年末にはいったいどういうことになってしまうのでしょうか。嬉しいやら怖いやら。では来月またお会いいたしましょう。（杉）

霜 酒

チャイルド・オブ・ゴッド

コーマック・マッカーシー／黒原敏行訳
早川書房

初期作品の紹介だが、後年の作品と比較しても全く遜色のない出来栄えだ。歪んだ精神が生み出す陰惨な連続殺人事件とその犯人を、マッカーシーは硬質なタッチで黙々と浮き彫りにしていく。犯人に同情の余地は一切ないのに、厳粛性、崇高性そして寂寥感すら感じさせるとは、一体どういうことであろうか。作品の書き方の問題なのか、それとも（そう信じたくはないが）自らを突き詰めた者の精神は、必ずこのような「有り難きもの」の風情を醸すのだろうか。忘れがたい一冊である。（酒）

ノワールやクライム・ノヴェルは人間をオペレートするシステムの非＝人間的な部分を描く文学なわけだが、この作品はその究極かもしれない。ここには、ほとんど人間的な部分を持たない男の凶行が連ねられていて、それは当然「犯罪」なわけだが、しかしそれを描くマッカーシーの筆致は彼が荒涼と美しい曠野（こうや）を描くときとまったく変わらず、そう、ここには犯罪と天災、犯罪者と自然が「人間以前」のものとして完全に等価なものとしてあるのだ。随所で描かれる、この犯罪者のやさしさとかなしみは罪業にまみれたイノセンスを浮かびあがらせる――要するにけものの姿を。曠野もけだものも芸術のモチーフになってきた。犯罪と非道も詩のモチーフとなるのだ。（霜）

川

刑事たちの三日間

アレックス・グレシアン／谷泰子訳
創元推理文庫

　やっぱりエンターテインメントっていいよなあ。時は一八六九年。切り裂きジャックに対する恐怖と警察への不信の念が拭いきれないロンドンで、一大ターミナル駅に置き去りにされたトランクの中から刑事の惨殺死体が発見される。下層階級の人々が野次馬となって群がる中、癖の強そうな医学博士が死体の検分に当たる幕開けに、ぐいっと世界に引き込まれ、一気に読み切ってしまった。

　ヘンリー・メイヒューが克明に活写したロンドンの路地裏を舞台に、スコットランド・ヤードの〈最初の刑事〉たちが、同僚殺しを始めいくつもの事件を懸命に追う姿を鮮やかに描いた三日間の物語。シリーズ次回作が出たら、たとえ何を読んでいても中断して読みます。うん、これは、買いだ。（川）

吉

ジェイコブを守るため

ウィリアム・ランディ／東野さやか訳
ハヤカワ・ミステリ

　ラストの章を読み終えたあと、自分のあらゆる内臓をぎゅっと締めあげられたような、なんとも言えない気持ちに襲われた。子を思う両親の姿に感情移入してしまったのだ。今年の収穫といえる傑作。今月は痛快サスペンス作を多く楽しませてもらったほか、コーマック・マッカーシー『チャイルド・オブ・ゴッド』（早川書房）に心臓をぶち抜かれ魂を持っていかれた。（吉）

千

消滅した国の刑事

ヴォルフラム・フライシュハウアー／北川和代訳
創元推理文庫

　前回の締め切りまでに読むのが間に合わなかった6月刊の作品だが、あまりにインパクトが強かったので敢えて今回推す。歴史の暗部が絡む事件に警察官の主人公が迫るドイツ・ミステリ……というとネレ・ノイハウスの作風を連想するけれども、正統派のノイハウスに対しこちらは型破りの極み。グロテスクな発端（TORSOという原題からして厭な想像を掻き立てる）、ダン・ブラウンめいた美術の蘊蓄の彩り、そして反則は百も承知であろう結末の強烈なサプライズ。いろいろな点で忘れ難い作品だ。（千）

杉

ミスター・ピーナッツ

アダム・ロス／谷垣暁美訳
国書刊行会

　最初にお断りしておくが、『チャ

イルド・オブ・ゴッド』は必読。ノワールの「の」ぐらいは齧った、と言える程度でしかない浅学な私ですら、これを読んで愕然とした。別のところにも書いたとおり、これは犯罪小説の新たなマスターピースである。読まないと損をする。

で、本題の話だ。本書は「やたらと妻を殺したい夫」の話だと第一章で紹介される。で、次を読むとその妻が殺されていて、夫が警察から尋問されているのである。そこで過去と現在が交互に語られていく物語だということが判明する。しかしさらに読み進めると、実は夫を取り調べている刑事二人もまた、妻を殺したがったことがある&殺したと誰もが思っているが裁判で無罪判決を受けた、というコンビであることが判明するのだ（お前は次に『そんなわけがあるかッ』と言う）。というわけで、難しい文学かと思って身構えて読んだら、ドメスティック・ミステリーのプロットをパズルのように組み合わせた作品でびっくりした次第。驚いたことに謎解きもしっかりしていている。なんじゃこりゃ。私好みの小説をまた発見した。（杉）

北

緑衣の女

アーナルデュル・インドリダソン／柳沢由実子訳
東京創元社

北欧ミステリーの真打ちが再度登場だ。この作家の美点の1は、主人公の孤独な私生活が単なる味付けに終わらず、じわじわと効いてくること。美点の2は、人物造形が群を抜いていること、美点の3は、地味な捜査が真実を暴き出す過程が鮮やかであること。このどれか一つを持つ作品なら少なくないが、3つとも兼ね備えるのは難しい。真打ちたるゆえんである。今回もたっぷりと読ませる。黙って読むべし！（北）

今月に紹介した中から年間ベストも出そうな気配。またもや粒揃いの一ヶ月でした。書き下ろし中ではありますが、私も堪能させていただきました！　では来月またお会いしましょう。（杉）

酒 北

ゴッサムの神々

リンジー・フェイ／野口百合子訳
創元推理文庫

1845年のニューヨークが舞台という異色作。ニューヨーク市警ができたばかりで、その新米警官が主人公というのがいい。社会は猥雑で、混沌としていて、まるでディケンズの世界だ。プロットの展開にまだ注文はあるが、3部作ということなので長い目で見ていきたい。（北）

本書の舞台は1845年のニューヨーク（俗称ゴッサム）である。黒船来航も南北戦争も細菌発見もまだ未来、かろうじて市警は産声をあげた当時、このニューヨークは確かにあのニューヨークなのだが、しかし同時に我々が全く知らない異郷であることも確かだ。その街の濃密でリアルで、そして躍動感にあふれた描写こそが、本書の売りである。まるでタイムスリップしたかのような感覚に襲われたのは、私だけはあるまい。そしてもちろん、肝心のストーリーや登場人物も、極めて魅力的なのだ。起こる事件は本当に大事件だし、現代人の我々にとっても他人事ではなかったりするし……。最近は歴史ミステリが百花繚乱だが、『ゴッサムの神々』は別格といってよいのではあるまいか。これは恐るべき新人が現れたものである。（酒）

杉 霜

ドッグ・ファイター

マーク・ボジャノウスキ／浜野アキオ訳

河出書房新社

たいていの物語がすでに書かれ、消費されてしまっている以上、物を言うのは畢竟（ひっきょう）、文体なのだと思う。どちらかが死ぬまでイヌと戦うことを生業とする男を描く野獣ノワールたる本書がすぐれているのも、まさにそれゆえだ。肉体性と、どこか幻想めいた神話の手触り。血と汗と酒とチリとレモンの香りが、熱されたケダモノの匂いと混じってページから立ち込める。安価な本ではないけれど、冒頭2ページを読んで心惹かれたら、買いだ。（霜）

エドワード・バンカー『ドッグ・イート・ドッグ』以来の犬ノワール……というのはどうでもいいのだが、お薦めするのは本書がどうしようもない孤独と恋愛の物語だからである。主人公は自分を愛してくれる一人の女を得るためにはなんでもするほどに、空虚な心を抱えた男だ。そういう主人公が身を張り続ける話で、その切実な心境が痛いほどに伝わってくる。すべてが回想として書かれる語りの形式も手伝って、忘れられない印象を残す。犬がたくさん死ぬので、愛犬家の方だけはちょっとご注意。あ、犬に食われて人も死にます。あいこ。（杉）

千

刑事コロンボ　13の事件簿　黒衣のリハーサル

ウィリアム・リンク／町田暁雄訳

論創社

どんでん返しの愉悦に溢れたジェフリー・ディーヴァー『ポーカー・レッスン』、いずれ劣らぬ重厚な歴史ミステリのC・J・サンソム『暗き炎』とリンジー・フェイ『ゴッサムの神々』……等々、八月は読み応えのある新刊が多くて迷ったが、最も印象に残ったのはこの一冊だった。コロンボといえば誰もが思い浮かべる倒叙スタイルにこだわらず、「切れ味鋭い短篇ミステリ」であることを重視した作品が並ぶ。現代を舞台にしつつ（イラク戦争帰りの軍人が登場したりする）、ドラマ版の歴代の名作群を想起させる設定があちこちに鏤められているのも嬉しい。（千）

川

名もなき人たちのテーブル

マイケル・オンダーチェ／田栗美奈子訳
作品社

深い青緑の表紙に描かれた客船のシルエットと、「わたしたちみんな、おとなになるまえに、おとなになったの」というコピーに惹かれて手に取った。うむ、大正解。セイロンから母が待つイギリスへと向かう大型客船に、たった一人で乗り込んだ十一歳の少年マイケル。食堂で船長から最も遠い末席〈キャッツ・テーブル〉をあてがわれた彼が、同席した個性豊かな大人たちとの交わりを通じて、「面白いこと、有意義なことは、たいてい、何の権力もない場所でひっそりと起こるものなのだ」という人生の真実に気づき、二人の友だちとともに悪戯と冒険を繰り返すうちに、悲劇的な死と深く関わり、少年時代の終わりを実感する。これは成長と喪失の物語だ。『イギリス人の患者』で英国ブッカー賞を受賞した作者が、過去と現在を往還しつつ、美しい文章で綴る三週間の瑞々しくも猥雑な船旅を、じっくりと味わってみて欲しい。（川）

吉

甦ったスパイ

チャールズ・カミング／横山啓明訳
ハヤカワ文庫NV

いまどきこんな古典的な手法でスパイ活動をするのか、と思うようなシーンがむしろ印象に残った。事件のスケールが大きいわけでもアクションが連続するわけでもなく、あくまで現実的で地味な英国スパイ小説。だが、構成の取り方が上手いのか一気に読ませてくれた。そのほかリンジー・フェイ『ゴッサムの神々』の時代と舞台とキャラがよかった。（吉）

犬ノワールとニューヨーク歴史ミステリー強し。八月は他にも秀作が多かったですが、個性の強い作品に票が集まった感じですね。さて、来月はどんな作品が挙がってきますことか。どうぞ、お楽しみに。（杉）

霜 吉

11／22／63

スティーヴン・キング／白石朗訳
文藝春秋

毎年恒例、豊作の9月——タナ・フレンチが「地元」の暗部を鋭く抉った『葬列の庭』と、ハーラン・コーベンによるキレよく見事なサスペンス『ステイ・クロース』だって本来なら月間ベスト級だが、巨艦『11／22／63』の前には敵ではなかった。「タイムトリップをしてJFK暗殺阻止を試みる平凡な男の苦

闘」みたいな要約では、この小説の美点の半分もすくえない。プロットやストーリーも見事だけれど、それを抱擁するカラフルな感情が美味すぎるのだ。とくに恋の昂揚と宿命の苦味がいい。みずみずしく若いのに、渋く熟成した深遠なる味がする。長大な物語とともに歩む幸福がここにはあるし、長大な物語とともに歩んだからこそその感動が最後に待つ。個人的にはキング作品で五指に入る傑作。（霜）

タイムトラベル＆歴史改変サスペンスのみならず全編にわたり小説を読む喜びがぎっしりとつまった極上の物語。現時点で今年のベストだ。で、キングがなければ挙げていたと思うのが、ジョナサン・ホルト『カルニヴィア 1 禁忌』（ハヤカワ・ミステリ）。「ミレニアム」三部作の影響下にあるが、リスベットの魅力にはとどかないながらも二人のヒロインの活躍をはじめ、イタリアのヴェネツィアが舞台だったり、ヨーロッパ現代史の闇に迫っていたりするあたりがとても良く、続編が楽しみ。（吉）

千 酒

レッド・スパロー

ジェイソン・マシューズ／山中朝晶訳

ハヤカワ文庫NV

ハニートラップ要員の物語であるが、色仕掛け頼みの諜報合戦が繰り広げられるわけではない。新冷戦下での米露のスパイ活動とはどのようなものであるかが、極めてリアルに（＝まことしやかに）描かれており、文体や登場人物描写を含めて非常に硬質な小説となっている。だがそれが、冷然としたエスピオナージには相応しい。というか、ソ連があった当時の冷戦下と、現在の新冷戦下でも、状況は本質的には何も変わっていないのかも知れない。誰だ「冷戦は終わったからスパイ小説はリアリティをなくす」とか言ってた人は。なお、チャプターの最後に、ほぼ必ず、その章で出てきた料理のレシピが記載されている。このレシピの意味を考えながら読むのも一興だろう。（酒）

アメリカとロシア、それぞれの国家中枢に潜むスパイの正体をめぐって両国が繰り広げる駆け引き。最初は互いを騙すつもりで、やがて惹かれあう関係になったCIA局員とロシアの女性スパイの運命は、冷戦期を彷彿とさせる苛烈な諜報合戦に翻弄されてゆく。諜報のリアルなディテールと生彩あるキャラクター描写が渾然一体となり、最後の一ページまで緊迫感が途切れることはない。スパイ小説の歴史に残るであろう新たな傑作の登場だ。（千）

北

氷の娘

レーナ・レヘトライネン／古市真由美訳

創元推理文庫

いやあ驚いた。主人公の女性刑事マリアは妊娠7カ月で、産休まであと1カ月だというのに、走ったり飛

んだり格闘したりするのだ。大丈夫かマリア。前作『雪の女』でもこのヒロインはすこぶる感情的な側面を見せていたが、宿敵ペルツアの頭にビールをかけたりして、今回はやや暴走気味。話はシンプルで奥行きに欠けるところがあるので絶賛できないのは残念だが、断然このヒロインのファンになった。早く次作を読みたい。（北）

杉

葬送の庭

タナ・フレンチ／安藤由紀子訳
集英社文庫

考えてみれば10代のころから、私はこういう家庭内の悲劇を描いた作品のことをずっと意識してきた。国家的陰謀とか火花散るアクションとかそういうものよりも扉の中の出来事のほうが気になる。自分にとって解明すべき謎がそこにあるのだろう。

この作品は至ってシンプルだ。22年前に故郷を捨てた男が過去からの呼び声にとらえられる。彼が家を出たときには、一緒に駆け落ちするはずだった女性がいたが、約束を違えて待ち合わせの場所に現れなかった。その彼女の所持品らしきものが発見されたのだ。過去に何が起きたのか判るのが上巻のおしまい近く、下巻ではそんなことをした犯人捜しということになる。ね、骨組みは非常に単純なのだが、そこに肉が詰まっている。主人公の実家はアイルランドのカソリック家庭であり、濃密な血のつながりがある。彼がそこに足を踏み入れると、あっという間にしがらみが復活して身を絡め取られることになるのだ。家族という単語に温かさしか感じない人には憤慨されかねない内容。逆に家族といえども人間の集団だから、その中ではどんなことが起きても不思議じゃないよね、と思っている人にはたまらない読み物になるはずである。終盤の展開のたまらないもどかしさ、そして幕切れの詩情にも注目していただきたい。（杉）

川

ハンティング

ベリンダ・バウアー／松原葉子訳
小学館文庫

ベリンダ・バウアーが描く、英国南西部の寒村を舞台にしたミステリが愛おしくてならない。派手な演出や凝った仕掛けがなされている訳ではないし、被害に遭うのはいつも子供や老人といった弱者なので、読んでいて心が痛むのだけれど、折に触れて思い出し、じっくりと反芻してしまう。随所でユーモアを効かせる筆致に思わずくすりとしてしまう。うまいなぁ。

十二歳の少年スティーヴンが、祖母と母の傷心を癒し家族の形を取り戻したい一心で、十九年前に伯父を殺した連続児童殺人犯と危険な文通を始めるデビュー作『ブラックランズ』。その五年後、難病と闘う妻を支えつつ故郷のお巡りさんとして奉職してきた若者ジョーナスが、連続老人殺しの謎に翻弄される『ダークサイド』。そして今回、相次ぐ児童誘拐の謎を中心に据えた三部作の掉尾を飾る『ハンティング』で作者は、苛酷な体験をした前二作の主人公に再度スポットを当て、彼らがいかに過去と向き合い決着をつけるかをテーマに、デビュー作以来の変わらぬ姿勢で、家族であるが故に生じる愛憎、懊悩、屈託を丁寧に描く。前二作を未読の方は、遡って味わって欲しい。それだけの価値があるよ、このシリーズには。（川）

刊行リストを見ていると上下巻が多くなってきて、秋に向けて各社準備中なんだな、と思います。今月の結果にもそれが現れていたような。十月は「このミス」年度の〆にもあたります。さて、次月はどんな本を読めますことやら。またお会いしましょう。（杉）

2013 11月

三秒間の死角

千 杉 川

アンデシュ・ルースルンド&ベリエ・ヘルストレム／ヘレンハルメ美穂訳
KADOKAWA／角川文庫

とんでもない傑作を読んだ！ とんでもない傑作を読んだ!! とんでもない傑作を読んだ!!! あの『死刑囚』コンビが、またもや打ち立てた不滅の金字塔、それが『三秒間の死角』だ。

法治国家の抱える矛盾と限界に苛立ちつつも、国境を越えて流入する凶悪犯罪の真相追及に執念を燃やすストックホルム市警のエーヴェルト警部と、刑務所という闇の奥へと潜入し孤立無援の中ミッションを遂行する潜入捜査員ホフマン。この二人の視点を中心に、北欧警察小説のお家芸である犯罪によって人生を狂わされた個人と社会の関係を真摯に見つめる物語に、ひりつくような冒険小説の面白さが加わり、その上、大胆かつ入念に構築された謎解きの妙味も味わえるのだから、もう言うことはありません。未読の方は、これ以上の情報をシャットアウトして今すぐ読むこと。二〇一三年は『三秒間の死角』が読めた、もうそれだけで十分です。（川）

これはもう『三秒間の死角』を挙げなければしかたない。自分で解説を書いたんだけど。でもしかたない。なぜかというと、2013年に読んだミステリーの中で、もっとも感心し、読んでよかったと思った小説だからだ。いや、好きな作品は他にもたくさんあるんですよ？ でも、作家の姿勢に感服した小説はこれがいちばん。そこまであなたはミステリー作家であることに殉じますか、と読み終えた後しばし感慨に耽ったのであった。上巻の幕切れでのとてつもない絶望感が下巻に入って増幅していき、息が止まりそうなほどのスリルを覚えるあの展開。そして、すべての真相が明らかになったときに目の前に広がるあの壮大な光景。あまり内容を知らずに読んだほうが楽しめると思うので一言だけ

書くと、これは体力ではなくて頭脳で勝負するタイプの理知的なミステリーなのです。おもしろいよ、びっくりするぐらいに。（杉）

十月刊行の作品というと、全く関係がなさそうな複数の事件が結びつく過程が圧巻のジャック・カーリイ『イン・ザ・ブラッド』や、（狭義のミステリではないものの）作中に挿入された古写真が青春小説としての骨格にミステリアスな雰囲気を纏わせるランサム・リグズ『ハヤブサが守る家』といった年間ベスト級の作品もあったが、ここでは「このミス」アンケートの締め切り日までに読むのが間に合わなかった懺悔を兼ねて、この一気読み必至の大作を推す。獄中にいながら緻密な計画によって事態の主導権を握る人物と、外部からその計画を阻止しようとする人物のダブル主人公による対決という発想が、ジェラルド・バトラー&ジェイミー・フォックス主演の映画『完全なる報復』を想起させた。（千）

霜 北

暗殺者の鎮魂

マーク・グリーニー／伏見威蕃訳
ハヤカワ文庫NV

グリーニーの小説になぜ興奮するのか。それを知るために第1作『暗殺者グレイマン』のプロットを分解してみた。近々どこかで公開したい。細かく分解してみると、グリーニーの卓越した才能に改めて敬服する。ホントにすごい。本書はそのグリーニーの第3作。同好の士は黙って読むべし。（北）

いま《グランド・セフト・オートV》があるから本を読んでる場合じゃない、という俺のようなボンクラ男子ども。コントローラーをちょっと脇に置いて、これを読め。《マックス・ペイン3》とか《レッド・デッド・リデンプション》とか、ロックスター・ゲームスの物語のように貴様らの血を爆燃させる物語がここにあるからだ。

――麻薬カルテルと警察が癒着したメキシコ。カルテルに命を狙われた一家を膨大な数の敵から守り抜いてアメリカに逃がすというミッションを負った男の死闘が、六百ページを埋め尽くす。『007／スカイフォール』を思わせる荒れ果てた屋敷で展開する3対60の籠城戦を筆頭に、全編クライマックス！ そして、ゲームや映画よりも効果的に「時間」を引き伸ばすことができるのが小説というメディアだから、引き伸ばされた銃撃の時間にマーク・グリーニーがつめこむ血と硝煙のエモーションは、ゲームでは得られない昂揚を諸君にもたらすはずだ。さあ活字のバレット・タイムに燃えろ。KILL 'EM ALL!!!!!!（霜）

吉

狼の王子

クリスチャン・モルク／堀川志野舞訳
ハヤカワ・ミステリ

アイルランドの田舎町にある館から発見された三人の女性の死体の謎と真相をめぐり、いくつもの視点や記述から多層的に語られていく。あらかじめ加害者が判明しているというルース・レンデルの某作を思い起こす冒頭だったり、ハイスミスに通じる「人の歪み具合」が描かれていたり、さらには寓話風な「狼の王子」の物語内物語が謎めいていたりと、この手のサスペンスが好きなわたしにはたまらない傑作。この作者の作品をもっと読みたい！（吉）

酒 スノーマン

ジョー・ネスボ／戸田裕之訳
集英社文庫

ジャック・カーリイの傑作『イン・ザ・ブラッド』には解説を書いてしまったからさておき、他では北欧が火を噴いた一カ月であった。デンマークの有力新人クリスチャン・モルクに、アンデシュ・ルースルンド&ベリエ・ヘルストレムの『三秒間の死角』。いずれも傑作だが、一気に二冊も新刊が出たジョー・ネスボにとどめをさすだろう。あれよあれよという間にとんでもない方向に話が転がっていく『ヘッドハンターズ』も素晴らしいが、ハリー・ホーレ・シリーズの第七作に当たる（邦訳は二つ目）『スノーマン』をここでは選ぶ。オスロでは珍しい（らしい）シリアルキラーに肉薄する刑事ハリーの造形が素晴らしく、弱さと強さを兼ね備えた《一匹狼型》刑事の完成形として高く評価したい。ストーリーも波乱万丈で、随所で強烈なドライブをかけて読者を翻弄する。ヘニング・マンケルの正当後継者はネスボかもしれない。（酒）

蓋を開けてみれば暗殺者と刑務所ミステリーの二強。いやいや、さすがに年度〆の十月でした。さて、各年末ランキングの結果とは一致しているのでしょうか。また、二〇一三年はまだまだ続きます。七福神は休まずに行きますよ。（杉）

吉 イージーマネー

イェンス・ラピドゥス／土屋晃、小林さゆり訳
講談社文庫

スウェーデンの犯罪小説だ。だが、内容は、八〇年代後期から九〇年代あたりに評判となったアメリカ作家（エルロイ、マキナニーなど）の影響を強く受けている。とくに、三人のアウトローに視点をあわせた構成や記号を用いる文体はエルロイの影響大。話に慣れるまで読みづらいが後半から面白くなった。エルロイ・ファンならば、そのあたりを意識しながら読むと楽しめるだろう。いささか生ぬるいラストながら、次作にも期待したい。（吉）

千 インフェルノ

ダン・ブラウン／越前敏弥訳
角川書店

最近めっきり聞かなくなった「バカミス」という言葉だが、本書に対してはかなり久しぶりにこの言葉を使わせてもらう。下巻で種明かしされた時は「ちょっと待て！」と叫び

そうになり、続いて笑いがこみ上げてきた。上巻で展開されていた物語をとんでもない方向に反転させることの手際、怒る読者もいそうだけど私は大喝采を送る。巻頭には例によって、作中に登場する組織「大機構」が実在するかのように書いてあるが、こんな組織が本当にあったらさぞや楽しいだろう。（千）

酒

第三の銃弾

スティーヴン・ハンター／公手成幸訳
扶桑社ミステリー

ミステリ史上恐らく最もビッグネームになりおおせたスナイパー、あのボブ・リー・スワガーが、史上最も有名な狙撃事件、JFK暗殺の謎に迫る。これだけでも結構燃えるものがあるが、ボブの捜査手法があくまで銃器や銃弾の状態、狙撃手の心理など、狙撃のプロならではのアプローチを崩さないのが素晴らしい。JFK暗殺を扱ったミステリに付き物の、政治力学的アプローチ（それは容易に単なる陰謀論に転ぶ）を排除しているので、好感が持てるのである。そしてその内容も実に精密だ。上巻で我々は《ガンマニアから見たJFK暗殺事件》をたっぷり味わうことができる。そして下巻では、事件の黒幕が自ら、事件の詳細を語るのだ。虚実の混ぜ方が絶妙なのも特徴で、時々、これが小説であることを忘れ、ドキュメントであるかのようなリアルな質感を物語にもたらしている。近年のJFKものでは、出色の出来栄えだ。（酒）

北

三秒間の死角

アンデシュ・ルースルンド＆ベリエ・ヘルストレム／ヘレンハルメ美穂訳
KADOKAWA／角川文庫

上巻はややもたもたするが、下巻に入るとびっくり。信じられないことが次々に勃発して、もう目が離せない。

今回はこの展開がキモ。（北）

杉

バン、バン！ はい死んだ

ミュリエル・スパーク／木村政則訳
河出書房新社

2013年度中に読んだ短篇集のベストワンになりそうである（ベストスリーを選ぶなら、他にロイ・カリー・ジュニア『神は死んだ』とステファノ・ベンニ『海底バール』）。別のところに原稿も書いた上にあちこちで薦めまくっているのでいささか気は引けるのだが、それでも言わずにはいられない。翻訳ミステリー好きなら、そして短篇好きならこれを読まなければ後悔しますよ、と。表題作は高い知性を持った女性の視点から辛辣に世間のことどもを見下ろしながら書いた作品で、ミステリーとしても十分に成立している怖いお話、なのだがこの作者らしい発想の飛躍が随所に見られて楽しい。たとえば主人公の夫がライオンに食われて死んだという設定だとか。「遺言執行者」は作家だった叔父の死後、著作権執行者として我が物顔に振る舞おうとする女性が、故人からのメッセージにつきまとわれる。変形の幽

霊譚であり、これまた皮肉が効いていてよい。その他アンファン・テリブルものの「双子」やとんでもないブラック・ユーモア作品「首吊り判事」（興味ある方はブルース・ハミルトンの長篇と読み比べてみるといい）、これまでに読んだ中でもっともヘンテコなUFO小説「ミス・ピンカートンの啓示」など一度読んだら絶対に忘れられなくなる傑作揃いである。なんかミュリエル・スパーク中毒になりそう。それでどんどんへそ曲がりな人間になりそう。イイネ！（とボタンを押す。ないか）　（杉）

霜

ビフォア・ウォッチメン：コメディアン／ロールシャッハ

ブライアン・アザレロ、J・G・ジョーンズ、リー・ベルメホ／秋友克也、石川裕人訳

ヴィレッジブックス

スウェーデンにエルロイ派のクライム・ノヴェリスト誕生を告げる『イージーマネー』も興味深かったが、エルロイとの共振という点では、名作『ウォッチメン』のスピンオフたる本作のほうがパワフルだろう。〝暴力と正義とアメリカ〟という問題を体現するスーパーヒーロー＝コメディアンとロールシャッハ――前者はピート・ボンデュラントとダドリー・スミスの血を嗣ぎ、後者はバド・ホワイトとホプキンズ部長刑事の血を嗣ぐ。彼らの前史を描く本書は、まるで《アンダーワールドUSA三部作》と《LA四部作》のスピンオフのような仕上がりで、まぎれもなくエルロイ的な物語なのである。いずれもスタイリッシュなノワールの意匠で語られており、とくにコメディアンのエピソードで描かれる、JFKの死とヴェトナムに呪われて死にゆくアメリカの理想の終焉が心を刺す。エルロイ者が『ウォッチメン』を読んでいないとは思えないが、とにかく『ウォッチメン』ともども必読。　（霜）

川

フラテイの暗号

ヴィクトル・アルナル・インゴウルフソン／北川和代訳

創元推理文庫

時は一九六〇年。舞台は、アイスランド北西部のフィヨルドに浮かぶ人口六十人ばかりの小島フラテイ。祖父と父と共にアザラシを猟るために湾内の無人島に上陸した少年が、白骨化した男性の死体を発見するシーンで物語は幕を開ける。一体、これは誰なのか？　どこから来て、なぜ死んだのか？　死者のポケットに入っていた、サガを集めた写本『フラテイの書』に関わると思しき謎の文字が書かれたメモは、何を意味するのか。

偶然と必然とを巧みに融合させた、地味なれど奥深く豊かな物語をじんわりと味わってみて欲しい。（川）

票が割れました。7人が7作バラバラの書名を挙げてきたのはいつ以来でしょうか。読みたくなる本を一気に増やしてしまい、すみません。ではまた、来月のこの欄でお会いしましょう。　（杉）

COLUMN

人工的本格ミステリの復権

千街晶之

この十年間を振り返って、売れ行きも含めて最も話題性を具えた海外ミステリは、ピエール・ルメートル『その女アレックス』とアンソニー・ホロヴィッツ『カササギ殺人事件』が双璧ということになるだろうか。特に『カササギ殺人事件』は、四つの年間ベストテン企画の海外部門一位を制覇し、更に翻訳ミステリー大賞・同読者賞や本屋大賞翻訳部門でも一位という圧倒的な人気と評価を見せつけたわけだが、「なんだ、みんなこういう本格が大好きなんじゃん」というのが、この現象に対する率直な感想である。

現代のイギリスにおいては、アガサ・クリスティーとドロシー・L・セイヤーズという黄金期二大女性作家のうち、後者の影響を受けている作家は多いが前者は時代遅れの作家と見なされている……というのが、海外ミステリ通から伝わってくる観測結果であり、実際、邦訳されたものを読んでもそのような傾向は感じられることが多かった。ところがホロヴィッツの作風は、ガチガチのクリスティー・フォロワーである。クリスティー財団公認でポアロもののパスティーシュを書いているソフィー・ハナのような作家もいるし、意外とクリスティー的な作風は再評価されつつあるのではないかと最近は感じる。クリスティー的な世界とSFの要素を合体させたスチュアート・タートン『イヴリン嬢は七回殺される』あたりもその流れに含められるだろう。

一方で、中国・台湾・香港などの「華文ミステリ」には、日本の新本格の影響を受けた人工的な本格ミステリが数多いし、アルゼンチンなどの南米諸国には、ボルヘスからの影響もあるのだろうが、エラリー・クイーンなど黄金期英米本格を彷彿させる作風の書き手が目立つ。フランスにはポール・アルテらがいる。アメリカはどうかといえば、『数字を一つ思い浮かべろ』のジョン・ヴァードンのような作家が登場することは、少し前なら考えにくかったのではないか。

日本の新本格や、それに続く世代による作品群は、我が国特有のガラパゴス的進化によって生まれたと見なされることもあったけれども、こうして各国の近年の事情を見ると、人工的で古典的な味わいを具えた本格ミステリは、世界各地で同時発生的に復権しつつあると思えてならない。

私のベスト10

北上次郎

本書に収めたのは、２０１１年5月から、２０２０年5月までの記録なので、その間、１０９カ月ということになる。月に1冊ずつおすすめしてきたわけだから、推薦書も全部で１０９作。その中から私的ベスト10を決めようという企画である。

この「七福神」以外の書評で取り上げた本は採用せず、あくまでも翻訳ミステリー・シンジケートの「七福神」で取り上げた本の中から、ベスト10冊を決めることにする。

２０１１年から２０２０年の10年間でいちばん印象に残っているのは、カリン・スローターと、マーク・グリーニーの二人なので、この二人の作家の作品を5作ずつ挙げれば、この10年のベスト10は簡単に完成する。しかしそれでは、実感にいちばん近いとはいうものの、あまりに芸がないので、1作家1作品という縛りをつけることにする。

というわけで、1位は、カリン・スローター。えっ、グリーニーじゃないのかよ、と言われるかもしれないが、実は『暗殺者グレイマン』は出遅れたのである。このタイトルはいかにもつまらなそうで、最初スルーしてしまった。先に読んだ方の書評を見て、しまったとすぐに読むことになったが、その「出遅れ感」が恥ずかしいのだ。こういうのは、誰も覚えていないだろうが、本人がいちばん覚えている。だから、エラそうに言う資格はないという気分がずっと私の中にある。

カリン・スローターだって、グラント郡シリーズの第1作『開かれた瞳孔』を新刊時に読まず、さらに、ウィル・トレント・シリーズの第1作『三連の殺意』も新刊のときに出たことすら知らず、ようやく読んだのが『ハンティング』からだから、けっして早くはないのだが、誰かの書評を読んであわてて遡ったわけではないので、マーク・グリーニーのような「出遅れ感」はない。勝手なことを言ってますが。『ハンティング』

を読んで、ぶっ飛んだ日が懐かしい。ああいうことがあるから、読書はやめられないのだ。

特に、2017年はウィル・トレント・シリーズが、『ハンティング』『砕かれた少女』『サイレント』『血のペナルティ』と四作も翻訳された。

①『ハンティング』カリン・スローター（鈴木美朋訳）☆
②『暗殺者の正義』マーク・グリーニー（伏見威蕃訳）早文
③『シャンタラム』G・D・ロバーツ（田口俊樹訳）新文
④『狼の領域』C・J・ボックス（野口百合子訳）講文
⑤『模倣犯』M・ヨート／H・ローセンフェルト（ヘレンハルメ美穂訳）創元推理文庫
⑥『短編ミステリの二百年』小森収編／創元推理文庫
⑦『濡れた魚』フォルカー・クッチャー（酒寄進一訳）創文
⑧『ケイトが恐れるすべて』P・スワンソン（務台夏子訳）創文
⑨『生物学探偵セオ・クレイ　森の捕食者』アンドリュー・メイン（唐木田みゆき訳）ハヤカワ文庫
⑩『サイレント・スクリーム』A・マーソンズ（高山真由美訳）早文

同一シリーズが年に四作も翻訳されるのはきわめて稀なことで、2017年はカリン・スローターの年であったと言えるだろう。

マーク・グリーニーは、本来ならシリーズ第1作の『暗殺者グレイマン』にするべきなのだが、前記した「出遅れ感」があるので、第2作『暗殺者の正義』にしたい。それに内容的にも冒険小説の結構が素晴らしい初期の傑作でもある。

3位は、『シャンタラム』。私はこの作品を2011年12月にとりあげているが、その前月に吉野仁が取り上げていたことに、今回初めて気が付いた。ということは、11月に吉野仁が取り上げていたので、それを見て、その翌月にあわてて私も読んだのだろうか。それではここでも「出遅れた」ことになる。しかしそういう記憶はないので、「出遅れ感」は感じず、堂々の3位。まったく勝手なことを言ってますが。

4位は、猟区管理官ジョー・ピケットを主人公とするシリーズの第10作『狼の領域』。なぜ、この作品なのか、その理由を書こうと思ったら、もうスペースがない。5位以下を含めて、残りは別の機会に書く。

2014年

吉 霜 北

地上最後の刑事

ベン・H・ウィンタース／上野元美訳
ハヤカワ・ミステリ

半年後に人類が滅亡するという設定なら、いろいろな物語が考えられるが、まさか殺人事件を捜査する刑事の物語とは、想像を絶している。もうそんなの、どうでもいいだろ！　まったく素晴らしい。問題は、これが3部作の第1部であることだ。早く結末を知りたい。KADOKAWA／角川文庫『ウール』も3部作の第1部が刊行されたばかりだが（こちらも面白いのだ）、両方の訳者と版元に告ぐ！　第2部はいいから第3部を早く出してくれ！（北）

人類滅亡まで半年、世界で自殺が相次ぐ中、一件の首吊り事件に殺人の疑いを抱いて新米刑事が孤独な捜査に邁進する——という設定だけで勝利したようなものだが、キャラよし、語り口よし、サブキャラも印象的ならサブプロットも手が込んでいるという清新な快作。「この世界ならでは」の動機が（間違いの推理を含めれば複数）用意され、若き

刑事の意地、動機の哀切など感情のドラマも鮮烈なのに長すぎないのもすばらしい。K・モートンの話題作『秘密』は、『千尋の闇』『闇に浮かぶ絵』あたりのロバート・ゴダード好きにおすすめのページターナーでした。（霜）

およそ半年後に小惑星が地球に衝突するとされる世界を舞台にした異色ミステリー。終末感がただようなか、新人刑事が自殺と思われた事件を捜査していく。そのなんともいえない不安感をはじめ、人々の心理がうまく描かれている。三部作の第一作で、衝突の日が近づいていく第二、第三作をはやく読みたい。（吉）

千 酒 川

秘密

ケイト・モートン／青木純子訳
東京創元社

『忘れられた花園』から三年弱、ついに翻訳されたケイト・モートンの新作は前作を上回る現時点での彼女の最高傑作であり、謎と企みに満ちた豊穣な物語に秀作が多かった二〇一三年を締めくくるに相応しい逸品だ。

一九六一年に母ドロシーが見知らぬ男を刺殺するのを目撃した十六歳の少女ローレルは、半世紀後、母の死が目前に迫ったことがきっかけとなり事件の真相を探り始める。一九六一年と二〇一一年、そして第二次世界大戦の最中の一九四一年と、三つの時代を往還する中で周到に伏線を張り入念に布石を打ちながら、次から次へと謎を呈示して読む者を物語の迷宮へと誘い込む手際のなんと見事なことか。そしてすべてが収斂した後に訪れる心憎いほど鮮やかな幕切れ。

人は生きている限り常に選択をし続けなければならない。その結果、「生身の人間がひとりいれば、その背後には必ず語られない部分（ブラック・スポット）が控えている」とローレルが述懐するように、誰しも〝秘密〟を交えて人生というタペストリを織り上げることになる。余韻に浸りつつ、しみじみとそんな当たり前のことを考えてしまった。必読。（川）

今月はどう考えても『秘密』以外あり得ない。21世紀、60代も後半を迎えた娘（ローレル）が、死の床にある老母（ドロシー）の70年前の秘密を探る。この構図の話をあのケイト・モートンが書くのだから、面白くならないはずがない。現代パートを穏やかにしっとり描く一方、過去の戦中ロンドンのパートを実に闊達に描いてコントラストを付けている。少女時代の夢を実現したローレルと、夢に破れた（と仄めかされる）ドロシーの人生の対比も興味深い。そして、次第に明らかとなるドロシーの衝撃的な秘密！ 伏線の張り方も素晴らしい。細かいエピソードや台詞回しにもいちいち血が通っている、あらゆる意味で素晴らしい小説である。正直、今月ベストどころか年度ベスト級である。（酒）

突然現れた謎の男を母親が刺殺する光景を目撃したヒロイン。半世紀の後、彼女は死期が近づきつつある母の過去に何があったのかを知ろうとする……。現在と過去を往還しながら、物語は愛と憎しみ、友情と誤解が交錯する哀しい運命の調べを奏でてゆく。最後の「秘密」が暴かれ

るその瞬間へと読者を運ぶ、計算され尽くした構成とたおやかな語りは完璧。これぞケイト・モートンの最高傑作。（千）

杉

いにしえの光

ジョン・バンヴィル／村松潔訳
新潮クレスト・ブックス

ミステリー読みならば無条件で『秘密』か『地上最後の刑事』を選ぶべき月なのだが、大好物のテーマを扱った小説が出たので仕方ない。これは回想の小説だ。主人公の老俳優が思いを巡らせるのは、若き日に自分の初体験の相手になった女性のことで、なんと友人の母親なのである。性に開眼したばかりでどこまでも貪欲な少年と、その欲望を受け止める年上の女性との関係は、いつ、どのようにして終わることになるのか。決定的な瞬間に向けて物語は突き進んでいく。そこに重ねあわされるのは主人公の自殺した娘のエピソードであり、読者の心に別のざわめきが重ねられ、複雑な波紋を描いていく。ブッカー賞受賞作『海に帰る日』に重なるテーマの作品でもあり、併せて読むとさらに味わい深い。（杉）

というわけで綺麗に票が分かれた12月でした。先月のバラバラぶりとはうってかわって、おもしろい結果になりましたね。それではまた来月、この欄でお会いしましょう。（杉）

2014 2月

吉 千

カンパニー・マン

ロバート・ジャクソン・ベネット／青木千鶴訳
ハヤカワ文庫NV

舞台は、ミステリアスな技術力を持つ大企業が君臨しているパラレルワールドのアメリカ。その企業の組合員たちが犠牲者となった大量殺人事件の謎に、人間の心の声が聞こえる特殊能力者が挑む。現実の歴史とは異なる技術発展史を遂げた20世紀初頭の世界、地底迷宮に隠された奇想天外な秘密……といったSF的設定と、主人公とそのアシスタント、そして主人公の盟友の刑事を中心とする細やかな人間ドラマとが絡み合い、衝撃的な結末へと突き進んでゆく。SFミステリ好き、そして地底好きの方にお薦め。一月の新刊では、クリスチアナ・ブランドのゴースト・ストーリー『領主館の花嫁たち』も非常に読み応えがあった。（千）

アメリカの架空都市、二〇世紀初頭という時代設定ながら、大企業で働く組合員の死から始まる物語は、

まるで同時代ハメット作品のパラレルワールドという感じ。だが、そこに地底冒険SFファンタジーホラーサスペンスなどあらゆる要素が「これでもか!」とぶちこまれたとんでもない面白さ。そのほかケイト・モートン『秘密』をおくれて読んだが、すっかりやられてしまった。なるほど年間ベスト級の驚き。(吉)

酒 川

これ誘拐だよね?

カール・ハイアセン／田村義進訳
文春文庫

ハイアセンが好きだ! 新作が出ると知った瞬間から、うずうずし、鶴首しすぎて首が痛くなるくらい好きだ。

　鋭い観察眼と分析力、そして透徹した論理を武器に、たとえ相手がどんな大物であろうとも、愛する地元フロリダにあだなす者たちに対して敢然と闘いを挑み続けるジャーナリスト・ハイアセン。不正と偽善と貪欲に対して怒りの拳を突き上げ、舌鋒鋭く攻撃しつつも、ユーモアとアイロニーを忘れずに、正しいことと常識とのズレを描き、ちくりと社会を風刺する犯罪小説家ハイアセン。

　そんな彼が今回ターゲットに選んだのは、放埒の限りを尽くすセレブと彼らに群がるパパラッチ、そして悪徳開発業者だ。男とドラッグにだらしのないアイドル歌手チェリー。彼女の影武者に雇われた女優の卵アンが間違って誘拐されてしまう発端から、物語はあれよあれよという間に明後日の方向へと拡散していく。「この災難には、お笑いの要素が多分に含まれている」とアンが思わず漏らしているように、あるものは巻き込まれ、あるものは勝手に割り込んで、次から次へと奇天烈な人たちが加わる白熱大暴走ブラック・コメディの行き着く先は……クスクス、ニヤニヤしながら読み終えた後に、すっと背筋が伸びる小説をぜひ堪能してみて欲しい。(川)

　ジュニア・アイドルの替え玉が誘拐される――簡単に言えばそういう話なのだが、その誘拐事件が起きる前から、笑劇がご機嫌にスウィングしている。主人公格と言える、替え玉のアン・デルシアのみ比較的まともな人で、その他は奇人変人のオンパレード。ドラッグ漬けな上に問題行動ばかりのアイドルが周囲を振り回すのが事件の主因ではあるのだが、振り回された側の反応も一々がとんでもなく(何せ変人揃いですから)、事態は混沌そのものの様相を呈する。これが無類に楽しい。なお、アイドルのボディーガードに元殺し屋の「あの」ケモが採用され、お馴染み湿原の怪人スキンクが今回は端役にとどまらず完全に主要登場人物の一翼を担うなど、既存のハイアセン・ファンへのサービスもいつも以上に手厚い。スッキリ爽やか(?)な混沌のコメディ、面白いぞ。(酒)

杉

血の探求

エレン・ウルマン／辻早苗訳
東京創元社

　もちろんハイアセンは大好きなのだけど解説を担当したので自重(おもしろいっす)。となるとこれしかないでしょう。

　全編が盗み聞きという異常な形式で語られていく長篇だ。精神分析医の元に通ってくる患者は、自分が養子であり産みの親の素性が不明であること、どうやら元は旧大陸の生まれで養父母の家とは出自の点で何か問題があるらしいこと、などの理由で悩んでいた。主人公は話を盗み聞きするうちにこの患者の人生にはまってしまい、その生まれの謎を調べるのに手を貸そうと考えるようになっていくのである。異常者！ はっきりいってストーカーだよあんた！

こういう風にフリーキーな雰囲気で始まる（そして主人公はキモぃ）話なのだが、やがて思わぬ真相が明らかになっていく。背景には大きな歴史上の事件が映し出され、様相が一変してしまうのである。長い小説だが後半は一気読みであった。ミステリー好きだけではなく一般小説のファンにもお薦めしたい逸品。

その他、1月は『隅の老人【完全版】』もあった。税込み7000円超と定価は高いが、普通の本を4冊読むぐらいの時間は楽しめる。実はコストパフォーマンス抜群なのである。現在早くも品切れ中だが、2月末には増刷される。ぜひご一読を。（杉）

霜

ブラック・フライデー

マイクル・シアーズ／北野寿美枝訳
ハヤカワ文庫NV

かつて不正な金融取引を行ない実刑を受けた「私」は、出所後、知識を買われて証券会社の不正を探るよう雇われる……という本書、誰もがディック・フランシスを思い出すのではないか。抑制の利いた語り、拭えぬ汚名を背負いつつ不正を暴くために調査を続けるその姿、妻との不和。訳者もフランシス訳者だしね。そしてラストシーンの美しさが特筆もので、そこには未来へ向かう長い道が、希望の陽光を浴びながら僕たちの前に延びている。ジョン・ハートに不満を抱く読者にこそ勧めたい。

なお1月は豊作で、『静かなる炎』『カンパニー・マン』『これ誘拐だよね？』『シルヴァー・スクリーム』など、買って損なしの快作ぞろいです。（霜）

北

米中開戦

トム・クランシー＆マーク・グリーニー／田村源二訳
新潮文庫

ふたたびの共著だが、『ライアンの代価』で試したところあまりにすごいので、今度は全面的にグリーニーにまかせたと見た。アクション場面が『ライアンの代価』に比べて少ないのに、今度は物語全般に緊迫感がみなぎっている理由は、そう解釈するしかない。ということは、クランシーの遺作たる次作（みたびグリーニーが共著者として登場）は、たぶんなにから何までグリーニーが担当するのではないか。つまりアクションも、物語を貫く緊迫感も、比べようもないくらいすごいのである。全部、想像だけど。（北）

軍事スリラーからコミック・ノヴェルまでバラエティに富んだ一月でした。あなたならどれから読み始めますか？ それではまた来月、この欄でお会いしましょう。（杉）

逆さの骨

千 川

ジム・ケリー／玉木亨訳
創元推理文庫

凄いな、ジム・ケリー。英国東部の沼沢地帯を舞台に、敏腕記者ドライデンが活躍する謎解きミステリのシリーズも本書で三作目だけれど、巻を重ねるにつれてどんどん上手くなっているじゃないか。

古代遺跡発掘の最中に、第二次世界大戦中に運営されていた捕虜収容所跡地で、秘密裏に掘られていたトンネル内から、外ではなくて収容所のなかに向かって這い進んでいた白骨死体が発見される。この魅力的な謎と、過去になされた罪により現在の悲劇が引き起こされる、というデビュー作以来一貫したテーマ——今回は第二次世界大戦中の犯罪——とが密接にからみ合った滋味深く、よく練られた謎解きミステリだ。「海外には本格物の書き手がいなくて」とお嘆きのあなた。まずはジム・ケリーをお試しあれ。（川）

かつて第二次世界大戦の捕虜収容所があった場所で発見された白骨死体をめぐって、次々と明らかになる新たな事実。一見互いに関係なさそうな登場人物たちの秘められたつながりが判明するにつれて、事件の構図は二転三転する。新聞記者フィリップ・ドライデンを主人公とするシリーズの第三作である本書は、大戦中と現代にまたがる複雑な人間模様をじっくりと解きほぐしてゆく、読み応え充分の本格ミステリに仕上がっている。ドライデンと、植物状態から回復しつつある妻ローラの関係の描写にも要注目だ。（千）

凍氷

霜 北

ジェイムズ・トンプソン／高里ひろ訳
集英社文庫

素晴らしい。それほど複雑な話ではないのにすべてが渾然一体となって進行するので、一気に読まされる。フィンランドの歴史を背景に、個性豊かな登場人物を操る作者の手腕が見事。ラーソン以降の北欧ミステリー界は、『湿地』『緑衣の女』のアーナルデュル・インドリダソンの一強時代が終わり、ジェイムズ・トンプソンとの二大横綱の時代に突入したと書いておく。（北）

フィンランド警察の警部を主人公とするシリーズ第二作。第一作も悪くなかったが、二作目は段違いのすばらしさ。性倒錯の気配をただよわす惨殺事件と、自身の祖父も巻き込むナチ時代の戦争犯罪という二つの大事件を通じて、政治と警察の腐敗構造、暗い歴史の真実と伝説、といった大いなる主題に肉薄する。この二つをつなぐプロット上の工夫も見事だが、二つの主題を「人間の獣性」で結びあわせる重層性が、「ああ、いいクライム・フィクションを読んだ」という重たい感慨をもたらすのだ。そんなヘヴィ級の読み心地なのに短いのも手柄で、ボクサーの

ように筋肉質な仕上がりが美しい。それを実現しているのが、「俺」一人称のクールでファストでシャープな語り口なのである。
　銃器マニアなオタク刑事や硬骨の爺さんなど脇役も光る。重厚だが体脂肪率高めの近頃のミステリに食傷気味の方は是非お読みになるとよろしい。次作が大いに待ち遠しいシリーズになった。（霜）

吉

ジュリアン・ウェルズの葬られた秘密

トマス・H・クック／駒月雅子訳
ハヤカワ・ミステリ

　犯罪作家の自殺の謎をめぐり、地球をぐるりとまわって謎の女を探す物語。いまさらながら、語りのうまさを堪能したとともに、隠しテーマをめぐるさまざまな趣向、言及、パロディなどに惹きつけられ、一気読み。今回のクックはいい出来です。そのほかマーク・ヘンショウ『レッドセル　――CIA特別分析室――』横山啓明訳（ハヤカワ文庫）は、カバーを見て軍事ものと思いきや、現代のスパイ小説としての目新しさを感じた。ややぎこちないところもあるけど、ジャンル読者は注目！（吉）

杉

遁走状態

ブライアン・エヴンソン／柴田元幸訳
新潮クレスト・ブックス

『もっと厭な物語』（文春文庫）と迷って、結局こっちに。最初から、今月は短篇集を上げよう！と思っていたのだけど、ぎりぎりで読んだこのエヴンソンがたまらない魅力に溢れていたのである。全編が悪夢を描いた作品集と言っていい内容で、とにかく語り口が素晴らしい。たとえば「追われて」という短篇はこういう風に始まるのである。「もう何日か、私は二番目の元妻に追われている気がしている。はじめ、追っているのは三番目の元妻だと思ったし、もしかしたら一時期は二人が協同していたとも考えられ、ことによるといまもそうしているのかもしれない」――どうですか、これ。語り手はこう続ける。「人は問うかもしれない。私の一番目の元妻はどうなったのか？」！　うっひゃー、なんですかこの魅惑的な発端は。「追われて」は元妻たちの影に脅えながらひたすら逃げ続ける男の物語だが、自身の姿を消すことに躍起となる主人公の語りはやがて読者をとんでもない境地に連れて行くのである。やめて！　連れて行かないで！

　この他、元モルモン教徒だったがコミュニティから追放されたという作者の過去を反映したような終末譚「さまよう」など、奇怪な物語がなんと19篇。これは読むしかないでしょう。夢見るぞ！（赤星昇一郎）（杉）

酒

陪審員に死を

キャロル・オコンネル／務台夏子訳
創元推理文庫

　マロリー・シリーズ最新刊である本作は、事件の全体像が把握しづらい。訳者あとがきを先に読まない限り、読者は最初のうち、何がどうなっているのかよくわからないだろう。だがそこで諦めず、粘り強く読んでいくと――そこに顕現するのは、シリーズ史上最もド派手な大事件と、ライカーの感動的な心意気、そしてジョアンナ・アポロの健気で切ない覚悟である。錯綜するプロットの果てに訪れるものは何なのか。シリーズ史上初めて主役の座を退き、最重要な脇役になったマロリーは、この事件でどのような役割を果たすのか。読み応えたっぷりの、新たなオコンネルの傑作である。（酒）

イギリスやフィンランドなど、ヨーロッパ在住作家の作品が多く刊行された月でした。サスペンスの豊作月だったということもできるでしょう。お気に入りの一冊をここから探してみてください。また来月お会いしましょう。（杉）

千 杉 酒 川

養鶏場の殺人／火口箱

ミネット・ウォルターズ／成川裕子訳
創元推理文庫

一九二〇年代の英国で実際に起きた事件に対するウォルターズ流の解釈を呈示した「養鶏場の殺人」と、小規模なコミュニティ内に蔓延する偏見とディスコミュニケーションが犯罪の誘因となる「火口箱」。

マイノリティに対する蔑視と疎外、正義の不履行、家族やコミュニティの機能不全といった、ウォルターズ作品に共通するテーマが凝縮された中篇二本を収めた本書は、〈英国犯罪小説界の女王〉の実力と面白さを気軽に愉しむのにうってつけの上質なお試しパックだ。これは企画の勝利だね。緻密に練られたWhat done itを、ぜひ堪能してみて欲しい。（川）

アイザック・アダムスン『コンプリケーション』と悩んだが、結局、ウォルターズの中篇集をチョイスした。「養鶏場の殺人」では、ウォルターズの作風を特徴づける《何が真実だったのか曖昧》という書き方が、実話ベースの物語としっかり噛み合っている。関係者の人物像を克明に描き出しつつ、実話特有（＝現実特有）の割り切れなさをもしっかりと作品に刻印していて素晴らしい。そして「火口箱」は、伏線の張り方が見事な本格ミステリであり、地域社会の歪みを中心軸に据え、読み心地面でも実にウォルターズらしい作品に仕上がっている。ご近所の噂話が物語の最前面に露出しているため、まるで『遮断地区』への導線であるかのような風情があるのもファンには興味深いところであろう。

なお今月は、リンウッド・バークレイ『救いようがない』が惜しい作品だった。主人公の性格と物語展開がユーモラスでなかなか面白いのだが、長過ぎて、若干間延び気味。もうちょっと締まってたらなあ。（酒）

脱帽、という感じで今月はこれを

選ばざるをえない。たぶん他の方も書いていることと思うが、特筆すべきは「火口箱」だ。ミネット・ウォルターズには二つの美しい特徴がある。一つは、すべての登場人物が最初は仮面をつけて読者の前に姿を現すということ。仮面を少しずつ外していくのであるが、その「じらし」に悶絶させられる。もう一つは、その場所がまるで世界の底であるかのように、他にどこにも行けない最果ての地のように舞台を描くこと。これによって外界から隔絶された地であるかのような錯覚が芽生え、読者は物語に集中させられるのである。中篇ながら、この二つの特質が実に効果的に用いられているのである。お手本のような中篇だ。本当に素晴らしい。（杉）

ウォルターズ初の中篇集。実際に起きた殺人事件をもとにした「養鶏場の殺人」の、被害者の病んだ性格の描写も強烈に印象に残るけれども、何といっても「火口箱」の長篇並みの濃密さに圧倒された。話題作『遮断地区』とも共通する偏見と自警団意識の暴走、二転三転する容疑者、そして意外にしてやりきれない真相。ウォルターズの精髄がこの中篇に詰まっている。なお三月の翻訳ミステリには、ブレイク・クラウチ『パインズ―美しい地獄―』やジョー・バニスター『摩天楼の密室』のような、年間ベストではなかなか選ばれにくいB級の面白さを具えた佳作が目立ったことも記しておきたい。（千）

吉 北

パインズ―美しい地獄―

ブレイク・クラウチ／東野さやか訳
ハヤカワ文庫NV

当欄の対象外かなという気がしないでもないが、どうして対象外なのかを書くとネタばらしになるので出来ない。次々に不思議なことが起きて、そのすべてが同時に成立するためには、まさかの夢オチ、あとは何があるかなと思っていたら、意表をつく展開でびっくり。しかしいちばんの驚きはこれが3部作の第1部で、続きがあること。どうやったら続くのか！（北）

はじめはよくある記憶喪失ものか、と思って読んでいくと、さらに不条理な迷宮をさまようスリラーへと転じていく。怪しげな町をめぐる奇想天外な物語。頭をからっぽにし、語りに身をまかせてページをめくっていくと、より楽しめるタイプのサスペンスだろう。第二作が待ち遠しい！（吉）

霜

帝国のベッドルーム

ブレット・イーストン・エリス／菅野楽章訳
河出書房新社

80年代に無軌道なインモラル青春を送っていた男が、社会的地位と自分のカネを手にし、中年となってLAに帰ってくれば、インモラルさと陰惨さを増したメトロポリスの闇を覗きこむことに……薄っぺらい快楽原則、薄っぺらいショービズ、そして薄っぺらい80年代の気分からまるで成長してない薄っぺらい人間たち。たとえ薄っぺらくても、ここにあるのはネオンがギラギラ彩る地獄には違いないし、この地獄は東京と地続きの地獄として、僕たちの心をかき乱し、黒い神経症を引き起こす。

エルロイの描いた40―60年代のLAと、エリスの80―00年代のLAはきれいにつながっている。コーマック・マッカーシーが『悪の法則』で描いたメキシコも地平線の向こうで黒いヴァイブスを放つ。これはギラギラ輝く底無しのノワールなのである。（霜）

いよいよ来週には第5回翻訳ミステリー大賞が発表されます。授賞式に先立って七福神による座談会も予定されておりますので、どうぞお楽しみに。それではまた、来月お会いしましょう。（杉）

2014 5月

杉 川

世界が終わってしまったあとの世界で

ニック・ハーカウェイ／黒原敏行訳
ハヤカワ文庫NV

冒頭三ページ目で〈逝ってよし戦争（ゴー・アウェイ・ウォー）〉という訳語を目にした瞬間、これは傑作に違いないと確信した。間違ってなかった。こんなに愉快で奇天烈なエンターテインメントも久しぶりだ。

超秘密兵器〈逝ってよし爆弾（ゴー・アウェイ・ボム）〉、世界を維持する何だかよくわからない物質〈FOX〉をはき出す〈パイプ〉、謎の武術〈声なき龍〉と仇敵ニンジャなんていうワクワクする要素を、これでもかとばかりに盛り込み、〈逝ってしまった世界（ゴーン・アウェイ・ワールド）〉を舞台に繰り広げられる冒険譚。饒舌な主人公〝ぼく〟の口から語られる猥雑なれど爽快で、ユーモアと風刺の効いた900頁に及ぶ謎と恋と活劇に充ちた物語を、黒原敏行氏の水を得た魚のような訳文で心ゆくまで満喫しました。もうお腹いっぱいです。ありがとうございました。（川）

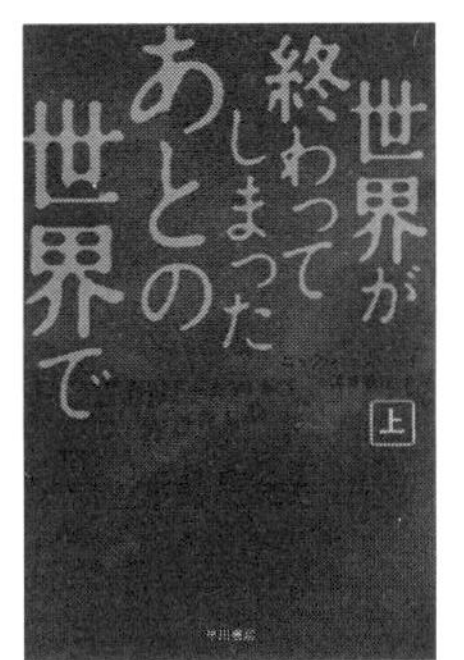

こういうことは普段書かないようにしているのだが、現時点では今年のベスト。〈ぼく〉という視点人物を通して文字通り「世界が終わってしまった」あとの世界が描かれていくのであるが、「あと」が書かれるのは第一章だけで第二章以降は「前」の話がいきなり始まり、なかなか「あと」へと戻っていかない。その自分勝手な話し方がおもしろくて、なんだこりゃ、と思っているうちに物語に引きずり込まれてしまった。あちこちに寄り道する構成を「無駄が多い」と感じられる方もいらっしゃるだろうが、だってその枝葉の部分がおもしろいんだもんなあ。寄り道の雰囲気だけをちょっと書いていくと、『カラテ・キッド』↓『いちご白書』↓『紅い眼鏡』↓『マッシュ』となってそのあとむにゃむにゃなのであるが、これだけで上巻の内容で、下巻はいきなり

『恐怖の報酬』的な始まり方をするのであった。なんというかもう、読みたいものが全部ここに詰まっている感じ。泣けばいいのか？　泣いたらこの感情は整理できるのか、と読後はしばらく茫然としていた。（杉）

霜

監視対象　警部補マルコム・フォックス

イアン・ランキン／熊谷千寿訳
新潮文庫

なんとイアン・ランキンが新シリーズに着手したのである。不法行為を行なう警官を摘発する「職業倫理班」所属、警官たちから忌み嫌われる刑事フォックス登場。児童ポルノ組織への関与が疑われる刑事の内偵が本作でのフォックスの任務だが、その深層には二重三重の悪辣な政治的策謀がある。ランキンらしい重心の低い語り口が、英国風警察小説というよりル・カレ的なエスピオナージュの気配を醸し出して見事。横山秀夫や佐々木譲を愛する日本の警察小説ファンにもうってつけ。『ペナンブラ氏の24時間書店』『世界が終わってしまったあとの世界で』など奇書系の良作もありますが、正統派好みには本書をおすすめしたい。（霜）

千

狂った殺人

フィリップ・マクドナルド／鈴木景子訳
論創社

平穏な街で突如起こった惨殺事件。警察を嘲弄するような犯人の挑戦状。ひとり、またひとりと犠牲者が増えてゆく中、ロンドン警視庁から来た警視は地元警察と対立しながらも犯人を罠にかけようとする。説明不足の結末に不満が残るが、異様な迫力に満ちた小説ではある。作中でも言及されている「デュッセルドルフの吸血鬼」ことペーター・キュルテンの連続殺人は本書発表の二年前にあたる一九二九年の出来事。この事件をモチーフにしたフリッツ・ラング監督の映画『M』と共通する要素（暴徒と化す住民など）が散見されるのが興味深い。（千）

北

血の咆哮

ウィリアム・K・クルーガー／野口百合子訳
講談社文庫

コーク・オコナー・シリーズの第7作だが、今回は途中に挿入される老まじない師メルーの青春譚が圧巻。これだけで1冊の小説として読みごたえがある。このシリーズでは第3作『煉獄の丘』以来の傑作だ。（北）

吉

緋の収穫祭

S・J・ボルトン／法村里絵訳
創元推理文庫

大雨のせいで塀がこわれ、教会の墓地から子供の死体が三つ出てきた、というシーンからはじまる本作は、どこを切っても英国産ゴシック・ホラー風味でいっぱい。もちろんミステリーとしての謎、主人公の成長物語など、怪奇趣味にとどまらない読み応えだった。あと、カミ『三銃士の息子』高野優訳（ハヤカワ・ミステリ）の人を喰ったセンスとそのバカバカしさに心満たされる。（吉）

酒

服用禁止

アントニイ・バークリー／白須清美訳
原書房

最晩期のバークリーはつまらないから未訳なんだ、というのが《定説》だったが、『服用禁止』はそれを正面から粉砕した。舞台はイギリスの農村部。果樹園を営む「わたし」の隣家には、近所から尊敬を集める気のいい資産家が住んでいた——のだが、この資産家が急死し、その死は毒物によるものだったと判明する。物語はその事件が起きる前から始まって、近隣の友人たちのお喋りを通じ、主要登場人物の人となりが、十分に描き出される（ここら辺は別名義フランシス・アイルズっぽい筆致だと感じた）。そして主人公と彼の妻は、あることをやらかして、この事件に巻き込まれざるを得なくなる（ここら辺はファルス）。ただ読んでいるだけでも面白いし、伏線もちゃんとしており、本格ミステリとして立派な骨格を有する。だが本書最大の山場は、最後の最後に用意されており、この場では申し上げられない。「やりやがった……」というのが実感、とだけは言っておこう。バークリー／アイルズの到達点であることは間違いない。この味が好きな人はファンになって、嫌いな人はアンチになるんだろうなと思う。分水嶺として最適な作品だ。なお、1938年の第二次世界大戦開戦前夜という時代背景が色濃いのも興味深かった。（酒）

見事に分かれました。変化球あり、正当派警察小説あり、古典探偵小説ありで、ばらばらもいいところ。そうこなくっちゃ、という感じですね。来月はいったいどんな作品が上がってくるのでしょうか。どうぞお楽しみに。（杉）

吉 杉 酒

ネルーダ事件

ロベルト・アンプエロ／宮崎真紀訳
ハヤカワ・ミステリ

珍しくも南米チリ産のミステリ。だがこれが滅法面白い。キューバ出身の探偵が、チリの国民的詩人ネルーダから、人探しを依頼される。だが時期が問題だ。アジェンデ大統領率いる社会主義政権がクーデターで倒される直前という時代設定であり、現在にまで尾を引く歴史の闇が牙をむいて襲いかかろうとしているところなのだ。そんな中で、ネルーダが主人公に何を託したのか――その真相が見えてくるにつれ、読者は不可思議なまでに胸に迫るものを感じるはずだ。チリは日本から遠く、その歴史に興味を持つ人は少数派であるかもしれない。しかし、《歴史の悲劇》や《国家による個人の人生の翻弄》は、世界のどこにでも起き得るし、事実起きている。そして、それをベースとした物語は、うまく描かれさえすれば、我々の胸を必ずや打つものである。アンプエロはそれに成功した。（酒）

今年読んだ短篇でいちばんすごいな、と思ったのはロベルト・ボラーニョ『鼻持ちならないガウチョ』所収の短篇「鼠警察」である（『ミステリマガジン700【海外篇】』（ハヤカワ・ミステリ文庫）に入れた短篇は、私は去年のうちに読んでいるのだ）。これは鼠を主人公にした警察小説で、

自分が産んだわけではない赤ん坊と一緒に発見された牝鼠の死体の謎を鼠の刑事が解くという話である。これ、意外なほどちゃんとハードボイルドしているのだ。しかしさすがにこれ一篇だけのためにボラーニョを推すというのもなんなので、アルゼンチンのお隣チリのミステリーを挙げておく。時代設定はチリが政治的動乱の季節を迎えた頃に設定されていて、そうした混沌の中でも探偵小説は成り立ちうるのか、というのが作品の主題になっている。そのことからもわかるように、メタフィクショナルな要素が強く、「メグレものの探偵小説をテキストにしながらにわか探偵が人捜しをする」という内容である。お手本にされているメグレ自身も作中で産みの親であるシムノンに言及したことがある。にわか探偵の依頼主であるノーベル文学賞受賞者にして政治家のネルーダは懲りない漁色家として描かれているが、そこもシムノンと重なる部分があるのだ（シムノンもベッドに女性を引っ張り込むことに執着した人物だった）。作家はそういう形で「探偵小説を書く」という行為自体を楽しんでいる。読みながら、心の奥のほうにある、とても懐かしい部分を刺激されるような感覚があった。（杉）

私立探偵カジェタノは、ノーベル文学賞受賞者かつ革命指導者でもあった詩人パブロ・ネルーダから調査を依頼され、メキシコ、キューバ、東ドイツ、ボリビアへと渡っていく。一九七三年のチリ・クーデターを背景にした探偵もの。メグレ警視をお手本にしたり、ラテンならではの混沌さ不可解さに満ちていたりするなど、英米ミステリとはひと味もふた味も違う読み応えの妙。（吉）

千 赤い橋の殺人

シャルル・バルバラ／亀谷乃里訳
光文社古典新訳文庫

一八五八年にフランスで刊行された幻の犯罪小説が、本書の訳者である日本人学者によって再発見・再評価されたという経緯からして劇的である。当時の思想や世相が色濃く反映された小説ではあるが、罪の意識に追いつめられて錯乱してゆく犯罪者の心理描写は現代にも通用するし、後半のホラー的な展開はかなりの迫力。クレマン夫婦の子供の不気味な存在感は、夏目漱石『夢十夜』の第三夜に登場する、あの主人公が背負った子供を想起させる。（千）

暗殺者の復讐

霜

マーク・グリーニー／伏見威蕃訳
ハヤカワ文庫NV

現代最高の冒険小説シリーズ第四作。凄腕の暗殺者〈グレイマン〉が、己のドッペルゲンガーのごとき敵に遭遇する。これまでのパターンだった(1)グレイマンの無双ぶりを大展開し、(2)徹頭徹尾ハイテンションの銃撃戦、というパターンを脱しているのがポイント。グレイマンに匹敵する敵役もいいが、前半をアクション少なめの謀略戦にしているのが良くて、息を押し殺すような静けさの果ての終盤の激発が鮮やかなのだ。《ゼロ・ダーク・サーティ》×〈グレイマン〉みたいな趣もある本作、グリーニーが野心的なアクション作家であることをあらためて証明した快作であります。（霜）

ハイスピード！

川

サイモン・カーニック／佐藤耕士訳
文春文庫

目が覚めたら隣には恋人の死体が、というミステリはいくつかあれど、これほど絶体絶命なシチュエーションも珍しい。何しろ部屋の中に残されていたDVDには、恋人が主人公の名を叫びながら命乞いするシーンが録画されていたのだから。しかも前夜の記憶はまるで残っていないとなると、あとは逃げ出すしかないのだけれど……と、ここまでで約二十ページ。さあ、このあとはどうする、どうなる。

“高速度暗黒スリラー”の書き手を自認する、二十一世紀のブリティッシュ・クライム・ノヴェルの旗手が放つ、前作『ノンストップ！』をスケールアップしたノンストップ・サスペンス。無茶っぷりがいっそ潔い、お代に見合ったエンターテインメントです。（川）

要塞島の死

北

レーナ・レヘトライネン／古市真由美訳
創元推理文庫

女性刑事マリアを主人公とするフィンランド警察小説シリーズの邦訳第3弾だが、大きなお腹で走りまわっていたヒロインもさすがに母親になっておとなしくしているかと思うと、相変わらずタフで、素敵。きみは自分が結婚していることを忘れないようにね、と同僚からたしなめられるほど、心も体も自由なヒロインなのだ。今回は衝撃的な展開が待っているが、この作家、まったく油断できない。（北）

今月はちょっとした変化球ばかりの月という印象でした。七人中三人が挙げたのがチリ・ミステリーだったとは。さて、来月はどんな作品が挙げられてくるのでしょうか。また、お会いしましょう。（杉）

川

火曜日の手紙

エレーヌ・グレミヨン／池畑奈央子訳
早川書房

一九七五年、パリ。事故死した母の葬儀を終えた三十五歳になる編集者カミーユのもとにルイという男から分厚い手紙が届く。そこには、第二次世界大戦の影が忍び寄る中、フランスのとある村で暮らす少年ルイの、幼馴染みの少女アニーに対する想いが綴られていた。しかも毎週火曜日に続きが送られてくる。差出人にも内容にもまるで思い当たる節のないこの回想録に引き込まれていくカミーユは、誰が、なぜ、手紙を送り続けるのか探り始める。

「秘密はその持ち主とともに死すべきものだと私は考えている」と綴りつつも手紙を送り続けてくるルイが、徐々に明かしていくのは、二組の男女が織りなす狂おしいまでの愛憎劇の顛末だ。一体、何が起きたのか。そして、なぜ四十年近く経った後に秘密を明らかにしようとするのか。

ミステリとして書かれたわけではないと思う。けれども、スティーヴン・ドビンズ『奇妙な人生』やソフィー・オクサネン『粛清』に魅せられた身としては、推さずにはいられない深く胸に刺さるサスペンスの逸品だ。（川）

吉

駄作

ジェシー・ケラーマン／林香織訳
ハヤカワ・ミステリ文庫

売れない作家が他人の原稿を盗み、その小説がベストセラーになる、って話自体は、さして珍しくもないだろう。しかし問題はそれから。まさかまさかの展開が待ち受けている。度胸のある方は、お約束どおりの探偵ミステリなどとは対極にある、この問題作に挑んでほしい。「駄作」は世界を救う、のだ。（吉）

北

犯罪心理捜査官セバスチャン

M・ヨート&H・ローセンフェルト／ヘレンハルメ美穂訳
創元推理文庫

テレビの脚本家コンビらしく、見せ場たっぷりの物語つくりがなかなかにうまい。昔の愛人を探すためには警察のコンピュータに接近するこ

とが必要で、そのために捜査協力を申し出るとの発想がぶっ飛びもの。こんな理由で探偵役を買って出るのは前代未聞。刑事たちの私生活と事件が渾然一体となってラストまで一気読みの傑作だ。（北）

忘却の声

酒

アリス・ラプラント／玉木亨訳
東京創元社

非常に先鋭的なミステリである。語り手の意識と記憶は、認知症で刻一刻と壊れていく。感情の発露とその引っ込めも、唐突かつ無軌道であり、「起きる事件の概要」「事件調査の進展」そして「主人公はどの程度疑われているのか」「主人公は濡れ衣」なのかといったストーリーの中枢すら、すんなりとは像を結んでくれない。読者は、語り手の壊れゆく世界の中から、物語をすくい取って行かねばならない。その咀嚼の過程で、語り手を含む主要登場人物の人格が鮮やかに浮かび上がってくる。綿密な咀嚼→じっくりとした吸収、という過程は、読書の醍醐味そのものだ。しかも（ほとんどあり得そうにないことだが）本書は読みやすいのである！（酒）

窓から逃げた100歳老人

杉

ヨナス・ヨナソン／柳瀬尚紀訳
西村書店

ジェシー・ケラーマン『駄作』と最後まで悩んだのだが、笑いの度合いが高いこちらに決めた。ちなみに『駄作』も大好き。正直言って、父親（ジョナサン）や母親（フェイ）の作品よりも好きだ。読んでね。で、スウェーデン産のコミック・ノヴェル『窓から逃げた100歳老人』なのだが、タイトルから「虐待されている老人が自由を求めて逃亡する話なのね、おじいちゃん可哀想」とか思うとまったく予想を裏切られる。主人公のアラン・カールソンは真っ当な学歴こそないが、ダイナマイトを起爆させる能力だけは天下一品という剣呑な人物だ。その彼が数奇な運命に導かれ、内戦中のスペインから毛沢東東征時代の中国、ホメイニ革命真っ盛りのイランなどをうろうろ彷徨うのである。それが過去パートで現代の記述では、次々に仲間を増やしながら警察の追及を逃れて彼は逃亡し続ける。すっげー剣呑な老人。街で見かけたら通報するレベル。「おい、カールソン」って指名手配書が銭湯の脱衣所に貼ってあってもおかしくないです。この作品、映画化されて日本でも秋に公開されるそうなので期待している。（杉）

ライフボート

霜

シャーロット・ローガン／池田真紀子訳
集英社文庫

今月は『駄作』に票が集中しそうなので（なかなかの秀作）、豊作すぎた5月から、読み漏らすのは惜しい本作を挙げておきたい。話はきわめてシンプル——沈没した客船から脱出、漂流する救命ボート上のドラマである。手記の体裁をとっており、漂流を生き延びた筆者の女性が裁判にかけられていることが冒頭で語られ、「彼女の『罪』は何か」という謎をはじめ、ミステリの技法もあちこちに。定員オーバーのボート上の軋む人間関係は目新しい題材ではないが、読む者の臓腑をキリキリいわせる濃密さがある。手記の出自から「信頼できない語り手」の問題を考えに入れると、味わいは増幅されるはずだ。

ノンフィクション『メキシコ麻薬戦争』(ヨアン・グリロ／現代企画室)もクライム・スリラー好きにオススメの力作。名作『犬の力』の背景もわかります。(霜)

千

ローマで消えた女たち

ドナート・カッリージ／清水由貴子訳
ハヤカワ・ミステリ

ヴァチカンの秘密組織に属する記憶喪失の神父と、夫の死を他殺ではないかと疑うミラノ県警の捜査官。二人の運命が意外なかたちで交錯する時、とんでもない犯罪計画が浮上する。本当にラストで畳めるのか不安になるくらい広げに広げた大風呂敷が読者を眩惑する怪作。前作『六人目の少女』もそうだったが、これほど一作品にさまざまなアイディアを詰め込む作家はなかなかいない。ドナート・カッリージ、今後も目が離せない作家だ。(千)

なんと七人全員が別の作品を。国もバラバラに分かれ、百花繚乱というべき月でした。ますます続く豊作月間。これは今後も期待できそうです。来月もこの欄でお会いしましょう。(杉)

霜 北

秘密資産

マイクル・シアーズ／北野寿美枝訳
ハヤカワ文庫NV

『ブラック・フライデー』に続く第2作だが、証券界を舞台にした小説であるというのに、主人公の私生活の印象があまりに強いので、背景を忘れてしまう前作よりも今回は背景と不可分なのでサスペンスが盛り上がる。静と動のリズムもよく、テンポはもちろんよく、一気読みの傑作だ。(北)

フォルカー・クッチャーにヘニング・マンケルに『ハリー・クバート事件』などなど、東京創元社が年間ベスト級作品をフルオートで撃ってきた豊作の7月。だがハヤカワがドロップしてきた本作は現在のところ年間ベスト1である。前作『ブラック・フライデー』も快作だったが、あれが登場人物紹介編にすぎなかったと思わせる充実の第二作。間違いなくここ十年で最高のハードボイルド・スリラーであり、ローレンス・ブロックやクレオ・コイルと並ぶ最良のニューヨーク・ミステリであり、ディック・フランシスのスピ

リットも充填されていて、読みながら僕は、ミステリとしての決着などつかなくてもいいから、このまま主人公とともにニューヨークを徘徊していたかったとさえ思った。フランシスは逝ってしまったが、僕たちにはシアーズがいる。ラスト一行に泣け。（霜）

酒 川

ハリー・クバート事件

ジョエル・ディケール／橘明美訳
東京創元社

旧き良きアメリカの生き残りのようなニューイングランドの小さな町で、三十三年前に行方不明になった少女の白骨死体が発見された。殺人容疑で逮捕されたのは、国民的大作家のハリー・クバート。かつての教え子で親友でもあるマーカスは、師の嫌疑を晴らすために独自に調査を開始する。それは同時に、デビュー作が一躍ベストセラーとなったものの二作目が書けずに煩悶していたマーカス自身の作家としての再生を賭けた闘いでもあった。

これは、作家という特異な生き方を選ばざるを得なかった二人の男の物語だ。「人生に意味を与えろ。それができるのは二つだけ、本と愛だけだ」というハリーが語る〝真理〟に対して、ハリーとマーカスがいかに対峙し、作品を生み出し、生きてきたか。率直に言って冗長なところもあるし、荒削りな部分も目立つ。ミステリとしても、もの凄く尖ったことを試みているわけではない。けれども、読ませる。過去と現在を往還し、徐々に明かされる意外な真実が牽引力となり、八〇〇頁の大部を一気呵成に読み通してしまった。うん、満足。（川）

大作家ハリー・クバートが、33年前に15歳の少女を殺した容疑で逮捕される。元教え子で今は新進売れっ子作家（ただしスランプ中）の主人公が、恩師の濡れ衣（？）を晴らそうと独自の調査を始める。ただし主人公は、後でこの調査を本にまとめる気満々であり、無償の善意に基づく行為ではない。話が進むにつれて新事実が次々判明し、「真実と思われるもの」がころころ変わる。物語展開はかなり奔放だ。だがそれ以上に、二人の新旧作家の自己実現（またはその挫折）が鮮烈な印象を残す。70歳近いハリーは、33年前に15歳の少女との愛（純愛？）を失った挫折経験を元に、作家としての名声を得た。ただしその後の実人生はずっと孤独なままである。一方、28歳の主人公は、デビュー作こそ成功したが、以後スランプに陥って一冊も本が出せておらず、苦悩の只中にいる。事件調査の描写に加えて、二人の人生にも十分筆を費やすことで、本書は、作家になりたいという飽くなき意欲とその空回りという《作家という病の初期症状》から、栄光に包まれ得意になるとかスランプといった《中期症状》、そしてふとした拍子に気付く虚しさや老い、諦念といった《後期症状》までを、しっかりと描き抜く。平易な文体ゆえ読みやすい作品であるが、深みはなかなかのものだ。（酒）

吉 杉

北京から来た男

ヘニング・マンケル／柳沢由実子訳
東京創元社

どれも良くって目移りしてしまう一月だったが、今月は好みで『北京から来た男』を。ヘニング・マンケルは抜群のストーリーテラーなのだが、特に過去の因縁を現在進行形の事件へと誘導してきて接点を作る手法が巧い。読者の側から見ると、地面に出来た小さな穴をほじくり返しているうちに、あれよあれよという間に巨大な地下空間を見つけてしまうというような興趣がある。本書のマンケルは女性判事を導入役に任命した。彼女が自身の過去に関する小さなこだわりを払拭しようとして行動することが埋れていた大事件を発掘することにつながる、という展開なのである。重大な要素をさりげなく読者に提示する手つきがいいし、緩急のつけ方も満点の出来だ。とんでもなくショッキングなことがさらっと書かれるので、後からその事実の持つ意味に気づくと読者は大きな感銘を受けるという仕掛けなのである。長篇ミステリーのお手本のような作品だと思う。マンケル作品の中でも間違いなく上位に来るできばえだ。（杉）

作者による単発作。スウェーデン北部の小さな村で十九人の惨殺死体が発見された。その背後には、十九世紀に生きた、ある中国人の悲惨な過去が関係していた。作者の政治思想（体験）が色濃く反映されているのかもしれないが、そんなことを感じる間もなく夢中で読んでしまった。話がダイナミックで描写が濃密なのだ。その他、遅ればせながら手にとった、アリス・ラプラント『忘却の声』は、二代にわたる認知症の家族を持つ私には身につまされる小説で、病状が進行していく様は『アルジャーノンに花束を』に似て切なく読むのが辛かった。（吉）

千

狙われた女

ジャック・ケッチャム、リチャード・レイモン、エドワード・リー／金子浩、尾之上浩司訳
扶桑社ミステリー

いきなり男が乱入してきて無差別乱射が始まる……という発端のみ同じシチュエーションで、その後は全く別のストーリーが繰り広げられるという、スプラッター・ホラーの三作家による競作（レイモンとリーの作品は登場人物名も共通）。表題作のヒロインを襲う容赦ない展開はいかにも「鬼畜系作家」レイモンらしいが、最も感心したのはSFスリラー仕立てのリー「われらが神の年2202年」の先が読めない展開だった。ラスト、そのネタで来るか！（千）

二人が挙げた作品が三つという横並びの状況になりました。『狙われた女』もアンソロジーならではの魅力的な作品です。大作・問題作が目白押しの七月、さて八月はどのような月になるのでしょうか。来月もどうぞお楽しみに。（杉）

2014 9月

吉 千 霜 酒

ゴーストマン　時限紙幣

ロジャー・ホッブズ／田口俊樹訳
文藝春秋

一、48時間後に爆発する紙幣（比喩に非ず）を奪還せよ、二、犯罪のプロフェッショナルで協働し高層ビル最上階の銀行を襲え、などと依頼内容も凄いが、ストーリー展開はもっと凄い。

矢継ぎ早のピンチ！　急転する状況！　スマートなプロフェッショナルぶり！　その割には苛烈なバイオレンス！　しかも正義とか箴言とか説教とか感傷とか惻隠とかをバッサリ切り捨てており、主人公たちはワルだけれど実はいい奴なんだぜ、などという世間的良識にも一顧だに与えない。更にはこの手の話にありがちな、恋愛／お色気すら抑えて、ひたすらダイナミックでドラマティックな、物語としての激しい動きを最優先にしている。それでもちゃんと纏まっている――どころか、精緻さすら感じさせるプロットがどーんと用意されているのだ。全ては計算のうち。ただし、意地悪な見方をすればこれは若者しか書けないタイプの作品で、30歳を超えると「小説の全てを計算してやる」との大胆不敵さは消えちゃう（または作者自身が飽きてしまう）んじゃないかと思わないでもないけれど、緻密な設計の結果生じる、物語と主人公のクールさには痺れてしまいます。（酒）

なんとなんと。先月の『秘密資産』、今月の『ゴースト・ヒーロー』（S・J・ローザン）、『もう年はとれない』（ダニエル・フリードマン）、『ゴーストマン　時限紙幣』（ロジャー・ホッブズ）と、2014年の夏はハードボイルド・サマー（ダサい）となった。渋く成熟した都会派、柔かで陽性の正義感、パルプ風の威勢のよさ、ドライで非情な世界観、と多彩な四作を読めば、「ハードボイルド」を敬遠してきた読者にも最良の入門になるはずである。

そんな中から、悪党パーカーやクリント・イーストウッド演じる「名無し」を愛する者として、『ゴーストマン』を選ぼう。映画的なイメージの鮮烈さやプロットもいいが、本書をスペシャルなものにしているのは文体だ。いまどきのミステリは、発生するイベントの数やストーリーの珍奇さで評価されがちだが、思えばローレンス・ブロックもチャンドラーも、味わいの核心は文体にこそあった。本書も、クール&ドライな語り口と世界観で読む者を魅了するクライム・フィクションなのである。アタマの1ページからケツの最終行まで酔わされました。（霜）

八月の新刊は、シンプルで切れ味のある謎解きを楽しめるヘレン・マクロイ『逃げる幻』、犯人が悪夢に出てきそうなマーガレット・ミラー『悪意の糸』といった作品も印象的だったが、最も圧倒されたのはこの作品。徹底的にクールでスタイリッシュな文体で描かれてゆく、全く無駄のないプロたちの犯罪計画。極悪人にも極悪人なりの、裏切り者にも裏切り者なりの魅力がある（あと、とにかく田口俊樹氏の訳文が素晴らしいということは特筆しておきたい）。いい意味で映画的なのに実は小説ならではのテイストでもあるだけに、今後予定されている映画化が気になって仕方がない。（千）

時間とお金をかけたハリウッド映画の強奪クライムものを見ているがごとき痛快さ。参りました。これが二十代半ばの書き手によるものだというのも驚き。今後が末恐ろしい。そのほか、遅れて読んだジョエル・ディケール『ハリー・クバート事件』もまた今年の収穫といえる読み応えで、ライターズ・ブロックにかかった主人公、その恩師である作家の事件、しかも十五歳の少女殺害容疑という基本設定をはじめ、過去の事件を様々な角度から明らかにしていくプロットが、巧み。（吉）

北 川

もう年はとれない

ダニエル・フリードマン／野口百合子訳
創元推理文庫

外連を廃した定番のプロットと常道のストーリー展開で犯罪小説／襲撃小説の面白さを、基本に忠実にリニューアルした二十一世紀のクライム・ノヴェル『ゴーストマン 時限紙幣』。北欧を代表する警察小説《ハリー・ホーレ》シリーズの第一作で、オーストラリアを舞台にしたジョー・ネスボの『ザ・バット 神話の殺人』。

いずれ劣らぬ力強いデビュー作を押さえて頭一つ抜けていたのが、これまた新人の第一作である『もう年はとれない』だ。第二次世界大戦を生き抜き、三十年間にわたってメンフィスの悪党どもから畏怖されていた伝説の名刑事バック・シャッツ。齢八十七となるシニカルで頑固なかつてのタフガイが、肉体と記憶力の衰えを痛感しつつ、ラッキーストライクと357マグナムを携え、孫とともに仇敵であるナチスの元将校と金塊の行方を追う姿がなんともかっこいい。単なる元気なジジイの大暴れ小説ではなく、ヒーローが死と老いから目をそらさず、諦念を抱きつつも信念を曲げることなく日々を送る姿が胸に響く、滋味深く爽快な作品だ。（川）

主人公の年齢が87歳ということは新記録だ。これまで、ハードボイルド、スパイ小説、警察小説などのエンターテインメント主人公の最高齢は、胡桃沢耕史『六十年目の密使』の85歳であった。このときの相手役ヒロインの年齢は60歳。それで愛をささやくのだから、さすがは老人小説第一人者だけのことはあった。いや、老人小説というよりも、爺様小説である。本書の内容をまだ何も紹介していないが、この年齢の設定だけで素晴らしい。たぶんこの記録は今後も破られないだろう。（北）

杉

ガットショット・ストレート

ルー・バーニー／細美遙子訳
イースト・プレス

8月はとんでもない犯罪小説月間になって、おそらく今年のベストテンにランクインするであろうという作品が目白押しであった。しかも(1)新人が強く、(2)過去の作家を思わせるようなところが随所にある、という古参のファンを泣かせる作品ばかりという嬉しさである。ちょっと書いてみると、『ゴーストマン』が〈悪党パーカー〉シリーズ、『もう年はとれない』が『オールド・ディック』のL・A・モース、『ザ・バッ

ト　神話の殺人』（これがデビュー作だ）がトニイ・ヒラーマン、そしてこの『ガットショット・ストレート』がカール・ハイアセン&エルモア・レナード&エヴァン・ハンターという作風なのであった（twitterで、ひとむかし前の扶桑社ミステリーを思わせるような、という感想を見かけたがいい表現だと思う）。

　自分で帯の推薦文を書いたからではないが、『ガットショット・ストレート』好きだなあ。犯罪小説にもいろいろなタイプがあるが、今月のもう一つの特徴は(3)主人公に抜群の魅力がある、ということだと思う。本書の場合は「前科者だけどいいやつ（レストラン経営者志望）」「嘘つき女に弱い」「トラブルに巻き込まれやすいけど知恵でなんとかするタイプ」という、まるで『スティック』『ラブラバ』『グリッツ』あたりの一九八〇年代レナードが大好きな読者なら随喜の涙を流しかねない人物像なのであった。ちょっと厚めの作品なんだけど、読んでみてくださいな。（杉）

『ゴーストマン　時限紙幣』と『もう年はとれない』で頭とヒモは決まり金玉（©東江一紀）という流れでしたが、各者のコメントを見ればわかるように、候補作が多くて絞るのに散々苦労した一月でした。このテンションがずっと続くと七福神死んじゃう！（でも続け）来月もお楽しみに！（杉）

吉　千　川

その女アレックス

ピエール・ルメートル／橘明美訳
文春文庫

　帯のキャッチコピーに「あなたの予想はすべて裏切られる！」とあるように、次々と様相を変えていく様が素晴らしく面白い。センセーショナルな展開がブースターとなってハイ・スピードで読み進めていくと、章の変わり目でガチャンと音がしそうなくらい大仕掛けな転調が待ち受けていて唖然呆然。しっかりと安全バーを握りしめ、足を踏ん張っていないと振り落とされそうなくらいの衝撃が待ってます。

　サスペンスとして特級品な上に、入念にばらまかれた布石が利いてくる終盤の展開が、ぞくぞくするほど面白い。誘拐・監禁という幕開きから、この終幕を予想できる読者はいないでしょう。『その女アレックス』は、間違いなく今年度のベストテンに食い込んでくる。いや、もう、本当に堪能しました。（川）

　北欧やドイツ語圏ミステリの勢いに押され、ここ数年は（古典を別にすれば）フレッド・ヴァルガスとフランク・ティリエくらいしか紹介されなかったフランス・ミステリ界が、久しぶりに必殺の刺客を日本に送り込んできた。有名なあの作品のパターンか、それとも……と読者を惑わせながら意外な方向に疾走する物語もさることながら、読み進めるうちに印象が変わってゆくヒロイン、アレックスの存在感が尋常ではない。そしてラストについてはこれでいいのか、既読の方と語り合いたい。（千）

本作に関して、「できれば事前に余計な情報を入れずに読むといい」という複数の意見がtwitterにあり、そのとおりにして読んだ。あ、でも、「アレックスが監禁される場面からはじまる」という冒頭あらすじはなんとなく頭に入ってたかな。ともあれ、ある場面からは驚きと興奮のまま一気読み。できれば、その「余計な情報を入れずに読め」ということすら目にせず手に取りたかった、と読後に思う私なので、これでもちょっと語りすぎか。（吉）

霜 北

ピルグリム

テリー・ヘイズ／山中朝晶訳
ハヤカワ文庫NV

全3巻で、しかも帯コピーがなんだっけ、「テロ計画を阻止せよ」とかなんとか、いかにもつまらなそうなので、まったく食指が動かない本だが、本は外側からではわからない。

読むと驚く。テロリストもそれを追いかける諜報員もそして重要な脇役の刑事も、出てきたらどんどんその人生が掘り下げられていく。その「遠回り」は構成的には破綻していると言っても過言ではないが、だからこそたっぷりと読ませる。無味乾燥な国際諜略小説と本書をわける1本の線が、その「遠回り」なのだ。

重厚さとは縁遠く、やや軽いが、それも現代的か。（北）

巴里（パリ）から来たイヤミス爆弾『その女アレックス』を推すひとが多そうなので、違うタイプの傑作を。

あらすじを紹介しても意味のない作品である。なぜなら「バイオテロを企むアラブ系テロリストを、孤高の情報部員が世界をまたにかけて追う」――と要約しても、そんなもん死ぬほど読んだわハゲ!と思われるだけだろうからだ。だが実際に読みはじめればすぐに判るように、本書はプロットよりも語り口に妙味のある小説なのである。7月の『秘密資産』、8月の『ゴーストマン』と同じと言っていい。そして、この2作がそうだったように、語りに身体を浸すだけで痺れるのである。

クール&ドライな大人の一人称語りで読ませる傑作が立て続けに出たのは本当に喜ばしい。派手な事件やトリッキーな仕掛けだけが「読み手への報酬」なのではない。「文体／voice」だって大いなる読書の快楽の源泉なのだという当たり前のことを、改めて教えてもらったような気がする。（霜）

酒

沈黙の果て

シャルロッテ・リンク／浅井晶子訳
創元推理文庫

イギリスにある別荘で休暇を過ごすため、ドイツからやって来た、中年夫妻3組＋その子たち3名からなるグループ。物語中盤では、このうち実に5人が惨殺される事件が発生し、ミステリ的にはこれが焦点となる。しかし本書でよりクローズアップされ、読者の印象にも強く残るのは、事件そのものではなく、このグループの歪んだ人間関係である。彼らの家庭はそれぞれに大きな問題を抱えている――再婚相手と子の関係が最悪だとか、経済的にやばくなって来たとか、流産のショックからまだ立ち直れていないとか――のだが、それ以前に、明らかに様子がおかしいのである。家族よりもこのグループを優先する奴もいれば、皮肉な目で人間関係を観察している者もおり、手前勝手な理屈でこのグループを事実上リードする女性もいる。最初から雰囲気はギスギスしていて、とても楽しく休暇を過ごせているようには見えない。共依存とすら思える彼らの描写は、恐ろしいことに極めて克明かつリアルだ。「さっさと友人やめたらいいじゃん」というツッコミを許さないほど、この人間関係には説得力がある。それが本書最大の魅力だ。（酒）

杉

両シチリア連隊

アレクサンダー・レルネット＝ホレーニア／垂野創一郎訳
東京創元社

第一次世界大戦の終結を最後に解散した連隊に属していた者たちが次々に奇妙な形で消えていく。ある者は首を180度捩られて死に、ある者は不意に失踪し、という連続する変事の影に二人の兵士の入れ替わり物語が絡む、という内容である。帯に「反ミステリ」とあるのは決して無責任な煽りではなく、ミステリーとしての結構を満たしながら（奇妙なトリックが用いられる）、解かれきれない謎が残存し続けるという趣向で、読んでいる間はずっとわくわくしっぱなしであった。もちろん『その女アレックス』はおもしろいのだが、こういう、一度読むとその記憶が頭から消えなくなるような小説もぜひ手に取ってもらいたい。あと、短篇集ではB・J・ホラーズ編『モンスターズ』（白水社）がかなりお薦めだ。モンスターが顔を出す作品ばかりを選りすぐった楽しい短篇集で、半分くらいは青春小説の成長の痛みがモンスターと絡める形で語られるのである。レベッカの「テンション・リヴィング・ウィズ・マッスル」という曲を思い出させる「ゴリラ・ガール」とかね。モンスター・ホラー好きは必読だ。（杉）

『その女アレックス』でフランス・ミステリー復活なるか。新旧勢力が拮抗し、ますます勢いを増した感がありますね。さあ、この調子でどんどん行きますよ。来月のこの欄も、ぜひお愉しみに！（杉）

杉 酒

殺し屋ケラーの帰郷

ローレンス・ブロック／田口俊樹訳
二見文庫

刊行予定表に本書の題名を見た時はのけぞった。えええええ、続けるんですかこのシリーズ、と。明らかに前作で一旦終わったような書き方だったじゃん！　しかしそこはさすがローレンス、極めてあっさりしてはいるが、強い説得力を持って、ケラーを殺し屋稼業に復活させた。飄々として良識ある物腰はそのままに、ケラーは今日も冷酷な仕事を請けるのである。各篇いずれも「殺し屋自身の日常を描く小説」になっていて、読み応えあり。ケラーの切手蒐集家としての側面がこれまで以上に強く打ち出されているのは興味深かった。（酒）

このシリーズの第1作である『殺し屋』を読んだときには、「あ、これはハメットの非情文体の究極系だ」と思ったものである。感情を削ぎ落とした死の描き方が、あまりにかっこいいから痺れたのだ。それから時が過ぎ、ケラーもずいぶん感傷的なおじさんになったものだ。それはブロックの他の主人公、マット・スカダーやバーニー・ローデンバーがたどった道筋と同じだった。感傷的な殺し屋話というのも変な言い方だが、そのとおりなのだから仕方ない。そして、感傷的ではないと描けない非情という逆説的な仕掛けがこの本には存在するのである。なんというか、ずいぶん遠くまで来たものだ。そしてたどり着いた場所は、とても心地よいところだった。犯罪小説ファンにも、そうではない方にも自信をもってお薦めします。（杉）

吉 川

探偵ブロディの事件ファイル

ケイト・アトキンソン／青木純子訳
東京創元社

自由奔放に紡ぎ出された緩やかに連関する十二の物語が、切なさと温かさを胸に残して幕を閉じる魔術的な魅力に満ちた短篇集『世界が終わるわけではなく』の作者が書いたミステリが、一筋縄でいくわけがありません。

ケンブリッジで私立探偵業を営む元警察官ブロディのもとに、立て続けに舞い込んだ三件の人捜しの依頼。いずれも重く深刻な背景と辛い真相を予感させ、物語はシリアスに展開していくのかと思うと、突如斜め上からひねりの利いたユーモアが降臨してきて思わず噴き出してしまいます。「起こり得る最悪の事態がすでに起こってしまったとき、人はどうするのか――その後の人生をどんなふうに送るのか?」と独白したかと思えば、「修道女たちは決して走らないのに、まるで足に車輪でもついているかのようにやたらと素早く動き回る」なんて、くだらなくも思わず肯いてしまうような疑問を思い浮かべるのだからたまりません。

並行する事件のあっちとこっちが邂逅し、思わぬところで繋がる諧謔と哀感が折り込まれたタペストリは、まさに作者の本領発揮。力点の置き方のズレが愉しい何とも独創的なミステリです。Must Read!（川）

家族の夏の様子が細やかに描かれているかと思えば、一転して事件が起こる冒頭部にまず引きこまれてしまった。過去の三つの事件をめぐり、探偵ブロディが活躍する話……には違いないのだが、何人もの登場人物の視点で描かれ、しかも事件とは関係がないと思われるエピソードが続く、奇妙な展開。それでも最後にピタリと全部のパズルがはまる。女たちのあけすけな会話など、米国の男性作家が描く探偵ものとはまったく異なる作風だが、大いに楽しみ、驚かされた。（吉）

千

死んだ人形たちの季節

トニ・ヒル／宮﨑真紀訳
集英社文庫

暴力沙汰を起こしたため謹慎中の警部が命じられたのは、公式には捜査が終了している転落死事件の再調査。関係者に聞き込みを行う警部の前に、さまざまな「悪」が絡み合ったおぞましい人間模様が浮上する……。スペイン・ミステリ界に新たに登場した実力派作家のデビュー作。あらゆる登場人物を順繰りに「こいつが犯人か」と思わせておいて、それでもなおかつ読者の意表を衝く真犯人を手品のように鮮やかに取り出してみせる手さばきは新人離れしている。「バルセロナ警察三部作」の第一作にあたるらしいので、続篇も楽しみで仕方がない。（千）

霜

ノワール

ロバート・クーヴァー／上岡伸雄訳
作品社

ポストモダン文学の旗手が〝ノワール映画＆ハードボイルド小説〟を俎上（そじょう）に——ということなのだが、構えて読む必要はありません。「私／俺」の一人称で語られるのが通例のハードボイルド文体の人称を、二人称「君」に置き換えることで、クーヴァーは読者たる私たちにソフト帽とコートをかぶせて、暗い街路に放り込む。そこはマーク・ショアの『俺はレッド・ダイアモンド』と、ポール・オースター『幽霊たち』（本書の刑事の名前は「ブルー」！）と、映画版『マルタの鷹』をつきまぜたような世界であり、そこを「君＝私たち」は戸惑いながら歩くのだ。意地悪な含み笑いや、叙述の横滑りをあちこちに仕掛けつつも、「ノワール」の本質たる暗くうっそりした実存的不安も一貫した逸品です。（霜）

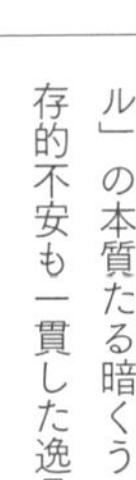

北

判決破棄

マイクル・コナリー／古沢嘉通訳
講談社文庫

「リンカーン弁護士」のミッキー・ハラーと、ハリー・ボッシュが共演する長編だが、どちらのシリーズの1編でもあるという構成がミソ。つまり法廷内ではハラーが主役になり、外の調査はボッシュが担当するという具合だ。細かなところに言いたいことがないではないが、これだけ読ませてくれれば十分。ボッシュの第1作『ナイトホークス』が1992年。20年以上たっているのにまだ読ませるのは驚異だ。（北）

おおいに票が割れた一月になりました。ケイト・アトキンソンは昨年の「闘うベストテン　出張版」（※）の海外篇覇者でもありますね。さて、次はどのような作品が挙がってきますことか。どうぞお楽しみに。（杉）

※大森望・香山二三郎・豊﨑由美・杉江松恋出演で行われていた書評番組の年間特別編。

川　酒

今日から地球人

マット・ヘイグ／鈴木恵訳
ハヤカワ・ミステリ文庫

遙か彼方の宇宙から密命を帯びて地球に送り込まれた異星人の刺客は、深夜の高速道路に現れた直後、車にはねられ宙を飛んだ。全裸で。そして、そのまま何事もなかったかのように、ガソリンスタンドに行き、《コスモポリタン》を立ち読みする。現地語学習に余念なし。

えっ、これ何なの、ミステリなの、という疑問の声が聞こえてくるけれど、まぁここは細かいことは措いときましょう。MWA賞最優秀長篇賞の候補作だし、潜入・捜査ものですから。同時に成長小説でもあります。〝暴力的〟で〝強欲〟な地球人が数学上の難問リーマン予想を証明してしまったために、宇宙の安寧が脅かされる可能性ありと考えた星主により問題解決のために送り込まれた刺客。素数の97と同じくらい強く孤高でありつづけたいと思う彼が、いかにしてドビュッシーの『月の光』と、エミリー・ディキンスンの詩と、ピーナッツバター・サンドと犬と二人の人間を愛するようになりしかを綴った、「人間になる方法についての書」を、ぜひ愉しんでみてください。（川）

『繊細な真実』に見るル・カレの静かな怒りには感銘を受けた。年度ベスト級としてなら、私は『繊細な真実』を選ぶ。また、エレナー・アップデール『最後の1分』における究極の群像劇と考え抜かれた展開にも感嘆した。しかし今月は敢えて『今日から地球人』が顕す人間賛歌を推しておきたい。

人間を殺すため地球人に化体した、全く異質な異星人が、人間の素晴らしさに触れて考えを改める——見飽きている上に人間に対して楽天的過ぎる展開は、異星人主人公の、異質過ぎて一周回ってしまい、とぼけているようにしか見えなくなった語り口に乗せられることにより、とても魅力的な物語に化けおおせた。

2011
2012
2013
2014
2015
2016
2017
2018
2019
2020
さくいん

SFとしてはツッコミどころ満載で、ミステリ要素は申し訳程度にしかなく、終盤もそれでいいのかとすら思う。だが、『ピルグリム』や『ゴーストマン』同様、材料は凡庸であっても語り口によって小説はいくらでも輝くことができる。『今日から地球人』は、その最高のサンプルの一つだと思う。（酒）

千

いま見てはいけない
デュ・モーリア傑作集

ダフネ・デュ・モーリア／務台夏子訳
創元推理文庫

ヴェネチア、クレタ島、アイルランド、エルサレム、東海岸の研究所といった異郷を訪れた人々が、幻想や妄想に囚われ、自分の足元が崩壊するような穏やかならざる体験と直面させられる短篇集（表題作はニコラス・ローグ監督の映画『赤い影』の原作として有名）。どの作品も着地点の予想が全くつかない展開がサスペンスを煽り、的確にして巧妙な語りの魔術が登場人物の不安に読者をシンクロさせる。デュ・モーリアの短篇に外れなし。しかし、『真夜中すぎでなく』（三笠書房）という旧訳が存在することがこの本のどこにも書いていないのは何故だろう。（千）

杉

カウントダウン・シティ

ベン・H・ウィンタース／上野元美訳
ハヤカワ・ミステリ

『地上最後の刑事』を読んだときは、三部作の最初ということもあり「うう、これだけが傑作であとは尻つぼみというパターンだったらどうしよう」と思ったものだが（ちなみに私の2014年度海外本格ベストです）、第二作を読んで杞憂とわかり安堵した。今回は地球滅亡まで八十日を切った状況で、失踪した夫捜しに主人公が挑む。私立探偵小説の王道パターンを使いながら、それに淫しない作者の姿勢がよく、まったく新しい小説を読んだ、という感慨が残る。崩壊する世界の状況が現在進行形で書かれているのを読むという体験もあまりなく、なんだか得した気分なのである。これは第三作にも期待ができそう。次は世界滅亡まで一週間、という設定らしいですぞ。ドースルドースル！（杉）

霜

邪悪な少女たち

アレックス・マーウッド／長島水際訳
ハヤカワ・ミステリ文庫

優れたイヤミスは鏡である。それは私やあなたや世界の忌むべき半面を映し出す。25年前に小さな子を殺し、「邪悪な少女たち」と呼ばれた二人の女に降りかかる事件を描いた本書もそのひとつだ。訳者あとがきによれば「誰にも共感できない」という評があったというが、そう感じたひとに私は問いたい——あなたは恵まれた友人をねたんだことはないか？　貧しい友人を無自覚に蔑んだことはないか？　世の中は不公平だと思ったことはないか？　幼い頃は親しかったのに生活に格差が生じたせいで失ってしまった友人はいないか？　ひとつでも思い当たるなら、あなたは本書のなかに自分を見つけるだろう。失った友人を、あなた自身の悲しみを見つけるだろう。本書はあなたにとって鏡となるのだ。

　悲劇へと突き進むプロット自体は先の読めるものだが、ここには世界の理不尽さと大いなる喪失の悲しみが見事に描かれている。まったく共感できなかったとすれば、あなたは自身の幸福に感謝するか——自分が多くのものを忘れてしまっていることを悲しむべきだろう。痛ましく悲しいシスターフッドの物語。これは拾い物である。（霜）

吉

堕天使のコード

アンドリュー・パイパー／松本剛史訳
新潮文庫

　ミルトン『失楽園』の研究者である教授が、ある女性の依頼で、娘を連れてヴェネチアへ向かった。そこで奇妙な体験をしたのち、娘が姿を消してしまう。主人公は必死で娘を捜し、各地へ赴く、というストーリー。一種のホラー・ファンタジーなのだが、主人公が抱える独特の孤独感や憂鬱感とそれを示す表現やエピソードに魅力がある。加えて、失踪した娘は父によく似た気質で「頭がよくて本好きで、〝暗め〟のタイプの仲間たちの擁護者」という女の子。こうした細部の良さゆえに国際スリラー作家協会最優秀長編賞を受賞したのだろう。ただ、この邦題には大いに首を傾げた。安手の陳腐なスリラーみたい。原題はThe Demonologist 悪魔学者。世界のいたるところ、そして心の奥に棲む悪魔との戦いが象徴的に描かれた長編なのだ。（吉）

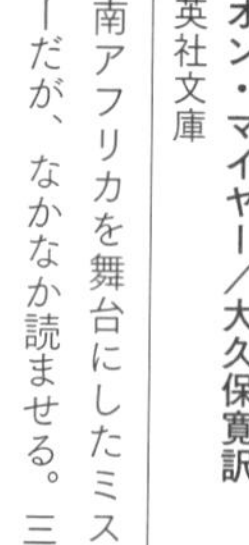

北

デビルズ・ピーク

デオン・マイヤー／大久保寛訳
集英社文庫

　南アフリカを舞台にしたミステリーだが、なかなか読ませる。三部作の第一部ということだが、こういうのはまとめて読むのが大変だから今のうちから読んでおきたい。それだけの価値はある。（北）

　SF的設定の作品が二つ入りました。サーガの一角をなす作品も二つですね。これから年末に向けて、どんな作品が出てくるのかおおいに気になります。どうぞ来年も書評七福神をよろしくお願い申し上げます。（杉）

COLUMN

仏はヘンに宿る

吉野仁

この十年で大きく世界の地図は塗りかえられた。

もちろん翻訳ミステリの話だ。長いあいだアメリカとイギリスから刊行された英語の小説がジャンルを主導し、世界的な人気を誇ってきた。それは日本における翻訳ミステリの中心でもあった。ところが今世紀にはいり、北欧ミステリの爆発的なブームを経て、ここ最近は、ドイツ、スペイン、イタリア、オーストラリア、中国、韓国などの翻訳作品が目立って増えてきた。いわばグローバル化したのである。

こうしたミステリの世界地図もしくは世界史のなかで、いささか風変わりな国といえば、フランスだ。

もともと十九世紀末から二十世紀初頭あたりまでのフランスでは探偵小説がさかんに書かれ、ガボリオ、ルブラン、ルルーといった著名な作家を輩出していった。英米に劣らぬ活気をみせていたのだが、第一次世界大戦のあと、やや大人しくなってしまった感がある。それでも戦後からは、英米のミステリとはどこか趣きの異なる独自の発展をとげていった。

いってみれば、ヘンなのだ、フランスミステリは。

若いころから英米の巨匠による名作やMWA賞CWA賞の受賞作をはじめ多くの傑作に親しんできた。だが、フランスミステリはそうした小説群と味わいが異なる。どこか勘所がずれている。ヘン。その理由を考え続けていくと、ヘンだったのはむしろ自分のほうではないかという気にだんだんなってくる。つまり、ミステリの論理性や整合性、小説の約束ごとのみならず、人間観や人生観、世界の見方などがゆさぶられるのだ。

この書評七福神の母体である「翻訳ミステリー大賞シンジケート」が開催するコンベンションで「フランスミステリ未訳短編翻訳コンテスト」の発表が毎年おこなわれている。フランスミステリの翻訳で知られる高野優氏がプロデューサー役をつとめ、自身が主催する翻訳教室の生徒たちによる未訳短編の翻訳作から優秀なものが選ばれるという企画だ。毎年四十作から五十作をこえる短編が集まる。じつはわたしもこのコンテストにかかわっており、これまでの全作に目を通しているのだが、毎年かならず奇妙な面白さの短編が何作かあがってくる。強烈な印象を残さずにおれないおかしな小説だ。ありがたや。

できればいずれそのヘンをみなさんに届けたい。

十年間の印象鮮烈な作品5選

酒井貞道

長引く出版不況の中、翻訳ミステリを盛り上げる趣旨のサイトで、毎月ベストを挙げるのは、本来であればかなりの重責である。しかし実際には、私の態度は実にいい加減である。一貫した方針が何もない。むろんさすがに、その月に一番気に入った作品とするのは共通しているが、これは私の方針ではなく企画のレギュレーションに過ぎない。実際には、個人的嗜好に偶然マッチしただけの作品を挙げた月もあれば、万人向けの作品をわざわざ選ぶ月もある。SFや幻想小説、評論を挙げる月もあれば、推理小説を挙げることに妙に拘った月もある。そしてその全てが、「私の気分がその時そうだったから」に過ぎない。前月言っていたことと次月言っていることが矛盾していることすら目につく。我ながらいかがなものか。

そんな人間に、七福神で取り上げた作品の中からベストを挙げよと言われても、困ってしまう。だがそれも自業自得、四の五の言ってもしょうがないので、ここは潔く開き直ることにしよう。この文章を書いている今現在の自分に鮮烈な印象を未だ与える五作を挙げておく。理由はやっぱりバラバラだが。

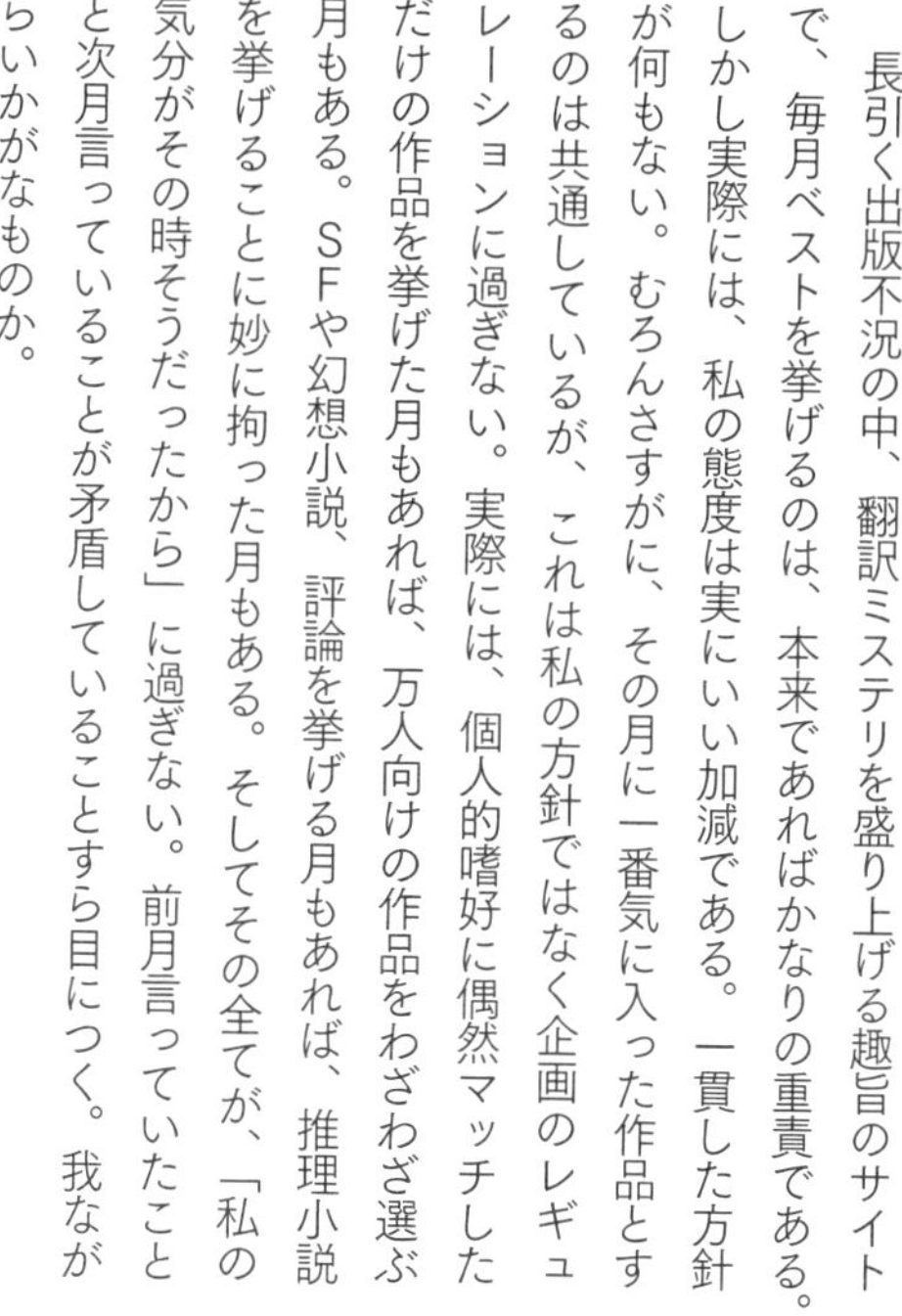

1『遮断地区』ミネット・ウォルターズ
2『解錠師』スティーヴ・ハミルトン
3『大統領失踪』ビル・クリントン&ジェイムズ・パタースン
4『座席ナンバー7Aの恐怖』セバスチャン・フィツェック
5『古書奇譚』チャーリー・ラヴェット

1は、ミネット・ウォルターズが現代社会と正面から向き合った作品で、非常に感銘を受けた。八年経った今、ここで描かれた諸課題は、日本でもじわじわ現実のものになってきているように感じられる。このように見事に社会を切り取った彼女が、ポスト・コロナの世界をどう描くか、是非読んでみたい。

『解錠師』は、少年の成長譚として見事。九年後の今も記憶に焼き付いている辺り、私はこの種の物語が大好物なのだろう。

『大統領失踪』は元大統領が書いた大統領ミステリで、ノブレス・オブリージュ小説のUSA版として、完成度が極めて高い。なお二〇二一年には、ビルの妻ヒラリー・クリントンが国務長官ミステリを発表するようだ。そちらも楽しみである。

4は、作品内容もさることながら、私が同書を読んだシチュエーションが実に惜しかった。読んだ場所は空の上、ANA国内便の往路、座席ナンバー7K。当日その時点ではニアピンだなと笑えたが、翌日に乗った復路の座席は7Aだった。それを知った時に感じたあの悔しさ！　未だに鮮明に覚えている。

そして五位。該当ページを見ていただければわかりますが、私のテンションが明らかにおかしい。これには理由があります。

私事で恐縮ですが、この作品が出た年に私は結婚し、配偶者と同居を開始しました。親と祖母以外の人間と同居するのはこれが初めて。加えて、私と配偶者は、婚活をしていなければ一生縁がない人生だったと確信できるほど、趣味が全く違います。私は読書とクラシック音楽鑑賞。相手はトレイルラン、三味線、日本舞踊、パワースポット探訪。そして、お互いの趣味に対する興味はほぼ完全にゼロ。しかも同居が始まると、家事をはじめ生活全般に、手法や感覚の相違点が次々現れます。夫婦だから以心伝心できる。そんな幻想は早々にゴミ箱に突っ込まれ、報連相と意思疎通が生活の最重要課題に躍り出るわけです。

そんな時期に読んだ『古書奇譚』は、言葉を選ばずに書けば、受け身な人間の夢の具現化でした。主人公と妻の趣味は完全に一致しており、その趣味の世界で妻が主人公を勝手に絶賛し勝手に尊敬してくる。マニアの自分がされて嬉しいマニアなプレゼントを相手にしたら、何かを相手に無理強いすることもない代わりに、譲歩することもなく、互いが互いの趣味・感性・生活に予めジャストフィット。調整は一切不要！「んなわきゃないだろ」という生活の真っ只中だった私としては、思わず強く反応してしまいました。まことに申し訳ない。

ただ、正直なところ、最初から最後まで一心同体状態が維持できる恋愛や結婚が実現したとすれば、そんな人生は間違いなく、つまらない。自己と他者は違うからこそ、軋轢と和合が生まれ、人は刺激され充実する。ミステリがときに私たちの胸を打つのは、そういう理由もあるからだと思っています。

2015年

霜 北 川

白の迷路

ジェイムズ・トンプソン／高里ひろ 訳

集英社文庫

嗚呼、ついにカリ・ヴァーラ警部が一線を踏み越えてしまった。北極圏の小さな町の警察署長からヘルシンキ警察殺人捜査課の警部を経て、非合法特殊部隊の指揮官へ。〝世界一暮らしやすい国〟といわれたフィンランドの清らかな皮膜を剝ぎ取り、どす黒い内面――人種差別、対独協力、麻薬汚染、人身売買――をさらし糾弾する北欧暗黒小説（ノルディック・ノワール）の開拓者が生み出した寡黙なヒーローは、シリーズが進むにつれて、より深く鋭く闇の奥へと切り込んでいく、満身創痍になりながら。

手放しで勧められるほど、読み心地も読後感も良くはない。けれども差別や偏見に根ざしたヘイト・クライムを見据える揺るぎない視線と、真摯で妥協しない創作姿勢には深く心を撃ち抜かれてしまうのだ。こうなったらヴァーラの地獄巡りにとことん付き合おうじゃないか、と思っ

ていたのに作者は去年急逝してしまった。あと一作しかシリーズが残されていないのが悲しい。（川）

カリ・ヴァーラを主人公とするシリーズ第3作だが、主人公が同じシリーズものなのに、第1作とこれほど違うのは珍しい。第1作は警察小説であったのに、今度は暗黒小説なのだ。主人公の性格そのものが変化しているという変わり種。このあとどうするんだろうと思ったら、著者が急逝。今後の展開を見ることができないのは残念だ。（北）

いま一番スリリングな北欧警察小説シリーズ第三作なのだが——。なんとなんと。驚いた。前作『凍氷』（年間ベスト級の傑作！）でも随分なところに踏み込んだなと驚かされたが、ここまで行ってしまうとは！　こんな地点は第一作の段階では予想もしていなかった。ミステリらしい一本道のストーリーはここにはなく、物語の断片が大胆に時間を圧縮してつなぎ合わされ、その果てに私たちは、警察の、世界の、自警団的正義の、そして人間の、暗部を見つめることを強いられる。過剰なまでの銃器や武器への偏愛は、オトコノコ的なフェティシズムと表裏になった暴力の魅惑と愚かしさを描き出す。暴力と感情の問題を生理的な変調として捉える手口も面白く、ちょっとジム・トンプスン的ですらある。そしてエルロイの提示した主題を自分なりに追究した数少ない警察ノワールのひとつに数えてもいいだろう。前作を超える傑作。（霜）

杉 吉

ありふれた祈り

ウィリアム・ケント・クルーガー／宇佐川晶子訳
ハヤカワ・ミステリ

田舎町の少年が鉄道に轢かれて死ぬという事故の記憶から始まる、一夏の物語。エドガーをはじめとする各賞の最優秀長篇部門を総なめにしたというのも納得の力作だ。13歳の主人公は周囲から不良少年のなりかけという偏見で遇され、その弟は吃音症のため感情を表明することが容易ではない。彼らの美しい姉は、音楽大学への進学を前に不可解な生き物、すなわち〈大人の女〉へと脱皮しかけていた。さらに牧師である父と芸術家志向の母。この家族のキャラクター布置だけでも素晴らしいのだが、地元の旧家の一族の描かれ方が印象的でよい。さらに先住民族の男や街の無学の白人たちといった脇役の配置も抜群で、一人ひとりの顔が浮かんでくるようである。『ありふれた祈り』という題名は本書の教養小説的側面に関わるものなのだが、特筆すべきは殺人事件を巡る謎解きミステリーとしても十分評価しうる出来だということである。つまり完璧。一年の終わりにいいもの読んだ！（杉）

これまで多くの少年ものミステリで扱われた要素がほとんど取り込まれているだけではなく、しっかりとしたテーマをもった完成度の高い作品である。特にマイノリティーの者たちをめぐる痛切なドラマが胸を打つ。（吉）

千

チャーリー・モルデカイ1 英国紳士の名画大作戦
チャーリー・モルデカイ2 閣下のスパイ教育

キリル・ボンフィリオリ／三角和代訳
KADOKAWA／角川文庫

画商なのに、そんじょそこらの私立探偵やスパイより何度も殴られたり拷問されたり命を狙われたりする主人公。ウッドハウスが生んだジーヴズの強面版とも言うべきその相棒。主人公に次々と課せられる重大すぎる任務（××の暗殺を依頼されるくだりは仰天の展開。というか断れよ、モルデカイ！）。何の余韻もなく、命の重さなど微塵も感じさせることなく無造作に死んでゆく登場人物。文字通り世界を股にかけて暴走する無軌道なストーリー。下世話でブラックなユーモアと、高度な知性に裏打ちされたペダントリーの融合……これぞ、イギリスの小説の最も毒性が強い部分を更に煮詰めた猛毒エンタテインメントだ。（千）

酒

チャーリー・モルデカイ2 閣下のスパイ教育

キリル・ボンフィリオリ／三角和代訳

KADOKAWA／角川文庫

モルデカイ・シリーズは、『深き森は悪魔のにおい』（サンリオSF文庫）で日本の当時の読者に鮮烈な印象を残したが、残念なことに、それ以外の作品が紹介されなかった。しかし2014年12月、シリーズは遂にそのヴェールを脱ぎ、全四作中、第一作と第二作が一気に訳出されたのである。P・G・ウッドハウスに頻繁に言及しつつ《活動的なダメ主人》として主人公モルデカイ像を打ち立てて、そこにどす黒いユーモアをたっぷりとまぶして、残酷かつお下劣なドタバタ劇を成立させる。上品な小説とはとても言えないが、英国ミステリの暗黒面をたっぷりと楽しむことができるのだ。ジョン・スラデックが延長線上に見えるような、細部への偏執的なこだわりが感じられるのも素晴らしい。なお個人的には、スパイ小説としての枠組みが、無軌道なモルデカイの行動に一定の歯止めをかけている第二作『閣下のスパイ教育』を推しておく。しかし、モルデカイの個性が炸裂しているのは『英国紳士の名画大作戦』だろう。どちらをとるかはお好み次第である。（酒）

不思議と票がまとまった月になりました。刊行点数の少ない年末だから、こういうこともあるでしょうね。さあ、二〇一五年の幕開けです。今年はどんな作品が読めますことやら。どうぞご期待ください。（杉）

2015 2月

禁忌

フェルディナント・フォン・シーラッハ／酒寄進一訳

東京創元社

凋落した名家の御曹司エッシュブルクが殺人容疑で逮捕された。共感覚の持ち主で、若くして写真家として名声を手にした彼が、半生を通じて求めたものは何だったのか。極端に切りつめた文章と絶妙な間合いで彼の人生を彫刻していく穏やかな「緑」の章に、センセーショナルな

「赤」と冷徹な「青」の章が重ね合わされた結果浮かび上がる「白」が、鮮明に心に焼き付く。

　罪とは何かという根源的な問題をテーマに読者に解釈を委ねるシーラッハの筆法は、現代アートにも通じるものだ。美術館を訪れて、真っ白な壁に掲げられた三枚の絵画を順繰りに見た後、残像に思いを馳せる。そして再度、作品を見に戻り、解釈を深める。そこに唯一無二の正解はない。むしろ、その思惟の時を繰り返し味わうことこそが、シーラッハを読む愉しみなのだ。（川）

成功した写真家をめぐる奇妙な事件を通じ、人間とはいかなる存在なのか、芸術家にとってありのままの姿を映し出すとはどういうことかを問いただしているように思えるうえ、こうした見方だけでは収まらない面を多く含んでいるため、何度も読み返したくなる小説だ。そのほか、ポール・クリーヴ『殺人鬼ジョー』（北野寿美枝訳／ハヤカワ・ミステリ文庫）は六年前に邦訳された『清掃魔』（松田和也訳／柏書房）の続編。トンプスン『ポップ1280』の影響下にある、ひねりの効いた異色犯罪小説。『清掃魔』から読まないと面白さは半減どころじゃすまないので要注意です。（吉）

千

偽証裁判

アン・ペリー／吉澤康子訳

創元推理文庫

　『護りと裏切り』で殺人の嫌疑をかけられた友人の義姉を救うべく奮闘した看護婦ヘスターが、今度は自らが老婦人毒殺の罪で投獄された。その友人である私立探偵のモンクと弁護士のラスボーンは彼女の無実を証明しようとするが、裁判が開かれるのがスコットランドなので、敏腕弁護士のラスボーンが法廷に立てないという思いがけない大ピンチが到来。老婦人の一族の複雑を極める人間関係から、モンクはどんな秘密を暴くのか……緊迫感と意外性溢れる法廷戦術が読みどころの、ヴィクトリア朝ミステリの逸品。お馴染みのイングランドではなく、スコットランド独自の裁判のやり方を知ることが出来るのでお得感がある。（千）

杉

凍える街

アンネ・ホルト／枇谷玲子訳

創元推理文庫

　ノルウェー・ミステリーの真打が満を持して登場なのである。シリーズ途中の作品ということでキャラクターの魅力が伝わりにくいのが難点なのだが、本シリーズが北欧ミステリーでは初めてと言っていいほどセクシャル・マイノリティー（LGBT）に寄り添い、男性優位社会の欺瞞を指摘した作品であるということ、主人公であるハンネ・ヴィルヘルムセンが機能不全家庭に生まれ、そのために他人に愛情を示すことに骨絡みの屈託を抱えていることを知っていると、深度のある読書が楽しめるのである。集英社文庫に『女神の沈黙』他の初期作品が収録されているので、ぜひ復刊を！　キャラクター像としてはサラ・パレツキーのV・

ー・ウォーショースキーとスー・グラフトンのキンジー・ミルホーンを足して二で割ったようなところがある。そして本書は、まさかのアガサ・クリスティー・リスペクト作品でもあるのだ。続篇はなんと『オリエント急行の殺人』を思わせるプロットであるという。シリーズ全体を俯瞰すれば北欧ミステリー史についての理解が変わるかもしれない、重要なシリーズ作品だ。（杉）

霜

殺人鬼ジョー

ポール・クリーヴ／北野寿美枝訳
ハヤカワ・ミステリ文庫

2009年に刊行された『清掃魔』は忘れ難いイカレポンチ連続殺人鬼小説で、私は同年のベスト9に推したことがある。なんとあれの続編が登場しようとは夢にも思わなかった。拘置されて裁判が進行中の「清掃魔」ジョーと、殺人を繰り返しながらジョーをつけ狙うシリアルキラー美女メリッサのWキラーがインモラルに暴れ回る！ もちろんB級だが、笑っていいんだか悪いんだか判らない極悪ユーモアは健在。そんな話が上下二巻、ゴキゲンなカバーイラストに舐めきった帯コピーと、すべて素敵に悪趣味である。最高。（霜）

酒

七人目の陪審員

フランシス・ディドロ／松井百合子訳
論創社

1958年のフランス産ミステリだが、内容たるや古さを全く感じさせず、むしろ時代の最先端を突っ走っている。主人公の中年男グレゴワールは、何の変哲もない街の薬局店主で、若干回想癖や妄想が強いけれど、どこにでもいそうな平凡なおじさんである。ところがこのグレゴワールが、ふとしたきっかけで、奔放と評判の若い女ローラを、ついフラフラと殺害してしまうのだ。やがて、粗暴な青年アランが殺人犯として逮捕され、裁判にかけられることになる。彼が犯人でないことを知るグレゴワールは苦悩し、何度か自白しようとするが、なかなか上手く行かない。そうこうするうちに、権勢志向が妙に強い妻ジュヌビエーブの策略もあって、グレゴワールは、その裁判の陪審員に選任されかける。

主人公の意識を追う形式で綴られたこの物語は、アントニイ・バークリーの『試行錯誤』のフランス風変奏といった趣で進行する。グレゴワールはアランが極刑に処されるのを回避しようと、必死に手を尽くす。だがその試行錯誤はなかなか実らず、またグレゴワール自身、意志強固に突き進むわけではなく心が千々に乱れていて、その右往左往／右顧左眄ぶりが実に楽しい。状況はシリアスで緊迫感すらあるが、ユーモアは否定しようもない。そしてラストには、ある意味たいへん強烈で皮肉な結末が待ち構えている。ちょっと変わった洒脱な文体（訳すの大変だったろうなあ……）も含め、物好きには絶対にオススメの逸品だ。（酒）

北

模倣犯

M・ヨート&H・ローセンフェルト／ヘレンハルメ美穂訳
創元推理文庫

史上最強のダメ男セバスチャン、ふたたびの登場だ。捜査陣に協力を申し出るプロファイラーの動機としてこれだけ不純な動機も珍しいが、この男、全然懲りないから立派。女に手が早く、冷たく、そういう私生活が今度は物語に密接にからんでくるから素晴らしい。脇役のキャラも、後半のたたみかける展開も、すべてがいい。今年度ベスト1候補の一発目だ！　（北）

ヴィクトリア朝の歴史法廷小説からフランスにスウェーデン、ノルウェー、ドイツ、そしてニュージーランドと妙に国際色豊かな月になりました。どこからいい作品が出てくるのかわからず、油断ならないですね。どうやら二〇一五年も、翻訳ミステリー界は賑やかなことになりそうです。では、また来月お会いしましょう。　（杉）

2015 3月

杉 川

渚の忘れ物

コリン・コッタリル／中井京子訳
集英社文庫

「お祖父ちゃん、浜辺に頭があるのよ」「なんの頭だ?」「え?」「魚の頭か?」「犬の頭か?」「それとも、キャベツか?」「人間の頭よ」。

いいなぁ、このノリ。バンコクでも指折りの犯罪報道記者だったものの、やむにやまれぬ家庭の事情から、タイ南部のしょぼくれた田舎町で母が経営する冴えないリゾートホテルを手伝う羽目になった主人公ジム。彼女が、元警察官——清廉潔白、故に出世とは無縁に交通係一筋40年——の祖父と冒頭三ページ目で交わすこの会話からわかるように、皮肉と風刺の効いた主人公の語りが心地よい猥雑な犯罪小説です。ミャンマーからの移民問題を核に、貧困、不正、汚職といった深刻なテーマをユーモアを持って小気味よく斬る手腕は、共産主義政権下のラオスを舞台にした《老検死官シリ先生》シリーズの作者の面目躍如たるもの。こっちのシリーズの翻訳もぜひ再開して欲しいものです。　（川）

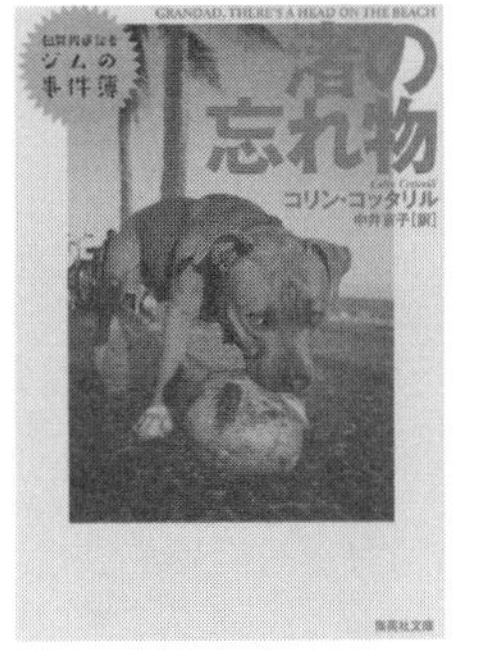

WEB本の雑誌にも書いたが、本書を読んで真っ先に連想したのは、ジャネット・イヴァノヴィッチのステファニー・プラム・シリーズだった。あのシリーズの場合は家族の誰かが不安定になり、ステファニーがそれを案じて行動するのがサブ・プロットとしてメイン・プロットと融合する構造になっていた。本書の場合、主人公のジム（女性）以外はほぼ全員が不安定である。頑固で喧嘩早い祖父、突如として夢見る夢子さんになってしまう母、極度の引きこもりの姉、女性恐怖症の気がある（そして母親とほぼ同年齢の女性と婚約した）弟と、危なっかしいキャラクター揃いなのだが、なぜか結束の強さを感じさせられる。家族小説としても完成度は高い作品だ。そこに持ってきて謎の呈示の仕方がいい。ドタバタ騒ぎで笑っているといつの間にか事件のただなかに引きずりこまれているという趣向であり、謎解

き面でも満足させてもらえるのである。この夏ビーチ・リゾートに行くことがあれば、携えていきたいミステリーのベストワンですな。（杉）

千

完璧な夏の日

ラヴィ・ティドハー／茂木健訳
創元SF文庫

　不老の宿命に呪縛された特殊能力者たちがバトルを繰り広げる、第二次世界大戦から今世紀に至るまでの「もうひとつの世界史」。アメリカン・コミック的な設定のもとで展開されるル・カレ風の国際謀略に、戦いの中で翻弄される恋愛と友情の行方を絡めた物語は、緊迫感と切なさが拮抗していて忘れ難い魅力を放つ。イスラエル出身作家でないと書けないかも知れない、アイヒマン裁判のパロディ的なエピソードには度肝を抜かれた。邦題は原題と全く印象が異なるがこれで正解。（千）

霜

強襲

フェリックス・フランシス／北野寿美枝訳
イースト・プレス

　ディック・フランシスの競馬シリーズで一番大事なのは競馬ではなく、プライドを懸けた克己のドラマであり、無駄なく引き締まった物語展開である。そこを押さえないと断じてディック・フランシスの後継にはなりえない。フランシス亡きあと、シリーズを継いだ実の息子フェリックスは、そこをよく解っている。無駄な前置き抜きの冒頭が名作『度胸』を思わせる本作は、『反射』『名門』『証拠』あたりの大フランシス第二絶頂期の流儀を踏襲した見事な「競馬シリーズ」の一編である。作中で幾度も変奏される「Gamble(原題)」というモチーフが、あの『興奮』の軸をなすスピリットと共鳴していることも見逃すべきではないだろう。装幀、訳文ふくめ、期待は裏切られない。ぜひ読まれたい。（霜）

酒

ブリリアンス―超能ゲーム―

マーカス・セイキー／小田川佳子訳
ハヤカワ文庫NV

　本書は粗の多い作品だ。1980年以降に生まれた人間の1％に特殊能力が発現するという、人類全体を巻き込んだ規模の話で、しかも3・11後に書かれたテロの恐怖を背景とする作品であるにもかかわらず、本書の記述はUSAの国内事情に終始し、海外など眼中にない。第二部以後の展開にご都合主義が強まったり、社会制度の設定や、黒幕の計画のツメが甘かったりするのも減点材料です。登場人物のキャラクターも、立ってはいるけど単純過ぎるんだよなあ……（これがご都合主義にもつながる）。

　しかし、ストーリーテリングは上手い。これは認めざるを得ない。主人公は、超能者でありながら、権力の走狗として、超能者テロリストたちを狩る立場にある。その過程では人も殺す。正義感と使命感の板挟みに加えて、子が超能者として施設に放り込まれるとの不安に駆られる彼の心情は、特に第一部で読者の感情移入を誘発するはずだ。また全篇にわたって、大規模テロの陰謀を阻止することができるのかがスリリングに描かれるとともに、差別に対する糾弾が実直に打ち出されている。複雑な味わいやコク、あるいは「考えさせられる」要素とかには欠けても良くて、ストレートでシンプル、にもかかわらずスケール豊かという娯楽小説を求めている人には強くオススメしたい。実は俺もこういうの嫌いじゃないんだ。（酒）

吉

模倣犯

M・ヨート＆H・ローセンフェルト／ヘレンハルメ美穂訳
創元推理文庫

第一作『犯罪心理捜査官セバスチャン』で、主人公は次のように描写されていた。「犬にたとえるならドーベルマンよりもむしろブルドッグといったところで、髪の生えぎわは徐々に後退しているし、選ぶ服装もファッション雑誌からはほど遠く、いかにも心理学の教授といった感じだ」。ところが「セバスチャンは女を口説くことに長けている」。相手の女性に合わせ、状況を見ながら戦術を変え、口説き、ものにしていく。

で、このシリーズ、こうした異色キャラを押し出した警察群像ミステリにすぎないと思って油断してたら、第二作『模倣犯』は、面白さが倍加しているではないか。主人公をめぐるサブストーリーを活かしたうえで、『羊たちの沈黙』同工異曲設定を導入しつつも、後半、ページをめくるのがもどかしいほどのとんでもないサスペンスが展開していく。いまからでも遅くはない。未読の方は一作目からぜひ。（吉）

北

猟犬

ヨルン・リーエル・ホルスト／猪股和夫訳
ハヤカワ・ミステリ

シリーズの途中で何かの賞を受賞するとその作品がいきなり翻訳されるということはこれまでにもあったので珍しくない。それでも鑑賞の妨げにはならないという版元の判断があるのだろうが、しかしシリーズはやはり最初から読みたい。このシリーズも最初から読めば、また違った感想を抱くのではないか。そんな気がする。（北）

SF的な設定の話あり、キャラクターの強い警察小説あり、ビーチ・ミステリーあり、とバラバラに分かれた二月でした。どうやら今年も翻訳ミステリー界は多士済々のようです。三月はどんな作品が挙げられてくるか、楽しみにお待ちください。（杉）

2015 4月

吉 千 川

悪意の波紋

エルヴェ・コメール／山口羊子訳
集英社文庫

最近の翻訳ミステリ・シーンで一番嬉しいことは、『その女アレックス』の爆発的なヒットにより、このところ旗色の悪かった三色旗（トリコロール）にミステリ・ファンの関心が向いてきたことだ。英米流のボリューム満点、カロリーたっぷりの現代ミステリに食傷した時に、フレンチの名匠がこしらえるアラカルト

は、とりわけ美味しく感じられるのです。フレッド・カサックやフレデリック・ダールの諸作、ノエル・カレフの『死刑台のエレベーター』やルイ・C・トーマ『死のミストラル』といった、独立不羈の名匠の手になる憂愁を貯えた小味なサスペンスを愛して止まない身としては、エルヴァ・コメール『悪意の波紋』は、まさに堪えられない逸品です。

暗黒街の大物から一〇〇万ドルを掠め取って以来四十年、悪事を働きながらも無事生き延びてきた老人ジャックのもとに一人の女性記者が訪れる。一方、レストランで働くイヴァンは、ある日TVのリアリティー・ショー番組に出演中の元彼女が、元カレからのラブレターを公表すると言い出したことから、手紙を盗み出すことを決意する。この二人の軌跡が交叉して始まる物語のなんと奇妙なことか。なお、表四の紹介文は微妙にネタばらしなので、要注意。

今月は、狭義のミステリではないけれども、《STAMP BOOKS》の一冊で、東西冷戦終結直前のブダペストを舞台にしたピエルドメニコ・バッカラリオ『コミック密売人』もお勧め。ひょんなことからアメコミ密売に手を染めることになった少年の成長譚は、「自由」についてあらためて考えさせられる、今の時代にこそ読んで欲しい一冊です。（川）

四十年近く隠しおおせていた犯罪を突きとめられた老人と、元恋人に宛てた手紙を奪回しようとする若者。並行して進む二人の語りが最後に意外なかたちで交錯する……というのはよくあるパターンだが、本書の場合は交錯してからが予想不能な第二幕の始まりだ。フレッド・カサックやミシェル・ルブランあたりの昔懐かしいフランス・ミステリの味（瀬戸川猛資が言うところの「フランス風小手先芸」）を堪能できる、魅力的でちょっと不思議なサスペンス小説。（千）

これ、先の読めないサスペンスが好きな方にお薦め！　四十年ちかく前に起きた百万ドル強奪事件。その犯行グループ五人が写っている写真が、ひとりの老人のもとに届いた。いったい誰が何のために送ってきたのか。一方、元恋人に辱めを受けようとしている青年の悩みは解決するのか。謎とその奥にある秘密が次々に浮上したり、意外な人物が絡んでいたりする本作、ひと筋縄ではいかないフランス産ミステリならではの奇妙で魅力あるテイストがいっぱい。（吉）

北

ウェイワード

ブレイク・クラウチ／東野さやか訳
ハヤカワ文庫NV

前作『パインズ』のラストでぶっ飛んだ世界を舞台にした第2部。またまた驚愕のラストで、いったいこのあと、どうなるの！　これで第3部の着地がひどかったら怒りだすが、まだわからないので、とりあえずは買い。（北）

杉

クローヴィス物語

サキ／和爾桃子訳
白水uブックス

意外なことにサキの短篇集が一冊丸ごと翻訳されるのはこれが初めてなんだとか。本書は夭折の作家サキの第5作にあたる短篇集で、1911年に刊行された。この5年後にサキは第一次世界大戦に出征して戦死し、実姉の手で遺稿は焼き払われたので、今後未発表の作品が発見される可能性はほとんどないという。「奇妙な味」の代表格でもあったサキにはアンファン・テリブル（おそるべき子供たち）テーマの「スレドニ・ヴァシュタール」という短篇があり、その手のアンソロジーのマスターピースとして知られているが、この短篇集が出典元だった。クローヴィスという皮肉屋の青年が、かなり洒落のきつい悪戯で周囲の人間を驚かせていくという話と、そのクローヴィスの親戚・知人の俗物たちによる珍妙な騒動が収録作の中心で、それに突拍子のない幻想小説や諷刺小説が加えられている。全28篇とドイツ語版のために描かれたエドワード・ゴーリーの挿絵16点が入ったお得版である。私の好みは、クローヴィスものでは、子供を小道具のように使う「求めよ、さらば」（最後の1行のセンスがすばらしい）、皮肉極まりない「運命の猟犬」、意地悪な天使小説「閣僚の品格」というところか。短篇好きは必読。もっとサキは読んでみたい作家だ。（杉）

霜

限界点

ジェフリー・ディーヴァー／土屋晃訳
文藝春秋

思えばディーヴァーの魅力は敵と味方の知恵比べなのであって、それをつきつめればこうなる、というボディガード・サスペンス。一人称文体もFPSゲームみたいな視野狭窄感で臨場感と疾走感を増している。なお、ひと月遅れで恐縮だがラヴィ・ティドハー『完璧な夏の日』も、映画版《ウォッチメン》オープニングタイトルを60年代式スパイ小説っぽく仕立てたみたいな良品でブロマンス味もあり、ジャケと邦題を見て「ナイーヴな草食系SF青春小説だよね？」とスルーしかけた（僕のような）人にこそすすめたい。（霜）

酒

ザ・ドロップ

デニス・ルヘイン／加賀山卓朗訳
ハヤカワ・ミステリ

ピーター・メイ『忘れゆく男』と最後まで悩んだがこちらで。場末のバーのバーテンダーが事件に巻き込まれる。単にそれだけの話ではあるが、その「それだけ」が、わずか180ページにギュッと凝縮されているのです。この硬度と密度はなかなかに得難い。ルヘインにはちょっと柔弱な文章を書くイメージがあったんですが、それが覆りました。（酒）

フランス・ミステリー再評価の機運が高まっているのを感じます。それ以外もほどよくばらけて、いい月間だったのではないでしょうか。さて、四月二十五日に開催される翻訳ミステリー大賞贈賞式（※）では七福神によるトークをお届けします。会場でお会いできる方もそうでない方も、次月をどうぞお楽しみに。（杉）

※第六回。

杉 グッド・ガール

メアリー・クビカ／小林玲子訳
小学館文庫

先月『クローヴィス物語』が刊行されたと思ったらまたサキのオリジナル短篇集『レジナルド』が出たり、『クローヴィス物語』と同じ白水uブックスからホレス・マッコイ『彼らは廃馬を撃つ』が復刊されたりと、どちらを選んでも先月と被ってしまう方面から猛烈な誘惑があったのだが、思わぬ拾い物をしたのでそっちを紹介しておきたい。『グッド・ガール』は5W1HのうちWHAT「何」を問うタイプの作品で、書きぶりがおもしろい。ミア・デネットという女性の美術教師が謎の男に連れ去られて監禁され、その後解放されるという事件が起きたことが冒頭で語られる。作者は複数の視点人物を登場させて、「その前」と「その後」、つまり誘拐前と解放後の章を交差させるように書いていくのだ。登場人物Aの前、Bの前、Aの後、Bの後といった具合に。その中間にある事件そのものについての情報が不足しているので読者はつい引き込まれ、何が起きたのかと想像を逞しくしてしまう。ズルいと言えばズルいのだが、語りの技巧としてたいへん面白い。懐かしいクレイ・レイノルズ『消えた娘』を連想しながら読んだ。（杉）

吉 クロニクル 1 トルコの逃避行

リチャード・ハウス／武藤陽生訳
ハヤカワ文庫NV

なぜか昨年から、ブレイク・クラウチ『パインズ』その続編『ウェイワード』（ともにハヤカワ文庫NV）やジェシー・ケラーマン『駄作』（同）など、後半まったく予想もしない展開が待ち受けてる奇想天外サスペンスの刊行が続いているが、どうやらこの『クロニクル』もそれらに勝るとも劣らない驚きをもった長編作のようだ。この第一部はシンプルな逃亡サスペンスなのだが、七月刊予定の第三部になると謎の中に謎が包まれたまま展開していくらしい。いまの時点では「ようだ」「らしい」としか言えずもどかしいけど、四部作すべて読み終えるときが待ち遠しい。（吉）

霜 国王陛下の新人スパイ

スーザン・イーリア・マクニール／圷香織訳
創元推理文庫

第二次世界大戦下のロンドンに移住したアメリカ育ちの数学者の卵、赤毛のマギーがスパイとして活躍するシリーズ第三作。彼女が英国の秘密工作機関SOEの一員としてナチス・ドイツに潜入する。前二作同様、クリスティーの『七つの時計』とか『茶色の服の男』の衣鉢を継ぐ「おきゃんな娘の痛快謀略スリラー」だが、本作ではナチスの暴虐が影を落とし、単なる能天気な活劇に収まらない重みをそなえた。

　細かなところまで史実にのっとる作劇やLGBTへのまなざしなど、神経のゆき届いた良質のシリーズだったが、本書でさらにレベルアップ。チャーチルにチューリング、果てはキム・フィルビーまでがおいしい役で出演する楽しさも格別だし、総じて著者マクニールは、娯楽小説のツボを完璧に押しまくるセンスの持ち主。言葉の最良の意味での「翻訳ラノベ」の快作で、この痛快&軽快な味わいはクライブ・カッスラーに通じるだろう。いまのところ尻上がりに面白くなっているシリーズなので、早く第四作を読みたい。（霜）

千

死への疾走

パトリック・クェンティン／水野恵訳
論創社

　パトリック・クェンティンがほぼ同時に二冊邦訳されたとは驚きだが（もう一冊は『犬はまだ吠えている』原書房）、ストーリー展開のテンポの良さと、これでもかと言わんばかりの意外性でこちらに軍配を上げたい。ピーター・ダルースのシリーズでは『人形パズル』に近い巻き込まれ型サスペンスで、マヤ文明の遺跡やメキシコシティが舞台という設定が醸し出すエキゾティックな雰囲気、善良そうな登場人物たちが裏の顔を隠し持っていることから生じる目まぐるしいどんでん返しなど、魅力的な読みどころが多い。それにしても、シリーズ前作『巡礼者パズル』であんな経験をしたのに、懲りない男だな、ピーター……。（千）

川

パールストリートのクレイジー女たち

トレヴェニアン／江國香織訳
ホーム社

　どう強弁したって『パールストリートのクレイジー女たち』はミステリじゃない。けれども物語に浸る愉悦をこれほどまでに味わわせてくれる小説を取り上げなくてどうする、という沸き上がる思いを押さえきれない。

　時代は大恐慌時代の真っ只中から第二次世界大戦終結までの十年間。舞台はニューヨーク州の州都オールバニーのスラム街。感情の起伏が激しい若く美しい母と、三つ年下の妹とともに、どん底のような街に移り住むことになってしまったやんちゃで賢い六歳の少年は、エキセントリックだったり普通じゃなかったりする〝クレイジーな女たち〟に囲まれながら、苛酷な貧困状態の中で青年へと成長していく。

　瑞々しい筆致で過度に感傷的になることなく描かれる悲喜こもごもに至るエピソードの何と輝いていることか。中でも、真っ暗な部屋の中で主人公がラジオに聴き入るシーンは白眉だ。トレヴェニアンが最後に書き上げた、自身の体験が色濃く反映された畢生の大作をぜひ味わって欲しい。（川）

酒

氷雪のマンハント

シュテフェン・ヤコブセン／北野寿美枝訳
ハヤカワ文庫NV

　NVでこのタイトル、この表紙なので、てっきり軍事アクションかと思ったが、読んでみたら、良質の骨太スリラーであった。大富豪と元軍人の死と、マンハント映像の謎が、しっかりと融合していく様がしっかりと描き込まれている。二人の主人公のコントラストもいい。女性警視は警察小説要素（北欧らしい！）を、プロフェッショナルな警備コンサルタントはアンダーグラウンドな空気感を、作品に強く刻印している。続篇もあるらしいので、続けて訳されることを期待したい。（酒）

北

ラットランナーズ

オシーン・マッギャン／中原尚哉訳
創元SF文庫

SF文庫の1冊だが、帯に「都市冒険SF」とあるように、近未来のロンドンの裏社会で生きる少年少女の冒険を描く長編なので、ミステリーとして読んでもいいだろうと勝手に解釈したい。その近未来がどういう社会なのかという設定もいいが、がちがちの監視社会から16歳以下の少年少女が自由になっているというのがいちばんいい。だから犯罪組織は子供たちを使うという物語になるのだが、彼らはその境遇に甘んじないのだ。痛快であるのはそのためだ。（北）

見事にバラバラ。完膚なきまでにバラバラ！　みなさんの読書生活を忙しくしてしまってすみません、と七福神を代表してお詫びしておきます。さて、来月はどのような作品が紹介されますやら。どうぞお楽しみに。（杉）

北　川

悪魔の羽根

ミネット・ウォルターズ／成川裕子訳
創元推理文庫

二〇〇四年、殺戮の巷バグダッドで拉致監禁され三日後に解放された記者コニー。一切の質問に答えることなくイギリスへと帰り、絵に描いたような田園地帯の古屋敷に隠棲することにした彼女の身に、いったい何が起きたのか、そしてなにが起きようとしているのか？

小規模なコミュニティを舞台に、マイノリティに対する蔑視と偏見、弱者に対する支配、家族のあり方を問う姿勢はデビュー以来一貫している。けれどもコニーが、「いまや世界はグローバルな村だもの」と述べているように、本作では〈境界〉はなきに等しい。可視化と繋がりが急激に進む世界にあって、凄惨な目に遭ったコニーは、田舎町の人間関係にいやおうなく巻き込まれつつ、過去と対峙し、脅威に立ち向かわざるを得ないのだ。「幸せの秘訣は自由である……自由の秘訣は勇気である」（トゥキディデス）というエピグ

ラムを深く噛みしめ再読したくなる、謎解きの興趣とサスペンスの妙味を堪能できる逸品です。

　今月は、中村融編訳『街角の書店　18の奇妙な物語』（創元推理文庫）もおすすめ。副題にあるように〈奇妙な味〉を揃えているんだけど、これが読み進めるにつれて徐々に変化していく絶妙な〈味〉加減になっているところが素晴らしい長く読み継がれて欲しい名アンソロジーです。（川）

　ミネット・ウォルターズの作品はいつも、ミステリーでありながら小説としての読みごたえがたっぷりあるのが特徴で、この作品も例外ではない。どんどん引き込まれていく。ホントにうまい。この作家にも外れがないわけではないが、これは安心印の強力おすすめ作だ。（北）

千　杉

クリングゾールをさがして

ホルヘ・ボルピ／安藤哲行訳
河出書房新社

　メキシコの新時代を切り拓く作家による意欲的な大戦文学、なのだが題材とされているのはスペイン語圏ではなくナチス・ドイツで、ヒトラーの科学顧問を務めた物理学者を捜し当てるというフーダニットである。第二次世界大戦直前のドイツには、後にアメリカに亡命した者も含めて現代物理学会の礎を築いた物理学者が綺羅、星の如くにひしめいていた。これら実名の人々を登場させて、その中から戦争犯罪者をつきとめるという物語の結構自体が、20世紀科学文明への批判になっているのである。さらにいえばこれは男性の無節操な下半身が引き起こす事態を描いた小説にもなっており（と書くとトマス・ピンチョン『V』を連想してしまうが）、男性優位主義の社会原理に対する諷刺としても読める内容である。重層的な読みが可能で、かつミステリーとしても皮肉な味があってたいへんにおもしろい。分厚さにめげずに読むことをお勧めしたい。（杉）

　5月はルネ・ナイト『夏の沈黙』やバリー・ライガ『さよなら、シリアルキラー』など、本邦初紹介作家のミステリに優れた収穫が多かったが、その中から選んだ本書は、ヒトラーの科学顧問だったという謎の人物をめぐる探索を通して、科学者の戦争責任を問う異色の歴史ミステリ。史実とフィクションが交錯する構想と、科学と魔術が入り混じる膨大なペダントリーは、海外ならばウンベルト・エーコ、日本で言えば奥泉光や柳広司の作風を連想させる。ワルキューレ作戦やトゥーレ協会といった単語に反応するナチスマニアは必読だ。なお、本来なら先月紹介しておくべきだった『Zの喜劇』のジャン＝マルセル・エールも本邦初紹介の作家。ユベール・モンテイエやピエール・シニアックやダニエル・ペナックあたりの、ブラックな味わいのフランス・ミステリを愛好する方にお薦めしたい。（千）

霜

彼らは廃馬を撃つ

ホレス・マッコイ／常盤新平訳
白水uブックス

　ひたすらぶっとおしでパートナーとダンスを踊り続けるという「マラ

ソン・ダンス大会」に出た若い男女の悲劇を冷たく描いた名作パルプ・ノワールの20年ぶりの復刊。純然たる新刊でいえばウォルターズの『悪魔の羽根』も傑作だったが。

　夜明け前の暗い海を見つめながら主人公ふたりが会話する数ページ。ここである。そっけない叙景と台詞と最低限の心理描写しかそこにはない。文章は平易で冷たくクールだから読解にストレスはかからないはずだ。だが私はそこを何度も何度も読んだ。一言一句を確実に目を経由してとりこんだのに、なお味わいきっていないような思いにとらわれ、五回、六回と、そこだけくりかえし読んだ。記されているのは単純な感慨だけだが、その向こうには複雑に屈折した感情の軌跡があり、その軌跡はそこまでの物語の結果としてそこにある。膨大な量の感情が、小さく深く暗い結晶となって、そこにごろりと転がされているのだ。

　その感情は、まったく古びていない。むしろ現代的であるかもしれない。ここにあるのはクライム・フィクションの真髄のような何かであり、ジム・トンプスンの空虚な饒舌と対極にありつつも同質の何かだ。タイポグラフィめいたインサートの効果も酷薄と悲しみを交錯させる見事なものである。いますぐ走って買いに行け。（霜）

吉

さよなら、シリアルキラー

バリー・ライガ／満園真木訳
創元推理文庫

　連続殺人犯の息子である高校生が探偵役という、実にユニークな青春ミステリ。殺人のための英才教育を父から受けた主人公は、その知識を活かして事件を調べていく一方、父の存在に反発し立ち向かう、という設定をはじめ、章が変わるたびに織り込まれたサスペンスの妙など、娯楽小説として申し分ない。続編にも期待。今月は読み応えのあるものが多く、グスタボ・マラホビッチ『ブエノスアイレスに消えた』（ハヤカワ・ミステリ）は、ある場面で久しぶりに内臓をぎゅっとつかまれたような衝撃とともに、大いなる虚無感を味わい印象深く、ジェニファー・ヒリアー『歪められた旋律』（扶桑社文庫）は、脇役たちの個性が光っており、一気読みだった。（吉）

酒

夏の沈黙

ルネ・ナイト／古賀弥生訳
東京創元社

　ミネット・ウォルターズの『悪意の羽根』と悩みに悩んだが、今日のところはこちらで。買った覚えのない本がヒロインの自宅にあり、そこにはヒロイン自身のことが書かれていた……と、冒頭から素敵な《不気味さ》が演出される。続く老人のパートも、静かだが実に不穏な空気感である。以降、物語は緊張感をしずしずと上げて行くのだが、心憎いのは、本に書かれていた内容や、老人の目的、そして過去に何が起きたかが、徐々にしか明らかにされない点だ。具体性がまだない序盤で、雰囲気だけで読者の心をがっちりつかみ、具体性を高めて興味を持続させ、そして終盤に至っての見事な《逆転》。キャラクターの心理も深いところまで抉り込む。作者が素晴らしい手腕を見せつける逸品だ。（酒）

※この月編集後記欠。

※編集後記はサイト更新日に杉江がアワアワしながら書くので、ごく稀にこういうことになるのです。

千杉霜酒

エンジェルメイカー

ニック・ハーカウェイ／黒原敏行訳
ハヤカワ・ミステリ

世界を破滅させる兵器に関しての騒動に、主人公が巻き込まれるという壮大なグランドデザインを描いた上で、そこに大小さまざまな《各登場人物のエピソード》を挿入した、圧倒的に盛りだくさんな小説である。

正直なところもっとスマートにまとまった方が好みに合うのだが、様々な人物の思惑、感情、感傷そして矜持が入り乱れる様が、とても面白いことは認めざるを得ない。善悪への問いかけ、登場人物の描き方、クライマックスでの主人公サイドの反転攻勢などには、伊坂幸太郎との近似性も見出せると思います。（酒）

テリー・ギリアムとモンティ・パイソン、あるいは『未来世紀ブラジル』なんかを想起したのである。世界を滅ぼす謎の機械。世界を滅ぼそうとする悪の大物。その企てに、単身立ち向かうヒーロー。そんな007のような物語を骨格に、イギリスのインテリらしいユーモアとヒネクレを積み上げて構築した大作である。ヘンな話だし、脱線をくりかえすくせに構成は妙に緻密。プロットもときどき迷子になりかけるので読んでいて不安になるが、ちゃんと本筋に戻ってくるし、清く正しいカタルシスまで到来するのである。『モンティ・パイソン』でやっていたアニメの感じでテリー・ギリアムが映像化するとおもしろいんじゃないかな。ギリアムはアメリカ人だけど。（霜）

WEB本の雑誌の連載にも書いたけど、2015年はあとで、みんながニック・ハーカウェイを読んだ年として思い出すことになるんじゃないかな。1988年がトレヴェニアンを読んだ年であったように。そして、1993年がドン・ウィンズロウの年であったように。

なるほど、前作『世界が終わってしまったあとの世界で』が多少読者を選ぶ性格の本であったことは認めよう。そのくらいの読みにくさくらい、辛抱して読まないといい物語にはめぐり合えないよ、と思うけど渋々認めよう。今回のハーカウェイは万人向け、どなたが読んでも抜群におもしろいエンターテインメントなのである。このあいだ北上次郎さんにお会いしたとき、「マッコイが褒めている時点で俺には合わないと思ったよ」と言われちゃったけど、違うんですよ北上さん。だってこれはイケてない三十路男が自分自身の弱さを克服して立ち上がり自らの一族が抱えた問題に対面しながら世界の破滅を救うために闘う話で、男装の麗人スパイやら化学廃棄物セックスが大好きな美女やら（それにしても気の強い女が好きだなハーカウェイ）象さん部隊やら爆走する武装機関車秘密基地やらマッド・サイエンティストやらがぞくぞく登場する仕掛けいっぱいギミックいっぱいギャグ盛りだくさんでもちろんがつんと感動

させられるという本物の冒険小説なんだから。

　というわけで今月どころか今年の一冊としてニック・ハーカウェイ『エンジェルメイカー』を推す次第です押忍。（杉）

　今年度の海外ミステリの大本命、ついに登場！　職人の祖父と大物ギャングの父をもつ機械職人が、あり得ないほど精密な謎の機械に関わった時、彼の周囲で怪しげな人々が出没し、さまざまな組織が陰謀を開始する。著者の奔放な想像力と巧みなストーリーテリングのもと、主人公の境遇は二転三転、次第に窮地へと追い込まれてゆく。果たして彼に逆襲の機会はあるのか、そして世界の運命は？　七百ページを超える大作だが、壮大な構想と緻密なディテールの融合から成る物語は、まるでシェヘラザードの語りのように読者を魅了して離さない。ローレンス・ノーフォークの『ジョン・ランプリエールの辞書』のような小説がお好きな方には特にお薦めしたい。（千）

北 吉

ゲルマニア

ハラルト・ギルバース／酒寄進一訳
集英社文庫

　1944年のベルリンを舞台に、ユダヤ人の元刑事が、ナチス親衛隊に依頼されて殺人事件の捜査に乗り出すという異色作。フィリップ・カー『偽りの街』を思い出す。空襲にあいながら捜査を続けるのが面白い。続編を早く読みたい。（北）

　一九四四年、第二次世界大戦末期のベルリンにおいて、ユダヤ人の元刑事がSSから猟奇殺人事件の捜査を命じられるという、この基本設定だけで、すでに面白さは保証されているようなもの。全編に緊迫感が漂っているのだ。加えて、起伏ある展開や織り込まれたサスペンスなどにより、ページをめくらせる力は強く、なるほど新人とは思えない作品に仕上がっている。肝心の猟奇殺人にまつわる部分が弱いと感じたものの、人物同士の微妙な関係の流れをめぐるドラマが良く、続編への期待は増すばかりだ。（吉）

川

夜が来ると

フィオナ・マクファーレン／北田絵里子訳
早川書房

　最後の一段を読み終えて、しばし余韻に浸った後、冒頭に戻り再び読み始めてしまった。「ルースが朝の四時に目を覚ますと、ぼんやりとした脳が〝トラ〟と言葉を発した」という不思議な一文で幕を開ける二人の女性の物語を。

　家に〝トラ〟がいると実感した翌朝、オーストラリアの海辺で一人暮らす老女ルースのもとに突如現れた大柄な女性フリーダ。自治体から派遣されてきたヘルパーとしてルースの面倒を見始めた彼女に対して、ルースは戸惑いつつも、これまでの人生について語り始める。宣教師の娘として暮らしたフィジーでの艶めいて光り輝いていた少女時代、父の診療所を手伝いに来た青年医に寄せた淡い思い、亡き夫との日々、そして遠地で暮らす二人の子供たちとの関係。

　だが、適度な緊張感を保ちつつもゆったりとした日々を過ごしていたルースが、記憶の曖昧さを自覚し始めたあたりから物語は様相を変え始める。それまで折に触れてルースが感じていた、何か切実なことが自分の身に起こりつつあるという逃げ場のない切迫感が俄に濃密になり、危うい展開から目が離せなくなる。哀しみと幸せ、諦念と執着、そして波乱と平穏がない交ぜとなって胸に迫るサスペンスの逸品だ。（川）

そろそろ大作も出てきて、楽しみなことになってきた六月でした。この分だと今年も大豊作間違いなし。目移りしてしまいそうなときにはぜひ七福神をご活用ください。さて、来月はどんな作品の名前が挙がりますことやら。（杉）

吉 千 杉

出口のない農場

サイモン・ベケット／坂本あおい訳
ハヤカワ・ミステリ

本当のことを言うと7月に読んでいちばんおもしろかったのは新訳版のカーター・ディクスン『ユダの窓』だったのだが、まあ、それはそれということで。数年ぶりに再読して、その構成の巧みさに驚嘆させられた。未読の方はこの機会にぜひ。というわけで新作から一つ選ぶとなると、かなり迷ってしまうのだが本書ということになる。ある状況の中に絡め取られた主人公が脱け出せなくなる、というだけのシンプルな物語なのだが、これが極めておもしろい。サスペンスの感覚が際立っており、読んでいる間はたまらない気持ちにさせられるからだ。ミステリーの基本に立ち返ったような作品で、学ぶことが非常に多かった。もう一冊、奥付では6月末の刊行になるのだが、クリスチアナ・ブランド『薔薇の輪』もぜひお薦めしておきたい。作品の途中で登場人物の一人が変なことを言い出すと、自明に見えていた前提条件が次々に覆り始め、今まではそう見えていなかったものに謎の要素が芽生えてくる。そういう波風を立てるというか、「要らんこと言い」の論理展開は、ブランドの独壇場だと改めて実感させられた。（杉）

七月のベストは本書にするか、相変わらず魅力的な人間模様と謎解きで読ませるアン・クリーヴスの『水の葬送』にするか迷った結果、クリーヴスは以前に七福神で取り上げたことがあるので本書を優先することに。イギリスからの逃亡の果て、フランスの田舎町に辿りついた主人公は、足に傷を負い、ある農場に匿われることになるが……。主人公も農場の一家も何らかの秘密を抱えており、それを知られまいとしているせいで、互いの肚の探り合いが火花を散らし、物語はねじれにねじれてゆく。「法人類学者デイヴィッド・ハンター」シリーズの著者による、不気味な迫力に満ちた心理サスペンス小説だ。（千）

ひとりの怪しげな男が田舎町の農場に迷い込み、そこから逃げられなくなってしまう。蟻地獄のような状況がじわじわと男を追い詰めていく。現在と過去が交互に語られ、次第に秘密が暴かれるというタイプの秀逸なサスペンスである。これと甲乙つけがたいのは、おくれて読んだリサ・バランタイン『その罪のゆくえ』高山真由美訳（ハヤカワ・ミステリ文庫）で、弁護士が主人公ながら、農場を舞台にした過去の謎が明らかになるという構成。トマス・H・クックに似た、あまりにも苦い人生の断面が描かれており、忘れがたい一作だ。来月刊某作とあわせて、噂どおり、今年は「農場ミステリ」の当たり年かも。（吉）

北 酒

声

アーナルデュル・インドリダソン／柳沢由実子訳
東京創元社

邦訳3作目だが、今回も素晴らしい。それにしても、どうしてこれほど読みやすいのか。くいくい読んで、あっという間に読み終えるのである。今度こそ年間ベスト1は確定か。（北）

アイスランドを舞台にしたエーレンデュル捜査官シリーズの第四弾である。まずポイントになるのは、被害者グドロイグルの人生模様である。彼は少年時代に華々しく活躍しかけていたが、突如として転落し、以後40年近くを細々と生き、クリスマスシーズンに、勤務先かつ居住所であるホテルの地下で殺害されてしまう。しかもサンタクロースの格好をして、だ。現在の孤独と栄光の過去の対比だけでも十分なのに、観光客やリア充でいっぱいのクリスマスの賑わいすら加わって、寂寥感が鮮烈に印象付けられる。さらに、エーレンデュル自身の苦難ある人生と、別件である子供の虐待事件のエピソードが、妙なる調和をもたらす。これらは、主筋のグドロイグル殺しとは出来事としてはリンクしないが、内的・心理的・テーマ的には絶妙な関連を見せる。こういうのはモジュラー型警察小説の醍醐味と言えるのだが、その見せ方がうまい上に、アイスランドが小国（失礼！）しかも辺境（重ねて失礼！）であることを十分に活かした内容になっている。素晴らしい完成度。広く遍（あまね）くオススメしたい。（酒）

霜 川

ネメシス　復讐の女神

ジョー・ネスボ／戸田裕之訳
集英社文庫

ネタは面白いんだけど、刈り込み不足と演出の手際の悪さ故、今一歩のところで傑作になり損ねていた感のある〈ハリー・ホーレ警部〉シリーズだけれど、本書は手放しでお勧めできます。

一切の手掛かりを残さない連続銀行強盗事件と、自殺として処理されたかつての愛人の不自然な死。せめぎ合うかのようにハリーを追い込む二つの事件に加えて、前作『コマドリの賭け』で積み残したエピソードまで絡んでくるため、ページを繰る手が止まりません。推理と検証を

2011
2012
2013
2014
2015
2016
2017
2018
2019
2020
さくいん

繰り返すたびに様相を変える局面と、想定を超える全体像に思わず嘆息。「孫子は戦争の第一原理は欺瞞——騙しだと言っている。おれを信じてくれ——すべてのロマは嘘つきだ」。お互いの利益のためにハリーと共闘する伝説のロマの銀行強盗が吐く台詞が実に暗示的な騙し絵のごとき逸品だ。（川）

熱い。とくに下巻に突入してからの加速が猛烈である。つんのめって指がもつれるような勢いでページを繰っていた。北欧警察小説を代表するノルウェーのネスボのハリー・ホーレ・シリーズ邦訳四作目。連続強盗事件と主人公ハリー自身をまきこむ殺人という二つのプロットに、マイクル・コナリー風の不敵なツイストを利かせ、さらにはハリーをつけ狙う悪徳刑事の企みをからませて、熱くスリリングな警察スリラーに仕立てている。この熱っぽい疾走を味わうのに、前作を読んでおく必要はない。これを読めば、前作『コマドリの賭け』を読みたくなるのは確実だし、未訳の続編を読みたくなるのはもっと確実だ。早く続きを読ませてくれ。（霜）

良作が多く、目移りのする一月でした。今年の豊作ぶりを物語っているように思います。次月は三部作の完結編のアレとか、いろいろな作品が顔を出してきそうです。さて、八月はどうなりますことやら。どうぞお楽しみに。（杉）

街への鍵

ルース・レンデル／山本やよい訳
ハヤカワ・ミステリ

8月といえばこれもあったじゃん、あれもあったじゃん、と興奮して選びかけて頭を冷やしてみると、ゲラで読んだ作品ゆえ刊行すらまだなのでした。待て、後日。さて、トム＝ロブ・スミスありジャック・カーリイあり、ダニエル・フリードマンあり、と豊作にも程があった8月だが（二八なんてとんでもない！）、その中で私の心をとらえたのは、御大ルース・レンデルの、しかも20世紀に発表した作品なのであった。21世紀に入ってからの長篇、出ないかなあ。

これが何がおもしろいかというと、完璧な美貌を持つヒロインがDV男に引っ掛かり、その影響下から脱出していく過程で新しい恋を見つけ、というロマンスが主軸になり、その背景にホームレスを殺害しては塀の上に遺体を串刺しにしていく殺人鬼（「串刺し公」と名前がつく。ヴラド・ツェペシュか！）の捜査が展開していくという構成になっている点で、無垢なヒロインの目から老若さまざまな男性に対する評価が行われるのである。全体を読み通して、あ、これ、あの作家のあの短篇のプロットと同じだ、と思いついたが、もちろん題名は書けない。その中でも最低の男は最初のDV野郎で、骨髄移植のドナーとなったヒロインが、その手術で背中に小さな傷を負ったのを

見咎めて「きみの完璧な体が損なわれた。罰を与えなければ」とか言い出すんですぜ。キモい！　もう一人、犬を散歩させる老人が出てくるのだが、これが社会に対するルサンチマンを抱えているような男で非常に滑稽である。このへんのひどい書きぶりがいかにもレンデルで（ちょっとバーバラ・ヴァインの匂いもして）、たまらないわけなのだ。意地悪です。素敵です。（杉）

八月のベストは、私が解説を書いたジャック・カーリイ『髑髏の檻』以外から選んだ。今年逝去したレンデルのノン・シリーズ長篇である本書は、連続殺人のフーダニットの物語として読むとやや反則気味だが（いくら伏線が張ってあるといっても……）、DV男の精神的支配から脱してゆくヒロインを待つ運命の物語としては読み応え充分だし、代議士もホームレスも登場するイギリス格差社会を、ロンドンの地理を緻密に書き込むことで曼荼羅のようにシンボリックに俯瞰した構成も見事。レンデルの未訳作品にこれくらいの水準のものが残っているのであれば是非邦訳していただきたい。（千）

北 酒 もう過去はいらない

ダニエル・フリードマン／野口百合子訳
創元推理文庫

八十八歳のバック・シャッツ、ふたたびの登場だが、今回は2009年の「現在」を中心にしながらも、1965年の「過去」をどんどん挿入するという構成が効いている。息子の離反、警察内部の対立、社会の不安という「過去」が静かに立ち上がってくる。優しくなんてしていられるか、というこの爺様の出自がよくわかるような気がするのである。（北）

ジャック・カーリイ『髑髏の檻』と悩んだ末に、今回はこちらをチョイス。作中の時間は前作から1年が経過し、主人公バック・シャッツは既に88歳。老化は一段と進んでいるし、今回は《敵》の大泥棒イライジャも78歳で、十分に後期高齢者である。しかし本書の売りが老いだけでないことは強調しておきたい。昔語りという形で、人種差別問題、そして父親が社会的正義感に目覚めた息子の青臭さにいかに対峙するかなど、シリアスでセンシティブな問題に、作者は真正面から取り組む。おまけに大泥棒イライジャの手口は奇想天外だ。老人云々を度外視しても、心から楽しめるのだ。（酒）

吉 彼女のいない飛行機

ミシェル・ビュッシ／平岡敦訳
集英社文庫

十八年前、墜落した飛行機には二人の女の赤ちゃんが乗っていたが、奇跡的に生き残っていたのは一人だけ。その子はだれなのか、という謎をめぐるフランス・ミステリ。二つの家の対立、調査を続けていた探偵が残した記録、そして女の子が十八歳になったいま、新たに起きた事件。これらが絡みあう凝ったプロットとひねりのある展開で、真相を知らずにはおれなくなる作品だ。もう一作、トム・ロブ・スミスの新作『偽りの楽園』（田口俊樹訳／新潮文庫）は、「真実を話しているのは母なのか、それとも父なのか」という引き裂かれた家族ものであり、スウェーデンの農場を舞台にしたサスペンスでもある。『出口のない農場』が気に入った方は、こちらも必読！　農場ミステリ、略して農ミスに間違いはない。（吉）

川　髑髏の檻

ジャック・カーリイ／三角和代訳
文春文庫

逃亡中の連続殺人犯ジェレミーが帰ってきた！　しかも今回、出ずっぱりで〝愛する弟〟カーソン刑事を翻弄しつつもしっかりとサポートするのだからたまりません。ミステリ史上最狂の頭脳を誇るヤンデレ兄ちゃんが活躍する回は、シリーズの中でもレベルが高く、ケンタッキーの山中で起きる動機の見えない連続殺人を収斂させていく手際は実に見事、『百番目の男』に勝るとも劣らぬクライマックスも込みで、広くお勧めしたい逸品です。とりわけ、謎解きミステリ・ファンは必読。

現代社会の暗部――ヘイト・クライム、マイノリティ差別、宗教問題など――に動機を求めているにもかかわらず読んでいる間いやな気分にさせられることなく、爽やかな印象を残して本を閉じられるのも素晴らしい。こういう高度な目配りが出来ているミステリってなかなかないんだよね。シリーズ第六弾ですが、この作品から読んでもまったく問題ありません。ただし、『百番目の男』と『ブラッド・ブラザー』を読んでからだと、より一層愉しめるので、この機会に併せて手に取ってみることをお勧めします。（川）

霜　弁護士の血

スティーヴ・キャヴァナー／横山啓明訳
ハヤカワ・ミステリ文庫

「ジョン・グリシャム＋ダイ・ハード」みたいな評言が帯に引用されていて、「アメリカ人のこの手の形容は雑だからなあ」と話半分で読みはじめたら本当だったので驚いた。

やさぐれ弁護士が娘を誘拐されて、ロシアン・マフィアの裁判の法廷に爆弾を持ちこむことを強いられるというノンストップ・スリラー。冒頭一行で本題に突入、タイムスパンは裁判開始から終了まで、舞台はほぼ裁判所の中だけ、主人公には敵の監視つき――と、時間と空間と反撃の手段に厳しい制約が課され、その中でアイデア満載のアクションとエピソードがぎゅう詰め。法廷での戦いでも半端な逃げを打たずに、ちゃんと弁論で敵をやっつけるのである！　この原価率の高さはスリラー作家としてのキャヴァナーの志の高さの証である。偉いぞスティーヴ。

今年のエンタメ・スリラーとして最上級の一冊。最高に痛快である。（霜）

またもや豊作であった8月。そろそろ年末ベストテン選びアンケートの声がかかる時期になりましたが、正直今年は悩む。というかベストテンだと選べないからトウェンティにしてほしい！　という切なる心の叫びを上げつつ次月へと続きます。どうぞお楽しみに。（杉）

霜 酒

偽りの楽園

トム・ロブ・スミス／田口俊樹訳
新潮文庫

レオ・デミドフ三部作は、ソ連社会の七十年にわたるあらゆる歪みが主人公一家に集中して発現するという展開がどうにも作り物めいている（忌憚なく言えば、作家／物語にとって展開の都合が良すぎる）と感じられ、いまひとつ乗れなかった。しかし今回は違う。家族の問題は、両親と子の双方向の隠し事にベースが置かれる。親は暮らし向きの実態を子に隠し、子は自分が同性愛者であることを親に明かしていない。これらはもちろん深刻な問題だが、世界を一家族で体現するような大仰なものでない。そしてこの双方向の隠し事から生じる疑念や淀みが、《明らかに変調を来している母》の話が妄想か真実かを探るという、ミステリ的な本筋に、実によく馴染む。そしてもちろん、この作家のことだから、ストーリーテリングは抜群にうまいのである。

（酒）

こう来たか!と唸った。『チャイルド44』で冒険小説とスパイ・スリラーの骨太な原点を繊細に描いたトム・ロブが三部作の次にドロップしてきた本書は、大きなイベントでなく「語り」自体に重点を置いたドメスティックな心理サスペンスだった。

隠された罪をめぐる狂気と嘘、それを象徴するような荒涼たる風景——本作はアーナルデュル・インドリダソンの作品と比較すると面白いし、いわば北欧ミステリへのイギリスからの回答とも言えそうだ。だがトム・ロブは変節したわけではなく、この閉塞した陰鬱さは旧ソ連三部作にもあった。物語を主人公の視点に落とし込む繊細な筆致もまた然り。そんな繊細な筆致を通じて、物語が読み手に肉薄してくる呼吸がトム・ロブの美点であり、それゆえにインドリダソンよりもおれはトム・ロブを推したい。次点は『カルニヴィア3　密謀』。

（霜）

北

アルファベット・ハウス

ユッシ・エーズラ・オールスン／鈴木恵訳
ハヤカワ・ミステリ

若き英国空軍のパイロットがドイツ上空で撃墜され、負傷したドイツ軍人に化けたものの、着いた先は精神の病んだ者を収容する通称「アルファベット・ハウス」。その中の日々を描くのが第1部だ。二人の若きパイロットは幼なじみだが、病院を脱出するのは一人だけ。28年後の第2部では、ドイツに残した相棒を捜しにいく話が展開するが、この基本ストーリーをどう肉付けしていくかが腕の見せどころ。ある意味ではシンプルな結構だが、ここから色彩感豊かな物語を紡ぎだすのは見事。

（北）

杉

ジゴロとジゴレット

サマセット・モーム／金原瑞人訳
新潮文庫

一瞬、新刊かな、と思ったが以前に出ていた田中西二郎訳の同題短篇集とは収録作が異なるし、新訳だからいいでしょう。え、モーム、と思わないでミステリーファンならまず本作中の「征服されざる者」だけでも読んでもらいたい。第二次世界大戦下のフランスが舞台で、駐留するナチスドイツの若い兵士と、彼に強姦されたフランス人女性との心理的闘争を描いた作品で、なんとも凄まじい迫力がある。まさに短篇、と言いたくなる切れ味であり、モームの印象がいっぺんで変わることは間違いない。その他「良心の問題」はフランス領ギアナの流刑地を舞台にした奇譚で、ある殺人者についての回想録とでもいうべき内容だ。そうかと思えば「アンティーブの三人の太った女」は、ダイエットに励む女性を主人公とし、滑稽極まりない。ダイエットという多くの人に関心あるであろうテーマがこんなおかしな小説になるのだ、と嬉しくなってくる（これは訳者のお手柄でもあると思うが、性差の固定観念にとらわれない女性の描き方が本当に見事である）。実に短篇集らしい短篇集だ。いわゆる「奇妙な味」などをお好きな方もぜひどうぞ。長篇では『偽りの楽園』が抜群におもしろかったのだが、目に留まっていない読者のほうが圧倒的に多いと思い、薦める次第です。（杉）

吉

調教部屋

ポール・フィンチ／対馬妙訳
ハヤカワ・ミステリ文庫

題名からして、間違いなくエロティックなサスペンスが展開されていく、と思うだろう。だが、あくまで連続女性失踪事件の捜査が物語の中心なのだ。これぱかりは書かずに紹介できないし、ネタをばらすわけではない。そもそも版元がつけた邦題やカバー、帯がとてもヘンで偏ってるのだ（原題は、Stalkers）。ちょっと違うかもしれないが、リー・チャイルド〈ジャック・リーチャー〉シリーズに近い印象もある。絶体絶命の主人公とその相棒が窮地を切り抜ける展開の数々は、ヒーローものアクションの典型だ。トンデモ邦題のせいで、予想を大きく超えた活劇スリラーとなった。でも、シリーズ続編、読んでみたい。（吉）

川

フェイスオフ 対決

デイヴィッド・バルダッチ編／田口俊樹訳
集英社文庫

これぞ本気の対決、ガチンコ勝負。まさに夢のような企画といっていい。

流行作家がお互いの人気シリーズのキャラクターを共演させる試みは、これまでも数多書かれてきたけれど、どこか腰が引けたジャブの打ち合いで終わってしまいがちで、ファン・サービスとしてはありだけど、一個の作品として見た場合、どうしても食い足りなさを感じてしまうものが少なくなかった。

まぁ色々と事情もあるだろうし、この手の企画モノはそこそこ愉しめればいいかぐらいの気持ちで本書も手に取ったのだけれど、申し訳ありませんでした。こんな真剣勝負を見せて貰えるなんて。

いずれもハイ・レベルな十一篇の中で、特に好きなのは「黒ヒョウに乗って」「忌むべきものの夜」「短い休憩」。競演する二十二人の中に知らないキャラクターがいたとしてもまったく問題なく愉しめる。シリーズ・ファンへの贈り物であると同時に、新たなファンを生み出すに違いない理想的なアンソロジーだ。（川）

千

ホテル1222

アンネ・ホルト／枇谷玲子訳

創元推理文庫

北欧ミステリにありそうでいて意外と少ない、「吹雪の山荘」に挑んだ異色作。列車が脱線事故を起こし、乗客たちは近くのホテルに避難する。ところが、そこで殺人事件が発生した。ホテルに集った二百人近い人間の中に潜む真犯人は？ 荒れ狂う雪嵐、相次ぐ死者、反抗的な少年、ヒステリックな評論家、ホテル最上階にいる謎の客。混迷を極める事態に、車椅子の元警部ハンネ・ヴィルヘルムセンが直面を強いられる。謎解きそのものより、ノルウェー社会の縮図のような人間模様と、彼らを襲う極限状況の迫力が印象的な小説だ。（千）

大作ラッシュだった前月に比べると、やや落ち着いた観のある月でした。これは嵐の前の静けさか。次はいよいよランキング月間となる十月です。どうぞお楽しみに。（杉）

2015 11月

吉 杉

悲しみのイレーヌ

ピエール・ルメートル／橘明美訳

文春文庫

川出さんと一緒でむっちゃくちゃ『スキン』か『イレーヌ』かで悩んだのだが、今回は『イレーヌ』にさせてください。自分が解説書いてるし、その解説で書きたいことはほとんど書いちゃったのだけど、文庫解説を引き受けてからこのかた本当に悩んだ1冊なので愛着も湧いてしまいました。この本の担当者は例のマッド

編集者ナガシマなのだけど、「杉江さんに頼むべき本だと思うんですよね」と言われたとき、なんだか薄笑いを浮かべていたんですよ。そのときはなんとも思わなかったのだけど、実際に読んでみたら内容がまあ、とんでもなくて。「えええ、これ、どうやって解説書くんですか船長？」って空に聞きたくなったほどでした。でもってマッド編集者ナガシマに、「こここ、これ解説書くのたいへんなんじゃないの？」って聞いてみたら例によってニヤニヤ笑いながら「じゃあ、ネタばらしがあるから本文を先に読んでくださいって

注意書きしたらいいんじゃないですかあ」と言うんですよね。でもそれも業腹なので、なんとかしてネタばらしせずに書けないかなと思って考えて考えて、考えているうちに偏愛するフランス・ミステリのドミニック・ルーレ『寂しすぎるレディ』を読みたくなって読んだら本当におもしろくて、ドミニック・ルーレや寂しすぎるレディだってがんばってるんだから俺ががんばらなくてどうする、と思って考えたんですけどやっぱり思いつかなくて、もう一度ドミニック・ルーレ『寂しすぎるレディ』を読んでいるうちに「そうだ、京都行こう。じゃなくて、いや、ルメートルが来日したもんで本当に京都に行くことになったんだけどそうじゃなくて、この人の小説は誰か前に読んだフランス作家に似てるよ」と思って本棚から引っ張り出してきたのが、アントワーヌ・ベロ『パズル』とジャン・ヴォートラン『パパはビリー・ズ・キックを捕まえられない』で、それで解説が書けた次第です。というわけでドミニック・ルーレ『寂しすぎるレディ』とアントワーヌ・ベロ『パズル』とジャン・ヴォートラン『パパはビリー・ズ・キックを捕まえられない』が好きな人はみんなこの本を読むといいと思います。あ、でも『寂しすぎるレディ』とこの本はまったく似てません。単に私が好きなだけ。（杉）

やはり十月刊は『天国でまた会おう』平岡敦訳（ハヤカワ・ミステリ文庫）と合わせて、ルメートルを挙げなくてはならない。デビュー作ゆえか、ぎこちなさもあるものの、とくに長年の海外ミステリー読者ならば『イレーヌ』の犯罪に興味を抱かずにおれないだろうし、事件や登場人物の描き方の歪みはもちろんのこと、ミステリではない『天国』にしても、常に先を読まずにおれなくさせよう、次の場面で不意打ちをかけて驚かせよう、という作者の企みが存分に発揮されているではないか。（吉）

千 川

スキン・コレクター

ジェフリー・ディーヴァー／池田真紀子訳
文藝春秋

サプライズを最優先する一方で、あまり丁寧な伏線は張らないディーヴァーが、珍しく大胆に手掛かりを配して布石を打った、シリーズ随一のフェアプレイ本格ミステリ『スキン・コレクター』にしようか。それとも、よくある猟奇殺人鬼対警察ものと思って読み進めていたら、突然、まるで違った世界を観させられていたことが判明し、思わず本を落としそうになった、昨年度の覇者ルメートルのカミーユ・シリーズ第一作『悲しみのイレーヌ』にしようか。散々迷った末に前者を推します。

ビザールかつ息詰まる世界観という点で『ボーン・コレクター』に、フェアプレイ度に置いて『ウォッチメイカー』に匹敵する快心作。事件全体の構図から、舞台となるマンハッタン、そしてもちろん皮膚に異常な執着を見せてタトゥーを施す犯人の真意に至るまで、あらゆる面で多層からなる〈皮膚〉を思い起こさせる『スキン・コレクター』という題名の何と暗示的なことか。やはりディーヴァーはモノが違うと堪能した次第です。（川）

四肢麻痺の名探偵リンカーン・ラ

イム・シリーズ最新作の内容は、第一作『ボーン・コレクター』への原点回帰にして（帯のキャッチコピーもそれを意識させる）、その趣向さえも逆手にとった油断のならない本格ミステリだ。ライムの頭脳とニューヨーク市警の機動力が合体した最強の捜査陣と、そのライムの捜査術を研究した殺人鬼とのスリリングな盤上対決は、『ボーン・コレクター』の時点で確立されていた名探偵対名犯人の頭脳戦の構図をなぞりつつ、さらにグレードアップしたものだ。冒頭、ある訃報を知ったライムが凶悪犯の死に安堵するよりも好敵手を失った孤独に囚われるあたりは、クラシック・ミステリに登場する天才探偵の面影さえ彷彿させる。（千）

霜

神の水

パオロ・バチガルピ／中原尚哉訳
新☆ハヤカワSFシリーズ

熱帯の頽廃（たいはい）した色と空気に満ちた『ねじまき少女』と対照的に、本書は水不足で荒んだ砂色の風景の中で陰謀と銃撃が渦巻くディストピア・クライム・スリラーとなった。熱いぞ。そして暑く、乾いているのだ。つぎの文言のなかに心にひびくものが三つ以上ある人は必読である——サム・ペキンパー、ロバート・ロドリゲス、広江礼威、伊藤明弘。メキシカン・ドラッグ・ギャング、殺し屋たち、飢えた猛犬、どん底から這い上がろうとする少女。プールの底に転がる死体、記憶のなかで閃く銃火。爆炎をぶち撒ける武装ヘリ、ひとの死を弄ぶ麻薬王。テックス＝メックス、崩れ落ちる巨大ダム、川の向こうの夜闇に浮かぶ国境線。死に向かう衝動、己を懸ける大博打、ならずものの心意気。硝煙、砂塵、逃亡。そして全てを決める一発の銃弾。（霜）

酒

天国でまた会おう

ピエール・ルメートル／平岡敦訳
ハヤカワ・ミステリ文庫

ピエール・ルメートルの作品としては『悲しみのイレーヌ』も素晴らしいのだが、私としてはノンシリーズのこちらを選びたい。登場人物は全員、数奇な運命に翻弄される。善人だろうが悪人だろうが、《読者の感情移入を誘う人》であろうがなかろうが、自業自得であろうがなかろうが、容赦なく巻き込まれる。フランス産ミステリらしいあの雰囲気が、諸行無常の儚さや虚しさにシームレスに繋がる瞬間すらあって、心にとても染みた。（酒）

北

調教部屋

ポール・フィンチ／対馬妙訳
ハヤカワ・ミステリ文庫

このタイトルから内容は絶対に想像できないと吉野仁がツイッターに書いていたので、どれどれと手にとると、ホントに予想外。卑劣な犯人を追う警察官と、行方不明の姉を探すヒロインの、これはなんと相棒小説だ。主人公の警察官の元カノが上司になっていて、その微妙な関係とか、女戦士の闘いぶりとか、物語の味つけもよく、さらにアクションの切れもいい。問題がないこともないが、意外な拾い物といっていいだろう。続刊もぜひ翻訳してほしい。（北）

やはり十月は熱い。これから年末にかけて、ますます翻訳ミステリー熱が高まっていきそうです。みなさんもお忙しい季節でしょうが、読書の時間を確保して、ぜひぜひ読んでくださいね。ではまた来月、お会いしましょう！（杉）

2015 12月

吉 酒

古書奇譚

チャーリー・ラヴェット／最所篤子 訳
集英社文庫

柔弱なる文系男子同志諸君、刮目せよ！ 我らにぴったりのビブリオ・ミステリが登場したぞ！

基本的に文弱の士は、引っ込み思案で根暗で自信がなく、いじけており、異性どころか人間関係全般に消極的だが、プライドは妙に高いうえに、恋愛感情を一丁前に抱くと相場が決まっている。そういう人の理想的恋愛とは、趣味が同じ美女が自分に惚れてくれることだ。彼女は自分のことを限りなく尊敬し、諸々の考え方は最初から完全に一致しているため、認識をすり合わせる必要はない。何をされたら嬉しいかも完全に一致しているので、プレゼント関係のリサーチすら不要。むしろ向こうが勝手に色々してくれる。

もちろんそんな都合のいい相手がいるはずもなく、文系男子はありとあらゆる方面から恋愛観をボロクソにこき下ろされて（あるいはそうなることを予想して何も言わずに）軌道修正を余儀なくされるわけですが、『古書奇譚』の主人公は、そういう女性に出会うことができてしまう。それも二度も！ 相思相愛で一心同体とは羨ましい限りだが、よくよく読むと、たまたま自分の都合＝相手の都合なだけで、自分を抑えて相手に合わせる場面が全くないのはやはりツッコミどころでしかない。しかも一人目が不妊＆早世というのもポイントで、主人公は自分の責任が生じない安全な立ち位置から、自己憐憫に浸ることすらできるのだ。かてて加えて、主人公は趣味が嵩じてビブリオ方面で社会的名声を確立してしまう。

これでストーリー全体あるいは構成の完成度は高いのだから始末に負えない。文系男子の《夢》がこれでもかとばかりぶち込まれたビブリオ・ミステリとして高く評価したい。これを痛々しいと感じるか、共感するか、ツッコミを入れるか、はたまた嫌悪感を抱くかは読者各位のお好みどおり。私個人は、これら全ての感覚を同時に味わいましたが、「おぞましいモノに共感してしまう」背徳感をたっぷり味わえたのが推薦の決め手です。

ただ、ここからカルロス・ルイス・サフォンは距離がめちゃくちゃ近い。あれが好きな人なら、文系男子ならずともオススメ。

は？ 本書の本筋である、シェイクスピアの正体はどうだったかって？ んなこたぁどうでもいいじゃないですか、どうせ全部妄想なんだし。本書は妄想性そのものを楽しむべき一冊だと思います。（酒）

古書商ピーターがイギリスの古書の町、ヘイ・オン・ワイを訪ねる場面から幕を開け、やがて謎めいた古書と出会うミステリー長編。メインの物語は、シェイクスピアの正体をめぐる話ながら、それ以上に、本好きなピーターとアマンダとの恋愛模様がいい。図書館に通う彼女を見染めたピーターは、次に手に取るであろう本の表紙がはずれていたため、それを修復してから戻そうとする……。話のつづきは『古書奇譚』25ページあたりからどうぞ。そのほか、エメリー・シェップ『Ker 死神の刻印』ヘレンハルメ美穂訳（集英社文庫）は、スウェーデン・ミステリーではお馴染みの移民問題を扱っているもので、『ミレニアム』を意識したような陰のあるヒロインの造形が印象的だった。ぜひ続編を読みたい。（吉）

霜 北

ゼロ以下の死

C・J・ボックス／野口百合子訳
講談社文庫

猟区管理官ジョー・ピケットを主人公とするシリーズの、第8作だ。こういうシリーズものは、最初から読んでないとわからないのではないか、と思ってこれまでの作品を未読の方は敬遠してしまうのかもしれないが、このシリーズは大丈夫。私、全作読んできているが、いつも前作を見事に忘れている。それでも毎回楽しめるから保証つきだ。このシリーズを初めて読む人は、この第8作から読み始めよう。これからこのシリーズは面白くなるのだから（訳者あとがきを読むと、絶対にそうだ）、今からでも遅くはない。今回は感動的なラストにただ涙。（北）

年末ランキングの季節だが、「ランキングには無縁だが秀作ぞろいのシリーズ」というのも人生には大事だ。ということで、その筆頭であるC・J・ボックスのジョー・ピケット・シリーズ邦訳第八作をおすすめしたい。森深いアメリカの田舎で猟区管理官（密猟者を捕まえたりする）ピケットが、毎度、孤立無援の立場に追い込まれつつ勝利を収める（昔でいえばディック・フランシス、今で言えば池井戸潤を思わせる）痛快シリーズなのである。頼れる相棒に利発な娘（現在JK）など、キャラも十分に立っている。

本作は邦訳第二作『凍れる森』の後日譚なので、できればそちらを先にお読みいただきたいが、なあに、『凍れる森』はシリーズを代表する傑作なのだから損はしません（品切れにしていない講談社も偉い）。いま読みはじめれば素敵に良質の冒険ミステリを八冊も読めるのだからお得ですぜ。ダニエル・フリードマンなんかがお好きなひとにもよいのではないか。（霜）

川

12人の蒐集家／ティーショップ

ゾラン・ジヴコヴィッチ／山田順子訳
東京創元社

すみません、ミステリではありません。でも、だからこそミステリ・ファンにお勧めしたいのです。この不条理なんだけれども奇妙に論理的で、洒脱でちょぴり黒くて実は割と残酷な、それでいてピュアで、思わずくすりと笑ってしまう不思議な物語集を。

「12人の蒐集家」も「ティーショップ」も、目の前に現れた魅惑的な選択肢に対して、自分だったら抗えると言い切れない、と思わせる匙加減が絶妙で強烈に惹かれてしまいます。《異色作家短篇集》よりも《ブラッ

ク・ユーモア選集》に近い味わい、と言ったら何となく雰囲気は伝わるかな。（川）

杉

図書館大戦争

ミハイル・エリザーロフ／北川和美訳
河出書房新社

　どこかで聞いたようなタイトルだけど映画化されてもたぶん岡田准一は出ません。この本の存在を知ったのは風間賢二さんのtwitterでした。風間さんが激賞している、おお！と思っていたらやはり世紀の怪作で抜群におもしろかった。かつてソ連に多大な人気を得たドミトリー・アレクサンドロヴィッチ・グロモフという大衆作家がいたのだが、死後は完全に忘れ去られた存在になっている。その著書もほとんどは遺棄されており、わずかに僻村の図書館などに残っているのみ。しかし、彼の作品を血眼になって探し回るコレクターたちがいた。七つのタイトルだけが現存していることがわかっているグロモフ作品をある条件下で読むと、本に備わった力が発現するのである。力の書、権力の書、憤怒の書、などと新たなタイトルで呼ばれるようになった本を集めた者は、図書館と呼ばれる武装組織を形成し、他の図書館との血みどろの抗争を繰り広げる。

　と、設定部分を紹介するだけでも血湧き肉踊るですよ。第一部は図書館同士の抗争を列伝形式で描き、第二部からは自らの意志によらず闘争に巻き込まれたアレクセイなる人物が語り手〈私〉として登場する。彼を視点人物とした教養小説として物語は展開していくのだが、戦争を描いた冒険小説としても滅法おもしろい。無数に書かれては消えていく大衆小説へのオマージュとして読むことも可能だから、ビブリオ・ミステリーがお好きな方も読むですよ。河出書房新社が毎年繰り出してくる「やたらと分厚いがものすごい勢いで読めてしまう奇想小説」に外れなし。年末年始の読書にお薦めです。（杉）

千

プラド美術館の師

ハビエル・シエラ／八重樫克彦、八重樫由貴子訳
ナチュラルスピリット

　プラド美術館が所蔵するラファエロ、ティツィアーノ、ボス、エル・グレコらの名画に籠められたメッセージとは？　最盛期スペインに君臨したカール五世やフェリペ二世は、何故芸術家たちを庇護し、彼らにミステリアスな絵を描かせたのか？　著者自身が謎の老人から秘密を伝授されるオカルト・サスペンスの体裁を取りつつ、現代ではなく作品が生み出された当時の思想・宗教に基づく名画のメッセージの緻密な読み解きが繰り広げられてゆく。ダン・ブラウン『ダ・ヴィンチ・コード』のようなオカルトと美術をモチーフにしたミステリが好きな方にお薦めの異色作だ。（千）

　古書あり図書館あり美術館ありとタイトルはいかにも芸術の秋にふさわしい感じでしたが、なんでしょうか、この賑やかさは。実におもしろい。来月もまた七福神をお楽しみに。（杉）

怒り、暴力、そしてその他の悪いこと

霜月蒼

そういえば自分しか褒めてなかったなあ、あれ良かったけどなあ、という作品を、記録にあたらず記憶のみで挙げてみた。記憶のみに依拠したのは、雑念を排除して「おれの偏愛」という初期衝動にフォーカスするためである。
するとこうなった。

1『ノース・ガンソン・ストリートの虐殺』S・クレイグ・ザラー（ハヤカワ文庫）

2『神の水』パオロ・バチガルピ（ハヤカワ新SFシリーズ）

3『はいつくばって慈悲を乞え』ロジャー・スミス（ハヤカワ文庫）

4『インターンズ・ハンドブック』シェイン・クーン（扶桑社ミステリー）

5『殺人鬼ジョー』ポール・クリーヴ（ハヤカワ文庫）

ヴァイオレントでブルータルな話ばっかりである。1は犯罪者と悪徳警官しかいない世界の果てのような街を舞台とした暴力の嵐みたいな物語。2は水が貴重品となった近未来で、水利権を握る富裕層と貧しい者たちの抗争を描くSFスリラー。3は世界一物騒な街ケープタウンで悪い美女と悪い犯罪者と悪い刑事が殺し合う話。4は殺し屋組織の若者が主人公の「お仕事小説」。5はミステリー史上もっとも下品なシリアル・キラーを主人公とする下劣な犯罪小説。

われながらひどいなあ。でもいずれもすばらしい小説だと僕は思っている。

1には悪夢のようにシュールで美しく荒廃した風景が登場する。極寒の荒野に廃墟ビルが立ち並び、そのあちこちに悪いやつらが身をひそめ、銃撃戦が行なわれる。この景色を僕は忘れないだろ

う。2にあるのは熱い階級闘争の意志だ。その高熱のエモーションが、ここでは銃であり爆破であり破壊のかたちをとってアウトプットされている。3と5に共通するのはユーモアである。タブーの侵犯は、笑いと恐怖とエロティシズムに共通する起爆剤であり、3と5ではタチの悪い暴力と暴言が、この三つの「疚しいこと」をせわしなく往還する。4は突拍子もないアイデアで、インモラルな殺人の物語を切ない青春小説と融合させてみせていて、つまりここでの殺しは、それ以外に自己表現を知らない若者の悲しみの象徴である。そしてすべてに共通するのは、義憤から逆ギレまでの広いスペクトルを持った「怒り」なのではないかという気がする。

最近ね、「怒り」ってすごく悪いことのように言われすぎてると思うんですよ。冷静に、周囲の迷惑にならないように、ルールを守って、理性的に。うん、たしかにそれはそのとおり。でも僕たちは理性だけで生きているわけではない。怒りや恐怖を司っているのは脳の扁桃体と言われていて、それは爬虫類にもある脳の「古い部分」だそうで、それに囚われてしまうのは「人間らしさ」という意味でどうよ？　ということになる。

だけれど、それも僕らの脳の一部だし、生物としての僕らに組み込まれているものでもある。そこを抑圧しすぎてしまうと、生物としての僕らに無理がくるんではないか。と思うのだ。とはいえ何かあるたびに誰かをぶん殴るわけにもいかないし、校舎の窓を割って回ったり、走り出すためにバイクを盗むのもどうかと思う。でも、そういう衝動があることを否定するのは違うんじゃないか。だから僕らには、僕らのなかにある爬虫類の脳を人間らしく語り直すものが――つまり物語がある。

物語における「怒り」は精神のデトックスなのだ。タブーの侵犯という快楽の疑似体験――爬虫類の脳を抱擁し、肯定する物語。それが僕らの正気を保ってくれる。

なんて言いながら、実はこの十年でもっとも好きで、僕しかほめなかった作品の筆頭は、マイクル・シアーズの『秘密資産』だったりします。息子のために身ひとつで困難と戦う主人公の物語はちょっとディック・フランシスの名作群も思わせて、犯罪サスペンスでしか書けない気高さを実現していると思う。ニューヨークという街を描いた屈指の都会小説の名編でもあります。危機的状況のなかでの気高さもまた、日常では演じ切ることのできないものでもありますよね。

2011
2012
2013
2014
2015
2016
2017
2018
2019
2020
さくいん

2016年

2016 1月

杉 北 川

ミレニアム4 蜘蛛の巣を払う女

ダヴィド・ラーゲルクランツ／ヘレンハルメ美穂・羽根由訳
早川書房

《ミレニアム》が帰ってきた！ 杉江松恋氏の解説に、「あれ、ラーソンって生きてたの？」ってあるけれど、まさにまさに。作者の死後、別人が人気シリーズを書き継いだ例はいくつかあれど、これほど出來のいいケースも読んだことがありません。

私が読みたかった《ミレニアム》が、リスベットとミカエルの活躍譚が甦り感極まっています。

ラーソンが配置した布石をしっかりと活かしたプロットに、久々に仕事を忘れて一気呵成に読んでしまった。ありがとう、ダヴィド・ラーゲルクランツ！

今月は、ベン・H・ウィンタース『世界の終わりの七日間』（ハヤカワ・ミステリ）もオススメ。世界の終焉を前にして、なお「知らずにはいられない」一人の人間であり探偵でもある主人公の業に、深く静かに感銘を受けました。〈最後の刑事〉

三部作、ぜひ読んでみてください。（川）

まさか「ミレニアム」がまた読めるとは思わなかったが、これだけ面白いのも嬉しい。主要キャラクターだけ引き継いで、内容はまったく新しいものにしたほうがよかったような気がしないでもないが、それは言わないでおく。これだけ楽しいのならそれは贅沢な注文というものだ。（北）

自分で解説を書いた手前非常に気が引けるのだが、個人的な理由からこの作品には非常に共感するものがあるのでぜひともお薦めしたい。大ヒット作の続篇を別の人間が執筆、あれあれ、このシチュエーションってどこかで聞いた記憶が、えーとたしか『バトル・ロワ……』というような話はどうでもいいのだが、続篇でここまでオリジナルの味を活かしたものというのは珍しいのではないか。特に感心したのが、ヒロインの人物設定に「スティーグ・ラーソンならこうしただろう」という要素を付け加えてみせた点で、原作を研究し尽くしてないとあれは書けない。また、過去作に登場した脇役たちを、前作の因縁を引きずるような形で読み戻すやり方にも唸らされた。誤解を恐れずに言うが、これはめったにない完成度の「二次創作」だと思う。オリジナルと本書を読み比べると非常に勉強になるのだ。物語のほうもおもしろく、主人公二人を付かず離れずの距離で共闘させるあたりもやはり上手い。ラーゲルクランツは2年置きに新作を発表するとのことで、残り2作が実に楽しみである。（杉）

千 酒

世界の終わりの七日間

ベン・H・ウィンタース／上野元美訳
ハヤカワ・ミステリ

M・A・ローソンの『奪還』は、手に汗握る展開の妙と、主人公の鮮烈なヒロイズムで魅せてくれた。今後にも期待大。またドン・ウィンズロウの同時刊行新作『失踪』『報復』いずれも素晴らしい。しかし現時点では、今まで見たことのない《世界の終わり》を見せてくれたことに敬意を表し、『世界の終わりの七日間』を選択したい。

世界の破滅をテーマとした小説は多いけれど、この小説の後味——諦めとも救いとも絶望とも希望とも祈りとも言いがたい——は、とても胸に響く。崩壊した社会の残滓の中で、妹ニコを探すパレスの道行き。様々な人々とそのエピソードが彼の前を通り過ぎ、ほとんどロードノベルの域に達するのに、終わってみれば推理小説としての枠組みは明確に維持されていた。そして真相が含む深い、とても深い余韻。全てがわかった後の《終章》では、淡々とした文章の行間から万感の想いがあふれ出す。この三部作は正直、第二作で中弛みしたと思っていたのだが、それは見事にリカバリーされ、破滅SFならではの要素とミステリならではの要素が見事に溶け合っている。この絶妙なブレンドは、この作品でしか味わえない。（酒）

あと一週間で小惑星が地球に衝突するという状況下、元刑事ヘンリー・パレスはもう一度妹ニコに会うべく、彼女の行方の手掛かりを追い求める。その過程で彼が知った衝撃の事実とは。そして人類の運命は？　シリーズ前二作よりも更に混

乱を増した世界を背景に、人々の希望と絶望、理性と狂気、執着と諦観が静かに火花を散らす。『地上最後の刑事』『カウントダウン・シティ』そして本書の三部作を通し、あくまでも刑事としての矜持を守り抜いたヘンリー・パレスという主人公とともに終末に向けて旅してきた読者は、ラストで何とも形容し難い深い余韻に包まれる筈だ。年間ベスト級の作品が早くも登場した。

　自分で解説を書いた作品なので外したけれども、マイクル・コリータ『深い森の灯台』も傑作。著者得意のホラー・ミステリであり、緻密な伏線とその鮮やかな回収は本格ミステリファンにもお薦めだ。（千）

吉

ジグソーマン

ゴード・ロロ／高里ひろ訳

扶桑社ミステリー

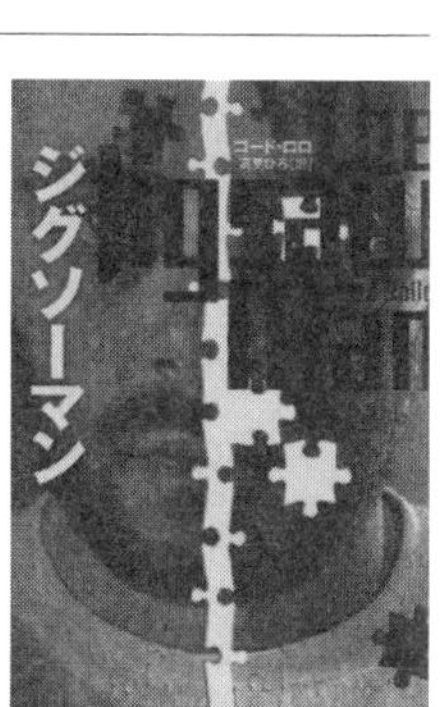

かつてパーキンソン病を告白した米国俳優は『ラッキーマン』という自伝を発表したが、この最高にバカバカしいC級ホラー小説のアンラッキーな主人公の名もまたマイケル・フォックス。次から次へと悪夢が連続し、これぞページ・ターナーのお手本といえる展開で、一気読みした。すごいです、これ。そのほか、ダヴィド・ラーゲルクランツ『ミレニアム 4』はラーソンの設定を活かした上で、ほとんど触れられなかった人物の造形がよく、今後の続編に期待。前の三部作で「リスベットがミカエルにプレスリーの看板をプレゼントした」エピソードのような、読み手の胸をぐっとつかむシーンがあれば完璧なんだが。三部作といえばベン・H・ウィンタース『世界の終わりの七日間』、そして九月刊のジョナサン・ホルト『カルニヴィア3 密謀』とともに完結で、面白いものを読ませていただき感謝感激。（吉）

霜

奪還　女麻薬捜査官ケイ・ハミルトン

M・A・ローソン／高山祥子訳

扶桑社ミステリー

『ミレニアム4』も当然よかったのだが、やはりタフな女性ヒーローを主人公にしたこちらを挙げておきたい。わるいやつをとっ捕まえるためならド汚い手もいとわぬサンディエゴの麻薬捜査官が、21世紀のクライム・ワールドでもっとも凶暴な悪役たるメキシコの麻薬カルテルとガチで対決——という話である。

　ダレ場一切なしで事態がエスカレートしてゆくサービスぶりが実に楽しいし、人が平然と殺され、過剰な火力をバカスカ投入する思いきりのよさもいい。これぞペーパーバック・アクションの醍醐味というべきで、話がさらに派手になりそうな第二作が待ち遠しい。うまく転べば「グレイマン」みたいにもなれそうな気がします。海外ミステリ・ファンのみならず、深町秋生の八神瑛子シリーズのような国産ポリス・アクションをお好みのひとにもおすすめしたい。個人的にはロバート・ロドリゲスによる映画化を希望。（霜）

　というわけで年末にもかかわらず大作の続篇や完結篇など、話題作が多数刊行された二〇一五年十二月でした。どうやら今後も期待ができそうです。来月もまた七福神をお楽しみに。（杉）

2016 2月

吉

死体泥棒

パトリーシア・メロ／猪股和夫訳
ハヤカワ・ミステリ文庫

ドイツで高く評価されたブラジル・ミステリ。主人公が墜落した飛行機からコカインを盗み出し、大金を得ようとする冒頭は、まるで『シンプル・プラン』だが、そこから先は予想外の展開を見せていく。なるほど、特に死に対する感覚や善悪で割りきらない世界観など、欧米のものにはない、斬新な読みごたえをもつ犯罪サスペンスだった。そのほかジェイムズ・トンプソン『血の極点』は、ここまで私的で過激な争いの物語になるとはシリーズ第一作の時点では思いもよらなかった。それにしても作者急死は残念だ。（吉）

北

ドローンランド

トム・ヒレンブラント／赤坂桃子訳
河出書房新社

無数のドローンが飛び交う超管理社会を舞台にしたミステリーだが、ちらりちらりと描かれるその時代のさまざまな細部が物語を引き締めている。たとえば、テヘランとリヤドに核攻撃が行われてから原油はほとんど供給されず、太陽エネルギーの開発を急いでいること、この世界にはいつも雨が降り注いでいること、沿岸部の都市は水没していること。そういうディテールがさりげなく、物語のあちこちから現れる。もちろん、物語の表面で語られるのは殺人事件の捜査だが、近未来の世界がどういうものであるのか（アメリカと中国が没落してブラジルとアラブとEUが覇権を争っている）、これが実に興味深い。

物語の構成も、テンポのいい展開も素晴らしく、ラストまで一気読みの面白さだ。（北）

千

黄昏の彼女たち

サラ・ウォーターズ／中村有希訳
創元推理文庫

女性同士の恋愛小説である上巻には、ミステリ的な要素は皆無に近い。下巻に入るとすぐに犯罪が発生するけれども、被害者も犯人もさして意外ではない。ウォーターズの作品の中でも、ミステリ度が低い『夜愁』の系列に属するのでは……とこの時点では思うかも知れないが、とんでもない。そこから先に待ち受けているのは怒濤の心理サスペンスだ。上巻で綴られてきたロマンスが反転し、逃げ場のない罠と化して登場人物を意地悪に追いつめてゆく。何より戦慄するのは、犯罪の真相が暴かれるか否かのスリルよりも、熱烈な恋心を捧げた相手に果たしてその価値が

あったのかを、事件後の経緯を通して登場人物が自問しなければならない点だ。サラ・ウォーターズ、何という恐ろしい小説家だろう。（千）

酒

霜の降りる前に

ヘニング・マンケル／柳沢由実子訳
創元推理文庫

キャロライン・ケプネス『YOU』もなかなかのお手前（主人公のナチュラルな気色悪さがたまらない！）だったが、原稿を入れる時点では、ベーシックなものを愛でたい気分なのでこれを。

持論だが、優れた警察小説は、どんな脇役の聞き込みにも読者を惹き込む力がある。各人各様の人生の断面が、生々しく描き抜かれていく。ヘニング・マンケルの諸作は、その最たる例なのだ。（酒）

杉

つつましい英雄

マリオ・バルガス＝リョサ／田村さと子訳
河出書房新社

ノーベル文学賞作家の受賞後初の長篇、ということでやや腰が引けるのを自覚したのだが、いやとんでもない。抜群におもしろかったので紹介する次第です。物語は二筋に分かれており、一方は運輸業者の男がマフィアのものと見られる置手紙により、みかじめ料を寄越せという脅しを受ける。もう一方は会社経営者の骨肉相食む争いの物語で、娘ほども年の離れた女性と結婚した富豪と、それによって相続権を失った息子たちとの反目の間に挟まれた男が主役となる。両方に共通するのは、善良な魂の持ち主が悪意の塊によって脅かされるという構図で、屈せず正義を貫こうとする者たちが小説の主人公になるのである。日本人の感覚からすると彼らの倫理観はあまりにも苛烈で独善的に見えてしまい、私は共感するまでには至らなかった。しかしその距離感が逆に魅力で、悪とそれに対抗する者たちの動きが広壮な構図で描かれるというおもしろさがあったのである。柄の大きな、しかし肩の凝らない筆致のものが読みたい、というようなときにお薦めの一冊だと思います。（杉）

霜

YOU

キャロライン・ケプネス／白石朗訳
講談社文庫

いったいどうしたことか。今年の1月の異常な豊作ぶりのことである。ミステリ年度でいえば9月と10月がいっぺんに来たかのごとき年間ベスト級の目白押し。ジェイムズ・トンプソンの遺作『血の極点』が暴力と正義がギリギリと軋むさまを血のペンで刻み書いてみせれば、イギリスの新人ヘレン・ギルトロウが『謀略監獄』でシャーリーズ・セロン主演・トーマス・アルフレッドソン監督のレン・デイトンみたいなクールなスリラーを描き上げ、さらにヘニング・マンケルやサラ・ウォーターズやらの新作がぶっこまれるという一カ月であり、とりあえず皆さんには、いま列挙したやつは全部読むことを強要したい。

そんな年間ベスト級の作品群をわきにおいて本作を推すのは、ちょっと軽量感があるので年末ランキングなどで割を食いそう、という懸念からである。本屋で働く非モテ本好き男子が、小説の話のできるナタリー・ポートマンみたいな文系女子と出会うも、彼女はチャラい金持ちのオーガニック野郎にホの字なので、非モテ主人公は知力と体力を駆使して彼女の恋人になろうと奮闘、という、ニューヨークのダウンタウンが舞台のボーイ・ミーツ・ガール――みたいな話なのだが、実は主人公の奮闘は、ストーキング、ハッキング、不法侵入、下着泥棒、拉致監禁などで、要するにこいつは変態野郎なのである。なのに読んでいると、一人称小説であるがゆえに変態であることを忘れてしまい、応援したくなったり切なくなったりしてしまうのだ。甘酸っぱく切ない気持ちと、気持ち悪さにヘドが出そうになるのが交互に襲い来る怪作。これも是非お読みになられますよう。

いつになく原稿が長くなってしまったが、多くの本を紹介してるということで読者にはご寛恕をいただきたい。すみません。 (霜)

川

夜、僕らは輪になって歩く

ダニエル・アラルコン／藤井光訳
新潮クレスト・ブックス

内戦が終結し出所した劇作家ヘンリーは、投獄の原因となった風刺劇『間抜けの大統領』再演の為に、友人のパタラルガとともに伝説の小劇団を再結成しアンデスの山間の村を巡る地方公演の旅に出る。三人目のメンバーとなり、生まれて初めて山岳地帯へと足を踏み入れた若き俳優ネルソン。三人三様の見果てぬ夢、家族に対する忸怩たる思い、そして狂おしい愛と憎しみの行き着く果てはどこか。

些細な嘘が誘因となって思いもよらぬ展開をみせるストーリーが推進力となり、冒頭から臭わされる悲劇的な結末に対する興味と、語り手を務める「僕」が誰なのかという謎が牽引力となり、読み終わるのが惜しいと思いつつ、一気にページを繰ってしまった。「劇の世界に入り込み、自分の人生から逃れる」ことを求めた者たちの織り成す、愛と死と謎が絡み合った物語を、ぜひ味わってみて欲しい。 (川)

ひさしぶりに七人全員が違う作品を挙げるというバラエティに飛んだ月となりました。だっておもしろい本が多いんだから仕方ないんです。来月はどんなことになるでしょうか。どうぞお楽しみに。 (杉)

2016 3月

千 北

ロックイン―統合捜査―

ジョン・スコルジー／内田昌之訳
新☆ハヤカワ・SF・シリーズ

最初なかなか物語に入っていけず挫折しかかったが、『老人と宇宙』のスコルジーなのだ。面白くないわけがないと言い聞かせて読み進むと、あっという間に一気読み。やっぱりスコルジーだ。全世界にヘイデン症候群（意識ははっきりしてるのに体を動かすことができない病気）という奇病が蔓延した近未来の社会で殺人

事件が発生し、FBIの捜査官クリスが捜査に乗り出すSF冒険活劇『アンドロイドの夢の羊』に比べると、あちらのほうがたしかにいいけれど、これだって捨てがたいという水準作。（北）

意識はあるのに体を動かせない「ロックイン」状態に陥る奇病が蔓延した世界。ヘイデンと呼ばれる患者たちは、やがてロボットの義体とオンライン空間の利用で通常の生活を送れるようになった。そんなヘイデンの新人FBI捜査官が、身元不明の男が怪死した事件の捜査に着手する……。破天荒な設定ながら、未来社会のディテールが細部まで練られているのでただならぬ説得力が感じられる。新人捜査官とアクの強いヴェテラン女性捜査官のバディものとしても、架空の症例をトリックの前提とした謎解きものとしても面白いし、狡猾な真犯人にいかにして罪を認めさせるかという終盤の駆け引きもスリリング。ポケミスから出たとしても違和感がなさそうなSFミステリの秀作だ。（千）

吉 酒

マプチェの女

カリル・フェレ／加藤かおり・川口明百美訳
ハヤカワ・ミステリ文庫

ウンベルト・エーコ『プラハの墓地』も素晴らしいのだが、ミステリ色が一層濃いこちらを選択。舞台はアルゼンチン（一部ウルグアイを含む）であり、その歴史や社会を背景とした、壮大な物語が展開される。LGBTを狙った連続殺人ものであるかのように始まるが、話が進むにつれて急激にスケールアップし、方向性も変わっていくので、乞うご期待。アルゼンチンの歴史や社会を色々と直接的に説明する地の文は、饒舌であり熱量が高い。力と勢いのあるクライムノベルといえよう。ただ——何割か削ったら更に良かった、と思うのは贅沢なのだろうか？（酒）

作品のはらむエネルギー量がとんでもない小説だった。アルゼンチン現代史の闇を追う探偵と部族出身の女が、正体不明の敵と繰り広げる壮絶な闘い。それをフランス人作家が無骨で大胆ながら熱く語っていく。最後の百ページはひさしぶりに血の沸き立つ思いを味わった。これ、これ、これ。こういうのが読みたかったのだ。お願い、この作家、もっと訳してくれ！（吉）

川

永遠の始まり

ケン・フォレット／戸田裕之訳
SB文庫

激動の二十世紀を生きた人々の愛憎と情熱、誇りと怒り、そして欲望と大望を圧倒的な筆力で謳い挙げたケン・フォレット畢生の大作〈百年三部作〉。その掉尾を飾るのが、一九六一年のベルリンの壁建設に始まり八九年の壁の崩壊を経て二十一世紀へと繋がる『永遠の始まり』だ。全四巻二二〇〇ページという大部に臆する事なかれ。あるものは政治活動を通じて、あるものは音楽を通じて、薄明の時代にあって、自由と平等を求めて前を見つめ抗い続ける姿が胸を打つ。冒険小説の面白さを備え、虚実皮膜を能くしたこの波瀾万丈なエンターテインメントを、今の時代にこそ味わってみて欲しい。主人公たちの祖父母や親の若かりし頃の活躍譚として、第一部『巨人たちの落日』、第二部『凍てつく世界』を楽しむのは、この物語を堪能してからでも遅くはない。（川）

霜

証言拒否 リンカーン弁護士

マイクル・コナリー／古沢嘉通訳
講談社文庫

法廷ミステリが面白いのは、いわば全編が本格ミステリでいう「解決の場」で占められているからだと思っている。しかも法廷劇は、敵と味方の戦いの構図が明瞭なので、自動的にエンタメのドキドキが発生する仕組みなのだ。マイクル・コナリーは、アメリカ型現代スリラーに第一級のミステリ・マインドを仕込んできた作家だから、「リンカーン弁護士」シリーズはいずれも極上の才気と緊迫感が宿っている。本作は第4作。法廷劇の比率が高く、ペリー・メイスンを思わせる法廷ミステリの正統を感じさせてくれる上に、ミステリとしての逆転の鮮やかさ、伏線と手がかりの見事さはクラシカルな謎解きミステリそのものでもある。去年の『スキン・コレクター』と同様、意外な真相に至る材料が、律儀なまでにきちんと配置されているのである。（霜）

杉

プラハの墓地

ウンベルト・エーコ／橋本勝雄訳
東京創元社

プラハの墓地、と聞いて「あ、あれだな」と思い出す近現代史ファンは多いはずだ。これは史上最低最悪の偽書であり、ユダヤ人による陰謀論を振りまいてロシアにおけるポグロムやナチのホロコーストに根拠を与えた〈シオンの議定書〉が成立に至るまでの過程を、フランス大衆小説伝統のフィユトンの形式を借りて綴った一大伝奇小説なのである。文書偽造の技に長けた主人公が権力者に重宝され、無自覚な形でさまざまな事件を引き起こしていく。爆弾魔を描いた『窓から逃げた100歳老人』のほうがまだユーモアは陽性で、本書は差別主義者の主人公の自我がだだ漏れで開陳されていくという身も蓋もない叙述形式であり、彼に対する嫌悪感が読者と対象の間に適切な距離を作らせるという仕掛けになっている（この男が結構な食通だというのがまたいいのである）。キャラクターの魅力がプロットとがっちり結びつき、読者の心を捉えて離さない。あえてミステリーとしてこれをお薦めするのは、主人公の記憶が混乱しているために、自分は本当は誰なのかがわからず、しかも意外なところから死体が現れて、それがなぜ生成されたかがわからない、という事態に巻き込まれていく脇筋が、彼の語る過去の物語と同等の比重をもって描かれるためだ。日本の知的な謎解き小説を好む読者ならば、この作品の遊びを十二分に堪能できるはずである。大衆小説のお手本のような形で書かれた、とても危険な一冊である。（杉）

ＳＦミステリーに大河小説、アルゼンチンを舞台にしたスリラーにウエルメイドな法廷小説、そして知の巨人の奇書と、またまた今月もバラエティに富んだ月になりました。毎回何が出てくるかわからない七福神、次回もどうぞお楽しみに。（杉）

杉川

夏に凍える舟

ヨハン・テオリン／三角和代訳
ハヤカワ・ミステリ

死者が蠢く舟に遭遇した、裕福な一族の末息子ヨーナス。同じく少年時代に、死者にまつわる怪異譚を体験したことのある齢八〇を超える元船長イェルロフは、ヨーナスの話が気にかかり調べるうちに、七十年の時を経てスウェーデンに帰ってきた男の不穏な動きを察知する。

四季折々に異なる顔を見せる美しくも鄙びた島を舞台にした〈エーランド島四部作〉の掉尾を飾る本書は、哀しく苛酷な過去に根ざした犯罪、厳しい自然環境と骨絡みの幽霊奇譚、ローカルな舞台とグローバルな背景、そしてミステリ・ファンのツボを突く仕掛けといったシリーズの長所が遺憾なく発揮された逸品だ。特に中盤で明かされる事実には、思わず、えっと声を出してしまった。

今回、孫たちに占領された母屋から逃れてボートハウスの簡易ベッドに横たわったイェルロフが、「静かな夏の夜にどこか天然の港で碇を下ろして船室に横たわるようだった。同じように狭いベッド、同じように森羅万象に近く、同じように安らぐ感覚」を憶えるシーンがとても印象的だ。四部作を読み通して改めて実感したのだけれど、結局のところこのシリーズを愛して止まないのは、この人生に対する諦念に深く共感するからだ。（川）

3月は短編作品しか読んだことのなかったコリン・ワトスン『愚者たちの棺』も出てて、裸足で電線の上を歩いて感電死した男、という奇妙極まりない状況から始まるのが楽しかったのだが、探偵小説というよりは小さな共同体の中の当てこすりしあいの部分のほうがおもしろかったので、ちょっと一般にはお薦めしかねる。もう1冊、先月出たミック・ジャクソン『10の奇妙な話』という短編集もよくて、特に冒頭の1編などはジョイス・キャロル・オーツ『生ける屍』を連想してしまうような皮肉なもので大好物だったのだが、月違いということでこれも見送り。

となるとやはり重量級の傑作『夏に凍える舟』を挙げるしかない。島の四季を4つの長編で描くというアストリッド・リンドグレーン『やかまし村の春夏秋冬』を思わせる（実際情景描写などでは重なる面もある）連作で、まずその情景の美しさに心を持っていかれる。作者自身の祖父をモデルにしたという老水夫の主人公・イェルロフのキャラクターもよく、それで2つめのダウン。そして今回は、物語が1／3ほど進んだところで出てきたびっくり展開に不意打ち気味でやられてしまい、見事にTKO負けを喫した。情景だけではなく時間の流れをも味方につけた素晴らしい作品だ。

ご存じのとおりテオリンは翻訳ミステリー大賞授賞式に合わせて来日してくれて（なんとスウェーデン大使館の招聘ですよ。感謝！）、役得で2日間いろいろ話す機会を得たのだが、話の中でいちばん驚いたのは彼が妖精などの民間伝承を愛する人物で、その起源は前述のおじいちゃんにしてもらった不思議なむかしばなしだったという事実だった。それって水木しげるの『のんのんばあとオレ』じゃん！ （杉）

吉 霜

ぼくは君を殺さない

グレアム・キャメロン／鈴木美朋訳
ハーパーBOOKS

女性をさらってては自宅の地下牢に監禁（したりしなかったり）して惨殺する草食系シリアル・キラーが、ある女性を監禁したはいいが殺すタイミングを何となく逸してしまい、とりあえず監禁し続ける一方で新たな女性を殺したり、おいしそうな料理を作ったり、殺すつもりで接近した女性に恋しちゃったりという生活が語られてゆく。『清掃魔』『殺人鬼ジョー』より品がよく、『さよなら、シリアルキラー』よりはだいぶ鬼畜、芸風がかぶる『YOU』のニューヨーカーらしいリア充感の代わりに、ロンドンではないイギリスのシケた感じが香る。このあたりのヘンな殺人鬼小説がお好みの方は試す価値ありです。ベン・ウィショー主演で映像化すると面白そうだな。 （霜）

昨年、『殺人鬼ジョー』『見張る男』『YOU』など、犯罪者の視点から描くサイコなものに上質な作品が目立った。世間的にはたいして話題にならなかったけど。本作もまた連続猟奇殺人犯が主人公で、まずは女を殺す場面からはじまり、別の女をつかまえて地下室に監禁する。のだが、そこから先、次第に妙なドラマへ流れていき、後半、まさかそうくるとは、という驚きの展開へ突入。斬新。プロットの巧みさが光る。昨夏に新創刊の海外エンタメ文庫レーベル、ハーパーBOOKSは、ミステリー系だけ可能なかぎり読んできたが、やっとここへきて当たりをつかんだ。 （吉）

千

ウィンター家の少女

キャロル・オコンネル／務台夏子訳
創元推理文庫

何というか、少々やりすぎ感が漂う小説であるとは思う——主人公キャシー・マロリー刑事の言動が、ではなく、それを綴る著者の筆致が。冒頭の登場シーン、ラストの悪人との対決シーンなど、過剰なまでに芝居がかった演出が施され、マロリーが人間離れした物の怪のように描写されている。ただし、わざわざこのような書き方をする小説家は少なくとも米国ミステリ界には他に殆どいないし、そういうバロック真珠めいた歪さも含めてオコンネルという作家の魅力だとも感じる。複雑に入り組んだ事件の構図や、著者十八番の心理的駆け引きも読み応え充分。 （千）

酒

心理療法士ベリマンの孤独

カミラ・グレーベ＆オーサ・トレフ／茅律子訳
ハヤカワ・ミステリ文庫

ヨハン・テオリン『夏に凍える舟』は傑作なのだが解説者が私なのでパス。私の言いたいことは全て解説に書いたので、そちらをご照覧ください。で、七福神としては、キャロル・オコンネル『ウィンター家の少女』との間で悩んだものの、同格なら新顔を優先しようと思ってこちらにしました。

　作中では、夫の死によって心に傷を負った心理療法士が、不気味なストーキング行為と、それが関係していると思しい連続殺人事件に4カ月間にわたって悩まされる。殺人犯ではないかと疑われ、元々塞ぎ気味だった主人公は、精神的に一層追い詰められる。真相の意外性もさることながら、特筆すべきは、一人称の筆致だ。どこまでも冷たく静かであり、悔恨の情に満ちた省察は、読みやすくも胸に染み入る。主人公の患者たちの苦悩も鮮度が高い。サクサク読めることも、訳者含めて賞賛すべきだろう。（酒）

北

マプチェの女

カリル・フェレ／加藤かおり・川口明百美訳

ハヤカワ・ミステリ文庫

　1カ月遅れの紹介だが、いやあ、面白い。アルゼンチンがこれほどとんでもない国だとは知りませんでした。船戸与一に西村寿行を足したような小説で、やや壊れ気味ながらその圧倒的な暴力の嵐に酔いしれる。（北）

　この欄初登場のレーベル作品と北欧ミステリーの二作が印象的な月でした。さらにひさびさのキャロル・オコンネルもあり、大満足。毎度のことながら、読みたい本が目白押しで困ってしまいますね。さて、来月はどんな傑作秀作が紹介されますことやら。どうぞお楽しみに。（杉）

2016 5月

千 北

ささやかで大きな嘘

リアーン・モリアーティ／和爾桃子訳

創元推理文庫

　ミステリーというより普通小説の味わいに近いことをまず書いておく。保護者懇親会で何が起きたのかを伏せたまますすめる展開はまぎれもなくミステリーだが、保護者たちのさまざまな生活と秘密と意見を描いて圧倒的に読ませるのだ。訳者あとがきには「向田邦子のホームドラマの

切れ味をそなえた、豪州の湊かなえと評される映像化しやすい明解な筋立て」とあるけれど、私は「平安寿子と唯川恵と辻村深月を足したような小説」と読んだ。どちらも違っていたりして。（北）

　どれを選ぶか久々に迷った月だった。ドン・ウィンズロウ『ザ・カルテル』は圧倒的な力作だし、ヘレン・マクロイ『二人のウィリング』は年間ベスト級の傑作本格ミステリ。ただしどちらも、黙っていても読むひとは必ず読むだろうビッグネームなので、ここでは日本初紹介作家の

収穫を紹介したい。幼稚園の保護者懇親会の席上、何かが起こり、出席者から死人が出たらしい――加害者は誰で被害者は誰なのかという情報を伏せたまま、事件の半年前から当日に至るまでの経緯が、群像劇スタイルでじっくりと綴られてゆく。愛情・信頼・疑惑・誤解が入り乱れた果て、事件の直前になって、今まで読者に見えていなかった事実が明らかになる瞬間が鮮烈だ。（千）

川 彼女が家に帰るまで

ローリー・ロイ／田口俊樹、不二淑子訳
集英社文庫

これは終わりの始まりを描いた物語だ。時は一九五八年、舞台は経済の衰退が著しいデトロイト近郊の郊外住宅地（サバービア）。一家の主たちが働く工場の近くで一人の黒人売春婦の撲殺死体が発見された翌日、コミュニティの一員である一人の若い白人女性の行方が判らなくなる。二つの事件は、この町の誰かによるものなのか。

それぞれ嘘と秘密を抱える三人の主婦を主役に、頻繁に視点を切り替えて、彼女らの悩みと願いを淡々とされど深く描写することで、作者は〝アメリカン・ドリームの向こう側〟を読者に見せつける。「人生は二度ともとには戻らない」という述懐が澱のように残るじっくりと読ませるサスペンスだ。率直に言って重い、でも、読んで欲しい。彼女らの抱えた懊悩は、差別と自己愛、嫉妬と偏見が急速に蔓延してきた今の時代にあって、決して遠い日の他人事ではないと思うのだ。（川）

酒 ザ・カルテル

ドン・ウィンズロウ／峯村利哉訳
KADOKAWA／角川文庫

無常観が最高な『過ぎ去りし世界』、お洒落で残酷な会話劇＠スパイ小説が楽しめる『裏切りの晩餐』、おっさんの憧れ成分炸裂『愛しき女に最後の一杯を』などなど、力作が多かったが、今月は『ザ・カルテル』の熱量に兜を脱がざるを得ない。《ミレニアム》三部作と年度ベストの覇を競ったのが記憶に新しい――とはいえもう7年も前だが――『犬の力』の続篇に当たる本書は、スケールをアップするとともに、麻薬戦争の過酷な現実をより一層深く鋭く描くことに成功している。群像劇なのだが、主要登場人物の

人間ドラマは、それぞれ単体でも犯罪小説として恐らくは満点を出せる出来栄え。それが束になって襲いかかって来るのである。これに正面からぶつかって勝つには、エルロイの狂気を必要とするのではないか。いやもちろん小説は勝ち負けではないのだけれど。個人的には、ラストの締め方に、全く雰囲気の異なる『ストリート・キッズ』の影が見えるように思われて興味深い。（酒）

霜

死んだライオン

ミック・ヘロン／田村義進訳
ハヤカワ文庫NV

問答無用で今月は『ザ・カルテル』なのだ。殺戮と裏切りと欲望だけが即物的に積み重ねられただけなのに、これはヨーロッパ的な荘厳さをたたえた《ナルコ・オペラ》とでも呼ぶべき壮麗さをそなえた傑作、未読の者は死すべき傑作である。

だが絶対に誰かが挙げるだろう。《書評七福神》の唯一の問題は、傑作だらけの月には損をする作品が出ることであり、ゆえにおれは『ザ・カルテル』とは正反対の、英国調ユーモアがうねる傑作を挙げておきたい。「追い出し部屋」的な部署に所属する窓際スパイたちの奮闘を描くシリーズ第二作である。

イギリス的にひねくれてひねくれてひねくれたユーモア100%の語り口による序盤は、何の話かよく見えないので途方に暮れるかもしれないが、気にせず気楽に読み進めると、ある時点で一気に話は収斂をはじめ（登場人物が事態を要領よくまとめてくれる安心設計）、あとは最後まで一気呵成である。見事なミスディレクションや、ロングパス的な伏線の数々が気持ちよく決まるあたりは、スパイ・スリラーでありつつ英国ミステリの遺伝子が息づいている証拠で、英国推理作家協会賞ゴールドダガー賞ほか、ミステリ界で評価されているのも納得できる。ブリティッシュ・テイストをお好みの本読みは文句なしの必読。屁ばかりしているスパイ・マスターがいいぞ。（霜）

杉

ドライ・ボーンズ

トム・ボウマン／熊井ひろ美訳
ハヤカワ・ミステリ文庫

四月は本当に豊作だった。ぎりぎりまで考えて、そういえばゴールデンウィーク突入前にあれが出てたじゃん、とMWA最優秀新人賞を受賞したこの作品に。

一言でお薦めするとこれ「ポケミスの1400番台くらいに入っていたハードボイルド」なのである。いや、1500番台の前半くらいまでもアリかな。主人公が亡き妻の追想に耽っているところなどはジェレマイア・ヒーリイのジョン・カディもの（『少年の荒野』ほか）を思い出させるし、ローカル警官の奮闘記という意味ではテッド・ウッドの署長ベネット・シリーズ（『追撃のブリザード』ほか）を連想した。貧困白人層の犯罪を描くという意味ではより現代性、諷刺性が強くなっているんだけど、ハードボイルドという物語形式にまだそんなに疑問を持たずに読むことができた一九八〇年代ごろの雰囲気を思い出して、ちょっと胸が熱くなったりもしたのですよ。

決して革新的な作品ではない。懐古の感傷も混じっているかもしれない。でも、この小説は好きだな。折に触れて書棚から取り出して眺めたくなるかもしれない。

古典ではヘレン・マクロイ『二人のウィリング』もお薦めで、この結末はちょっとびっくりした。（杉）

吉

負け犬たち

ジョニー・ショー／野村恵美子訳
マグノリアブックス

題名通り、負け犬三人男が、金塊探しの冒険劇を繰り広げるというコメディもの。トニー・ケンリックやカール・ハイアセンなどの流れをつぐ、いかにもアメリカンなドタバタ劇で、いささか下品すぎるところもあるものの、この手のバカバカしい物語が好きな人たちにぜひぜひ薦めたい傑作。ともあれ四月の海外エンタメは大豊作で、暗黒の近未来世界における驚愕のヒロイン像でぐいぐい読ませたM・R・ケアリー『パンドラの少女』、大本命のドン・ウィンズロウ『ザ・カルテル』の、すべてを凌駕するごとき圧倒的な読み応え、デニス・ルヘイン『過ぎ去りし世界』の切なさ、現実感のある描写で強烈なサスペンスを生み出したミケル・サンティアゴ『トレモア海岸最後の夜』など、年間ベスト級もしくは極私的ベストが並び、一作だけ選ぶのは酷な月。これみな読むべし！　（吉）

原稿をまとめながら「誰かが挙げるだろう」のフレーズにちょっと笑ってしまいました。みなさん、ひねくれていらっしゃる。でも、これだからおもしろいんです。再確認ですが、書評七福神は「どれが一番おもしろかったか」を投票や合議で決めるのではなくて、各人の「偏愛」を形にするコーナーです。ここに挙がった書名は七人が七人なりに偏った読書をした結果なので、全員の総意というものはまったく存在しません。総意はなくて相違ばかり。それだけ現在の翻訳ミステリーは秀作揃いで選書に苦労するということでもあります。来月もバラバラでお届けします。ぜひお楽しみに。　（杉）

2016 6月

吉　霜

背信の都

ジェイムズ・エルロイ／佐々田雅子訳
文藝春秋

暴虐の《ナルコ・オペラ》たる『ザ・カルテル』に続き、今月は巨匠エルロイによる《シンフォニー・オヴ・ヘイト》の登場である。真珠湾攻撃直後、日系人が弾圧される中で、日系人鑑識官がLAでの大量殺人の謎を追う――という構図が、昨年話題となった『ゲルマニア』の日本人版を思わせもするエルロイ久々の警察小説。エルロイ史上屈指の傑作『アメリカン・デス・トリップ』を生み出しはしたが、個人的にはやはりエルロイには警察小説が似合う。「目に見えない陰謀の氷山」の一角がつくりだす迷宮を、正義と妄執のないまぜになった男たちが神経を過熱でボロボロにしながら掘り進む壮絶さは、エルロイでしか得られない。「警察小説」という器に「ノワール」というOSをインストールするとここまで凄いことができるということを実感させてくれる。銃火と砲声、ヘイトの叫びと弱

い男たちの悲鳴、犯罪と戦争が交錯する交響楽。ダドリー・スミスやバズ・ミークスやウォード・リテル、さらにバッキーとリーの元ボクサー刑事のコンビなど、エルロイ世界のオールスターキャストなのでファンはもちろん問答無用で必読です。（霜）

エルロイの新作長編、なんと日系人が主人公の警察小説で、物語は日米開戦前夜から幕を開け、加えてダドリー・スミスをはじめ、お馴染みの人物が多数登場し、さらにこれは〈新・暗黒のLA四部作〉の第一弾というのだ。その読みやすさに驚いたが、もちろんそれだけでは終わらず暗黒が待ち構えており、さすがエルロイ。困るのは、前の作品をあれこれと読み返したくなることである。そのほか、二〇世紀初頭のニューオリンズで起きた猟奇殺人をめぐるレイ・セレスティン『アックスマンのジャズ』北野寿美枝訳（ハヤカワ・ミステリ）も読みごたえ十分で、この作者の次作も大いに期待したい。あと、ホームズ・パロディのカミ『ルーフォック・オルメスの冒険』高野優訳（創元推理文庫）の奇抜さにやられっぱなし。（吉）

杉

アックスマンのジャズ

レイ・セレスティン／北野寿美枝訳
ハヤカワ・ミステリ

かつての上司の不正について証言したことが原因で今は警察内で孤立している刑事と、その証言のために服役し、マフィアから抜ける条件として最後にボスの依頼を受けることになった男が、それぞれの目的のため同時に連続殺人犯を追い始める、という構図がまずかっこよすぎる。まるでメリケンさん版股旅小説なのだが、そこに「なんとか手柄を立ててピンカートンに正式な探偵として採用されたい娘」が第三の主人公として絡んで申し分のない人物配置である。キャラクターの設定には深度もあり、刑事が抱えている秘密には思わず虚を衝かれた。実に上手い。抜群の才能である。

そして本書は私が密かにお気に入りにしている「斧ミス」の一冊でもある。「斧ミス」に外れなし。教養小説でありかっこいいやさぐれヒロイン小説でもあるウォルター・サタスウェイト『リジーが斧をふりおろす』でしょう、サイコスリラーにして文体実験作のフレドリック・ブラウン『手斧が首を切りにきた』でしょう、ドナルド・E・ウェストレイクには就職活動犯罪小説というとんでもない『斧』があるし、エド・マクベインの87分署シリーズいちばんの異色作『斧』もある。あとはA・A・フェアのドナルド・ラム&バーサ・クール・シリーズの初期名作の一つ『斧でもくらえ』も忘れちゃいけない。どれも頭をかち割られるぐらいおもしろいんですよ、お客さん。（杉）

千

偽りの書簡

R・リーバス&S・ホフマン／宮崎真紀訳
創元推理文庫

バルセロナで上流婦人が殺害された。独裁政権下にあるため警察の意に沿う記事しか書けない立場にある新人記者のアナ、その親戚で文献学者のベアトリズ。彼女たちは、手紙の文章の言い回しや綴り方といった

特徴を手掛かりに、一度は解決したかに見えた犯罪の真相に迫るが……。次々と殺される関係者、立ちはだかる巨悪、警察も検察も信用できない……という四面楚歌の状況で真実を明るみに出そうとする二人の女性の闘いが静かな熱を放つ。彼女たちの奮闘はもちろん報われるけれども、その決着からは、単純にめでたしめでたしとは言えない苦い余韻が漂う。それは、本作がスペイン独裁政権時代を背景にしていることと無関係ではない。（千）

酒

虚構の男

L・P・デイヴィス／矢口誠訳
国書刊行会

5月も傑作揃い。しかも語りたくなる作品が多い。エルロイ祭り、『埋葬された夏』祭り、『偽りの書簡』祭り、『ラスト・ウィンター・マーダー』祭り、『アックスマンのジャズ』祭り、『白夜の爺スナイパー』祭り、『ぼくは漫画大王』祭り……。よって、せっかくだから、既読者同士でないと色々と語れない『虚構の男』を挙げておきたい。裏にとんでもないことが潜んでいそうなのは最初からビンビン伝わってくるし、正直なところ、最初のアレは予想の範囲内でした。しかしその後の展開が凄くて、最後は、何がどうなったらこうなるんだ、という感じ。それでも登場人物がしっかり肉太に描き込まれているのが凄い。あと、物語のどのフェーズでも、主人公が虚構の男であり続ける点には感心しました。もちろんどういった意味での虚構かはコロコロ変わっていくんですが、タイトル通りであるというその一点においては全くぶれない。素晴らしい題名だと思います。（酒）

北

パンドラの少女

M・R・ケアリー／茂木健訳
東京創元社

ゾンビ小説は個人的に好きではないのだが、読み始めたらもうだめだ。そんな不満を言っている暇もなく一気読み。破滅した世界を描くディストピア小説であり、自由を求めるロードノベルであり、確執をかかえた者の心が徐々に寄り添っていく過程を描く友情小説だ。さらに、直前の死を回避するために必死に戦うアクション小説でもあるのは言うまでもない。（北）

川

埋葬された夏

キャシー・アンズワース／三角和代訳
創元推理文庫

読み終えて今、深い余韻に浸っている。万感の思いのこもったラストの一言に感じ入っている。これは紐帯の物語だ――異分子であることを痛いほど自覚していた少年と少女の、支配者と隷属者の、そして邪悪なる物同士の。

二十年前の夏に、イングランド東部のスモールタウンで残虐な殺人者として断罪された少女。被害者の名を伏せたまま、元刑事の私立探偵が新たな証拠に基づき再調査する現代のパートと、ゼロ時間に向かって邪悪なエントロピーを増大させていく過去パートを切り替えて、「あの夏いったい何が起きたのか」という核に向かって収斂させていく手際は、実に見事でページを繰る手が止まらない。

　終盤、とある登場人物が放つ、「秘密は人を殺せるのよ」という一言に、思わず身がすくむ。秘密を植え付けた者と抱えざるを得なかった者たちの織り成す、やるせなくも、目をそらすことの出来ない鮮烈な犯罪小説を、ぜひ読んでみて欲しい。

（川）


　4月に続き大豊作。あわや全員ばらばらの十三不塔状態になるところでした。まだ折り返し地点にも来ていないというのに今年はどうなってしまうのか。さあ、来月もどうぞお楽しみに。

（杉）

杉 霜 酒

拾った女

チャールズ・ウィルフォード／浜野アキオ訳
扶桑社ミステリー

　落魄した男女の恋愛譚として、非常に読ませる。やり切れない人生をじっくり描いているのに、長さがわずか三百ページ強というのも素晴らしい。物語をむやみに長大化する傾向がある最近の作家は見習うべきである。そして、ミステリとしても、驚きの展開が待ち受けているのだ。

こういうミステリを待っていたんです！
（酒）

　小説の味わいはストーリーやプロットにあるわけではないのだ、と心の底から思わせてくれる伝説の一作。世の中に絶望した男がもっと世の中に絶望した運命の女に出会ってズルズルと破滅してゆく――というと、陳腐きわまりなく、古臭く、ひねりのまるでない物語に聞こえる。なのに、この小説には強烈な磁力がある。予想がつくのに読まされてしまう。主人公たちの抱える鬱な「厭世マグネット」がこちらの心を吸いつけ、吸い込み、同化させてしまう。

　プロットのあちこちに「なんでそういう決断をするのか」というロジックの断線があるが、ウィルフォードはそこを埋めてくれない。断線は断線のままだ。しかし、その断線の隙間は単なる断線ではなく、深すぎて見通せない暗い深淵を宿している。磁力の源はたぶん、その深淵の底にある。

　そしてラスト二行。渋いブルーズの歌詞のような二行。原文も訳文も同様に、うっそりとダルなリズムで鳴らされるこの二行。それが小説世界の見え方をガラリと変えてしまう。いわゆる叙述トリックだとは言わないが、この二行は読者に二度読みの衝動を呼び起こす――作中の一言隻句が、再読時には異なったニュアンスをもたらすはずである。小説のマジックを感じさせてくれる傑作。

（霜）

ううむ、申し訳ない。本来ならば自分が解説を担当した本を入れるべきではないのだが、これだけ自分の好みに合った作品は今年はもう出ないと思う。どうぞお許しください。推すよ、ウィルフォード！『ささやかな手記』のコレットも、『無実』のコラピントもごめん。

作品の主要素についてはすべて解説に（ネタばらしをしないように苦しみつつ）書いたのでここには繰り返さない。泥酔した女を拾ってしまった男が彼女との退廃的な生活に溺れていく、という筋立ての中に解説には余裕がなくて書けなかったもう一つの要素がある。仕事を失った主人公はほぼ一文無しなのだが、ヒロインが200ドルという金を持っていたために、束の間ではあったがやりくりの算段をしなくてよくなる。そこで二人が何をするかというと、その200ドルが無くなるまで酒を飲み、幻のような幸せに浸るのだ。そこだ、そこ。私が好きなのはそこなのである。所持金額が明示されて、それが無くなったらおしまい、というデッドラインが読者に示される。この感じ、破滅への秒読みがタイマーではなくて現金計数器で行われるサスペンス。フレドリック・ブラウンのスリラーによく出てくる、ポケットの中に数枚のドル札しか持っていない男たちだとか、次の引き落としが来たら破産するのではないか、と不安におののく私立探偵（ママのダイナーにただ飯を食いに行くアルバート・サムスン！）だとか、そういう貧乏主人公の話が私は好きなのである。ラーメンライスを食う金もない男おいどん・大山昇太とか！いや、それは違うか。

と、いうようなことを解説にも書きたかったのだけど、自重した次第。なぜならば、そうすると1ページ増えてしまうからである。解説が1ページ増えるとちょっと具合の悪いことになる。なんで？　と思った人はぜひ本を読んでみてください。（杉）

千 宇宙探偵マグナス・リドルフ

ジャック・ヴァンス／浅倉久志・酒井昭伸訳
国書刊行会

一見、穏やかな物腰の上品な老紳士ながら、実は宇宙を股にかけてがめつく稼ぐ強欲トラブルシューター、それが本書の主人公だ。言葉巧みに相手をおだて、いつの間にか悪党の上前をはねている悪徳探偵ぶりは、メルカトル鮎や三途川理を連想するほど。奇習が伝わる星で文明人然として傲慢に振る舞う人間どもに、巧妙な計略でお灸を据える巻頭の「ココドの戦士」が最高に痛快。ミステリとしては「とどめの一撃（クー・ド・グラース）」がお薦め。出身惑星が異なる容疑者たちの中から真犯人を絞り込む無茶苦茶な消去法と、ブラックなオチが眩暈を誘う。（千）

古 虚構の男

L・P・デイヴィス／矢口誠訳
国書刊行会

『虚構の男』、予想を次々に裏切るばかりか、はるか超えた地平へと向かう作品だということは、事前に分かっていた。ええ、知ってましたよ、本サイトのやぐっちゃんによる訳者紹介で。でも読み始めたら、そういうことはすっかりどこかへ忘れて、できるかぎり先の展開を読もうと試みつつページをめくり、やはり意表をつかれてばかり。そして、驚愕のラスト。広げた風呂敷がきちんとそこにたたまれて置かれてるではないですか。開いた口がふさがらない小説ってあるんだ！　そのほか、サンドリーヌ・コレット『ささやかな手記』（ハヤカワ・ミステリ）は、じつにシンプルな設定でありながら、読ませる読ませる農場監禁サスペンス。ジョン・コラピント『無実』（ハヤカワ・ミステリ文庫）は親子のタブーを扱った問題作で、訳者の故・横山啓明さんとは本書の設定や細部、およびくだらないことを含め、もっといろんな話をしたかった（ので早すぎます、まったく）。（吉）

川

ささやかな手記

サンドリーヌ・コレット／加藤かおり訳
ハヤカワ・ミステリ

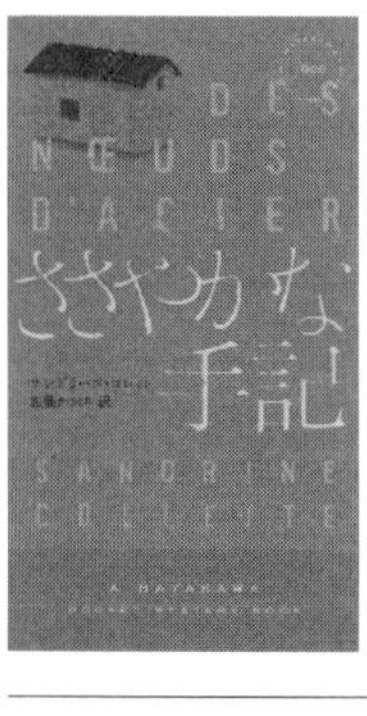

息をのみ、じんわりと嫌な汗をかきながら、それでも目が引き寄せられ一気に読み通してしまった。夢中になってというわけじゃない、むしろ早く解放して欲しくてだ。

　フランスの山奥に建つ一軒家の地下に、気の触れた老兄弟によって監禁され、奴隷として使役させられるやくざ者テオ。その顚末を綴った〝手記〟の何と凄絶なことか。彼が陥った地獄での日々は、単調な故にかえって苛酷さが真に迫り、本を手放すことができない。フランス・ミステリのお家芸ともいえる、スリルはないがサスペンスは充ち満ちている厭な物語。

　今月はもう一冊、〈監禁もの〉のお薦めがある。キャンディス・フォックス『邂逅』（創元推理文庫）は、「シドニー州都警察殺人捜査課」という副題から明らかなように、オーストラリア一の都会を舞台にした警察官バディものなんだけど、正当派警察捜査小説の想定範囲を軽く超えるヒロインの造詣と展開が面白い。まだ荒削りなれど、楽しみなシリーズの登場だ。（川）

北

ジョイランド

スティーヴン・キング／土屋晃訳
文春文庫

　売れている作家や売れている本はスルーするようにしているのだが、キングとか宮部みゆきは例外なので許されたい。青春小説ふうな味わいがいい。こういうものを書くと、キングの美点が全開する。いまさら感心していてはバカみたいだが、ホントにうまい。ミステリーとしてやや弱いことは否めないが、そんなことはいいのだ。なによりも小説として堪能できることは素晴らしい。（北）

　やや作品数は少ないものの、SF大作やフランス・ミステリ、そして五〇年代ノワールの発掘作と、質は充実していた六月でした。これから夏休みに向けて力作がどんどん出てくる時期です。七月の七福神はどう相成るか。次回もお楽しみに。（杉）

2016 8月

霜 北 暗殺者の反撃

マーク・グリーニー／伏見威蕃訳
ハヤカワ文庫NV

今月は、ジョン・ハート『終わりなき道』という傑作があるので、これをあげるのが筋なのかもしれないが、グリーニー復活に祝儀の◎。クランシーとの共著は、初め快調だったものの、途中から低迷し、やきもきしたが、ついに復活だ。なぜCIAがグレイマン抹殺指令を出しているのか、との謎に正面から取り組む。なんだよそんなことなのかよ、といいたくなる気持ちもあるが、グリーニーの美点は、そのプロットではなく、ディテールにある。緊迫感が持続するアクションの切れが素晴らしい。やはり他人のヒーローなど借りず、自前のヒーローでどこまでもいくべきだったと痛感。（北）

現在最高の冒険小説《グレイマン・シリーズ》1stシーズン終了！　とでも言うべき渾身の大作である。なぜCIAが彼に対して「発見しだい射殺」の命令を出したのか。その謎を解明すべく、グレイマンは単身、ワシントンDCに潜入する。というわけでアメリカ政府を敵に回し、序盤は資金と武器の調達、アジトの構築にはじまって、多彩な戦闘場面がこれでもかと詰めこまれている。アイデア満載なので知的なスリルも充分だし、戦闘員、スパイマスター、官僚、ジャーナリストなど多視点による語りも完璧で、陰謀をめぐる意外な真相まで仕掛けられてスティーヴン・ハンターの『狩りのとき』を思わせる。まさにread or dieの傑作である。僅差で追うのがリー・チャイルド『61時間』（講談社文庫）。これも見事な一作なので（北上次郎氏も認めるのではないかと思うがどうか）必読。《グレイマンvsジャック・リーチャー》を読んでみたくなった。（霜）

吉 千 拾った女

チャールズ・ウィルフォード／浜野アキオ訳
扶桑社ミステリー

前回の書評七福神がアップされた時には『拾った女』の奥付、七月じゃん！　三人もフライングしてるじゃん！」と思ったものだが、フライングしたくなるのもやむなしの高い完成度を誇る逸品なのも事実。初読ではアル中で貧しい男女の破滅的な恋愛の哀しさに心を削られ、再読では隅々まで神経が行き届いた著者の技巧を堪能できるという、真の意味で二度読み必至の小説である。ミステリとして書かれたわけではないのかも知れないが、この小説作法はミステリのそれに他ならない。（千）

遅れて読んだ『拾った女』、ふたネタ紹介しておくと、深刻なアルコール中毒とその果ての自殺の話といえば、アカデミー賞受賞作『失われた週末』（一九四五）が知られているが、小説家志望者のアル中男を献身的に支える恋人の名は同じくヘレンなのだ。下敷きにしているというより、逆手にとったというべきかも。もうひとつは、某巨匠が1933年に発表した短編と同じアイデアで、その小品に触発されて書いたのでは、という指摘がある。ともあれ、今月のというより今年のベストに入るような傑作。ほか、ノスタルジックな良品のキング『ジョイランド』、シリーズの第一期をしめくくる長編ともいえるマーク・グリーニー『暗殺者の反撃』など、楽しませていただきました。（吉）

酒

悪徳小説家

ザーシャ・アランゴ／浅井晶子訳
創元推理文庫

主人公をはじめ、主要登場人物の内面描写がすこぶる秀逸である。誰も彼もが自己中心的であり、都合の悪いことからは目を逸らしたり逃げたりしつつ、うまく立ち回ろうとエゴを強く出す。だが、同時に情や矜持、そればかりか愛他精神や博愛精神すらしっかり持っていることもまた再三描写されるのだ。本書に示されるのは、人間の愛すべき矛盾に他ならない。露悪的なだけの小説には描き得ない世界がここにある。（酒）

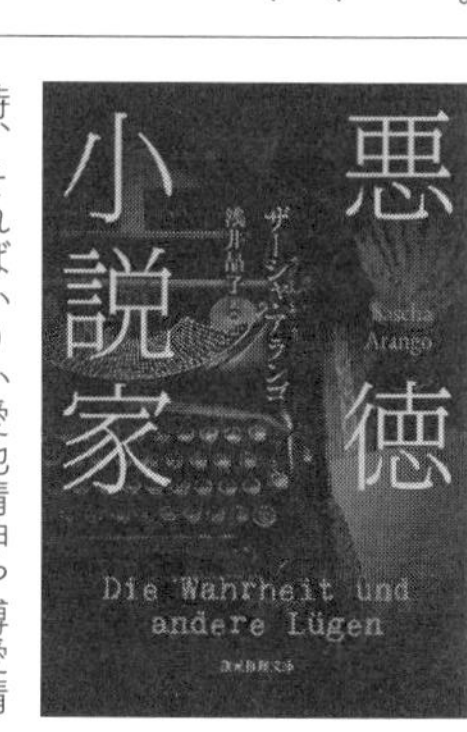

杉

イーヴリン・ウォー傑作短篇集

イーヴリン・ウォー／高儀進訳
白水社エクス・リブリス・クラシックス

なんといってもイーヴリン・ウォーを高儀進の名訳で読める幸せですよ。初訳4篇を含む15作が新訳で提供されるのだから、この機に読んでおかない手はないのである。もちろんウォーはプロパーの作家ではないが、彼の書く短編の中にはミステリー・ファンに随喜の涙を流させるものが多い。本書収録作のうち「戦術演習」は、かつて「ミステリマガジン」にも訳載されたことのあるドメスティック・ミステリーの傑作で、幕切れの鮮やかさは何度よんでもぞくぞくさせられる。また、私がウォーの長篇でいちばん好きな『一握の塵』の結末部分に流用された短篇「ディケンズを読んだ男」は、書狂小説にして秘境小説、そして黒い笑いと共に寒気が忍び寄ってくる恐怖小説の傑作でもあります。ちょうど今発売中の「ミステリマガジン」でロアルド・ダール特集が組まれているのだけど、ダールがお好きな読者だったら絶対にこの短篇集の虜になるはずだ。

それ以外の作品ではエルヴェ・コメール『その先は想像しろ』が出ていたので、前作『悪意の波紋』がおもしろかった人は読んだほうがいいでしょう。語り口としては前作のほうが緊密で好きだったが、今回も油断ならない内容で楽しめる。第一部の結末で私はしゃっくりが出ました。（杉）

川

マトリョーシカと消えた死体　探偵ブロディの事件ファイル

ケイト・アトキンソン／青木純子訳
東京創元社

シリアスに展開する物語に、突然斜め上からひねりの利いたユーモアを降臨させる一筋縄ではいかない作家ケイト・アトキンソン。彼女の新刊、しかも探偵ブロディ・シリーズの続編が出たからには、何はさておき読まずにはいられません。

「貴族階級と狩猟番がわんさと出てくる、レトロな英国のユートピア社会――セックスなんて誰もしていなさそう」なスコットランドを舞台にした熱血少女探偵ものの作家マーティン、ルールが大好きで天国の門番になりたいと本気で思っている建設会社社長の妻グロリア、万引き常習犯の息子と老いた飼い猫を愛するシングル・マザーの新任警部補ルイーズ、そして恋人が出演する実験演劇のスポンサーとしてかの地を訪問中のブロディ。

国際フェスティバルに沸く真夏のエディンバラで、急ブレーキを踏んだためにオカマを掘られた男が、怒り狂った追突車のドライバーに殺されかけるシーンがブレイク・ショットとなり、単純に白と黒に割り切れないこれら個性的な男女の運命が、思いもよらぬ方向へ動き出す。

「偶然の一致というのは、まだ説明がつかない状態というにすぎない」というブロディの台詞通り、前作に比べてミステリ度がぐんと上回った本書は、あっちとこっちが一周回って繋がる諧謔と哀感に彩られた立体ジグソーパズルだ。きれいに円環を綴じる構成は、まさに作者の本領発揮といえましょう。

それにしても、ケイト・アトキンソンの登場人物に対する愛を伴う意地の悪さときたら。終始ニヤニヤしながら至福の時間を過ごしてしまったよ。シリーズの残り二作を一日も早く読みたいです。（川）

なんと先月は三名もフライングをしていたことが判明。まったく気づかなったデスヨ（解説も書いたのに）。そして今月も北上冒険小説理論の申し子マーク・グリーニーやケイト・アトキンソンなど、わくわくする名前が並びました。猛暑が続きますが、どうぞ健康に気を付けて、読書を楽しんでください。来月もお楽しみに。（杉）

2016 9月

吉 北

終わりなき道

ジョン・ハート／東野さやか訳
ハヤカワ・ミステリ

話題作が次々に翻訳されているが、どれもピンとこないので、仕方なくジョン・ハートでいく。仕方なく、というのはよそでさんざん絶賛書評を書いたのでここでは違う作品をあげたかったのである。しかしこれを超えるものは今月なし、というのが私の結論だ。いつもよりはシンプルな話だが、巧みな構成で一気読

みさせる筆力は相変わらずで、ホントに素晴らしい。（北）

女性警官をヒロインとしたジョン・ハート『終わりなき道』は、冒頭からクライマックスまで、とてつもないサスペンスが展開していく傑作。読み終えて冷静に考えると、ひとりの女性にこれだけの大事件や悲劇がいっきょに襲いかかるものか、などと野暮なことを思うものの、読んでいる間はまったくそれを感じさせない。逆転劇を生む伏線もお見事だ。そのほか、『ミスター・メルセデス』における、相変わらずこれでもかとばかりの詳細な描写と饒舌な語りに参ってしまう、さすがスティーヴン・キングと言わざるをえない。そして、奇想ミステリが豊作な昨今だが、そのなかでもフェデリコ・アシャット『ラスト・ウェイ・アウト』の「つかみ」は群を抜いている。なんだこりゃ、と思わせる秀逸な冒頭を読んだら最後、もう続きを読まずにおれない。こういうヘンな作品をどこまでも偏愛するわたしながら、それでも正統派（?）の『終わりなき道』をベストとするまっとうな気持ちを隠せなかった夏。いや『ラスト・ウェイ・アウト』も読んでください、出口なしですから。（吉）

千 酒

ミスター・メルセデス

スティーヴン・キング／白石朗訳
文藝春秋

8月はジョン・ハートの情緒纏綿たる新作が胸に染みてしまったのだが、それでも『ミスター・メルセデス』を無視するわけにはいかない。チャットで煽り合う退職刑事と殺人鬼、という構図だけでも面白いのだが、どちらに肩入れしたいかというと、私は断然、殺人鬼メルセデス・キラーである。退職刑事ホッジズは、肥満体の六十代なのに途中でリア充と化すし、トークや煽りも上手い。一方、メルセデス・キラーは、学も愛も金もなく、親にだって恵まれない上に、やることなすこと上手く行かず、それでもプライドだけは人一倍なのだ。主役二人はあらゆる意味で対照的であり、その対決は、キング一流の圧巻のストーリー・テリングがまとめあげる。これが面白くならないはずがない。後半の、ある人物の成長にも注目すべきだろう。（酒）

無差別大量殺人の犯人を捕まえられぬまま退職した老刑事ホッジズ。鬱々たる余生に入ろうとしていた彼の刑事魂に再び火をつけたのは、犯人からのあまりにも悪辣な挑戦状だった。パソコンに詳しい高校生の助けを借りて犯人に迫るホッジズと、彼をじわじわと追い詰めて死に追いやろうとする犯人、両者の命がけの頭脳戦は、互いの出方を予想し、時には大きく読み誤りながらクライマックスへと収斂してゆく。頭脳戦といってもジェフリー・ディーヴァー作品のように探偵も犯人も超人的天才というわけではないが、そのぶん、卑劣な犯人像が帯びる生々しいリアリティと、そんな犯人に刺

激されたホッジズが刑事として再生する心理の説得力が無類。上下巻の大作ながら一気に読まされること必至だ。（千）

川

ガール・セヴン

ハンナ・ジェイミスン／高山真由美訳
文春文庫

三年前に家族を惨殺されて以来、ロンドンのナイトクラブでホステスとして生きてきた〝セヴン〟こと清美。殺し屋とともに仇を探す一方で、ロシアン・マフィアの企みに巻き込まれた日英ハーフの二十一歳の主人公は、暴力が単なるコミュニケーションの一手段に過ぎない裏社会を、生き延び、日本へと帰るべく、おぼつかなくもしたたかに奮闘する。

お話自体はこの手の犯罪小説の定石に則っているし、筋運びもまだまだ不慣れで荒削りだ。けれども面白い。それは主人公の造詣が優れているためだ。美術館で見た絵の中の女たちに自らの状況を見て取り、「誰かに所有されるのは絶対にやめよう、と思ったのはこのときだった。所有されるのは絵のなかにとらわれるようなものだから。残りの一生をとらわれて過ごし、どんよりとした眼で外の世界を眺めるようなものだから」と述懐する〝セヴン〟の、よく言えば臨機応変、悪く言えば場当たり的な危機対応から目が離せず、最後まで一気に読んでしまった。そして、あのラスト。これまた定石だけれど、綺麗に決まっていて、満足の一冊でした。（川）

杉

ささやく真実

ヘレン・マクロイ／駒月雅子訳
創元推理文庫

アルゼンチン作家フェデリコ・アシャットの『ラスト・ウェイ・アウト』にするつもりでふと読書録を見たら、ヘレン・マクロイがぎりぎり8月一杯に出ていたことが判明して直前に差し替えました。1941年発表だからマクロイとしてもかなり早期の作品で、不愉快な主催者が人を集めたパーティで、その主催者が殺害されることになる、という〈多すぎる容疑者〉パターンの謎解き小説である。おもしろいのは、とある小道具が事件を構成する不可分な要素として使われていることで、後の『暗い鏡の中に』や『二人のウィリング』といった作品群への布石はすでにこのころから打たれていたのだと気がつきました。犯人あての小説としてもかなり大胆な書きぶりをしているので、お読みになるが吉、と思います。

で、『ラスト・ウェイ・アウト』のほうなのだけど、これは「〜みたいな小説」と書くだけで先入観を与えてしまいそうな曲者です。あえて書くなら「以前は新潮文庫がときどき出していた『ナニコレ?』と言いたくなるような変化球のサスペンス」ぐらいかな（そういえば最近新潮文庫のミステリー新刊、あまり見なくなりましたね）。まさに今自分の頭に銃弾を撃ち込もうとしている男の家にノックの音が、って星新一みたいな紹介をしてみましたが、そこからの話の転がし方がすごい。一つの出来事が二重、三重に解釈可能となる中盤を経て怒濤の後半へ、という具合に600ページ近い分量にもかかわらず、あれよあれよと読んでしまいます。あと、オポッサムこわい。（杉）

霜

死の鳥

ハーラン・エリスン／伊藤典夫訳
ハヤカワ文庫SF

本書を手にとったノワールやクライム・ノヴェルのファンは、まず何よりアメリカ探偵作家クラブ賞を獲った大傑作「ソフト・モンキー」を読まねばならない。まだ危険だった頃のニューヨークの暗い領域を酷薄に描く傑作であり、その世界観はローレンス・ブロックの初期マット・スカダーに直結する。「鞭打たれた犬たちのうめき」も同じ酷薄さが最後には荘厳で巨大な何かに突き抜ける（なお本編のモチーフはライアン・デイヴィッド・ヤーンの傑作『暴行』と同じ）。

残る収録作はSFに分類されるが、これらはウィリアム・ギブスンの『ニューロマンサー』や『クローム襲撃』、パオロ・バチガルピの『ねじまき少女』や『第六ポンプ』がそうだったのと同じように、極上のクライム・スリラーなのであるからミステリ・ファンに読まれねばならない。きらびやかで、ふてぶてしく、反社会的で、酷薄であるがゆえの詩情が漂う――要するにこれはハードボイルド／ノワールの美である。走って買いにゆけ。そして早川書房は迅速に第二弾を刊行せよ。（霜）

夏枯れなどはなんのその。ベテランの名前が多く上がりましたが、新人作家も健闘し、いつもながら賑やかな月になりました。九月はアレもアレも出ますし、ますます読むのが大変になりそうです。来月もお楽しみに。（杉）

酒 川

熊と踊れ

アンデシュ・ルースルンド＆ステファン・トゥンベリ／ヘレンハルメ美穂、羽根由訳
ハヤカワ・ミステリ文庫

怒濤の一一〇〇ページ超を読み終え、呆然としてしまった。圧倒的な、あまりに圧倒的な傑作だ！〈暴力〉という、認めてはならない、与してはならない、けれど決してなくなることのない行為を俎上に載せ、目をそらすことなく、安易な解を出すことなく、がっぷりと取り組んだ、熱さと冷たさを併せ持つ真摯な物語。これが、実話をベースとしていることすら、あらためて慄然とする。

心を引く襲撃小説であると同時に、家族と紐帯についての物語でもある、〈暴力〉の本質と影響力を冷徹に見据えた本書を自信を持ってお薦めする。

今月はもう一冊、アンドレ・ド・ロルド『ロルドの恐怖劇場』もお薦め。「ああ、そうなるよなぁ」とか「ええっ、そこまでするか」とか一篇毎に呆然とし溜息をついてしまう〈恐怖のプリンス〉の異名を取った

作者の本領を、厭というほど堪能できる珠玉の短篇集です。（川）

9月は早川書房がド本気を出して凄かったわけです。暴力と悪逆がにおい立つ作品をポケミス1作、HM2作、NV1作でずらりと並べて見せたのは圧巻でした。

その中でも私はこの『熊と踊れ』をチョイスします。実際の事件を下敷きに、犯罪小説という形で、主に人格造形の点で想像力の羽根を伸ばし、飛翔させる。この手法は、ジェイムズ・エルロイやデイヴィッド・ピースが得意としていますが、ルースルンドとトゥンベリは彼らに比べて筆致がストレートです。そして《家族》というテーマを中心に据えて、恐るべき狂気よりも、哀しいほどの恋着、執着、そして依存を描き出します。人生とはままならぬものですが、それをどの人物にも等しく味わわせる。それによって生み出された物語の奥行きこそ、この作品の魅力の源泉だと思います。（酒）

吉

生か、死か

マイケル・ロボサム／越前敏弥訳
ハヤカワ・ミステリ

『生か、死か』は、「なぜ男は刑務所内での壮絶な暴力から生き抜き、わざわざ刑期満了の前日に脱獄したのか？」という強烈な謎を提示してはじまる逃亡と追跡の物語。ちょうど八月刊のジョー・ネスボ『ザ・サン　罪の息子』戸田裕之訳（集英社文庫）も、脱獄、復讐、親子ものだったが、ロボサムのいい点は、主人公が謎めいている分、個性の強い脇役を配し、巧みなプロットでサスペンスを深めているところなどにある。そのほか、孤児となった主人公の数奇な運命をたどるドナ・タート『ゴールドフィンチ』岡真知子訳（河出書房新社）全四巻をはじめ、読んだのは十月になってからだが、ラストに唖然とさせられ全三巻を一気に読みたくなったエドワード・ケアリー『堆塵館』古屋美登里訳（東京創元社）など、まだまだあるが略。豊作の月だった。（吉）

北

その雪と血を

ジョー・ネスボ／鈴木恵訳
ハヤカワ・ミステリ

銃撃シーンが美しい。オーラヴが膝立ちになってピーネの背中を撃つと、茶色のコートから白い羽根が飛び散り、雪のように宙を舞う。ピーネもコートから銃を出して撃つが、腕が上がりきらない。ピンピンピンピン。弾は壁や床にあたって石造りの地下室を跳ね回る。そういうシーンがスローモーション映像を見るかのように描かれる。ジョー・ネスボってこういう作家だったのか、という驚きがある。（北）

杉

堆塵館

エドワード・ケアリー／古屋美登里訳
東京創元社

秀作が多くて迷う月だったのだけど、いちばん興奮させられた小説ということで『堆塵館』を挙げる。ゴミの山から得たもので巨万の富を築いた一族アイアマンガー、そのうちの一人で物の声が聞こえる少年と、そこに使用人として雇われてきた孤児の少女を主要な視点人物として進んでいく、ボーイ・ミーツ・ガー

ル形式のプロットを持つ幻想小説だ。え、ミステリーじゃないじゃん、と言われそうだが、小説の推進力になっているのは謎の要素なのでミステリー・ファンこそこれを読むべきだろう。アイアマンガーの者は生まれたときにがらくたを一つもらって、それを分身のように大事にするという設定がある。また、使用人はすべてのものを取り上げられ、名前すら「〇〇するアイアマンガー」というように画一的な呼称にされてしまう。こうした奇矯な設定にすべて意味があることがわかるのが中盤で、そこから結末までは暴走機関車の如き勢いで物語の様相が変わる。小説の流れの中で翻弄される悦びを味わいたければ本書を読むべきで、三部作の第一作だからと言って尻込みしている場合ではない。某所でジブリ作品に喩えて本書を紹介したが、ダール『チョコレート工場の秘密』のあのわくわくするような胡散臭さだとか、翳りのある児童向け小説を好きな読者も絶対手に取るべきだ。今年翻訳された小説の中では自信を持って薦める必読作である。

その他、ロルドだとかネスボだとかルースルンド&トゥンベリだとかいろいろあるのだけど、もう一冊ステファン・グラビンスキ『狂気の巡礼』を薦めておきたい。昨年、鉄道に特化した幻想小説集『動きの悪魔』が刊行されていて、後で読んで、なぜこれを書評しなかったか、と歯噛みした作家だ。「ポーランドのポー」「ポーランドのラヴクラフト」などの尊称を与えられている作家らしいが、とにかく妄執の描き方が凄まじく、続けて読むとまずいと思わされたほどだった。これもきっとみなさん気に入ると思いますの。(杉)

霜 ノース・ガンソン・ストリートの虐殺

S・クレイグ・ザラー／真崎義博訳
ハヤカワ文庫NV

『熊と踊れ』には圧倒されたし、『ロルドの恐怖劇場』の古風な残虐も愉しかったし、いつものように素晴らしいマイクル・コナリーの新作『転落の街』も堪能した。けれども一番ぶっとんだのは本書。失態の責任を負ってミズーリの厳寒の地にある治安最悪の町ヴィクトリーに左遷された刑事が、壮絶きわまりないギャングとの戦争に巻き込まれるクライム・スリラーである。

こうした町が実在するのかどうか知らないが、ヴィクトリーの町の造型が凄まじい。犯罪者だらけの地域は廃墟だらけで犬猫とハトの死骸が散乱。そこに警官を通報で呼び出してアサルト・ライフルや手榴弾で殺害するような連中がウヨウヨしているのだ。最後の対決の舞台がまた強烈で、吹雪の中、廃ビルが林立し、横倒しになっているビルまである廃墟の町に悪徳警官たちが武装して乗り込むのである。この町の景色は一生忘れないような気がするほど。

それでいて随所に下卑たチャンドラーとでもいうべき眼の覚めるようなシャープな表現が埋め込まれ、会話は才気に満ちていて、冒頭の二章など独立した短編のよう。著者のクレイグ・ザラー、才人である。『ファーゴ』の世界に『要塞警察』の悪党どもが殴り込み、『ヒート』の警官たちが応戦するのをイー

ライ・ロスが撮ったみたいな強烈作。ジョー・R・ランズデールなんかがお好きな方にもおすすめです。（霜）

千

ロルドの恐怖劇場

アンドレ・ド・ロルド／平岡敦編訳
ちくま文庫

20世紀初頭、パリで人気を博した残酷演劇「グラン・ギニョル」の劇作家が手掛けた、戦慄と狂気と皮肉に満ちたショート・ショート群。ひとつひとつの分量が短いぶん、残虐描写などは昨今のホラー小説と違ってあっさりしたものだが、真正面から脳天を一撃されるような即物的ショックを伴う結末や、作中人物に対する容赦のない扱いは今読んでも充分に生々しい。当時先端の医学が恐怖演出の道具立てとして活用されている点は、小酒井不木ら日本の戦前の探偵小説を想起させる。かつてガストン・ルルーの作品として邦訳されていた小説が、実はロルドの作品だったという新情報にも驚く。それにしても、どうして人は暗い話、残酷な話、厭な話からもカタルシスを見出すのか……ということを改めて考えたくなる一冊だ。（千）

豊作の二〇一六年を象徴するかのように力作がずらりと並んだ月でした。これから年末ランキング投票に向けて、さらにラインアップの充実が見込まれます。みなさま体調に気をつけて、読書をお楽しみください。では来月またお会いしましょう。（杉）

酒 川

その雪と血を

ジョー・ネスボ／鈴木恵訳
ハヤカワ・ミステリ

先月、北上次郎氏がフライングして取り上げているし、そもそも解説を書くために八月末に読了しているので、〈この一カ月で読んだ中でいちばん〉というルールからも厳密に言うと外れてしまうのだけれども、やはり、ここは『その雪と血を』を推さずにはいられない。なにしろ、これまでに訳されたジョー・ネスボの最高傑作というだけでなく、『熊と踊れ』と並んで本年度マイ・ベストを争う作品なのだから。

舞台は一九七七年十二月のオスロ。暴力と隣り合わせの人生を歩まざるを得なかった殺し屋オーラフは、二人の〝運命の女〟（ファム・ファタル）の間で孤独な魂を揺らつかせつつ乾坤一擲（けんこんいってき）の賭に出る。これは、純白の雪と深紅の血に象徴される、不自然なまでに美しい暗黒の叙事詩だ。と同時に、強く心を打つクリスマス・ストーリーでもある。愛と憎しみ、信頼と裏切り、献身と我欲が絡み合う凄惨なれど哀感漂う贖罪と救済の物語をぜひ味わってみて欲しい。

今月は、三部作という形式を見事に活かしてきっちりと完結させたピエール・ルメートル『傷だらけのカミーユ』と、目の前にいる象すら見えなくさせてしまう凄腕の魔術師にも似たジェフリー・ディーヴァーの手際が際立つ『煽動者』もお薦め。特に後者は、近年稀に見るスマートな逆転劇に、思わず膝を打ちました。

『傷だらけのカミーユ』も素晴らしくて悩んだが、こちらを選んでおきたい。（川）

殺し屋の男がターゲットに一目惚れしてしまう序盤、ファム・ファタルとの恋愛関係のせいで犯罪組織との暗闘に発展する中盤、カタストロフへ突き進む終盤と、ストーリー展開はパルプ・ノワールの一典型と言ってもよい。しかし磨き抜かれた文章と、そこから立ち上るポエジーや主人公のキャラクター性が、読者の脳髄に鮮烈に切り込んでくる。ややもすると作品が《てんこ盛り過ぎる》状態になりがちだったジョー・ネスボが、一段組で二百ページ未満に話を凝縮したのも素晴らしい。（酒）

千

ヴェサリウスの秘密

ジョルディ・ヨブレギャット／宮﨑真紀訳
集英社文庫

年末ベストテンを狙って放たれた「文春砲」であるピエール・ルメートル『傷だらけのカミーユ』とジェフリー・ディーヴァー『煽動者』のどちらかにしようかとも思ったが、今回は新人のデビュー作から選ぶことにした。スペイン初の万博を目前に控えた一九世紀末バルセロナを揺るがす連続殺人事件、幻の医学書、狂気の医師、都市の地下で進行する大陰謀に挑む大学教授と新聞記者と医学生のトリオ……ダン・ブラウンを意識したような作風ながら衒学趣味は控え目で、その意味ではライトな作風だが、推理あり冒険ありオカルトありの盛り沢山さは満足感充分。新人のデビュー作ではもう一冊、デビー・ハウエルズ『誰がわたしを殺したか』の哀しい真相も印象に残った。（千）

北

狼の領域

C・J・ボックス／野口百合子訳
講談社文庫

ジョー・ピケットを主人公とするシリーズの第9作で、冒頭から緊迫感が漂い、ラストまで続いていく。なぜ緊迫感が漂うのか。主人公が不自由だからだ。逃げればいいのに逃げないからだ。それでいて、この男は弱いのである。つまり死ぬとわかっているのに立ち向かうのである。そういう感情の持ち主だから仕方ないのだ。不自由ということはそういうことにほかならない。スリリングであるのはプロットのためではなく、主人公の性格のためだというこの結構が素晴らしい。ラストまで一気読みのシリーズ最高傑作。今年度ベスト1の快著だ。ネイトを主人公とする第12作まであとわずか。もう少しの我慢だ。（北）

吉

傷だらけのカミーユ

ピエール・ルメートル／橘明美訳
文春文庫

カミーユ・ヴェルーヴェン警部

三部作の掉尾を飾る本作は、ルメートルならではの巧みな語りや構成の妙もさることながら、題名が示しているとおり、ずたずたになった主人公の心理が痛々しく、こちらまで胸が苦しくなるほどだった。あらためて三作を刊行順に読み返したい。今月は、詩情あふれるクリスマスものクライム、ジョー・ネスボ『その雪と血を』も強力おすすめ。またシッラ&ロルフ・ボリリンド『満潮』は、ラストで驚きの真相が明かされることにより、前半のある場面が強く印象に残るサスペンスだった。（吉）

杉

森の人々

ハニヤ・ヤナギハラ／山田美明訳
光文社

9月発売の本なのだけど、読んだのは10月に入ってからだったので勘弁いただくとしてこちらを。

南太平洋のタヒチ近海にウ・イヴという島嶼国家がある。その中のイヴ・イヴ島の住民はずば抜けて寿命が長く、中にはウ・イヴの平均寿命を百年以上越す者もあるという。それは後天的なもので、寿命が延びる代わり時が経つにしたがって知能が低下するという代償があった。この驚くべきセレネ症候群の研究により免疫学者エイブラハム・ノートン・ペリーナはノーベル賞を授与された。しかし晩年の彼には汚辱に満ちた人生が待っていた。養子に対する性的虐待の廉で有罪判決を受けたのだ。あくまでも彼の無罪を信じるロナルド・クボデラは、ペリーナに手記の執筆を勧め、自らの脚注をつけて刊行する。

以上のような手記小説（しかも膨大な量の脚注つき）であり、謎めいたウ・イヴの探検記でもあり、実在の科学者への言及のある歴史改変小説でもある。そして、ペリーナは本当に有罪なのかという謎で牽引するミステリーの要素まで含まれているのである。長い小説だが、ぎゅっと身がしまって退屈する個所がない。ヤナギハラはハワイ出身の作家で『森の人々』でデビュー、名前から日系だと思われるが訳者あとがきによれば確証はないとのこと。

もちろんそれ以外ネスボもルメートルもヨブレギャットも素晴らしかったのだが、先月紹介し損ねた本作を敢えて推したいと思います。（杉）

霜

ユナイテッド・ステイツ・オブ・ジャパン

ピーター・トライアス／中原尚哉訳
ハヤカワ文庫SF／新ハヤカワSFシリーズ

第二次世界大戦で日本とドイツが勝利、日本が統治するカリフォルニア州で失踪した軍高官をゲームデザイナーである主人公が、冷徹な特高の捜査官とともに追う。日本軍の巨大ロボット「メカ」が闊歩し、反日地下組織が暗躍……という改変歴史ディストピアSF警察スリラーである。ヘタレ気味でオタク属性の男性

主人公と『GHOST IN THE SHELL』みたいな冷酷女性捜査官のコンビとか、生死を賭けたビデオゲーム勝負とかいったジャパニーズ・オタク文化ゆずりの装飾の下には、意想外に深くシリアスな「国家の非道」「国家と忠誠」をめぐるドラマがきっちり描かれている。

ほかにC・J・ボックス『狼の領域』、小型グレイマンみたいな『殺し屋を殺せ』（クリス・ホルム）も買って損なしの快作でした。（霜）

年間ランキング入りも予想される作品が目白押しの十月でした。今年は本当に豊作でしたね。これから各社のランキングが出そろってきますが、11／23には二分の七福神が登場するイベントも予定されていますので、よかったらご観覧を（宣伝でした）。では来月、またお会いしましょう。（杉）

2016 12月

氷結

ベルナール・ミニエ／土居佳代子訳
ハーパーBOOKS

あな嬉しや喜ばしや。フランス・ミステリ界からまた一人、大型新人のお目見えだ。舞台は雪と氷に閉ざされたピレネー山脈。物語は、標高二千メートルにある水力発電所へと通じるロープウェイの山頂駅で、皮を剥がれ首を切断されて吊された馬の死体が発見されるセンセーショナルなシーンで幕を開ける。しかも現場には、山腹の精神医療研究所に厳重に隔離されているシリアル・キラーのDNAが残されていた。そして、連続殺人が始まる。

マーラーを愛聴しラテン語の名言を暗唱する、馬と山と高所とスピード恐怖症のバツイチ警部セルヴァズが、アウトドア派の美しき憲兵隊大尉とコンビを組んで、厳冬の冬山と谷間の小さな町を命懸けで奔走する。

ぞくぞくする猟奇性と、本格ミステリ・ファンが思わずニヤリとしてしまう真相とを兼ね備え、頻繁に視点を切り替えてテンポ良くスピーディーに展開するストーリーに、ジャン＝クリストフ・グランジェ『クリムゾン・リバー』を思い出した。やや盛りすぎの感はあるけれどもデビュー作でこれだけのものを提供してくれるのなら文句はありません。ピエール・ルメートルの《ヴェルーヴェン警部シリーズ》完結ロスにショックを受けている方、ぜひ、『氷結』を試してみてください。（川）

本邦初紹介の作家だが、これが第1作で、「才能豊かな新人作家に贈られるコニャック・ミステリ大賞を受賞」と著者紹介にある。フランス・ミステリに詳しいわけではないが、そんな賞があることを初めて知りました。なんだかなあと思って読み始めたが、しかしこれが面白い。標高2000メートルのところで馬の首なし死体が吊るされているという冒頭から、あれよあれよと一気読み。もっともこの長編の面白さの大半は、そのストーリーにはない。ネタバラしになるので詳しくは書けないが、特に珍しい話ではないからだ。それでもここまで読ませるのは、登場人物が個性的で、とても印象深いからにほかならない。特に主人公の幼い日の挿話は忘れがたい。もう一つは、ラスト近くに、おやおやっという展開を示すこと。こういうのを最後に出すかね。こうなると次作を猛烈に読みたくなる。（北）

マージェリー・アリンガムの至芸を堪能できる『クリスマスの朝に』でも良かったけれど、個人的により興味深かったこちらを選ぶ。ピレネーの山麓で起きる連続惨殺事件、その現場には、近くの研究所に隔離されている連続殺人鬼のDNAが残留してた。捜査を担当する刑事の個人的なエピソードも北欧ミステリばりに多く、サイコ・サスペンス型刑事小説の色が濃いといえよう。しかし、全体的にはどうもフランス・ミステリっぽさが滲み出ている。最初の死体が人間のものではなく馬という意表を突く発端。巨大企業が背景に控えているのに、組織の巨悪ではなく、経営者個人がクローズアップされていく非社会派ぶり。犯罪者を隔離する研究所では、犯罪者よりも管理者の方が不気味。ピレネーの美しい景色が強調される一方で、そこに派手な猟奇犯罪および追跡劇がぶちまけられる。他にも「ん?」と思わせる要素はある。一つ一つは「まあ、そういう作品もあらあね」程度のクセなのだが、こうも集まると、強めの個性に転じるようだ。私はこれをフランス・ミステリっぽいと感じたわけである。波乱万丈の、息がつけない展開も◎。フランク・ティリエはどぎつ過ぎる、でもフランスには興味がある、というミステリ・ファンには特にオススメである。（酒）

吉　霜

メソッド15／33

シャノン・カーク／横山啓明訳
ハヤカワ文庫NV

17歳の女子高生が何者かに拉致され、監禁されるところからスタートする本作、ありがちな「女性監禁もの」ではない。性暴力が登場しないからではなく、主人公の女子高生が、恐ろしくクールで理知的な、一種の天才少女だからである。粗暴な犯人を巧みにやりすごしながら、何やら逆転のための策を練る彼女。冷静な一人称の語りは、ときにディック・フランシスを、あるいは天才的な殺し屋を描いた名作『Mr．クイン』を彷彿させる。暴力と性的アピールに寄りかかりがちな監禁サスペンスとは一線を画しているのだ。

彼女が助かることは1ページめですでにわかっているものの、物語が最後にたどりつくのは、ちょっと予想できなかった地点。ありふれたカタルシスさえも裏切る結末と言えばいいだろうか——あるいはダーク・ヒーローの誕生と言えばいいか。シリーズ化を望みたい。（霜）

これは、拉致監禁された少女が持ち前の能力を発揮し、脱出のためのアイテムをあつめて計画を練り、犯人一味へ復讐するという異色サスペンスだ。近年邦訳された海外ミステリの傑作には、誘拐・監禁ものがやたらと目立っており、作中の一部で扱われているものも含めると何作も挙げることができる。同時に、理不

尽な仕打ちや過酷な現状に対して果敢に戦うヒロインの力強い物語も多い。すなわち本作はそうした（いわば）旬な要素が盛り込まれているのだが、決してそれだけじゃない。その「だけじゃない」ところもあわせてぜひぜひ読んでほしい。（吉）

杉 ウインドアイ

ブライアン・エヴンソン／柴田元幸訳
新潮クレスト・ブックス

前著『遁走状態』を読んだときから気になって仕方なかったエヴンソンの、待望の第二短編集である。純粋なミステリーを志向したものではないのだけど、懐かしの〈異色作家短篇集〉などにこれが入っていてもおかしくないだろうと思わせる出来映えで、ぜひ多くの人に読んでもらいたい。ジョナサン・リーセムも「エドガー・アラン・ポーの末裔」と賛辞を送っているし。表題作は、かつて存在したはずの妹に関する主人公の記憶について書かれた短編で、読み終えると同時にただならぬ喪失感に襲われる。世界から欠落した何か、あるいはあらかじめ失われていたものについての作品集ということもできるだろう。私のお気に入りは「死の天使」で、死へ向かって突き進んでいく人間の存在を端的な形で表したような内容だ。各篇があまりにも強烈なので、一気に読まずに少しずつ味わうことをお薦めしたい。黒い風景が心に刻まれ、二度と消えなくなってしまうかもしれないけど。（杉）

千 クリスマスの朝に

マージェリー・アリンガム／猪俣美江子訳
創元推理文庫

名探偵アルバート・キャンピオンの事件簿の三冊目である本書の大部分を占めるのは、中篇（というか、長篇と呼んで良さそうな分量の）「今は亡き豚野郎の事件」。半年前に死んで埋葬された筈の男が他殺死体となって発見される……という不可解さ満点の事件に始まり、アリバイのある容疑者たち、増え続ける謎、意外な展開、そして驚愕の真相と、本格ミステリの面白さが凝縮された一篇だ。他に、この季節に読むのに相応しい珠玉の短篇「クリスマスの朝に」を収録。「クリスマスにクリスティーを」とはアガサ・クリスティーの作品を販売する際に版元が考えた惹句だが、本書収録の追悼文「マージェリー・アリンガムを偲んで」を書いたクリスティーなら、それを流用して本書を「クリスマスにアリンガムを」と薦めても許してくれるのではないか。（千）

フランス・ミステリの新人や探偵小説の古典、濃厚なサスペンスなど方向性の分かれた一月でした。二〇一六年の更新はこれで終わりですが、また来年も当欄でお会いしたいと思います。二〇一七年もぜひ七福神をごひいきに願います。（杉）

2011 2012 2013 2014 2015 2016 2017 2018 2019 2020 さくいん

COLUMN

世界を知り、人生を選択する少年少女

川出正樹

二〇一〇年代に訳されたミステリのベスト1は何かと聞かれたら、躊躇無くキャロル・オコンネルの『愛おしい骨』（創元推理文庫）をあげる。十五歳で行方不明になった弟の骨が一つずつ実家に送り届けられ始めた謎を、二十年ぶりに帰郷した兄が解く。心に傷を負った者たちが織りなす狂おしいまでの愛憎劇は、〈物語〉好きであるならば読まないという選択肢はない、と断言してしまうほどの傑作だ。もう一冊、十二歳の少年が壊れてしまった家族の形を修復したい一心で、十九年前に伯父を殺した連続児童殺人犯に遺体を埋めた場所を教えてもらうべく危険な文通を始めるベリンダ・バウアーの『ブラックランズ』（小学館文庫）も猛烈に推す。ただし両方とも収録対象期間外の作品なので、残念ながらベスト10には入れられなかった。

一方期間内だと、二人の少年の出会いと決別、そして再会を、二十五年の時を隔てて発生した二件の少女失踪事件と絡めて瑞々しく物語るトム・フランクリン『ねじれた文字、ねじれた路』（ハヤカワ・ミステリ）が忘れがたいものの、レビュー内で触れなかったのでこちらも外した。いずれも少年時代に過酷な状況に直面さぜるをえなくなった主人公が、自ら考えて行動し、理不尽な状況に抗い、世界を知り、これまでの自分と向き合い変容し、人生を選択していくタイプの作品だ。

これら一般向けの作品に加えて、この十年、ヤング・アダルト向けの秀作が数多く訳されるようになり嬉しい。例えば、東京創元社からはフランシス・ハーディングを始め、エリザベス・ウェインの第二次世界大戦二部作『コードネーム・ヴェリティ』『ローズ・アンダーファイア』、SNS社会を生きる若者を活写したカレン・M・マクマナス『誰かが嘘をついている』。早川書房からはジェイソン・レナルズが編んだ復讐に囚われた少年の哀歌『エレベーター』。とりわけ異彩を放つのが岩波書店で、〈10代からの海外文学〉の専門叢書《STAMP BOOKS》はミステリ専門ブランドではないけれども、フランシスコ・X・ストークの『マルセロ・イン・ザ・リアルワールド』をはじめ、ピエルドメニコ・バッカラリオ『コミック密売人』、ジョン・グリーン『どこまでも亀』『アラスカを追いかけて』、ヴィンス・ヴォーター『ペーパーボーイ』『コピーボーイ』等、良質の教養小説（ビルドゥングスロマン）兼ミステリを熱心に刊行してくれるので目が離せない。

「今月の一冊」からベスト10を選ぶと

杉江松恋

びっくりした。

自分がその月のお気に入りにした作品を列挙し、さらにその中から激賞の度合いが他と違うものを選ってみたところ、明らかな偏りがあったのである。こんなにわかりやすい好みをしていたのか、私は。左に順位をつけて並べる。

1『世界が終わってしまったあとの世界で』ニック・ハーカウェイ
2〈アイアマンガー三部作〉(『堆塵館』『穢れの町』『肺都』)エドワード・ケアリー
3『エンジェルメイカー』ニック・ハーカウェイ
4『カッコーの歌』フランシス・ハーディング
5『フリント船長がまだいい人だったころ』ニック・ダイベック
6『東の果て、夜へ』ビル・ビバリー
7『IQ』ジョー・イデ
8『ブルーバード、ブルーバード』アッティカ・ロック
9『消えた子供　トールオークスの秘密』クリス・ウィタカー
10『トリック』エアヌエル・ベルクマン

何がわかりやすいって、一位から七位までがすべてピカレスク・ロマンの要素がある作品だったことだ。悪漢小説などと訳されることもあるこのジャンルは、犯罪者の話と決まったわけではなくて、卑小な存在の主人公が苦労しながら生きていくさまを描く物語形式である。立場の弱い主人公が時に社会と対立することもあるので〈悪漢〉と呼ばれるのだ。物語の枠組から、教養小説としての要素を備えていることが多い。

そういう観点からすると絶対に外せないのが1である。主題は「世界対主人公」なのだから。現代文明崩壊後の、『北斗の拳』み

たいな荒廃した未来が舞台なのだが、分厚い上下巻を読んでいくと「世界」にはもう一つの意味が隠されていることがわかる。それをミステリー的な仕掛けで読ませるわけで、全体の趣向がわかったときには全身に震えがきた。結末について誰かに話したくなるがネタばらしを伴うので絶対に言えないというタイプの小説である。分厚い本だからせっせと読んでくれる人を増やさなければならないのである。

2の〈アイアマンガー三部作〉についてはいろいろなところで散々書いたが「未来少年コナン」＋「千と千尋の神隠し」という説明で多くの人を口説くのに成功した。本当にそういう話。

3でもう一回ニック・ハーカウェイが出てきてしまう。どっちか落とすなんて考えられない。こっちは小説の構成自体はそんなにひねってないが、奇想天外なギミックが盛りだくさんで話の裾野がどんどん広がっていく大作冒険小説である。

4は少女が主人公の一作で、どこが好きかというと相棒小説であるところだ。映画「手錠のままの脱獄」を連想させる闘争場面があって、そこだけ何度も繰り返して読んだ。これまで訳されたハーディングの作品はすべて世界対主人公の構図になっているので、どれもお薦めしたい。世界をぶっとばしたいんだな、私はきっと。

5は『宝島』がモチーフになっている小説で、少年が大人への階段を上らなければならなくなる瞬間の描き方が実にいい。6も同じような題材を、もっと荒っぽく書いている。こっちはロード・ノヴェルの形式を取っているのだが、話の始まりから予想できる展開が中途で終わり、そこからまったく別の話になるのでとてもびっくりした。この人の描く瞬間にはさまざまな感情が凝縮される。また、日常を描くとそれが永遠に続くような感覚に襲われる。時間の処理がとても巧いのだと思う。7はシャーロック・ホームズ英雄譚を現代に換骨奪胎した作品なのだが、貧困層の黒人少年が兄の力を借りて成長していくというピカレスク・ロマン要素をやはり含んでいる。

8と9がようやくそれ以外の小説だ。8は人種差別が激しいアメリカ南部の町を、9は逆に住民が均質すぎて感情の波が表面化しにくくなった共同体を舞台にしている。小さな町で起きた出来事を描く小説が私は大好きなのである。

10はユダヤ系ドイツ人の作者によるホロコーストを背景にした作品で、やっぱり教養小説の要素がある。そういう物語がつくづく好きなのだなあ、と改めて思った次第。

2017年

オスロ警察殺人捜査課特別班アイム・トラベリング・アローン

サムエル・ビョルク／中谷友紀子訳
ディスカヴァー・トゥエンティワン

あとがきや解説の類が何もなく、作者の素性や作品の本国での位置づけがよくわからないが、小説それ自体の中身はなかなかのものである。少女を人形のように着飾らせる不気味な犯行は不気味、捜査官根性と個人的トラウマの間で葛藤するヒロイン、捜査班の個性的なメンバー（特に班長と新人）、物語への急展開（ギア・チェンジ）の挿入方法とそのタイミング、いずれも堂に入ったものだ。読みやすいことも付言しておこう。誰もが楽しめる、正攻法の警察小説として高く評価したい。一方で、正攻法をほぼ無視しバスクとそこのコミュニティの風情を最大化したドロレス・レドンド『バサジャウンの影』も捨てがたかった。こちらは癖が強かったけれどね。（酒）

完全記憶探偵

デイヴィッド・バルダッチ／関麻衣子訳
竹書房文庫

一年前に妻子を何者かに殺された元刑事は、その犯人を名乗る男が自首してきたことと、ほぼ時を同じくして起きた高校での大量射殺事件を機に、犯罪捜査の現場へと復帰したが……。主人公はあらゆる記憶をDVDを再生するように蘇らせることが可能な「超記憶症候群」にして共感覚の持ち主で、それを捜査に活かしてきた。だがその記憶力をもってしても、自首してきた男の正体も、自分が怨みを買う理由も心当たりがない……という設定に本書の妙味がある。超記憶症候群ならではのユニークな捜査と謎解きの面白さ、目まぐるしいほどの連続どんでん返し……と読みどころ満載で、新年早々、年間ベスト級のミステリを読んだという満足感に浸れた。（千）

霜

断頭島 ギロチンアイランド

フレイザー・リー／野中誠吾訳
竹書房文庫

ゲスいホラーを愛する諸君。題名も勇ましい本書をおすすめしようではありませんか。逼迫した生活に苦しんでいるさなかに舞い込んだ「リゾート島で一年間屋敷の管理をしてほしい」という高報酬のオファーを受けて、秘密めいた島に移り住んだ主人公。ネットも携帯電話も禁止ながら島は快適。ただ警備は異様に厳重で、どこか不穏……という導入はありがちだし、展開は（伏線を丁寧に張っているせいもあり）いささかドンくさい。けれど、そこを超えるや、「よし行くぞ！」とばかりに著者がぶっぱなしはじめるインモラルな光景、残虐、臓物！ 壮観です。厭なイメージ力も悪くなく、クサヤの汁に転げ落ちたクライヴ・バーカーのような趣あり。著者がやりたかったのは「物語」ではなくグラン・ギニョールな景色だったと思えば、なかなかの仕事です。

ミステリ・ランキングの投票〆切直後の11月～12月にはヘンな作品が紹介されることがあって、2015年には怪作ホラー『ジグソーマン』というのがありました。16年の「冬の怪作」は本書。イギリスにはジェームズ・ハーバートやショーン・ハトスンなどのゲス・ホラー（ナスティ・ホラー）の伝統があります。その血脈を継ぐフレイザーさんの今後に期待したい。なお原題そのまんまの「点灯人」だったら購買意欲は湧かなかったと思うので、この邦題は秀逸。いい仕事です。ただし作中にギロチンや首チョンパは登場しません。（霜）

杉

ノーノー・ボーイ

ジョン・オカダ／川井龍介訳
旬報社

『処刑人』『鳥の巣』と立て続けに出たシャーリー・ジャクスン（神経がじわじわ浸食される素敵なサスペンス）を除けば、12月はミステリーの周辺書ばかり読んでいた印象がある。『アラバマ物語』が唯一の著作だったハーパー・リーの没後に刊行された正式な続篇『さあ、見張りを立てよ』は南部の問題を背景にした濃厚な社会小説、閻連科『炸裂志』も『愉楽』を連想させる、小村の歴史を描くことで現代中国のカリカチュアを現出させる一大奇想小説だった。最も笑ったのはジャック・ヴァンスの破天荒なピカレスク・ロマン『天界の眼：切れ者キューゲルの冒険』、そしてスリリングな読書が堪能できたのが小説ではなくて研究書だがフランシス・M・ネヴィンズ『エラリー・クイーン　推理の芸術』である。

そんなわけで今月の一冊は直球のミステリーではなく周辺書にすることをお許しいただきたい。『ノーノー・ボーイ』はかつて1979年に翻訳されて話題になった、日系人小説の新訳版だ。題名の由来は第二次世界大戦中の日系人強制収容所でされた二つの質問である。「祖国日本への忠誠を捨てるか」「兵役に志願して従軍するか」。この二つの問いにイエスと答えた日系人部隊がヨーロッパ戦線で我が身を捨てて奮戦したことは有名だ。しかし本書の主人公であるイチローは、両方の質問にノーと答えて投獄されてしまう。作者は、出所した彼が故郷であるシアトルに帰り、家族や友人を訪ね歩く足跡を追っていく。イエスと答えた人々もまた、戦争によって人生を狂わされていたのだ。インタビュー小説として読むこともでき、個人の視点から社会の変容をとらえたものと考えれば一人称犯罪小説にも通底する部分がある。本書を最も楽しめるのは、いわゆるハードボイルド小説が好きな人のはずだ。ぜひご一読を。（杉）

川

バサジャウンの影

ドロレス・レドンド／白川貴子訳
ハヤカワ・ミステリ

北か南か、ノルウェーかスペインか。片やジェフリー・ディーヴァーやスティーグ・ラーソンを彷彿とさせるジェットコースター・サスペンスの秀作サムエル・ビョルク『オスロ警察殺人捜査課特別班　アイム・トラベリング・アローン』（ディスカバー・トゥエンティワン／中谷友紀子訳）。片やバスク地方の渓谷を舞台に幻想味もあるサスペンスを緩急自在の筆致で紡ぎ出したドロレス・レドンド『バサジャウンの影』。これまであまり紹介されてこなかったけれども、ここ数年、活気づいてきた両国からの初紹介作家のうち、どちらを選ぶか。悩みに悩んだ末、最終的に、自分にとってより馴染みがなく、より大きな驚きと発見を堪能させてくれた後者にしました。

緑濃く水豊かなスペイン・バスク地方の山間の町で起きた連続少女絞殺事件。死体の上に置かれた伝統的なお菓子は何を意味するのか？　捜査を命じられた地元出身のアマイアは、捨てたはずの故郷で否応なく過去と向き合いつつ、殺人犯を狩り出すべく奔走する。一世紀ほど前まで多くの住民が魔女の存在を信じ、今なお夜の深い土地を舞台にしたバスク神話の精霊やタロットカードなどに彩られた豊かな物語に大満足。CWAインターナショナル・ダガー賞を『傷だらけのカミーユ』と争っただけのことはあります。シリーズ三部作の第一弾であり、今から続きが気になります。（川）

北

ハンティング

カリン・スローター／鈴木美朋訳
ハーパーBOOKS

「地中深くに掘られた拷問部屋——

無数の血痕が物語る、連続殺人犯の悪魔のような手口」と帯にあるので、なんだか読みたい話じゃないよなあと思ったのだが、読み始めてびっくり。なんなんだこれは？ ジョージア州捜査局（GBI）と地元警察が対立していて、まずこれがひどい。地元警察は協力するどころか邪魔までするから信じられない。さらに、GBI特別捜査官のウィルにはディスレクシア（知的能力に遅れはないが、先天的な脳の機能の偏りによって文字を読み書きすることにおいて困難のある障害）という症状がある。このディスレクシアは発見しにくい障害らしいのだが、ウィルがなぜなんの支援もないまま成人してしまったのか、その理由と事情も少しずつ語られていく。彼は幼いときに母に捨てられ、養護施設で育ったのだ。体には無数の傷があるが、その理由は本書で語られない。ウィルの相棒のフェイスは14歳で子を生んだシングルマザーだが、また妊娠中。その事情もゆっくり語られるが、そのすべてはまだ明らかになっていない。もう一人の主要登場人物は、小児科医のサラ。3年前に警察官の夫が射殺され、その悲しみからまだ立ち直っていない。この3人の私生活が克明に、鮮やかに描かれることが第一。主要人物だけでなく、脇役にいたるまで彫り深く描かれるのも特筆ものだろう。もっと語りたいが、きりがないのでやめておく。ウィル・シリーズと、サラ・シリーズが合体した作品らしいが、どちらも知らなかったので、その豊穣な作品のひろがりにびっくり。ウィル・シリーズの第一作はすでに翻訳されているらしいので、急いで読んでみよう。楽しみがまた一つ増えたので嬉しい。（北）

吉

氷結

ベルナール・ミニエ／土居佳代子訳
ハーパーBOOKS

先月すでに挙げられていた『氷結』を遅れて読んだのだが、なるほどピレネー山脈に首なし死体、凶悪な殺人鬼が収容された研究所など、外連味たっぷりの舞台や設定に個性的な警察官らの活躍が加わり、ぐいぐい読ませる。まだ手に取ってない人はぜひ。そのほか、デイヴィッド・バルダッチ『完全記憶探偵』関麻衣子訳（竹書房文庫）は、ご都合主義が目立ったり、肝心の基本設定がたいして活かされてなかったりと「つっこみどころ満載」ながら、ハッタリの効いたキャラクターや強引なストーリー展開により上下巻を一気に読まされた。なにも考えずに読むべき「ニューヨーク・タイムズ・ベストセラー第一位」本なのかもしれない。（吉）

ハヤカワ・ミステリ以外はあまり顔を出さない出版社の作品がずらりと並ぶ異例のラインアップとなりました。各社この調子でどんどん出してくれるといいな。二〇一七年も七福神は読みまくっていきます。来月もお楽しみに。（杉）

失踪者

シャルロッテ・リンク／浅井晶子訳
創元推理文庫

エンタメを読むには体力がいる、とずっと昔に書いた方がいる。そのころは若かったのでその意味がわからなかったが、本当にそうだ。最近はしみじみそう思う。では、そういう年齢になると、どうなるか。読みやすさがいちばんになる。ごつごつと読みにくいものを辛抱して読んでいくうちに、その文章がからだにしみこんでくる、というのも捨てがたいのだが、もうそんな体力がない。タフでなくても読めるものがいいのだ。ところが困ったことに私好みでなおかつ読みやすいものなんて、そうないことだ。そういう私みたいな人が他にもしいたらぜひすすめたいのが、シャルロッテ・リンク『失踪者』。

これほどぐいぐいと読みやすいものは久しぶりである。もちろんそれは、登場人物の造形がよく、構成もすぐれているからにほかならない。5年前に失踪した幼なじみを探索する女性ジャーナリストを主人公にしたドイツ・ミステリーだが、いやあ、面白い。本邦初紹介の作家ではなく、すでに翻訳も出ている作家で、これまで知らなかったのが恥ずかしい。先月のカリン・スローターといい、このシャルロッテ・リンクといい、私、気がつくのが遅すぎる、と反省するのである。（北）

ミステリとして云々以前に、登場人物の精緻な描写それ自体で読者を惹きつける。その吸引力たるや尋常ではなく、上下巻を一気に読み終えてしまった。なぜここまで魅入られるのかは、説明がなかなか難しい。失踪したエレインを知る人、あるいはその失踪にまつわる何かに関係していた人々が、それぞれの日常と地続きの悩みを抱えながら、静かに群像劇を織り成す。ストーリー上は、それらが徐々に集まって来て、《劇的な出来事》が次第に形作られていく。それだけなら——誤解を恐れずに言えば、よくある話でしかなく、絶賛する必要はない。しかし、登場人物の造形がいちいち上手くて、ほんのふとした日常描写にも（ミステリ的なサスペンスがあるという意味ではない）緊迫が込められているのだ。これはもう名手と仰いでいいのではないか。とにかくこれは是非とも読んでいただきたい逸品。

蛇足ですがもう少しだけ続けます。ドイツの作家が、主要登場人物はイギリス人で、舞台もイギリス領の話を書き、それがドイツでベストセラーになるというのは、面白い現象だと感じました。書いた理由と売れた理由が知りたい。面白ければ舞台はどこでもいいとの考え方がドイツで一般的なのであるなら、非常に羨ましいことだと思う。（酒）

作者の企みにまんまと引っかかり、最後まで一気に読まされてしまった。イギリスの田舎町で暮らす若い娘がロンドンで失踪し、五年後、幼なじみの元ジャーナリストの女性が、あらためて彼女の行方を追う。なにより生きづらさをかかえた女性の姿がじつにじつに胸に迫る物語。いや、もちろんそれだけにとどまらず、数々のドラマやミステリとしての展開の妙を楽しませてもらった。そのほか、ロバート・ゴダード『謀略の都』は「1919年三部作」の第一弾となる歴史小説で、時代のせいかクラシカルなスパイ小説という趣だ。読み終えても謎は謎のままなので、二部三部が待ち遠しい。（吉）

霜

真紅のマエストラ

L・S・ヒルトン／奥村章子訳
ハヤカワ文庫NV

セクハラとパワハラと悪辣な罠で陥れられた女性が美と奔放さでのしあがる痛快なスリラー。男のアンチヒーローは銃器で武装するが、女のアンチヒーローは服飾で武装する。ロンドンをふりだしに南仏へローマへとつづくインモラルな遍歴は華麗で、『太陽がいっぱい』が引き合いに出されるのも納得。でも主人公の性的冒険が主体的で、「自分が自分であるために」という目的と衝動からブレないあたり、オッサン目線のエロ系サスペンスと一線を画す。

かねてから「冒険小説」と「ロマンティック・サスペンス」とは、パラメータをちょこっといじれば同じものではないかと思ってきたが、本書は「冒険小説」と「ロマンティック・サスペンス」のあいだをつなぐものかもしれない。ちなみに昨年のノワール『ガール・セヴン』と併せ読むと、多くのものを共有するそれぞれの主人公の物語が、「ある分岐点」を境に片やリアリズム、片やロマンティシズムに発展してゆくみたいな感じがあります。

続編も出るようで、セックスをするように人を殺す主人公の物語がまた読めるというのはうれしいかぎり。邦訳もお願いします！（霜）

千

聖エセルドレダ女学院の殺人

ジュリー・ベリー／神林美和訳
創元推理文庫

今回は同じ創元推理文庫から出たダフネ・デュ・モーリアの『人形』とこの『聖エセルドレダ女学院の殺人』と、どちらを挙げるか迷ったが、本邦初紹介の作家を優先することにした。それぞれの事情で実家に戻りたくない七人の少女は、毒死した校長とその弟の死体を隠すが、そこに彼らとの面会を求める大人が次々とやってくる。七人は訪問者たちの詮索を機転とお芝居でかわしつつ、独自に毒殺犯の正体を探ろうとする……という物語が面白くないわけがない。スリルあり笑いあり友情あり恋あり推理ありの盛り沢山ぶりだが、どう考えても大人相手の芝居をいつまでも続けられるわけはないので、楽しければ楽しいほど「最後は彼女たちのこの充実した時間も終わってしまうんだよなあ、結局実家に帰されてしまうのかな……」という痛ましさを心の片隅で常に感じつつ読んだ。実際にはどんな結末だったのかというと……それは読者それぞれが見届けていただきたい。（千）

杉

人形

ダフネ・デュ・モーリア／務台夏子訳
創元推理文庫

デュ・モーリアの初期短篇集で、表題作は最近になって発見されたものであるという。バラエティに富んだ短篇集が大好きなのだが、本書はコメディあり、幻想小説あり、ぞっとするような悪意を描く諷刺小説あり、と多様でありつつ、どの作品にも共通してある心情が描かれているという中心線があって、非常に好感を抱いた。初期作品を集めたものなのだから意図されたものではなく、作者の人間観がそのまま滲み出たものなのだろう。この中から一作を選ぶとすれば「飼い猫」か「笠貝」、連作「いざ父なる神に」「天使ら、大天使らとともに」のどれかだろう。特に「飼い猫」は交際し始めた恋人から「ねえ、何かおもしろい小説を紹介してよ」と言われたときに読ませてみると、一発で振られること間違いなしの邪悪な空気に満ちた短篇である。ああ、こういうの大好き！　ああ、いるだけで厭な気分になる人ってこういうのだよね、と言いたくなる「笠貝」、想像すると主人公の笑顔が脳裏に焼き付いてしまい、忌々しい気持ちになる連作も、もちろん好き。こういう短篇だけを読みながら一カ月ぐらい部屋に閉じこもって暮らしたいです。

今月のもう一冊のお気に入りは『聖エセルドレダ女学院の殺人』で、犯人当ての謎解き方向にもう少し舵を切ってくれたら首位と入れ替えていたかもしれません。　（杉）

川

深い穴に落ちてしまった

イバン・レピラ／白川貴子訳
東京創元社

どことも知れぬ場所の森の中にある深さ約七メートルの穴の底で、くる日もくる日も、生き延びるために木の根や地虫を食べ、泥水をすする体の大きな兄と小さな弟。なぜ食べ物が詰まった袋には手をつけないのか？　そもそもどうして穴の中にいるのか？　外界からシャットアウトされた小宇宙が、徐々に二人の精神を犯していく。

「とうてい出られそうにないな。でも、絶対に出てやろう」という冒頭の一文に引きつけられて、閉塞感漂う寓意に満ちた一幕劇を一気に読み通してしまった。物語そのものに関わる謎以外にも、どうして章立ての番号が素数なのか？　作中に巧妙に折り込まれた暗号の解は何か？　など、いくつもの仕掛けと暗示と風刺が読むものの心を刺激し、読後深く考えさせられる。

今月は、ヴィクトリア朝末期のフィニッシング・スクールを舞台に、七人の個性的な女の子たちが迷惑な死体を巡って奮戦する、愉しくてちょっぴり苦いジュリー・ベリーの本格ミステリ『聖エセルドレダ女学院の殺人』（創元推理文庫／神林美和訳）と、アラバマの全寮制高校を舞台に、不思議な魅力に満ちた少女に惹かれる行けてない転校生の少年が、事件を機会に成長する様を瑞々しく描いたジョン・グリーンの青春小説『アラスカを追いかけて』（岩波書店／金原瑞人訳）もお薦めです。特に後者は長らく入手困難だったのが、《STAMPBOOKS》から金原瑞人氏の新訳で甦ったので、ぜひこの機会にミステリ・ファンにも手にとって欲しい逸品です。（川）

おお、シャルロッテ・リンク強し。それ以外にもバラエティに富んで本の選択に困る一月だったように思います。来月はどのような書名が挙げられるのでしょうか。どうぞお楽しみに。　（杉）

吉 千 酒

青鉛筆の女

ゴードン・マカルパイン／古賀弥生訳

創元推理文庫

トランプ政権が誕生した年に、第二次世界大戦中のアメリカにおける日系人強制収容を題材にした作品を読むのは、なかなかに味わい深いものがあるが、それを度外視しても、本書は非常に野心的なメタ・フィクションである。編集者の指示、それに不承不承（?）従った修正稿、そして修正によって物語から弾き出された登場人物たちの不可思議な体験。前二者は、書き手（編集者と作家志望の若者）の本音が明記されておらず、行間を読む能力が必要だが、ミステリ読者はそういうのが得意に違いなく、ミステリとして本書を発表したのは成功だと思う。そして、消された登場人物たちのパートは、当時隔離された日系人たち（および、虐げられる全ての人々）の暗喩のように働いて、これまた面白く読める。メタ・フィクションの新たな地平を開く逸品であろう。（酒）

ジョー・ネスボにD・M・ディヴァインにジャック・ルーボーと、二月もいろいろと豊作であったが、最も好みに合ったのは本書。日系人青年によって書かれた不思議な小説、一九四五年に発表されたパルプ・スリラー、そして編集者からの手紙という三種類のテキストが交互に読者の前に現れる。背景となっているのは太平洋戦争だが、これらのテキストの行間から読み取れるのは、苛酷な時代において、自分の望む通りの小説を書こうとした者とそれをねじ曲げようとする者とのもうひとつの「戦争」に他ならない。そして結末に至って、この二つの戦争に運命を狂わされ、しかし必死で抗ったひとりの人間の誇り高くも哀しい肖像が浮かび上がるようになっているのだ。トリッキーな技巧と哀感溢れる余韻の融合という点で、ビル・S・バリンジャーの名作『歯と爪』を連想した。（千）

昨年、L・P・デイヴィス『虚構の男』、フェデリコ・アシャット『ラスト・ウェイ・アウト』など、読み手を迷宮へと誘い込んだのち、はるか異次元へといざなう奇想ミステリが話題となった。ならば今年はこれだ。大戦中に日系アメリカ人作家が便箋に書いた探偵小説、その担当編集者の手紙、そして超人スパイが活躍するパルプスリラー『オーキッドと秘密工作員』。この三つが順番に紹介されていくことで、トランプ大統領が就任したアメリカの現在にも通じる深い深いテーマが浮かび上がってくる。架空の小説のなかで敵味方、善悪などが入れ替わったり、メタファーが小説のなかでリアルなものとなったりすることで、物語には書かれていない外側の状況や強い現実が立ち上がってくるのだ。いずれの話も難解ではないのに幻惑されっぱなし。いや、なにはともあれ、お読みあれ。（吉）

処刑の丘

北 川

ティモ・サンドベリ／古市真由美訳
東京創元社

ミステリ史上類を見ない手がかりから犯人を指摘する本格ミステリとして、連続殺人犯を追い詰める警察捜査小説として抜群に面白いジョー・ネスボ『悪魔の星』（集英社文庫）も、第二次世界大戦開戦中という時代設定と、書籍と原稿と手紙の三重構成が必然性を持って融合した超絶技巧のゴードン・マカルパイン『青鉛筆の女』（創元推理文庫）もお薦めですが、今回の一押しは〈推理の糸口賞〉を受賞したティモ・サンドベリの『処刑の丘』。

一九一七年にロシア革命の混乱に乗じて独立したものの血みどろの内戦状態に陥ったフィンランド。かつて赤衛隊と白衛隊が激戦を繰りひろげたラハティにある〈黒が丘〉（ムスタマキ）と呼ばれる虐殺の地で、一九二三年七月の深夜、一人の青年が処刑された。

酒の密売絡みの内輪もめとして処理する白衛隊支持者が支配的な警察にあって、赤・白いずれにも与しない異端者・ケッキ巡査は、公正な捜査を行うべく孤軍奮闘する。

「世界が大きなサウナだったらいいのに」「そこでは誰もが地位や身分を示すものを脱ぎ捨て、みんな平等になる」と述懐する公共サウナのマッサージ師ヒルダをはじめ、孤独を愛する思索家と社会的な道化という二面性を持つ陽気な汚物汲み取り業者の男、理想的な社会の実現を夢みる工場労働者の若者、革命ロシアから逃れてきた薄幸の美女など、内線終結後の苛酷な社会にあって、たくましく生きる普通の人々の言動は、時代を超えて読むものの心に一つ一つしみてくる。よい本を読んだとしみじみ思う。そして読後、サウナに入りたくなりました。（川）

世界史に無知な私は、1917年にフィンランドで内戦が勃発したことを本書で初めて知った。それは「ヨーロッパでもっとも悲惨な内戦」と言われているんだそうだ。本書は、その爪痕が残る1920年のフィンランド南部の都市ラハティを舞台にした警察小説である。内戦の勝者はドイツの軍事力を後ろ楯にした勢力で、その一派が絶対的な権力を握る社会で、あくまでも公正な警察官であろうとする刑事オッツォ・ケッキの地道な捜査を静かに描いていく。うまい。（北）

悪魔の星

霜

ジョー・ネスボ／戸田裕之訳
集英社文庫

ネスボがマイクル・コナリーに肩を並べた！と思わせる力作。ゲームっぽい挑戦をしてよこすサイコキラーの話は死ぬほどあっても、本作のように「ゲーム」がちゃんとゲームとして機能して、手がかりの誤読やミスディレクションがきちんと仕込まれているのは他にディーヴァーやコナリーくらいでしょう。コナリー作品同様、本作後半の捜査はミステリ的な驚きの連続によって進展してゆくのである。

主人公の刑事ハリー・ホーレのキャラ造型は明らかにコナリーのハリー・ボッシュへのオマージュであるのだが、本作でのホーレの荒れ具合はボッシュを超える凄絶さ。そのノワール的なデスペレーションが終盤三分の一の孤軍奮闘のスリルを増幅している。敵役の悪徳刑事にダドリー・スミスや『パーソン・オブ・インタレスト』の「HR」の親玉を思わせる貫禄があるあたりも、ノワール的な重たさになっていてイイ。

　ということで個人的には既訳のネスボ作品でベスト。とくにコナリーのファンは前作『ネメシス』と併せて必読でしょう。（霜）

杉

凍てつく街角

ミケール・カッツ・クレフェルト／長谷川圭訳

ハヤカワ・ミステリ

　本邦初訳のデンマーク作家である。この本に興味を惹かれたきっかけはエピグラフで、ダリル・ホールの歌から採られているのだ。なにゆえダリル・ホールなのか、と訝しみながら読んでいたら序盤で、主人公の刑事がバーのジュークボックスに彼の曲を延々掛け続けることに激怒した他の客と大喧嘩になる場面があって納得した。主人公にとってはダリル・ホールが悲しい記憶の引き金になるのである。まあ、それでもなぜダリル・ホールなのか、という疑問自体は残るわけなのだが。

　こうやって書くとコミック・ノヴェルっぽく見えると思うので急いで訂正する。『凍てつく街角』は少しもコミカルな展開がない小説で、個々のパーツを見ると凄惨としか言いようがない。女性を拉致しては剝製にして捨てる殺人鬼、ボーイフレンドに売り飛ばされて売春を強制されるリトアニア出身の女性、妻を強盗に殺されて以来酒浸りの生活から抜けられなくなっている刑事と、これだけ厭な部品を良くも揃えた、と言いたくなるような三つの柱で本作は構成されているのである。だが、すこぶる読みやすい。主人公が個人的な依頼としてリトアニア女性の捜索を請け負って行方を追い始める話が物語を牽引し、殺人鬼と女性の手記とが同時進行で進んでいく。その要素の掛け合わせ方に芸があるのだ。万人受けするような内容ではないし、特に女性読者には辛い記述も多い。だが、スリラーとしては非常に出来がいいのである。作者の腕を認めざるを得ない。

　今月は北欧月間というべきで、ノルウェーからジョー・ネスボ『悪魔の星』、フィンランドからティモ・サンドベリ『処刑の丘』が紹介され、かつスウェーデンを代表する犯罪小説作家チームであったアンデシュ・ルースルンド&ベリエ・ヘルストレム『制裁』が復刊されるなど話題も豊富だった（ちなみに『制裁』は、ランダムハウス講談社文庫版に加筆修正のある別バージョンらしいのでご注意を）。これでアイスランド作品が出てたらえらいことになっていた。おまけの話題として付け加えると、懐かしやドイツ系スイス作家のフリードリヒ・デュレンマット『ギリシア人男性、ギリシア人女性を求む』が刊行されている。ジャンル小説ではないが、ミステリー好きの人が読むと絶対に楽しめる逸品である。こちらもお忘れなく。（杉）

　予想通り北欧勢の名前が挙がることが多かった二月だった。寒いからかしらん。次はどんな作品が紹介されることか。三月の書評七福神にもご期待ください。（杉）

霜 川

コードネーム・ヴェリティ

エリザベス・ウェイン／吉澤康子訳
創元推理文庫

　素晴らしい本を読んだ、二〇一七年も四半期が経ち、ミステリ年度的には早折り返し地点に差しかかろうとしている中、自信を持ってお薦めする。『コードネーム・ヴェリティ』は今年度はおろか、ここ数年のうちでもベスト・クラスの物語だ。謎と冒険と企みに充ち、苛酷な状況下にあってお互いを信じ闘う女性同士の

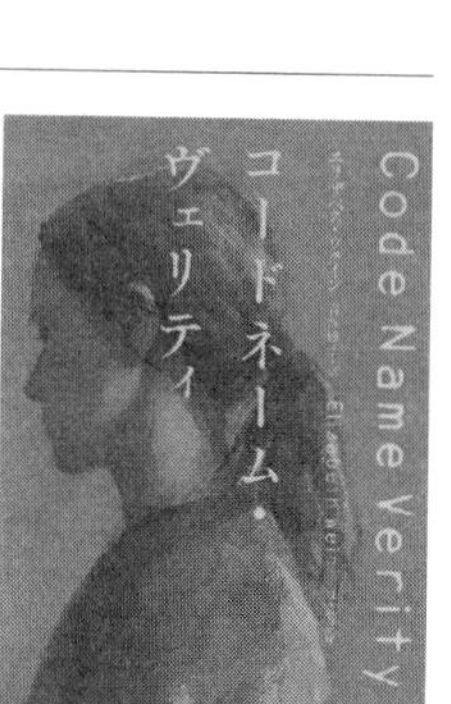

紐帯を描いた生き生きと輝く物語だ。

　第二次世界大戦の最中、ナチス占領下のフランスに降下潜入した特殊作戦執行部の諜報部員と彼女を送り届ける空軍婦人補助部隊のパイロット。戦時でなければ出会うことのなかった、まるで異なる境遇で生きてきた二人の若き女性が出会い、友情を育み、命がけの任務へと飛び立つ。瑞々しい青春小説として、気持ちの良い成長小説として、胸躍る冒険小説として、そして企みを秘めたミステリとして堪能したのち、おとずれるラストをゆっくりと噛みしめて巻を擱いた。これがヤングアダルト部門受賞作と知り、驚くと同時にMWAの懐の深さを再認識した。年齢・性別を問わず長く読み継がれて欲しい傑作だ。

　今月は、父の痕跡をたどるマロリーと子どもを失った親たちのキャラバンが、ルート66（マザー・ロード）上で交錯するキャロル・オコンネルのロード・ノベル・ミステリ『ルート66』（創元推理文庫）も、曖昧模糊とした悲劇の真相をじれったくなるくらいじっくりと明かしていく手際に引きずりこまれる、ローリー・ロイの〈魔女の血脈〉の紐帯を描いた南部ゴシック・ミステリ『地中の記憶』（ハヤカワ・ミステリ）もお薦めです。（川）

　帯やあらすじを読むと、例えば『その女アレックス』のような、メタ的な、構成上の驚きをもたらすミステリに見える。それは間違いではない。だけれども、低体温になりがちなメタ系ミステリと違って、本書は熱い感情が脈動する高体温の傑作であると強く言っておきたい。

　全体の八割ほどを占めるのは、フランスのレジスタンスを支援するために潜入したイギリスの若い女性が、ナチスに捕らわれて書かされている手記。死の恐怖に対抗して意志を貫こうとする克己の物語を冒険小説と呼ぶのであれば、これはまぎれもない冒険小説である。男たちの絆ばかりが語られてきた冒険小説だが、シスターフッドも冒険小説の矜持の核心となりうる。読み終えて、私はキャロル・オコンネルの名作『クリスマスに少女は還る』を思い出した。

　なお、「Kiss me, Hardy!」は、ネルソン提督の最期の言葉として、イギリスでは非常に有名な言葉である。（霜）

吉

死を告げられた女

イングリッド・デジュール／竹若理衣訳
ハヤカワ文庫NV

舞台はテロ事件で騒然としたパリ。元軍人のラースは、イスラム国から死刑宣告された女性活動家ハイコを守るべく雇われた。となれば通常は「姫を守る英雄」譚かと思いきや、まったく異なる展開へ。疑惑を示す針が右左に大きく揺れ、物語は予断を許さず、真実と嘘の見極めが難しい現代を映し出したサスペンス。フランスミステリならではのひねくれぶりを堪能した。今月はもう一作、エリザベス・ウェイン『コードネーム・ヴェリティ』が傑作で、この作者の小説を全部読みたいと強く思ったほどである。戦時中における女性パイロットの描き方が素晴らしい。そのほか、南部ゴシックサスペンスの王道を行くローリー・ロイ『地中の記憶』やコンラッドの名作のごとく、消えた男を探しに十九世紀インドの闇の奥をゆくM・J・カーター『紳士と猟犬』など、読みごたえのある作品が多かった。（吉）

北

終わりなき戦火

ジョン・スコルジー／内田昌之訳
ハヤカワ文庫SF

「老人と宇宙6」となっているので、これまでこのシリーズを読んでない方は絶対に手に取らないだろう。しかも訳者あとがきには、『戦いの虚空　老人と宇宙5』で残された謎が明らかになるので前作から読んだほうがわかりやすいとあるのだ。ここまで念を押されているのに、いきなりこれを読み始める人はまず、いない。しかし、このシリーズを読んだことのないにもかかわらず、いきなりこれを読む読者がもしもいたとしたら、あなたのカンは鋭いと称賛したい。

前作を読んでいなくても、このシリーズを初めて読む人でも、本書は大丈夫なのだ。もちろん、読んでいるにこしたことはない。そのほうがあるいは、面白いのかもしれない。しかし未読だからといって鑑賞の妨げになることはないのだ。私、シリーズ全作を読んできているが、覚えているのは第1作の最高に素敵な冒頭部分だけで、あとはまったく覚えていない。それでも本書を面白く読了したから、それは保証する。これまでの作品を未読でも、だいたいのことはわかるように書いてあるから安心して読まれたい。それがジョン・スコルジーなのだ。これを読んで面白ければ、シリーズを遡ればいいのである。理由の2は、今回は語り手の異なる4編の中編構成であることだ。つまり入門編にぴったりである。そして理由の3は、活劇あり謎解きありと、ミステリー読者も楽しめること。これだけ揃っているので推薦する次第。（北）

千

完璧な家

B・A・パリス／富永和子訳
ハーパーBOOKS

延々と続く絶望よりも、一旦希望をつかんだ後に突き落とされる絶望のほうがより心理的ダメージは大きい。『完璧な家』の語り手グレースの夫ジャックは、そのことを知り抜いている悪魔的な人物である（エンジェルという姓なのに）。殆ど暴力も用いずに少しずつ外部との連絡手段を奪って妻を幽閉、その妻の反撃さえも予測し、脱出が成功したと思わせておいて最後の瞬間に罠だと明かす手口のたちの悪さ……しかも他人の目には完璧な紳士としか映らない敏腕弁護士なのだ。こんな最凶の夫から、グレースはいかにして自由に

なれるのか？　このサスペンス小説、私が読んでも怖かったのだから、女性が読むともっと怖い筈だ。（千）

酒　紳士と猟犬

M・J・カーター／高山真由美訳
ハヤカワ・ミステリ文庫

19世紀前半のインドを舞台に、東インド会社の士官である一人称主人公と、元士官のアウトローとが、行方不明の作家を追う。凸凹コンビの珍道中かと思いきや、中身はどが付くシリアスさである。東インド会社イギリスに支配された当時のインドの状況がまざまざと、克明に、鮮明に描かれており、西洋と東洋の支配／被支配の関係の歪みと闇を、作品は直視し、主役に直視させる。そのストレートな社会派っぷりは圧巻だ。インドの風俗描写のリアリティもめざましく、読者の世界を必ずや広げてくれるだろう。超現実的な要素は本書にはもちろん皆無なのだが、私にはダン・シモンズ『カーリーの歌』が思い出されてならなかった。（酒）

杉　地中の記憶

ローリー・ロイ／佐々田雅子訳
ハヤカワ・ミステリ

自分で解説を書いた本なのだが、抜群におもしろいのだからここは主張させていただく。1936年と1952年という二つの時間で起きている出来事を、等身大の登場人物の視点から描いていく小説だ。視点人物は両方とも16歳周辺の年齢で（そして16年の開きがあることに留意いただきたい）、少女から大人の女性に変わる境界の年頃ということが物語の基幹になっている。1952年の出来事はアニーという少女がハーフバースデーという行事の最中に死体を発見してしまうことから始まる。彼女にはジュナという魔女のように住民たちから忌避された叔母がいたことが明かされるのだが、そのジュナと姉のサラを中心として話が進んでいくのが1936年のパートだ。ジュナが忌避の対象となるのは、彼女によって一人の男が処刑されたからで、それはアメリカ合衆国で最後に行われた公開の絞首刑であったという（史実を土台にしている）。生殖に関する事柄を病的な厳しさで戒め、それゆえに女性性が理不尽に差別されるというアメリカ南部州的な倫理観が物語を動かしている法則の中にある。唐突かつ無慈悲な死が作品の重要な構成要素として扱われる点などはサザン・ゴシックの骨法に則っているのだが、ロイの書きぶりは抑制が効いており、俯瞰で事態を見渡せる箇所がほとんどない。したがって読者は先の見えない物語を読み進めることになり、汗ばむような緊張感をずっと味わい続けることになる。ロイの過去作もそうだったが、さくさくと読める、というような小説ではないので、そうした快適さを求める方にはあまり向いていないかもしれない。しかし、初めは見えなかったものが次第にわかってくる快感を好み、行間に秘められた登場人物たちの思いを探り当てるためにページを繰るのがお好きな方には、何物にも代えられない悦びを与えてくれる一冊となるだろう。ロイはこれでMWA最優秀長篇賞を獲得した。当然すぎるほどに当然である。

他の七福神たちが書いていると思うが、今月は大豊作の月であった。おそらく誰も言及しないはずなので書いておくが、掘り出し物としてオリン・グレイ&シルヴィア・モレーノ=ガルシア『FUNGI 菌類小説選集 第1コロニー』を挙げておきたい。本多猪四郎『マタンゴ』によってキノコの魔力にとりつかれた編者による、世にも珍しいキノコ小説アンソロジーである。巻頭のジョン・ランガン「菌糸」がとにかく気持ち悪い。あと、これは新刊ではないのだがヒップホップ・カルチャーに多大な影響を与えたポン引き小説、アイスバーグ・スリム『ピンプ』が再刊されている。アメリカ犯罪小説史上の重要作でもあるので、関心がある人は絶対読むこと。 (杉)

どれもこれもおもしろい作品ばかりが揃った三月でした。さて、次回はどんな小説が出てきますことか。どうぞお楽しみに。 (杉)

2017 5月

吉 千 川

渇きと偽り

ジェイン・ハーパー/青木創訳
ハヤカワ・ミステリ

舞台は旱魃にあえぎ、ただでさえ殺伐としている上に、過去の事件に対する疑惑からいまだに住民たちが探偵役に憎悪を抱き続けているオーストラリアの閉鎖的な田舎町。帰郷した探偵が、過去と現在の事件を調べるうちに、自らのアイデンティティを再確認し、自分を見つめ直す。言ってみれば定番なんだけども、とても面白い。それは、この作品が、入念に布石が打たれ、伏線が敷かれ、意外な真相へと至る堅固なフーダニットだからだ。

妻子をショットガンで射殺した後、自らの頭を吹き飛ばしたとされる旧友ルーク。彼とともに少年時代に巻き込まれた少女の死に関して、故人の父親から「ルークは嘘をついた。君も嘘をついた。葬儀で会おう」という思わせぶりな手紙を受けとった連邦警察官フォークは、かつて石もて追われた故郷を二十年ぶりに訪れ、ルークの死の真相を調べる羽目になる。シリーズ一作目となるデビュー作ということで、今後、注目したい新人だ。

今月は、同じくオーストラリア人作家であるキャンディス・フォックス『楽園 シドニー州都警察殺人捜査課』(創元推理文庫)も堪能しました。キャシー・〝氷の天使〟・マロリーやリスベット・〝ワスプ〟・サランデルに惹かれる方に、エデン・アーチャーによる、犯罪者がたむろする灼熱の農場への潜入捜査行をお薦めします。 (川)

苦い過去を背負った主人公が、新たな事件の発生を機に故郷に帰り、改めて過去と向かい合う……という展開自体はよくあるが、その故郷が、何年も雨が降っていない日照りに悩まされている町という舞台設定と、それが醸し出す殺伐とした空気が本書の出色な点だ(原題はずばり〝THE DRY〟)。この設定があるからラストが盛り上がる(同じ日照りミステリという点で、ジム・ケリーの『火焔の鎖』

を思い出した）。意外かつ腑に落ちる真相も見事で、新人のデビュー作としては水準以上の出来映えだ。（千）

主人公が久し振りに故郷へ戻ったとたんに事件に巻きこまれる。その背後には過去の忌まわしい出来事が関係していた。おそらく、これと同じプロットの作品はこれまでも何千何万と書かれてきたのではあるまいか。四月刊では、グレン・エリック・ハミルトン『眠る狼』の書き出しがそうだった。ジェイン・ハーパー『渇きと偽り』も同じ。警察官が旧友の葬儀に参列するため帰郷し、その不審死を捜査していく過程で自らの過去が暴かれる。ありがちなストーリーに加え、善悪のはっきりした人物の登場、さらに真犯人がだれなのか、途中でバレバレな内容である。定番、類型的、陳腐なフーダニット。しかし、しかしである。ページをめくる手をやめられない。現在および過去の事実を小出しにしていくプロットが巧みなせいなのか、読んでいるあいだ、とても面白い。うるさいこと気にせず一気にサスペンスを楽しんでほしい。（吉）

杉

夜の夢見の川
12の奇妙な物語

中村融編／シオドア・スタージョン、G・K・チェスタトン他／中村融・他訳
創元推理文庫

本書収録作のキット・リード「お待ち」を読んだ瞬間、厭な音が喉から漏れてきて、以降はこの短篇のことしか考えられなくなってしまった。娘のハイスクール卒業記念で自動車旅行をする母子の物語であり、小さな街に入った彼らがそこから出られなくなってしまうのである。娘はもちろん母親と長い旅行をするよりも友達と遊んでいたい。そのへんの心

がわからない、結構おしつけがましい母親だなあ、と思って読んでいると、その母子関係が別な形に見えてくる。大人になった今だからいいものの、これを十代のときに読んでいたら、まして自分が女性だったら一生忘れない悪夢を見たかもしれない。それくらい強烈な印象の残る作品だ。「お待ち」は浅倉久志による旧訳なのだが、新訳もとりまぜて12編が収められている。いわゆる奇妙な味と呼ばれるべき短篇群であり、「お待ち」と対になりそうなのがロバート・エイクマン「剣」である。前者が若い女性の話だとすれば、こちらは男性の話で、薄暗い部屋で行われた、誰にも明かしたくない過去の思い出について書かれている。結末で立ち上がってくる図柄が素晴らしいエドワード・ブライアント「ハイウェイ漂泊」や日常で感じる些細な違和や不快感を具象化したケイト・ウィルヘルム「銀の猟犬」、ちょっと、今歯医者行ってんだからやめてよ、と言いたくなったクリストファー・ファウラー「麻酔」など、いずれ劣らぬ気持ち悪さで実に楽しい短篇集である。前作『街角の書店』も未読の方はぜひどうぞ。（杉）

北

楽園

キャンディス・フォックス／冨田ひろみ訳
創元推理文庫

シドニー州都警察殺人捜査課シリーズの第2作だが、前作『邂逅』はホント、すごかった。新刊時に読

み逃がしたので書評の機会を逸してしまったが、こんな異色の警察小説、読んだことがない。それに比べれば今回はやや普通だが、それは前作と比べるからそう思うのであり、これもまだまだ異色。あのハデスが健在なのだから。刑事の養父が死体処理を請け負う闇の社会の実力者というのは、それだけで異色だろう。そのハデスが何者かに見張られていると訴えてきて、その真相を探るというのが今回の筋。いや、もうひとつあるか。若い女性の失踪事件が相次ぎ、その捜査のために農場に身分を隠して潜入するという話と並行して語られていく。それにしても、前作の書評を書きたかったホントに。2016年最大の痛恨だ。（北）

酒

海岸の女たち

トーヴェ・アルステルダール／久山葉子訳
創元推理文庫

テーマは社会派、そして主人公は身重であり失踪した夫（ジャーナリスト）を捜す話、ということになると、私などは、安直ではあるが松本清張を思い起こす。そして実際、本書でクローズアップされる社会的問題——移民問題とそれに関連しての奴隷貿易——を、主人公は、心理的には非常にパーソナルなレベルで受け止めている。ミステリでは、下手な作家が書くと《社会問題》は妙に大仰な印象を与えるものだが、作者は見事に、主人公自身の物語としても昇華しており、最初から最後まで違和感は微塵もない。ほとんど完璧な社会派ミステリとして高く評価したい。ナラティブも抜群に上手く、読者の興味を惹きつけて放さないストーリー展開も堂に入ったものだ。「大型新人」と断じてしまっても問題はなかろう。（酒）

霜

Gマン　宿命の銃弾

スティーヴン・ハンター／公手成幸訳
扶桑社ミステリー

銃撃戦の巨匠、ひさびさの快作。時代は1930年代。ギャングや強盗団が法執行機関とガチで殺し合いを続けていた時代。ハンターが書き続けているガンマン、ボブ・リー・スワガーの祖父の物語であり、トンプスン短機関銃やコルト・ガヴァメントといったトラッドな銃たちに加え、魔改造されたフルオート拳銃までもが登場、オールド・ダッド・スワガーとFBIの男たちがジョン・ディリンジャーやプリティ・ボーイ・フロイドやベイビーフェイス・ネルソンと銃撃戦を行なうのである。冒頭で射殺される二人組の名前が明かされた瞬間、ある種の読者の気持ちはブチ上がるはずであり、ブチ上がったその気分は最後まで持続するだろう。上巻おしりあたりで訪れる「アウトローの爽快&痛快感」は、この時代のこういう物語がもたらしてくれる最高の気分でもあり、さすがハンター翁、よくわかってらっしゃる。（霜）

新人の作品が目立ちましたが、それ以外も秀作揃いの一ヶ月でした。ますます読書が楽しみになりそうです。さて、次回はどんな小説が出てきますことか。（杉）

吉　酒

ささやかな頼み

ダーシー・ベル／東野さやか訳
ハヤカワ・ミステリ文庫

ママ友の友情の裏に隠された、スケール矮小な悪意を無駄にねちねちと描く、露悪的なB級ミステリなんだろうなあ……と斜に構えつつ読み始めたところ、ノワールと言い得る程にドス黒いものが噴出する作品でびっくりした。

　中盤に明かされる驚愕の事実（複数）により、登場人物は誰も彼もが一気にアンダーグラウンド臭を放ち始める。しかしもっと注目したいのは、序盤から、主人公の言うことがブログとモノローグとで違う点である。「本音と建前が逆」というよりも、「公言していることと独白がずれている」と言った方が近く、この結果、主人公は、信用できない語り手としての性格を帯びる。これに加えて、語り口自体には露悪趣味がなく、語り手は語り手なりに懸命に生きていることがしっかりわかるように書かれているので、本書は皮相なご近所イヤミスではなく、より根深い何かとして結実する。衝撃の事実発覚後の展開も、劇的で非常によろしい。オススメです。（酒）

語り手は、ある母親ブロガーで、「息子の友だちのお母さんが失踪した」というのが話の発端。なのだが、その母親も、失踪したママ友の母親も、さまざまな秘密を抱えていたり、表と裏を使い分けて何か企んでいたりという化粧と腹黒のサスペンスが全面展開していく物語である。これはもう明らかにギリアン・フリン『ゴーン・ガール』の影響がうかがえ、いささか極端で強引に思える場面もあるものの、人物造型や細部は作者ならではの巧さを見せている。極端で強引といえば、LS・ホーカー『プリズン・ガール』もそうした設定で出来上がっているかもしれないが、闘うヒロインの姿が印象に残った。あとは、なんといってもエドワード・ケアリー『穢れの町』（アイアマンガー三部作　2）で、1同様、この先どうなっちゃうのはやく続きを知りたい、という驚愕のラストだ。完結したらまた最初から通して三冊読みたくなること必至である。（吉）

霜　川

プリズン・ガール

LS・ホーカー／村井智之訳
ハーパーBOOKS

Kick ass,badass! 色々と荒削りで回収し切れていないエピソードもあるんだけれど、この勢いと、なにより主人公ペティの魅力の前には、そんな細かいことはすべて吹き飛んでしまった。

　十八年間、カンザス州の片田舎で父と二人だけで暮らし、学校にも行ったことがなければ一度も町に出たこともない少女ペティ。世間から隔離され、なぜか銃火器の扱いと体術を教えこまれてきた少女が、父の死を契機に普通の人生を送るべく、生まれて初めて自分自身で考え、行動し、理不尽な状況に抗い、一人の青年と手を携えて強欲な輩に闘いを挑む。国際スリラー賞最優秀新人賞にノミネートされた、スピード感溢れる〝闘うガール・ミーツ・ボーイ〟のパワフルなれど健気な活躍に胸が躍る。

今月は、エドワード・ケアリーの《アイアマンガー三部作》第二部『穢れの町』（東京創元社）も猛烈に推したい。それにしてもケアリーめ、なんてとこで終わってくれるんだ。第一部『堆塵館』のときも大概だったけれど、今回、こんなところでTo be continued. とは！　前作で敷かれた伏線と布石が、次々と効果を発揮し、一段と大きく躍動的になった物語に身を委ねていたら、もうめくるページがないなんて。ああ早く、第三部『肺都』が読みたい。（川）

世界は危険な敵でいっぱいだ――そう告げる父親に半ば幽閉されるように田舎の一軒家で育てられ、護身術・射撃・格闘技などを叩きこまれた20歳の娘は、ある朝、父が突然死を遂げているのを見つける。身を守り、敵を倒すことしか知らない彼女は突如、外界に放り出された。そして父の遺言がキッカケで、孤独な娘に悪意が牙を剥いた……

卓抜な着想をボーイ・ミーツ・ガールの瑞々しさで調理、仕上がりはノンストップ・サスペンスだが、ロード・ノヴェル＝成長小説のプロットが謎の探索と嚙み合い、最後には若い女性が自分のために自分の意志で戦う冒険小説となるのである。快作。

ただ、ある一点が個人的には気になるのだが、読んだ者同士でそこについて議論するのも面白いかも。今月は豊作なので七福神の推しが割れそうだが、ほかにSFスリラー『巨神計画』（シルヴァン・ヌーヴェル／創元SF文庫上下）なども楽しみました。（霜）

千

グラウンド・ゼロ　台湾第四原発事故

伊格言／倉本知明訳
白水社

二〇一五年、台湾北部の第四原発がメルトダウンし、一帯は立入禁止区域となった。その時に記憶を失ったエンジニアは何故か軟禁状態に置かれ、彼の治療を担当する心理カウンセラーの周辺でも不穏な出来事が……。原発事故の日に向けての物語と、事故後の総統選挙に向けての物語という二種類のタイムリミットを並行して進行させながら、実在の台湾の政治家やメディア関係者も大勢登場するパラレルワールドSFのかたちで現実と虚構を巧みに重ね合わせた迫真のサスペンス小説だ。主人公が最後に直面する衝撃的な真実は、原発事故が社会にもたらす分断そのものを表現している。アジア初の脱原発国家の道を歩みはじめた台湾から届けられたこの物語を、日本の読者は果たしてどのように受け止めるだろうか。（千）

杉

穢れの町

エドワード・ケアリー／古屋美登里訳
東京創元社

月末にこれを読んで以来、他の小説を選ぶなんて絶対無理、一晩中でも『穢れの町』の話がしたい、というような状態になったので一も二もなく『穢れの町』なのですよ。

　エドワード・ケアリーが十年の沈黙を破って発表した〈アイアマンガー三部作〉の第二作、前作『堆塵館』はごみの売り買いで富を築いた一族の少年とメイドとしてやってきた少女が出会うボーイ・ミーツ・ガール・ストーリーで、巨大な館の中で物語が完結するゴシック・ロマンス風趣向が素敵だったのですが、今回のお話はその堆塵館を飛び出て周囲の町で繰り広げられる。これがまさかのレジスタンス小説で、強大な力を持つ者が弱者を迫害するという救いようのない図式の中に前作の結末で明かされた〈誕生の品〉の謎が絡んでいくわけですね。エキレビ！　に書いたレビューで『堆塵館』は『未来少年コナン』のインダストリアみたいだと書いたのだけど、本作もそれは引き継がれ、民衆対権力者という図式が浮かび上がってきます。設定はファンタジーのそれなのだけど、時代設定が前作以上に明確にされることによって実際の歴史と接近し、現実を脅かすグロテスクな影が物語に落ちてくるのでした。両世界大戦下を舞台にしたエスピオナージュが好きな人にはお薦め、エリザベス朝の歴史ミステリー・ファンにももちろんお薦め。本シリーズにはケアリー自身によるイラストが添えられていますが、その破壊力も素晴らしい。これを読まないなんて絶対に後悔する、と断言できる無類のおもしろさでございました。（杉）

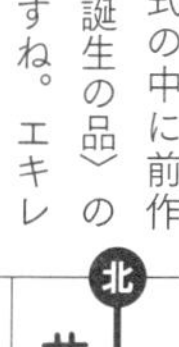

サイレント

カリン・スローター／田辺千幸訳
ハーパーBOOKS

　サラ・リントンを主人公とする「グラント郡シリーズ」は、２００２年に翻訳された『開かれた瞳孔』から始まったが、全6巻で一応の終幕を迎え、２００６年から始まったウィル・トレント・シリーズにサラは出張出演していく。その「新ウィル・トレント・シリーズ」の第1作『ハンティング』で初めてこの作家の真価に気がついた私はあわてて『開かれた瞳孔』に遡ったが（これがすごいのなんの）、問題は「グラント郡シリーズ」の第2〜6巻がいまだに未訳であることだ。サラの夫ジェフリーの死でこのシリーズは一応完結したというのだが、具体的にどういうことがあったのか知りたい。そこで早川書房さんにお願い。『開かれた瞳孔』を復刊し、次に第2〜6巻を翻訳してもらえないだろうか。復刊帯のメインコピーはすでに決めている。

　本書は２００２年のベスト１である――と２０１７年になって気がついた！

　あるいは
　カリン・スローターはここから始まった！

　これでどうだ。

　ということを考えたのは、本書『サイレント』を読んだからである。サラはまだジェフリーを忘れていないのである。その熱い感情がこの物語の底を流れている。若い女性の死体が発見され、容疑者として逮捕された男が自供したのちに留置場で自殺。地元警察の失態としてジョージア州特別捜査官のウィル・トレントがこの地にやってくるという筋立てだが、とりたてて珍しくもないこの話を色彩感豊かな物語にしているのは、サラの熱い感情にほかならない。

　ラストまで一気読みの傑作だが、これを読み終えると、「グラント郡シリーズ」を全部読みたいという思いがどんどん大きくなっていく。（北）

　時代を反映してか黒い淀みが根底にある作品が多く選ばれた月という気がいたします。二〇一七年の翻訳ミステリー動向からますます目が離せなくなってきました。来月もどうぞご期待ください。（杉）

2017 7月

川

彼女たちはみな、若くして死んだ

チャールズ・ボズウェル／山田順子訳

創元推理文庫

　若い女性が犠牲者となった10の事件からなる先駆的な犯罪実話集『彼女たちはみな、若くして死んだ』を強力に推す。ヒラリー・ウォーを虜にし、『失踪当時の服装は』を書かせ、〈警察捜査小説〉確立のきっかけとなった本書は、ミステリ界にパラダイム・シフトを引き起こすきっかけとなった重要なノンフィクションだ。扇情的な書き方を廃し、犠牲者や犯人らの内面描写を一切行わず、冷徹に淡々と事実のみを綴る独自のシンプルな筆法は、逆に悲劇に見舞われた人間が抱いたであろう心情をくっきりと浮かび上がらせる。

　相手を同じ人間と見なさず、歪んだ欲望と自己承認欲求に根ざした勝手な理屈で女性の命を奪う男たちによる残酷な犯罪は、今日に至るまで連綿と繰り返されている。なればこそ、覗き見趣味がしたたる実話読み物とは一線を画すチャールズ・ボズウェルのジャーナリストとしての矜恃がはっきりとうかがえる不朽の作品集を、多くの方に読んで欲しい。

　フィクションでは、ルーマニア人作家E・O・キロヴィッツによる、嘘と真のモザイクを敷きつめた〈鏡の迷路〉を歩まされているかのような企みとサスペンスに充ちたWhydunit『鏡の迷宮』（集英社文庫）と、探偵役のドライデンが、いつにも増して因縁深い事件とかかわったゆえに英国流本格ミステリと米国流私立探偵小説の融合というジム・ケリーの特長がより色濃くなった『凍った夏』（創元推理文庫）がお薦め。（川）

霜

神様も知らないこと

リサ・オドネル／川野靖子訳

ハーパーBOOKS

　幼い姉妹が父親の死体を庭に埋め、父の死を受けて自殺した母親の死体を隠すところで物語ははじまる。ふたりは両親の死を誰にも告げぬまま生活をつづけようとする。聡明だが不良気味の姉と、イノセントで少し変わり者の妹、ふたりの隣人の独居老人の一人称で物語は語られ、徐々に三人それぞれが置かれた苛酷な環境が明らかにされてゆく……。

派手な事件は何も起こらない。けれども、ガラスの上をつなわたりするような少女たちの危うい歩みと、世の偏見のために忍従を強いられる隣人の生がはらむ破滅の予兆は、読む者を捉えて離さないだろう。世界の酷薄さから眼をそらさず、死や悪をめぐる描写は手加減せず、でも少女たちが体験するささやかな幸せは鮮烈に描かれるし、最後には人間への信頼のようなものをきちんと残して物語は閉じる。

6月は他にも、好調ハーパーBOOKSの『嘘つきポールの夏休み』、ディーヴァーとイタリア流ジャーロを組み合わせたようなスリラー『死の天使ギルティネ』、テラン『その犬の歩むところ』など快作が多数の月でした。

(霜)

北

砕かれた少女

カリン・スローター／多田桃子訳
マグノリア・ブックス

先月当欄で取り上げたカリン・スローターの『サイレント』は6月刊、こちらは5月刊の翻訳だから、先にこちらを紹介するべきだった。ウィル・トレント・シリーズの第2弾である。サラ・リントンを始めとするグラント郡シリーズの主要キャラがこちらに合流する前の作品だが、それでもこれだけ面白いのだから、カリン・スローターの作家としての力量が図抜けているということだろう。フェイスがここから登場したことを初めて知る。これでウィル・トレント・シリーズは1～4作まで翻訳されたことになるので、あとはグラント郡シリーズの翻訳が待たれる。こちらのシリーズ、第1巻の『開かれた瞳孔』が復刊されたら（2～6が未訳）、絶対にみんな、ぶっ飛ぶ。

(北)

杉

書架の探偵

ジーン・ウルフ／酒井昭伸訳
新☆ハヤカワ・SF・シリーズ

人口が10億人まで減少した22世紀の地球、オンデマンドで印刷される以外に紙の本が作られることはなくなった時代に、それでも実物を陳列する図書館は存在していた。そこで貸し出されるのは「作家」だ。作家の脳をスキャンし、その記憶を写した複生体（リクローン）たちが図書館の書架で生活し、貸し出しを待つ日々を送っていた。SF・ミステリー作家の複生体であるE・A・スミスもその一人だ。ある日彼は美貌の女性コレット・コールドブルックに長期で借り出される。彼女は最近になって父と兄を相次いで亡くしていた。その兄が死の直前に手渡してきたスミスの著書『火星の殺人』になんらかの秘密が隠されていると考え、作者自身であるスミスに接近してきたのだという。しかしスミスには、自分がその『火星の殺人』なる本を上梓したという記憶がなかった。

私立探偵小説のプロットを応用すると同時に、本に関する小説というビブリオ・ミステリーの性格も備えた意欲作である。ミステリーに関する造詣が深いがために自著にまつわる謎解きに主人公が駆り出されるという話の構造に自己言及の要素が含まれており、現実とその複製である虚構との関係について読者は各処で思いを馳せることになる。読み進めれば読み進めるほどに本の世界の中に引き込まれていくのである。これほどまで自然に没頭させられる小説はまたとない。素晴らしい読書体験を約束してくれる一冊だ。

今月はチャールズ・ボズウェルの里程標的犯罪ノンフィクション『彼女たちはみな、若くして死んだ』が刊行されており、ヒラリー・ウォーのファンとしては読まずにいられない一冊であった。また、パトリック・ジュースキント『香水』を思わせる殺人者小説、トーマス・ラープ『静寂　ある殺人者の記録』も素晴らしいのだが、書架で貸出を待つ作家、という設定だけでもう忘れられなくなるジーン・ウルフの作品を選んだ。豊作の6月であった。（杉）

千

閉じられた棺

ソフィー・ハナ／山本博・遠藤靖子訳
クリスティー文庫

たとえ遺族公認の「名探偵ポアロ」シリーズ続篇であろうと、（前作『モノグラム殺人事件』もそうであったように）ソフィー・ハナの作品世界はアガサ・クリスティーのそれとは全く違うし、彼女が描くポアロも全然ポアロらしくない。だが、クリスティーのパスティーシュとしてどうかという観点から離れるなら、これほどよく出来た黄金期風本格ミステリを書ける現代作家もなかなかいない。大富豪の遺言状書き換えが事件を呼ぶという定番の古めかしい設定からスタートしつつ、その後の展開はなかなか予想できない。矛盾した証言、次々と明らかになる意外な事実、関係者たちの嘘を暴いてゆくポアロの鋭い洞察、そして最後に鮮やかに立ち上がってくる殺人者の人物像と、隅々まで面白くてわくわくさせられる。ソフィー・ハナのことはクリスティーの後継者として見るのではなく、全く別の個性を持つ優れた作家として評価しよう。（千）

吉

その犬の歩むところ

ボストン・テラン／田口俊樹訳
文春文庫

ほかの作家が同じような話「犬によって救いや癒しを受けた人たちの物語」を書けば、大半はただ泣かせるパターンの寄せ集めになるかもしれないが、ボストン・テランはちがう。陳腐な人情劇とはまったく異なる骨太なドラマがここにある。心の琴線への響きが強く深いのは、文章表現が巧いからだろうか。なによりアメリカ現代史の有名な事件や災害が残した暗部について考えさせられる側面はもちろん、犬という生き物の愛おしさをあらためて思い知る。

そのほか、サンドローネ・ダツィエーリ『死の天使　ギルティネ』は帯に「ジェフリー・ディーヴァー絶讃」とあるが、まさにイタリアのディーヴァーと呼びたくなるほど外連味あふれる犯罪の連続と個性豊かなキャラクターの活躍で楽しめた。このシリーズ、必読です。（吉）

酒

フロスト始末

R・D・ウィングフィールド／芹澤恵訳
創元推理文庫

名シリーズ最後の作品である。警察署の繁忙を目まぐるしく描きつつ、重い事件と軽やかな台詞回しを両立し、おまけに人間模様を活き活きと描き出す。要はいつも通りの芸風で、いつも通り最上級に面白い。この水

準を最初から最後まで維持したのは奇跡だ。少々重い要素が散見されて、作者の若干の変調を観測できる辺りは興味深いが、ここから更なる変化／発展を遂げるかを確認することは、作者の死（10年も前だ!）によって絶対に不可能となった。ならば本シリーズが無事に訳し終えられたことを喜び、感謝するのを優先したい。他にはジム・ケリー『凍った夏』も素晴らしい出来栄えであった。（酒）

　ひさしぶりの全員バラバラ月でした。それだけ票が割れるほどに傑作が目白押しだったということでしょう。翻訳ミステリー界は今年も絶好調です。二〇一七年も下期に入りました。次はどんな傑作が刊行されるのか、期待は膨らむばかりです。（杉）

2017 8月

川 杉 千 吉

怒り

ジグムント・ミウォシェフスキ／田口俊樹訳
小学館文庫

　二〇一六年十一月の〈書評七福神〉で、ピエール・ルメートルの《ヴェルーヴェン警部シリーズ》完結ロスにショックを受けている方に対して、ぜひベルナール・ミニエ『氷結』（ハーパーBOOKS）を試してみてください、とお薦めしましたが、ジグムント・ミウォシェフスキ『怒り』（小学館文庫）もまた有効じゃないかと思います。プロットの組み立て方から、筋運び、謎を提示するカードの切り方、そしてキャラクター造詣など、随所にルメートルを彷彿とさせるところがある上に、主人公のテオドル・シャツキ検察官が、普段ミステリを避けているにもかかわらずルメートルだけは認めていて、『死のドレスを花婿に』を愉しく読んでいるシーンがあるくらいですから。

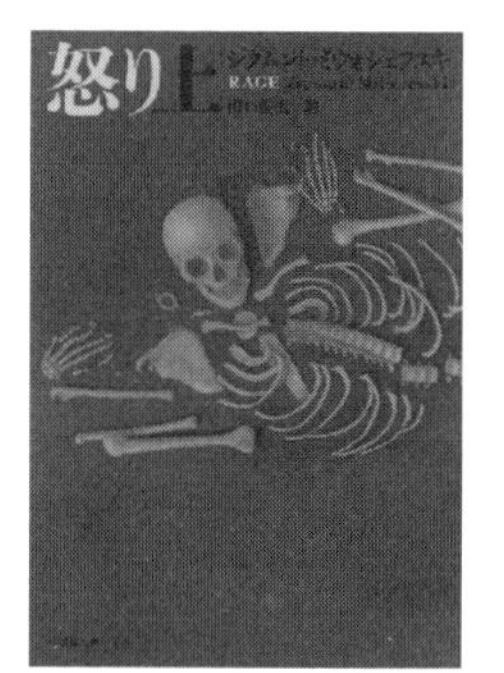

　マスコミからスーツを着た保安官と呼ばれ女性誌のベストドレッサーに選ばれたこともあるジャーナリズム嫌いの中年検察官シャツキ。常に正義の側に身を置ける仕事に誇りを持つ彼は、世の中のほぼすべての事象に対して〝怒り〟を覚えつつ、命のはかなさに対する〝悲哀〟を胸に、難事件に挑むことに生き甲斐を覚えています。そんな彼が命じられたのは、工事現場から発見された完全に白骨化した死体の調査。どうせ大戦中のドイツ人の遺体だろうとやる気の出ないシャツキですが、死後十日も経っていないことが判明し、俄然意欲をかき立てられます。一体、なにがあったのか？　なぜこんな殺され方をしたのか？　重く解決の難しいテーマを中心に据えつつも、スピーディーな展開と二転三転するプロットに一気に読み通してしまうこと必至のエンターテインメントです。

　一点だけ注意事項を。上巻裏表紙の内容紹介で、全体の半分近くで明かされる意外な事実があっけらかんと書かれているので、絶対に読まないように！

今月はノア・ホーリー『晩夏の墜落』（ハヤカワ・ミステリ）もお薦め。墜落したプライヴェート・ジェットに同乗した人々の人生をじっくりと描き、事件の真相を探りつつ、現代アメリカ社会の抱える深刻な問題を浮き彫りにしたサスペンスです。堪能しました。（川）

「ポがつくとこ？　ポ、ポーランド!?」（太宰久雄の声で）

ポーランド・ミステリーの邦訳というと記憶が曖昧なのだが、スタニスワフ・レムの著作を別格とすれば、プロパー作家の翻訳はほとんど無いはずである。1977、8年にお目見えしたイェジイ・エディゲイまで遡るのではないだろうか。『顔に傷のある男』と『ペンション殺人事件』の2長篇が翻訳された。このうち後者では、有名な古典作品と同趣向のトリックが用いられており、高校生のときに読んで「エディゲイ、すげー」とたまげたのであった。それに続くミステリーがもしジグムント・ミウォシェフスキ『怒り』なのだとすれば、ポーランド恐るべしと言うしかない。レムの『枯草熱』もすごい作品だったしね。

『怒り』は内容を知らずに読めば読むほど興趣が増す作品なので、あまり詳らかにしないほうがいいように思う。表紙裏のあらすじや帯の惹句など、情報を遮断した上でページを開き、荒々しいプロローグにまず目を通してみていただきたい。そこで心を摑まれたら、あなたは『怒り』に見込まれた読者である。もし心を摑まれなかったら？　そうですね、日を改めてまたもう一度読んでみてはいかがだろうか。体調のいいときに、一気に読むのに向いている作品だと思うのである。

他の評者がお書きになられていることに付け加えられることはあまりない。細部が楽しい小説でもあり、主人公が「なーにか、ぼくの才能にふさわしい、へーんな事件はないかなー（大意）」と考えながら車を走らせている冒頭場面など、情景描写にも見知らぬ異国の地方都市を彷彿とさせるだけの冴えがあるとだけ書いておこう。これが初のポーランドミステリー読書になる方も多いと思うのだが、もし余力があれば「ポーランドのポー」もしくは「ポーランドのラヴクラフト」と呼ばれるステファン・グラビンスキ作品にも手を出してみていただきたい。『動きの悪魔』『狂気の巡礼』の二短篇集が邦訳されている。（杉）

十日前まで生きていた人間が完全な白骨死体で発見された……という冒頭の奇怪な謎からしてミステリファンを引きつけるには充分だが、そこが最大の読みどころというわけではない（ミステリ史に残るおぞましいハウダニットの謎解きが用意されているので、少なくとも読みどころのひとつであるとは言えるけれども）。見るからにマッド・サイエンティスト然とした医者の名前がフランケンシュタイン博士だったりするギャグに笑っているうちに、いつの間にか物語は途轍もなくダークな領域に踏み込んでおり、もはや読者は引き返せない。ひねくれた方向に個性的な主人公のキャラクター造型、その主人公を思わぬかたちで巻き込みながら暴走するストーリー、正義と悪の苛烈にして目まぐるしい反転……これ一作だけで判断するのは危険かも知れないけれども、印象として最も近い作風のミステリ作家はピエール・ルメートルだ。「ポーランドのルメートル」という惹句は意外と正鵠を射ている。（千）

やられてしまった。読み終えて振り返ると、かなり粗っぽく大胆な構

成や話運びによる仕掛けかもしれないが、読んでいる間はそんなことは分からないため、結果、まんまと作者の企みに驚愕させられたのだ。いろんな意味で今年を代表する一作かもしれず、日本語が読める全海外ミステリ読者は必読。ノア・ホーリー『晩夏の墜落』も薦めたいが、こちらを選ばなかったのは、熱量の差にすぎない。墜落の真相より、作中に展開されるさまざまなエピソードがとにかく面白かった。この作者が脚本を書いたドラマ「ファーゴ」(とくにシーズン1)が久々にノワールの飢えを満たしてくれたことにも深く感謝したい。二十一世紀におけるジム・トンプスンの世界を感じたのだ。そのトンプスン久々の新刊邦訳『天国の南』も心からうれしい一冊で、お願いだから、残り全作+ポリート評伝を日本語で読ませてくれぇ。(吉)

霜

フロスト始末

R・D・ウィングフィールド／芹澤恵訳
創元推理文庫

すでに先月あげている方もいるが、6月末日刊行ということでもあり寛恕を願いたい。本作は名シリーズの最終作だが、これほど質の一定したシリーズは実は稀なのではないか。異色作もなければ失敗作もない、しかも決してルーティンワークに安住せず、最高の品質の作品ばかりをウィングフィールドは送り出し通した。いくつもの謎解きミステリをばらして、手がかりや伏線によるリンクがきっちりつながった状態で組み直したようなウィングフィールド一流のミステリ構築術は見事の一語である。これはいわゆる警察小説の「モジュラー型」とは一線を画すものであり、いわばモジュラー型という形式を利用した巧緻な本格ミステリというべきだろう。

ほかに文芸寄りの群像劇『晩夏の墜落』も満足度が高く、また北上次郎氏の絶賛をキッカケに周囲のミステリ者が急に読みはじめたカリン・スローターの諸作が印象に残った。とくに北上氏がともに月間ベストにあげたスローターの『砕かれた少女』と『ハンティング』が傑作。(霜)

北

死の天使ギルティネ

サンドローネ・ダツィエーリ／清水由貴子訳
ハヤカワ・ミステリ文庫

先月の当コーナーで、サンドローネ・ダツィエーリ『死の天使ギルティネ』(清水由貴子訳／ハヤカワ・ミステリ文庫)について、吉野仁が「このシリーズ、必読です」と書いていた。必読と言われたら読みたくなる。そこで遅ればせながら読んでみた。なるほど、たしかに「ヘンな小説」で、その意味では私好みの小説といっていい。ただ、ちょっとわかりにくいところがあって(具体的に書くと、ヒロインの相棒になるダンテのキャラがわかりにくい)、それが気になるので、シリーズ第1作の『パードレはそこにいる』(同)に遡ってみた。こちらも未読だったのである。正直に書くと、この第1作のほうが面白い。それは、幼いときに誘拐され11年間も監禁された体験を持つダンテのキャラが全開だからだ。この作家は第1作で書いたことを繰り返さないので(少しはあるが、それでは足りないのだ)、第2作から読むと、そこがややわかりにくかったが、第1作は傑作といっていい。話もぶっ飛びもので、丁寧な小説を読みたい読者にはおすすめしないが、「乱暴でヘンな小説」を好む方にはおすすめ。ただし、1年前に刊行されたものをここですすめることはできないので（同年度という内規がある）、ここでのおすすめは『死の天使ギルティネ』にしておく。本当のおすすめは『パードレはそこにいる』だけどね。（北）

酒

蘭の館

ルシンダ・ライリー／高橋恭美子訳
創元推理文庫

今月（8月）には真打ケイト・モートンが控えているとはいえ、7月新刊ではそのモートンを思わせる《セブン・シスターズ》第一作『蘭の館』を選ばざるを得ない。スイスの謎の富豪が亡くなり、彼の養子に迎えられた七人（?）の女性たちの物語が始まる。第一巻となる本作では、長女マイアが自らのルーツを探り、地球の裏側リオデジャネイロまで赴く。貴種流離譚の体裁を採り、21世紀に生きる30代のマイアと、1920年代の彼女の祖父母世代の若き日々が、鮮やかに描き出される。作者の筆は主要登場人物、特に各時代のヒロインにぴたりと寄り添っており、彼らの心理の綾を細大漏らさず掬い取る。こういう小説は大好物なんです。他には、ポーランドの検察小説『怒り』も、特異な事件をじっくり腰を据えて描き、印象的だった。（酒）

前月がバラバラ回だったのに対して、今月はポーランド作品に人気が集中しましたね。秋のベストテンシーズンに向けてますます加熱していきそうな気配もあり、次回も楽しみです。また来月、お会いしましょう。（杉）

2017 9月

霜 酒

ハティの最期の舞台

ミンディ・メヒア／坂本あおい訳
ハヤカワ・ミステリ文庫

田舎町で演技の上手い少女ハティが殺される。事件自体の経緯や真相には、あまり意外性がない。殺人ミステリを読みなれた我々には「ありふれた」ものですらあるだろう。しかし、作者は登場人物を、そのありようを、慈しむように、大切に書く。長所も短所も、包み隠さず、何も理想化せず、声高に強調せず、ありのまま、しっとりと描く。そこからは、紛れもなく、「もののあはれ」が薫る。

いかなフィクションとはいえ、この物語では（少なくとも）一人の少女が命を散らし、輝きを永遠に失った。そして、そのような大罪を犯した人間が、（少なくとも）一人はいる。メヒアの筆致は、これらの事実の、本来あり得べき重さを取り戻している。主要登場人物の人生が、読者の胸に染み入る。「ありふれ」ていておかしくない要素全てが、真に迫った輝き、煌き、翳りをもって読者に迫る。いい小説だ。とてもいい小説だ。（酒）

時間が停滞したような田舎町で殺された女子高生。その美貌と早熟さで知られたハティは、なぜ、誰に殺されたのか――杉江松恋氏が指摘したように、小さな町に淀む生ぐさい欲望の病理を解剖してゆく展開は、『事件当夜は雨』をはじめとするヒラリー・ウォーの傑作たちを思い出させる。だが、淡々とした捜査小説のあいまに、関係者の生々しい一人称パートがはさまれており、なかんずく被害者ハティの手記が、「ヒラリー・ウォー」の枠をはみだすインパクトを残す。

　つまり本書はシルヴィア・プラスの『ベル・ジャー』や、ローレン・ワイズバーガーの『プラダを着た悪魔』に連なる「ニューヨークに憧れる早熟な地方の文化系女子の挫折」の物語でもあるのだ。知的で利発であるがゆえにハティが抱く鬱屈。それと共鳴して現実以上の輝きを帯びるニューヨーク。そして利発であっても所詮10代にすぎない彼女の現実把握の甘さと、それが私たち読者にもたらす痛み。ありがちな田舎ミステリにみえるが、ウォーの酷薄さと、『ベル・ジャー』の光と痛みをともにそなえた佳品です。

　活劇派には『暗殺者の飛躍』がイチオシですが、きっとみんな買ってますよね？　（霜）

吉

アメリカン・ウォー

オマル・エル＝アッカド／黒原敏行訳
新潮文庫

分断した近未来アメリカで発生した内戦を背景とする本作は、南部の貧しい一家の娘の半生を追う大河ドラマであり、中東やテロの現実が重ねられたサスペンスでもある。近年、闘うヒロインを描く傑作は多いが、これもまたそのひとつとして本年必読の書だ。そのほか、ベトナム戦争終結直前のサイゴンを舞台にはじまり、秘密警察の長官「将軍」につかえる大尉がじつはスパイで、その男が語り手をつとめるヴィエト・タン・ウェン『シンパサイザー』は決して痛快で読みやすい娯楽小説ではないものの、その語りから浮かび上がる何層ものベトナム戦争の現実に圧倒された。もう一冊、ミンディ・メヒア『ハティの最期の舞台』は、いわば無自覚な〈ファム・ファタル〉ものの傑作だと思ったのは個人的な感想ながら、田舎町で起こった人間ドラマをじっくり読ませる点で多くの人に勧めたい。（吉）

北

暗殺者の飛躍

マーク・グリーニー／伏見威蕃訳
ハヤカワ文庫NV

グレイマン・シリーズの第2期が開幕である。今回は中国サイバー戦部隊の天才ハッカーが逃亡し、その身柄確保に乗り出したCIAと、抹殺するために特殊部隊を派遣する中国の対立を軸に、そこにロシアが絡んできて、さらにはベトナムとタイの犯罪組織も金の匂いに近づいてくる。もうぐちゃぐちゃである。息詰まるようなアクションが、これでもかこれでもかと迫力満点に展開するからノックダウン。いやはや、すごい。天才グリーニー、いまだに健在である。（北）

川

湖畔荘

ケイト・モートン／青木純子訳
東京創元社

ケイト・モートンの最新作『湖畔荘』に唯々圧倒された。これぞ読書の愉悦。〈物語〉としての面白さは今さら言うまでもないでしょうが、今回なんといっても特筆すべきは大変練度の高いミステリに仕上がっているという点です。作中で、ある人物が「あまりに多すぎるパズルのピース、しかも各人がまちまちのピースを握りしめていた」と述懐するように、これまでに『忘れられた花園』と『秘密』で二度翻訳ミステリー大賞を受賞している彼女が、より複雑により緻密に織り上げた『湖畔荘』は、伏線の張り方とレッドへリングの蒔き方が実に巧みな堂々たる謎解きミステリなのです。

一九三三年のミッドサマー・パーティの夜に〈湖畔荘〉から忽然と姿を消した赤ん坊。七十年前のあの日に一体何が起きたのか？　事実が明らかになるにつれより深く複雑になる謎が牽引力となり、登場人物の織りなす数奇な人生が推進力となり、上下巻六〇〇ページにわたるこれぞケイト・モートンの世界という厳しくも優しく、残酷だれどユーモアと明るさを失わない豊穣な物語を一気に読了。『秘密』から三年八カ月、待った甲斐がありました。今年一番の収穫です。

今月は、ミネソタの田舎町を舞台にした都会とは異なるアメリカの根っこを強烈に感じさせるミンディ・メヒア『ハティの最期の舞台』（ハヤカワ・ミステリ文庫）もお薦め。欲望と懊悩、喪失と悔恨とともに自立と再生を描いた本書は、〈自分の居場所はここではない〉と思っている人やかつてそういう思いを抱いたことがある人の心をざわめかせる良質なサスペンスです。（川）

千

ジャック・グラス伝　宇宙的殺人者

アダム・ロバーツ／内田昌之訳
新☆ハヤカワ・SF・シリーズ

ジョン・スコルジー『ロックイン―統合捜査―』やジーン・ウルフ『書架の探偵』など、SFミステリもしばしば出している新☆ハヤカワ・SF・シリーズだが、ミステリ読者へのお薦め度の高さでは本作が今までで一番では。「さて読者のみなさん、これよりわたしがドクター・ワトスン役として語るのは、この時代における最大の謎にまつわる物語です」「わたしは読者のみなさんに対して、最初からフェアに勝負を仕掛けるつもりです。さもなければ真のワトスンとは言えません」という「読者への挑戦状」を突きつけてくる正体不明の語り手は、あろうことか本書で描かれる三つの事件の犯人はジャック・グラスという同一人物だといきなり明かすのだ。しかし、いざ読んでみると、彼と事件との関わりはなかなか見えてこない。脱獄、密室殺人、消えた弾丸……三つの不可能犯罪にジャック・グラスはどのように、そして何のために絡んでくるのか？　SFとしての世界観がミステリとしてのひねくれた謎解きと強固に結びついた、遊び心満点の快作だ。（千）

ヤングスキンズ

コリン・バレット／田栗美奈子・下林悠治訳
作品社

他のところで書評してしまったので詳細は省くが『湖畔荘』と『ハティの最期の舞台』が純度の高いミステリーとしては8月の双璧であった。ただ、この2冊については他に評される方もいらっしゃるだろう。両方とも必読、とだけ書いておく。

狭義のミステリーではない長篇ではなんといってもジョン・アーヴィング『神秘大通り』がおもしろかった。メキシコ・オアハコのゴミ漁り（ダンプ・キッド）の出身で、世界的な成功を収めた作家フワン・ディエゴが主人公である。ダンプ・キッド時代、彼はアメリカの脱走兵と知り合い、彼の遺志を受け継いでフィリピンの戦没者記念墓地を訪ねる約束をしていた。すでに老境に達した彼がその約束を果たそうとしてかの地を訪れる。フワンの少年時代回想と旅行の顚末とが並行して語られていくという形式なのだが、薬の副作用から彼がしばしば夢想境へとさまよってしまうため、過去と現在との往来はとても激しい。不可避の結末があることが初めから暗示されており、そこへ向けて衝突すべく物語は突き進んでいくのだ。その書きぶりが素晴らしく、ミステリー読者なら絶対に楽しめる1冊である。作中要素を思いつくままに挙げると、バイアグラと犬と人の心が読める少女の話でもある。

そして狭義のミステリーではない短篇集のベストがコリン・バレット『ヤングスキンズ』である。バレットはこれがデビュー作で、ガーディアン・ファーストブック賞、ルーニー賞、フランク・オコナー国際短編賞などを獲得して一気に注目された。アイルランドが経済破綻し、人心が荒廃した時代の若者群像を描いた短篇集であり、私はアラン・シリトーなどを思い浮かべながら読んだ。舞台となるのは架空の地方都市グランベイ、誰もが誰もを知っている、息の詰まるような小さい共同体である。全8篇が収録されており、特に中篇「安らかなれ、馬とともに」を強く、強くお薦めしたい。ボクサーとしても有望だったアームは、その道では行き詰まり、幼なじみで大麻売買の元締として羽振りのいいディンプナの用心棒をしている。アームには別れて暮らしている恋人と、二人の間に生まれた発達障害を持つ幼い子供がいる。犯罪に手を染めているとはいえ、彼らの前ではいい父親であろうと努力しているのだ。その均衡が、ある日つまらないことで破られる。ディンプナのためにある形で便宜を図ろうとするアームだったが、すべては悪い方向へと転がり始めた。

その他の収録作も、あらゆることに失敗し、娼婦に聞かせる思い出話すら他人の借り物しか持ち合わせていない男の話「ダイヤモンド」、若くして絶望を知った男の日々を抑制の効いた文体で描いた「身の丈を知る」など、胸の内にある空洞を押し広げるような物語ばかりである。上にも書いたようにミステリーではないが、都会小説、犯罪小説のファンなら絶対に楽しめる。

（杉）

豊作の二〇一七年を象徴するかのように、冒険小説からサスペンス、SF、犯罪小説短篇集とバラエティに富んだ八月でした。ランキング集計の行われる十月末に向けて、ここからさらに大作・秀作が刊行されることでしょう。楽しみで仕方ありません。ではまた、来月お会いしましょう。

（杉）

2017 10月

東の果て、夜へ

ビル・ビバリー／熊谷千寿訳
ハヤカワ・ミステリ文庫

いい小説を読んだ。ＬＡの箱庭（ザ・ボクシズ）と呼ばれる一角で麻薬ビジネスの末端要員として限られた世界しか知らなかった十五歳の少年が、大人の都合により望まざる同行者とともに人を殺すために北米大陸を横断する旅の過程で世界を知り、人生を選択する。

ロード・ノヴェルと犯罪小説と教養小説の要素を併せ持ちながら、各々の常道を外して語られる物語のなんと瑞々しく滋味深いことか。全編に漂う静寂さは、読了後長く心に留まる。抑制の利いた文章の美しさとキャラクター造型の巧さを兼ね備えた期待の新星のデビュー作であり今年度の大いなる収穫です。

今月は、ダニエル・コール『人形は指をさす』（集英社文庫／田口俊樹訳）とアーナルデュル・インドリダソン『湖の男』（東京創元社／柳沢由実子訳）もお薦め。前者は、シリアルキラーvsはみ出し有能刑事という定番設定にもかかわらずギミック満載でミッシングリンクにも新規性があり一気に読ませる。後者は、二〇〇四年に書かれた冷戦時代に根ざす遠い異国の過去の悲劇の物語だけど、今の日本の状況を鑑みるに決して〈対岸の火事〉ではない不朽の逸品。どちらも他の月ならばベストに推した作品です。（川）

そうか、やっと気がついた。この長編を読みながらずっと何かこう違和感のようなものを感じていたのだが、それを最初は、旅の目的が好きではないからだ、と考えていた。違うのである。ギャング小説を私は好きではないのだ。ジョゼ・ジョバンニをこよなく愛した私がこんなことをいまさら言うと奇異に思われるかもしれないが、ジョバンニが書いたのはたしかにギャング小説だが、そこに描かれていたのは個のギャングだ。組織としてのギャングではない。『ゴッドファーザー』を始めとする「ギャング組織小説」（こんなふうに言っちゃっていいのかね）は、実は好きではない。『東の果て、夜へ』にもその組織の匂いがある。それがおそらくは違和感の正体だ。世評高い小説なので、あえて書いてみた。いや、それを除けば、余韻あるラストまで素晴らしい傑作である。（北）

ロード・ノベルと少年の成長譚はただでさえ相性が良いところに、作者は酷薄で切れ味鋭いクライム・ノベルという側面を付加し、ヴィヴィッドで痛切な小説に仕上げてみせた。しかも、ストーリー展開や語り口に趣向が凝らされており、読みやすくはあるのだが、だからと言って一筋縄ではいかない展開や表現が随所で待ち受けている。ロード・ノベルとしての主人公と他人の交流には、重層的で多彩な味わいがあるし、主人公が進むべき道をこれ見よがしに提示する愚（少年が主人公の「いい話」にはそういうのが多いのだ）も犯さず、全てが相対化されていく。物語は胸を踊らせ、同時に胸に染み入る、優れた小説だと思う。（酒）

ぎりぎりまで迷ったのだが、『東の果て、夜へ』を推すしかない。私にとっては夢の小説というべき作品だからだ。教養小説であり犯罪小説でありロード・ノヴェルであるという複層的な構造がまず好みだ。主人公が15歳の少年というのもいい。彼が組織を裏切った男を殺すために仲間と2000マイルもの距離を旅していくという内容なのだが、殺人という〈悪魔との契約〉を取り交わしてしまった主人公ということは、当たり前に考えれば悲劇的な結末が予想される。4人の少年たちを載せたワゴン車は不可避の未来に向けて進んでいくのである。その展開からどのように作者は裏切ってくるのか、期待しながら読んだが、まったくもって意表を衝かれた。定型を提示しておいて裏をかく、という技巧を好む作者であるらしく、その点にも好意を抱いた。誰もやってないことを試してやろうという稚気と、それを滑らかに、作業の手が込んでいることを読者に悟らせないようにやってのけようという職人気質とが一作品中に同居しており、これがデビュー作だというのが信じられないほど豊かな小説なのである。そうだ、デビュー作なのだ。驚きだ。素晴らしい。細かく見れば瑕はあるかもしれない。これはいちゃもんと思っていただいて結構だが、邦題は覚えにくい。仲間内で話をするときはいつも全部が思い出せなくて『東』と呼んでいるくらいである。でも、主人公の名前がイーストなのだから、この邦題でいいのだ。ちなみに原題はDodgersである。野球チームだ。え、なんで野球チーム、と思うかもしれないが、ちゃんと意味があるのである。そういうところも好きだ。

本作とどちらにするか最後まで迷ったのがアーナルデュル・インドリダソン『湖の男』だ。こちらは幹の太いプロットを用いた警察小説で、冷戦時代から現代に続く因縁話としてたまらなくおもしろい。一つのことをこつこつ突き詰めていくこういう小説も私は本当に好きだ。インドリダソンの邦訳はこれで4冊目になるが、どんどんよくなっているのが頼もしい。『東』がなかったら、これを間違いなく推していた。あ、また『東』って言っている。覚えられていない。もう1冊挙げるとすれば『ゴーストマン　消滅遊戯』で、これも他の月だったら一推し間違いなしだった。リチャード・スターク・ファンは必読である。動きの激しい『死者の遺産』みたいな話だ。派手な『殺人遊園地』と言ってもいい。いや、それはちょっと違うか。（杉）

今月の、というよりも今年のベスト、いや、もしかするとこの数年でいちばん気になる作品および作家かもしれない。LAの黒人少年たちが殺人を命じられて東への旅を続けるロード・ノヴェルにして主人公の成長物語。設定にせよ展開にせよ、これまでにない感触をあちこちに味わい、強く印象に残った。間違いなく新時代のクライム・ノヴェル。そのほか、ケイト・モートン『湖畔荘』、スティーヴン・キング『ファインダーズ・キーパーズ』など大御所の新作は期待どおりのうまさ巧みさ面白さで大満足。若手では、急死が残念なロジャー・ホッブズ『ゴーストマン　消滅遊戯』、今回も外連味たっぷりのベルナール・ミニエ『死者の雨』、大胆な本格趣向もさることながらノスタルジックな香港を味わった陳浩基『13・67』をはじめ、実りの九月でした。（吉）

霜

アメリカン・ウォー

オマル・エル＝アッカド／黒原敏行訳
新潮文庫

ヘイトで南北に分断されたアメリカ。そこでテロリズムに走るほかなかった女性の半生をヴィヴィッドに描き切った本作を推す。ひとびとを巻き込む大きな観念の闘争を、地べたの人間の視点で切り取って、どこかロマンティックな冒険小説に仕立てる手つき、そして敗れた理想が救いのない暴力に逢着するさまを酷薄に描くあたりに、船戸与一を思い出しもした。大きなスケールに足をとられずに、泥水の匂いのする繊細な書き込みを忘れていないのも手柄。筆致勇壮な前半もいいが、夢の破れたあとを切実に描く後半がすばらしい。近年の活劇小説で最重要のテーマである「戦う女性」に関心のある読者にはマストだ。

犯罪小説と青春小説の理想的な融合として切なさ抜群のビル・ビバリー『東の果て、夜へ』もとっても好みな小説だったが、いまは大きな柄の小説を評価したい気分なので、こちらをベストとした。ビバリーも同等の傑作として、ぜひお読みいただきたい。（霜）

千

13・67

陳浩基／天野健太郎訳
文藝春秋

今月は久しぶりに一瞬たりとも迷わずに選べた。二〇一三年から一九六七年へと遡行しながら、六つのエピソードによって描き出されるひとりの警察官――「天眼」の名探偵と呼ばれた男の生涯。末期癌で昏睡状態にありながら、脳波でYESとNOを意思表示することで安楽椅子探偵ならぬ寝台探偵を繰り広げる第一話からスタートし、脱獄、立てこもり、誘拐などさまざまな事件の表と裏が、アクロバティックなロジックとトリックから浮かび上がる。香港という舞台の歴史的変遷を描きつつ、警察官にとって不変であるべき正義とは何か――その理想と現実を問いかける苦い味わい。一篇一篇の完成度の高さと、通して読了した時に明らかになる全体の緊密な構想。既に古典の風格さえ感じさせる今年度最高のミステリだ。（千）

驚異の新人に圧倒されましたが、各人の年間ベスト級の作品が出てきた九月でした。このまま行くと十月も大漁間違いなしでしょう。次回もお楽しみに。（杉）

吉 千 酒

黒い睡蓮

ミシェル・ビュッシ／平岡敦訳
集英社文庫

深く沈み込むような筆致、色恋沙汰へのフォーカスと、隈取り濃い人間模様。いかにもフランス・ミステリ然とした物語は、多視点であるがゆえの不穏な予感を孕みつつ進行する。そして最後に（案の定？）襲い来る驚愕の事実。飛び道具気味ではあるが、その衝撃は本物である。ただし奇を衒っただけの作品ではない

ことは断言しておこう。その証拠に、見よ、このたっぷりとした余韻を！　また本書は狭義の美術ミステリではないけれど、モネを観たくなるほど、絵画に対する妄執に満ちている点も高く評価したい。フランス・ミステリの新たな精華である。（酒）

ジャック・カーリイとジェフリー・ディーヴァーとマイクル・コナリーが同じ月に出たので三強豪の優勝争いになるかと思いきや、思わぬダークホースが勝利を手にした……というのが10月の印象だ。画家モネが晩年を過ごしたジヴェルニーの村で起きた眼科医惨殺事件。動機は愛憎のもつれか、美術品をめぐるトラブルか。村に住む10歳の少女、36歳の小学校教師、80歳を超えた謎の老女は、それぞれ事件とどう関わっているのか……。ジャプリゾやカサックら、往年のフランス・ミステリを想起させる極めて技巧的なミステリであると同時に、読み終えた後に深い感慨に浸れる豊かな物語でもある。年季の入ったミステリファンなら似たタイプの前例を思い浮かべるかも知れないが、同系列の作品としては本書が最高水準と言っていいのではないか。（千）

印象派を代表する画家モネがひたすら睡蓮を描いた村として知られるジヴェルニーを舞台に、ある眼科医が奇怪な形で殺された事件をめぐるミステリ。村を徘徊する老女が語りだすなど、怪しさ満載の物語。二年前に話題となった『彼女のいない飛行機』の書き手だけに、驚きの結末がまっている。いささか作為のすぎる部分は気になったものの、そこはフランス産ミステリなので笑って許してしまった。というより、ある人物の痛切な思いが残る話で、単に題材や趣向でこしらえたものに終わってないところが良し。そのほか、『パインズ』に始まる三部作でブレイクしたブレイク・クラウチの新作『ダーク・マター』もまたトンデモない奇想による異世界での冒険を愉しませてくれた。奥付は十一月刊ながらも文遊社によるジム・トンプスン第一弾『天国の南』につづき、間をおかずに『ドクター・マーフィー』が刊行され、狂喜乱舞。（吉）

川 凍てつく海のむこうに

ルータ・セペティス／野沢佳織訳
岩波書店

素晴らしい物語を読んだ。今月は年間ベスト級の超絶技巧謎解きミステリ三作——ジャック・カーリイ『キリング・ゲーム』（文春文庫）、ジェフリー・ディーヴァー『スティール・キス』（文藝春秋）、ミシェル・ビュッシ『黒い睡蓮』（集英社文庫）——の中から、どれにしようか悩ましいなぁ、と思っていたのだけれど、最後にルータ・セペティスの歴史小説『凍てつく海のむこうへ』を読み終えた瞬間確信した、これしかない、と。

第二次世界大戦末期の一九四五年一月、東プロイセンに侵攻してきたソ連軍から民間人や傷病兵をバルト海経由で本国ドイツに避難させるべくナチス政権が敢行した〈ハンニバル作戦〉。その最中に起きた史上最大の海難事故〈ヴィルヘルム・グストロフ〉号の惨事を核に、四人の若者が生き延びるべく奮戦する様を活写した本書は、史実に根ざした戦争小説であると同時に、苛酷な時代を生きざるを得なかった男女の青春の物語であり、はたまたサスペンスフルな冒険小説でもある。

「罪悪感は狩人だ」という一文で始まり、続いて「運命」「恥」「恐怖」を〈狩人〉と痛感する四人の視点から語られる物語は、迫り来る驚異が推進力となり、各々の語り手が抱えた秘密に対する興味が牽引力となり時の経つのも忘れて読み耽ってしまった。

二〇一七年〈カーネギー賞〉を受賞した本書は、ミステリとして書かれたわけではないけれども、翻訳ミステリー大賞シンジケート・サイトの読者の方には必ずや心に響くものがあると思う。そして本書を気に入った方は、姉妹編の『灰色の地平線のかなたに』もぜひ手に取ってみて欲しい。（川）

霜

罪責の神々

マイクル・コナリー／古沢嘉通訳

講談社文庫

マイクル・コナリーは衰えない。ここまでキャリア長く、ここまでミステリとしての質も小説としての力感も落とさずに書き続けている作家は、今やコナリーとディーヴァーくらいではあるまいか。この新作は弁護士ミッキー・ハラーもの。正統ハードボイルドの書き手としてのコナリーの真価は、ボッシュ・シリーズよりこちらのほうがよく出ているのではないか。それはこのシリーズが一人称文体だからではなくて、軽やかに都市を移動し、証人たちの物語を収集し、警官としばしば対決する個人が真実を追う物語だからで、ボッシュ物は巷間いわれるほどハードボイルドではないと思っている。

もちろんディーヴァー、カーリイ、ジム・ケリーにならぶ現代謎解きミステリの名手コナリーなのでミステリとしてのサプライズも手抜きはないし、敵の暴力性はいつになく増しているし、そしてもちろんクライマックスは法廷シーンである。軽やかなハードボイルドと法廷ものの融合という点で、このシリーズはA・A・フェアのドナルド・ラム・シリーズの正統後継者になったのではないかと思わされた。本シリーズのファンは、A・A・フェアの『ラム君、奮闘す』とか『大当たりをあてろ』なんかをお読みになるとよろしいのでは。（霜）

北

少女

M・ヨート&H・ローセンフェルト／ヘレンハルメ美穂訳

創元推理文庫

「犯罪心理捜査官セバスチャン」シリーズの第4作である。前作『白骨』のラストを批判したのは、小説の終わり方として、安易で古くさく、さらに下品であるとの1点だったが、それを除けば作品自体は評価している。同じ手をまた使ったらイヤだなという不安もあったが、今回は大丈夫。このシリーズは事件の捜査と、警察官たちの私的ドラマをともに描いていくところに特色があるが、今回はその私的ドラマの量が多い。セバスチャンだけにとどまらず、さまざまな警察官の感情が交錯するのだ。セバスチャンは相変わらず女の尻を追いかけるのに忙しいが、それでも、そうではない顔を見せる局面が興味深い。このシリーズのピークともいうべき第2作『模倣犯』には及ばないものの、前作の失点を取り返して、まずは水準作といっていい。（北）

杉

火の書

ステファン・グラビンスキ／芝田文乃訳
国書刊行会

　自分がなぜステファン・グラビンスキが好きなのかということを機会があるごとに言ったり書いたりしてきたので一部の人には繰り返しになってしまうが、それでも書く。この作者が邦訳されて本当によかった。

　これまで紹介されたグラビンスキの短篇集は『動きの悪魔』『狂気の巡礼』があり本書で3冊目になる。各巻ともモチーフが統一されており、『動きの悪魔』では鉄道、『狂気の巡礼』では家や空間であった。本書は題名どおり火のモチーフが用いられており、収録作の半分近くが火事を題材にしている。それ以外にも煉獄から差しのべられた手による焼き印（装丁はそれを模している）、煙突掃除の奇譚、花火師の恋、精神病院で信仰を集めるネオ拝火教など、多様な火にまつわる物語が収録されているのである。中でもお薦めしたいのは「有毒ガス」である。いわゆるストレンジ・ストーリーであり、こういうことを思いつく人はいるだろうが実際に書かれたものを読むことはあまりない、という種類の小説だ。本国ではその内容から不道徳のそしりを受けたというが、むべなるかな、である。

　それ以外ではもちろんディーヴァー、カーリイ、コナリー、ビュッシと謎解きミステリーの豊作月であり、この4作を読むだけで一月がおしまいという人もいるだろう。中でも特記しておきたいのはディーヴァー『スティール・キス』で、このプロットの強さはただごとではないと思う。枝葉の部分が多いので一見複線的な話にも見えるのだが、実は中心となる着想に向かってまっしぐらに語りが行われており、幹の部分が実に太い。小説家志望者に薦める本はいくつもあるが、これはベストセラー作家志望者こそ読むべき一冊というべきである。

　その他に読んだものではＪ・Ｐ・ディレイニー『冷たい家』、Ｗ・ブルース・キャメロン『真夜中の閃光』が収穫だった。前者は古典的なスリラーのプロットを現代版として換骨奪胎した作品で物語構造を分析しながら読むとおもしろい。後者は題名だけだとわからないが、ある日突然脳内に自分は殺されたと主張する男の意識が宿ってしまい、その解明のためにうろうろすることになるという変形の相棒小説である。『冷たい家』はロン・ハワード監督で製作決定、後者は『僕のワンダフル・ライフ』原作『野良犬トビーの愛すべき転生』の作者ということで映画ファンにもご縁のある作品だ。（杉）

　全般的に謎解き趣味の強い作品が人気を博した一月でした。各種ランキング投票も終わり、各社とも年末商戦と共に二〇一八年度に向けてのスタートを切りつつあるように思います。次はどんな作品が選ばれることか。また来月お会いしましょう。（杉）

2011
2012
2013
2014
2015
2016
2017
2018
2019
2020
さくいん

千 川

嘘の木

フランシス・ハーディング／児玉敦子訳
東京創元社

久々に終生忘れられない小説に出会えた。フランシス・ハーディング『嘘の木』だ。今年は、『コードネーム・ヴェリティ』の輝きに、年明け早々早くもベスト1が出たかと驚き、真夏に読んだ『湖畔荘』の堂々たるたたずまいに二〇一七年度はこれで決まりだと思っていたら、最後にとんでもない物語が待ち受けていた。

時代は十九世紀半ば、ダーウィンの『進化論』によってそれまで盤石だと思っていた世界のすべてが変わり世間が震撼する中、旧約聖書に出てきた翼ある民の化石が発見される。だがそれは牧師で高名な博物学者のエラスムス師が捏造したものだった。スキャンダルから逃げるようにドーバー海峡の孤島に移住してきた牧師一家。けれども噂はたちまち島内に広まり、やがて師は不自然な死を遂げる。尊敬する父が詐欺師と罵られ、自殺というキリスト教徒にとって最大の罪を犯したと決めつけられたことに納得できないフェイスは、父の汚名を返上すべく、家族すら理解してくれないという四面楚歌の状況下、真相究明に孤軍奮闘する。観察力と論理的思考、そして父が残した禁断の植物——嘘を養分に育ち、食べた者に真実を見せる実のなる〈嘘の木〉の不思議な力を駆使して。

博物学者になりたいと夢見る十四歳の少女が、女性に対する偏見や差別、因習に雁字搦めにされ追いつめられた末に、迷いを吹っ切り決意し反撃へと転じるシーンが震えが来るほどかっこいい。しかも、ここが肝心なのだけれど、正当派の謎解きミステリとして、おそろしく精緻でシャープに仕上がっているのだ。謎と陰謀を推理して真相を解明する論理展開の隙のなさ、真犯人を指摘する手際の鮮やかさ。いずれも一級品だ。

帯にファンタジーと謳っているけれども〈嘘の木〉の設定以外に超自然的要素は一切なし。これは、知性と魂を押し込められた若者が世界に抗う成長小説であり、不穏な空気が全編を覆うサスペンス溢れる冒険小説でもある間然するところのない傑作なのだ。

刊行されたのは2017年10月20日。こんな傑作を読み逃して各種ミステリ・ベスト企画に投票した不明を恥じつつ、今からでも遅くないと熱烈に推す次第です。（川）

十一月の新刊から一冊選ぶなら、ジョン・ル・カレの『スパイたちの遺産』ということになるだろうが、実は前回の更新までに読み逃していた十月刊の傑作があったのでそちらを紹介したい。キリスト教の伝統とダーウィンの進化論のはざまで揺れる十九世紀イギリスで、ひとりの博物学者が謎の死を遂げる。その十四歳の娘フェイスは、人間の嘘を養分として真実を見せる実をつける木の力を借り、真相究明のため立ち上がった……。ファンタジー的設定を取り入れつつ、女性が社会的にも学問的にも差別されていたヴィクトリア朝の時代相はリアルに綴られており、父を死に追いやった犯人のみならず理不尽な世界そのものと闘うフェイスの姿が印象的に描かれている。また、ミステリなので最後に短く語られるだけとはいえ、結末で明らかになるもうひとりの人物の歩んできた人生も想像すると無性に哀しい気分になる。（千）

吉 酒

雪の夜は小さなホテルで謎解きを

ケイト・ミルフォード／山田久美子訳

創元推理文庫

「くっそ油断した！」と叫んでしまいました。言葉が汚くてすいません。家族経営のホテルで、12歳の少年が、手伝いに来た少女と共に、突然現れた五人の宿泊客とホテルの謎に挑む——というストーリーが、予想通りのゆるふわ展開で進むので、心理的にはすっかり武装解除して読んでいたんです。まあ確かに最初に書かれていた通りのことがわかったときにもちょっと驚いたけどさ。この手の話でこう来るとは思っていなかったんですよねえ……。そして《アレ》があってもなお、少年少女視点の優しいクリスマス・ストーリーとして、本作品は首尾一貫してくれるのです。それがとてもありがたい。主人公の出自や性格に関する屈託を、柔らかくもリアルに描いているのも、とてもいい。やむを得ないこととはいえ、私はこの作品を11月に読んだわけですが、本当は12月（クリスマスか年末）に読んで、優しい気持ちで一年を締めくくりたかったところです。未読の方はぜひ、今月中に。（酒）

『雪の夜は小さなホテルで』は、港の上にある丘に建つホテルへ次々に訪れる怪しい客と奇妙な謎をめぐり、主人公の少年が相棒の女の子とともに探偵行を繰りひろげるという物語。ジュヴナイル向けながら「贅の尽くした数々のアトラクションが評判の小さな遊園地」といったミステリであるとともに、冬の贈り物（クリスマス）ストーリーでもあり、おおいに愉しんだ。そのほか、『寒い国から帰ってきたスパイ』の続編にして、『ティンカー、テイラー、ソルジャー、スパイ』などスマイリーものの最新作でもある『スパイたちの遺産』（早川書房）は、これまでのどのジョン・ル・カレ作品より読みやすいと感じた。現在と過去を行き来する構成や公式文書をおりまぜる趣向など全編凝っていながらも、本筋はこれまでのル・カレ作品となんら変わってない。作品をなんども読みかえしている上、近年映像化が続いており、理解が深まっていることも関係しているのだろうか。（吉）

杉

狩人の手

グザヴィエ＝マリ・ボノ／平岡敦訳

創元推理文庫

みなさんが月遅れとかフライングの作品に走るので、私新刊を独占させていただきます（©ジャイアント馬場）。あ、『スパイたちの遺産』があったか。

猟奇連続殺人を題材にしたこちらの作品、フランス・ミステリーだからまたおかしな仕掛けをしてくるんでしょ？ ルメートルみたいに陰惨な殺人現場とか出てくるんでしょ？ などと先入観をお持ちになる方も少なくないと思うが、いやいや、いたって正攻法の警察小説である。ただ、舞台になるのがフランス・マルセイユであるという点に新味がある。

冒頭でいきなり主人公の刑事が、少年を監禁殺害した殺人犯を逮捕に向かう場面が描かれる。そうした犯罪が頻発する、荒っぽい町なのだ。主人公のミシェル・ド・パルマ警部はオペラ・マニアで（そしてときどき自分でもアリアを朗々と歌う）貴族的な人物と説明されるのだが、殺人犯の心理を理解することにとりつかれている。事件に秘められたシナリオを想像し、脳裏に再現できるのが彼の強みなのである。しかしのめりこみすぎており、そのために妻は家を出てしまった。

この人物が、連続女性殺人事件に取り組む。作品の味付けになっているのは先史文明の洞窟遺跡である。ラスコーのような壁画のある遺跡が、この近くで発見されたのだ。事件の犠牲者は、そうした研究を進めていた学者だった。遺体の一部は乱暴に引きちぎられており、まるで獲物を仕留めた狩人が食らいついたかのようだったのである。さらに現場には手形を記した紙が遺されていた。

基本に忠実に書かれた捜査小説であり、フランスらしい変化球を期待しすぎると肩すかしを食らうと思う。しかしその真っ当さが楽しく、ド・パルマという人物にも愛着を覚える。犯罪都市として描かれるマルセイユも魅力的で、新鮮な印象を受けた。もっと南フランスを舞台にしたミステリーを訳してもらいたいものである。「おフランスなんでしょ」などと敬遠せずに、ぜひ。

月遅れの作品ではもちろん『嘘の木』が素晴らしかったのだが、もう一冊白水社エクス・リブリスから出た『死体展覧会』に注意を喚起しておきたい。作者のハサン・ブラーシムは亡命イラク人作家だ。彼が見聞した故国の事情を、暗いカリカチュアとして綴った短篇集である。暴力と死の支配する世界が非現実感を覚える筆致で描かれており、犯罪小説ファンならばきっとお気に召すに違いない。（杉）

霜

スパイたちの遺産

ジョン・ル・カレ／加賀山卓朗訳
早川書房

まさか『寒い国から帰ってきたスパイ』の続編が登場しようとは！ル・カレは冷戦終結後もさまざまなアプローチで諜報スリラーを精力的に書いてきたが、『ロシア・ハウス』や『ナイト・マネジャー』あたりを最後にル・カレ作品から遠ざかってしまったファンも少なくないように思う。まずもって、そうしたファンは本書を手にとるべきである。何せ主役はピーター・ギラム、アレック・リーマスとジョージ・スマイリーも大活躍。ヘイドンやエスタヘイスやプリドーも顔を出すのだ。映画『裏切りのサーカス』でル・カレに触れた、という読者も、本書はル・カレ作品中で屈指の読みやすさなので、ゲイリー・オールドマンやコリン・ファースやマーク・ストロングを思い浮かべながらお読みいただきたい。なお『寒い国から帰ってきたスパイ』を事前に読んでおいたほうが盛り上がります。

物語の底に熱く烈しい脈動を宿した『寒い国』に比べてしまうと強さの点で一歩ゆずりはするが、静かな悲劇のロマンティシズムがたゆたう本書での情報戦も滋味に富む。『寒い国から帰ってきたスパイ』『スクールボーイ閣下』などと同じく、この『スパイたちの遺産』も、おそろしくピュアなラブストーリーであるところが、ル・カレらしいなあと思うのである。（霜）

北

血のペナルティ

カリン・スローター／鈴木美朋訳
ハーパーBOOKS

発売前の本をここで取り上げるのは厳禁なのだが、今月ばかりはフライングを許していただきたい——という書き出しを考えていたのだが、先月もフライングだったんだって。ホントかよ。

それはすまない。というわけで、カリン・スローターである。

1月の『ハンティング』、5月の『砕かれた少女』、6月の『サイレント』に続いて、12月に『血のペナルティ』が出たのだ。1年間に同じ作家の小説が4冊も出たことを記録に残しておきたいので、フライングする。

今月は確信犯だ。もうすぐ出てくる本書を読んで気がついたことを書いておく。カリン・スローターが書き続けているのは、ヒロイン小説だ。物語の真ん中に「ウィル」という男性刑事がいるので、気がつくまで時間がかかってしまった。ウィルはヒロインたちを映す鏡である。同僚フェイス、女医サラ、ウィルの妻アンジー、上司アマンダ、『開かれた瞳孔』のリナと、ヒロインたちの熱い感情がいつも沸騰している。彼女たちの、この感情こそがカリン・スローターの物語のすべてだ。「カリン・スローターはアメリカの遠田潤子だ」と書いたのも、その道筋を示している。

その文脈で考えれば、本書『血のペナルティ』は、いかにもカリン・スローターらしい作品といっていい。今回大活躍するのは60代の女性3人である。これがすごい。

拷問されても音を上げず、拳銃をぶっ放ち、悪態をつくんだから、元気なアラカン女性たちだ。どこまで行くんだカリン。

もっと多くの読者がこのシリーズを読んでくれれば、第1作『開かれた瞳孔』が翻訳されただけで、第2〜第6作が未訳のままのサラ・シリーズが翻訳される日も来るに違いない。読みたいなあこっちも。（北）

いかがでしたでしょうか。今年も翻訳ミステリーは豊作で、ベストテンを選ぶのにも困ってしまったという人が多いのではないかと思います。七福神は来年でなんと連載百回を迎えます。それに向けて全力で頑張っていきます、といっても本を読みふけるだけなんですが、とにかく応援くださいませ。では来月、新年にお会いしましょう。どうぞよいお年を。（杉）

COLUMN

選択の基準について

北上次郎

フライング、というのがずっとわからなかった。この「七福神」は毎月第二木曜更新（だと思う）で、そのときに紹介する本はその前月に刊行されたもの、というルールがある。だから、たとえば更新日が12日だとしますね。そのときに、その月の1～11日までに刊行された本を紹介すると、「フライング」になる。この仕組みをずっと誤解していた。ちょっと待てよ、といま調べてみた。

翻訳ミステリー・シンジケートの「七福神」の冒頭に、このルール（私が最近気がついたやつね）は明記されていない。「挙げる作品は必ずしもその月のものとは限らず、同年度の刊行であれば、何月に出た作品を挙げても構わない」とあるだけだ。それでは当月に出たものを取り上げるのはフライングだ、というのは「内規」なのかもしれない。

私は小説推理に毎月翻訳ミステリーの新刊評を書いている。この時評が始まったのは、１９７８年1月号からなので、いまは43年目に入っている。この時評はこれまで3冊にまとまっている。『冒険小説の時代』『ベストミステリー10』『極私的ミステリー年代記』という3冊だ（最後の本は上下巻なので、4冊になってしまうが）。１９７８年から２０１２年までの35年間については、この３冊（４冊）で概観できる。

ええと、なんの話だ。小説推理の時評と、この「七福神」の関係の話である。小説推理の締め切りが毎月10日前後。だから、小説推理におけるイチオシ本とこの「七福神」のおすすめ本が重なるケースが多い。

でも、いつも同じではなあと、意識してズラす場合がある。ＳＦの要素が入っている作品は小説推理のほうでは控えるが（ＳＦの評者がほかにいらっしゃるので）、この「七福神」では遠慮なく取り上げるし、締め切りが微妙にズレているので、その間に読んだ本を取り上げることもあったりする。そうすると、同月に更新、発売ながら、違う作品をイチオシすることにもなる。まったく同じではないのである。ちなみに、この1年はきちんと理解したので、フライングはしていないと思う。

十年間のベスト

千街晶之

　自身が書評七福神で選んだミステリの中から、一作家一作品という基準で十作を選出することにしたが、過去に選んだ小説をゲラで振り返ってみると、何故これを選んだのかよく思い出せない作品や、どんな結末だったか忘れている作品まであって、自分の記憶力の覚束（おぼつか）なさに我ながら呆れ返る。逆に言うと、そんな私でも読後感をはっきり記憶している作品は、とりもなおさず十年間のベストに選ぶに値する傑作ということだ。というわけで、選出したのが左の十作。

1　ニック・ハーカウェイ『エンジェルメイカー』
2　フェルディナント・フォン・シーラッハ『刑罰』
3　ラヴィ・ティドハー『完璧な夏の日』
4　陳浩基『13・67』
5　フランシス・ハーディング『嘘の木』
6　ベン・H・ウィンタース『世界の終わりの七日間』
7　C・J・チューダー『白墨人形』
8　アンソニー・ホロヴィッツ『カササギ殺人事件』
9　ジャック・ヴァンス『宇宙探偵マグナス・リドルフ』
10　チャイナ・ミエヴィル『都市と都市』

　こうして見ると、大がかりな謀略戦とSF的な奇想が機知溢れる語り口で展開される超大作の1、史実の裏側で特殊能力を持つ各国の超人諜報員たちが暗躍する歴史改変エスピオナージュの快作3、迫り来る世界の終焉を前にしても真実を突きとめることを諦めない探偵の生き方を描いた6（ベストテンに入れたのは『地上最後の刑事』『カウントダウン・シティ』と合わせた三部作まとめての評価と考えていただきたい）、トリッキーな趣向満載のSF本格ミステリの9、不条理なまでに異様なシチュエーションの架空の都市における犯罪捜査を描いた10と、自分でも驚くほどSF色の濃いラインナップとなった。基本的には時代ミステリながら、幻想的特殊設定が一カ所だけ取り入れられた5もその系列に含められるかも知れない。リアル志向よりは、隅々まで作り込んだ世界観のもとで繰り広げられる人工的な幻想の物語への偏愛が私の根底にはあるようだ。

それ以外の作品について触れておくと、シーラッハは日本初紹介作の『犯罪』でも良かったけれども、そこから更に進んだ境地と判断して『刑罰』のほうを選んだ。本格的に紹介されるようになった華文ミステリでは、逆年代記構成で香港警察の歴史を綴った4が最も水準が高い（同じ作者の『ディオゲネス変奏曲』も理想的な短篇集だったが）。7はひたすら暗鬱な話だけれども、展開といいキャラクター造型といい語り口といい、何もかもがとことん私好み（私の最愛の映画であるフィリップ・リドリー監督の『柔らかい殻』に通じる何かを感じる）。ベストセラーとなった8については特に説明の必要はないかも知れないが、ある意味、現代のイギリス本格のイメージを一変させた作品であると思う（詳しくは別ページのコラムを参照していただきたい）。

なおこの十作、三位以降はその時の気分によって順位が変わる可能性があるが、一位と二位は別の機会に選んでも動かない気がする。かたや壮大にして饒舌なポケミス史上二番目に厚い長篇（文庫版は三分冊）、かたや極限まで無駄なく研ぎ澄まされた筆致で人間心理の深淵と社会の不条理を抉った短篇集と、両極端にも程がある作風だが、いずれも現代の海外ミステリの到達点だと思う。

他にベストテン候補として思い浮かんだ作品は、ジャック・カーリイ『ブラッド・ブラザー』、ジェフリー・ディーヴァー『バーニング・ワイヤー』、ケイト・モートン『秘密』、ロジャー・ホッブズ『ゴーストマン　時限紙幣』、トニ・ヒル『死んだ人形たちの季節』、アダム・ロバーツ『ジャック・グラス伝　宇宙的殺人者』、ミシェル・ビュッシ『黒い睡蓮』、ベルナール・ミニエ『魔女の組曲』といったあたり。どうも、ベストテンに選んだ作品よりこれらの作品のほうが多くの読者に受け入れられやすいのではという気がしないでもない。ここからややマイナーな一作を挙げておくと、『死んだ人形たちの季節』はスペイン産フーダニットの収穫として、もっと話題になっても良いと思っている。

2018年

2018 1月

千霜酒

蝶のいた庭

ドット・ハチソン／辻早苗訳
創元推理文庫

この作品は、あまり内容について事前に知らない方が良い。富豪の殺人鬼（妻子持ち）が、若い女性をたくさん誘拐して豪華な庭園で幽閉し、彼女らが若く美しい頃に順次殺していく。そのような地獄で飄々と生きていた女性被害者マヤが、助け出された後で捜査官の事情聴取を受ける。それを描いた小説であり、事件の全貌がじわじわ明らかになってくる。それ以上は、ご自分で読んで確認していただきたい。ヒロインの人物像がとても魅力的なうえに、《信用できない語り手》の味わいもある。蠱惑的なサスペンスとして高く評価したい。（酒）

カリン・スローターの『血のペナルティ』が快作だったけど北上次郎氏がフライングで先月挙げちゃったからなあと悩んでいたら、これが出てきてぶっ飛んだ。「女性に降りかかる悲惨」推しの拷問ポルノ系イヤミスかと思いきや、心折られても

立ち向かってゆこうぜ！　という不屈さに重点を置いた戦う女性の物語だったのだ。だから『コードネーム・ヴェリティ』『音もなく少女は』『プリズン・ガール』『真紅のマエストラ』、あるいは「ミレニアム」シリーズやカリン・スローターの諸作などと併せ読まれてほしい。

　富裕な快楽殺人者が女性たちを幽閉する人口庭園に閉じ込められた主人公が、同じく囚われの女性たちとともに絶望的な境遇をサヴァイヴしようとする。分厚く書かれた監禁前の物語がやがて意味を持つのもいい。かつてミステリやスリラーの世界では「男たちの絆」ばかり語られてきたが、本作で誇らしく謳われるのは女性たちのシスターフッドだ。自分の尊厳のために戦うことに性差など関係ないし、「自分の身体を自由にするための戦い」のテーマは女性を主人公にしたほうが説得力をもって鋭く立ち上がるのである。陰惨なできごとの末に訪れるラストは、それゆえに希望に満ちている。

「蝶のいる庭」のおぞましくも奇妙に美しいヴィジョンも忘れがたく、この著者には注目したい。　（霜）

「庭師」と呼ばれる男に監禁されていた女性たちが救出された。そのひとりの口から、世にも美しい庭園を舞台とする、想像を絶する監禁生活の全貌が語られはじめた……。監禁の目的、犠牲者たちの運命、一同が迎えた結末、すべてを最初は曖昧な状態にしておき、少しずつ全貌を明らかにしてゆく語り口が得体の知れない不安感を醸し出すサスペンス小説だ。主人公がエドガー・アラン・ポオにたびたび言及することからも、本作の発想源のひとつがポオの短篇「アルンハイムの地所」であろうと想像はつくが、日本の読者にとっては、本作は江戸川乱歩の『パノラマ島奇譚』や『蜘蛛男』や『大暗室』を裏返しにしたような話と紹介するのが一番わかりやすいかも。拉致された犠牲者の視点から、人見廣介や蜘蛛男や大曽根竜次の像を描けばこの作品のようになるのでは、と。　（千）

吉 北

ニューヨーク1954

デイヴィッド・C・テイラー／鈴木恵訳
ハヤカワ文庫NV

　赤狩りの嵐が吹き荒れる不安と恐怖の時代を描く長編だ。警察内に腐敗と賄賂が横行する中で、主人公のキャシディはそういう腐敗警察官を窓から放り投げる（！）から勇ましい。個性豊かな人物が次々に立ち現れるのもいいし、肉感的なロマンスも忘れがたい。異色の警察小説として続編への期待も大だ。　（北）

〈赤狩り〉による暴力とその恐怖や不安が支配していた五〇年代ニューヨークを舞台とした犯罪小説である。起伏ある話運びでぐいぐいと読ませる一方、ブロードウェイの舞台、ジャズクラブ、バーなどの雰囲気がよく書けている。都会の夜の空気感が伝わってくる作品なのだ。また、ハリウッド映画を思わせる映像的な場面が随所で展開されているのも読みどころ。そのほか、エドワード・ケアリーによる〈アイアマンガー三部作〉が『肺都』でめでたく完結した。奇想あふれる世界と驚きの展開に圧倒されたまま最後の頁までひきずりこまれてしまった。いつかまた最初からじっくりと細部を味わいながら読み返したい。　（吉）

川

偽りのレベッカ

アンナ・スヌクストラ／北沢あかね訳
講談社文庫

例年、年間ベストテン企画が発表される十二月は、割と小粒な作品が多くて選出に苦慮するのだけれども、今年は逆に面白い作品が多くて困ってしまった。エドワード・ケアリー『肺都』（東京創元社）、コルソン・ホワイトヘッド『地下鉄道』（早川書房）、ダヴィド・ラーゲルクランツ『ミレニアム5　復讐の炎を吐く女』（早川書房）は、いずれも年間ベスト級の大作で他の月だったらこれらのいずれかで決まりだろう。けれどもそれらを凌ぐ傑作が二作あって、最後まで悩んでしまった。一つは、おぞましくも美しき〝楽園〟での生活と崩壊へと至る顚末を描いたドット・ハチソンのうなされるようなサスペンス『蝶のいた庭』（創元推理文庫）。そしてもう一つが、アンナ・スヌクストラによる失踪した娘を巡る全編ちりちりとした感触がつきまとうサスペンス『偽りのレベッカ』だ。

結局後者を選んだのは設定の新規さに唸らされたからだ。というのも、長年行方不明だった人物の突然の帰還により物語の幕が開き、やがて事件がというパターンを逆手に取った作品なのだ。万引きの現行犯で捕まった主人公の「私」は、窮地を逃れるために、十一年前に誘拐されたレベッカだと名のる。失踪した娘と瓜二つだった彼女は、かくして家族と感動の対面を果たし、レベッカになりすますが……。

同じく失踪した娘の帰還に端を発する〈銀の仮面〉テーマで、鏡像のような作品に仕上がっている、十一月に刊行されたエイミー・ジェントリー『消えたはずの、』（ハヤカワ文庫NV）と読み比べてみると面白いですよ。（川）

杉

肺都

エドワード・ケアリー／古屋美登里訳
東京創元社

壮大な物語がついに完結。三部作が一年強という短期間で刊行されたことは訳者の膂力もさることながら、小説を支持した読者がいたからこそだと思う。幸福な形で本が世に出たことを心から喜びたい。

今回の題名にある〈肺都〉とはロンドンのことで、最終作にして物語の舞台は首都そのものに移る。もう一度おさらいをしておくと、第一作『堆塵館』はロンドン郊外にアイアマンガーが築いた巨大なゴミの帝国とその居館における、ボーイ・ミーツ・ガールの物語であった。第二作『穢れの町』ではそのアイアマンガー一族の城下町に舞台が移り、権力によって引き離された主人公たちの再会までが描かれる。第一作を密室劇とすれば第二作は市街戦である。この『穢れの町』で、遠く離れた地に見えていた首都、及び世俗権力が現実の脅威として存在感を増してくる。その結末を受けて、本作はロンドンの物語となったわけだ。霧の都どころか、闇の都と化したロンドンだ。周縁から中心に、お伽話の如き虚構から読者のいる現実へと主人公たちは接近してきたわけであり、自分の意志によって行動することと地図上の移動とが本作では重ね合わされている。素晴らしい冒険小説であった。

他の方ががっしがし書いているはずなので重複は避けるが、２０１７年12月は年末としては稀に見る豊作月であった。『肺都』がなければ間違いなく推していた『ミレニアム5　復讐の炎を吐く女』は、別の作家によって書き継がれたシリーズ作品としては出色であるだけではなく、ページターナーのおもしろさを備えたスリラーとして強く推奨しておきたい。短篇集の必読はディーノ・ブッツァーティ『魔法にかかった男』。20編中19篇が初訳というだけでも嬉しいのに、この後二冊はブッツァーティの作品集を出すことが決まっているらしい。全国のブッツァーティ・ファンが東宣出版にありがとうの大合唱をしているのが聞こえる。（杉）

というわけで年初から濃いラインアップとなりました。書評七福神は今年もどんどんよい翻訳ミステリーを紹介していきますので、どうぞごひいきに願います。（杉）

2018 2月

千 川

贖い主　顔なき暗殺者

ジョー・ネスボ／戸田裕之訳
集英社文庫

ジョー・ネスボの《刑事ハリー・ホーレ・シリーズ》が面白いのは、北欧ミステリの伝統に則ってノルウェーの社会問題を描きつつも、それらはあくまでも背景に留めて主人公ハリー・ホーレと犯罪者との対決に的を絞ったエンターテインメントを書いているからだ。彼は、高度に発達した福祉国家の内面を照らして社会や政治の欠陥を剔出し、批判的な検討を試みるという北欧犯罪小説のお家芸を会得した上で、アメリカン・ミステリの筆法を用いる。複雑精緻に組み上げられたプロットの上で、不可思議な謎に彩られた派手な事件にタフなヒーローが挑み、二転三転した末にあっと驚く意外な真相を解き明かすのでミステリ・ファンの心をこれでもかとばかりにくすぐってくれるのだ。

六作目となる『贖い主　顔なき暗殺者』でハリーが対決するのは、クロアチア共和国からやってきた〝顔なき殺し屋〟だ。まるで映画のアバンタイトルを見るかのようにスムーズに場面を切り替える導入部で描かれるハリーと救世軍士官と殺し屋の三本のエピソードは、衆人環視の中での射殺事件を契機に収束し絡み合い一本の太い流れとなり勢いを増して突き進む。核となるアイディアのシンプルで隙のない美しさと用意周到な犯行計画は、騙しの天才ジェフリー・ディーヴァー作品に匹敵するといっても過言ではない。

長らく入手困難だったシリーズ三作目の『コマドリの賭け』がめでたく今月集英社文庫から復刊し、『ネメシス　復讐の女神』『悪魔の星』と続くハリーと宿敵との対決を描いた三部作を始めから味わえるようになるので、シリーズ未読の方もこれを機に手に取って味わってみてはいかがでしょうか。

今月はジェームズ・ロバートソン『ギデオン・マック牧師の数奇な生涯』（田内志文訳／東京創元社）も大変面白かった。狭義のミステリではないけれども、神を信じない牧師が遺した悪魔との邂逅を核とする数奇な一生の記録は、猥雑で不可思議で独特のユーモアと風刺の効いた先の読めない豊かな物語です。（川）

街頭コンサート中の救世軍メンバーが射殺された。衆人環視にもかかわらず犯人を特定する証言が得られないという奇妙極まりない状況に、ハリー・ホーレ警部は疑問を抱く……。巧妙な視点の切り替えによってテンポ良く進むストーリー、ハリーをはじめとする登場人物たちが背負う「贖い」のテーマの重厚さ、捜査の進展のサスペンスフルな描写、ハリーと対決する殺し屋視点の物語の予想を超える展開などもさることながら、読者をさんざん引っぱり廻した果てに姿を現す異形の真相にはとにかく驚いた。これまでに邦訳されたネスボの作品中でも最高傑作だと思う。（千）

酒 霜

アルテミス

アンディ・ウィアー／小野田和子訳
ハヤカワ文庫ＳＦ

重力が地球の6分の1の月面にある、直径500メートルの都市を舞台にした、クライム・サスペンス&アクションである。筋立ては王道、キャラクター造形も魅力的ではあるが類型的な面があるのは否めない。しかしながらそれらが徹頭徹尾、活き活きとしているのを偉とすべきだ（これには主人公の闊達な語り口も貢献度大だ）。加えて、月を舞台にしているという設定を、科学的にも社会学的にも本当にうまく扱っている。月ならではの突拍子のない事態が折に触れて起きるので、興味が惹きつけられてしまう。犯罪小説としては常套的な部分なしとはしないのだが、道具の使い方が秀逸で、飽きる暇がない。『火星の人』で、一人の男がサバイバルするだけの話を面白く読ませた作家だけのことはある。ＳＦファンにもミステリ・ファンにも強く薦めたい作品だ。（酒）

最高にゴキゲンな冒険スリラーの登場だ。富裕層のリゾート地でインフラの下支えとして裏町に住む女性が、大金で破壊工作の実行を依頼される序盤から、あとは一気にアクションと策謀と反撃の怒涛が！　というとよくある話に聞こえるかもしれないが、舞台は月面なのである。都市の外はもちろん真空で、破壊工作もそこで行なわれるし、肉弾戦も月面の低重力下で展開する。月面都市の設定も（その社会システムこみで）物語と不可分になって活かされているし、下巻三分の二以降の危機また危機また危機の連続は圧巻で、危機のアイデアと克服のアイデアがみっしり詰まっている。

主人公がありがちなマッチョではなく、近頃のスリラーのトレンドである「ワルい（badassな）女子」なのも痛快で、彼女に加えて年齢も立ち位置も身体的な強さもさまざまな「girl」たちが物語の要所要所で根性を据えてカギを握るのがまた良い。前作『火星の人』で、火星を舞台にすることで「敵としての自然」を取り戻したスリラー作家・ウィアーの姿勢は本書でも揺らいでいない。威勢のいい女子一人称が物語の楽しさを増幅していると思うし、それは伸縮自在の見事な訳文の手柄でもあると思います。ぜひともワルい感じのガールズ・ロックをラウドに鳴らしながらお楽しみください。あ、そうそう、気のいい非モテ系ギーク男子も大活躍するよ！（霜）

北 吉

オンブレ

エルモア・レナード／村上春樹訳
新潮文庫

50年以上前の西部小説がいまごろ翻訳されるなんて訳者のおかげだろう。西部小説のファンとしては嬉しい。7人が乗った駅馬車を悪党たちが襲ってくる。これは、ただそれだけの話だ。にもかかわらず、いやあ、面白い。それはひとつひとつのシーンが屹立しているからだ。銃をかまえる男の印象深いシルエット、切れのあるアクション、激しい銃撃戦と静かな余韻の対比。すべてが素晴らしい。（北）

まさかエルモア・レナードのウェスタンが日本語で読めるようになるとは思わなかった。西部劇の典型と言える要素と話運びで成り立ってはいるものの、一読しただけではつかみきれない「何か」がどこまでも残っている傑作だ。訳者が指摘しているとおり、まさに神話である。一月はインド映画「バーフバリ」とともに神話の世界をとことん堪能した月だったのかもしれない。そのほかモンス・カッレントフト&マルクス・ルッテマン『刑事ザック　夜の顎』は、新たなスウェーデンの警察小説シリーズ第一弾。異色な刑事が活躍する派手な展開だっただけに、今後も愉しみだ。（吉）

杉

アイリーンはもういない

オテッサ・モシュフェグ／岩瀬徳子訳
早川書房

先月川出さんが1位に推した『偽りのレベッカ』といい、評判のいい『蝶のいた庭』といい、このところ少女が行方不明になる小説ばかり読んでいる気がする。題名からこれも同種の小説かと思って手に取ったのだが、そうではなく、一人の女性の生涯を描き出して強烈な印象が残る肖像小説だった。

「わたしはバスでよく見かけるような娘だった」という述懐から始まる。主人公のアイリーンは地味な外見からは想像できないほどの激烈な感情を内に宿した女性だった。彼女は酒浸りの父親と荒廃した部屋で暮らしていたが、ある日突然家を出る。「これはわたしがどうやって姿を消したかについての物語だ」と一章の終わりで宣言されているように、語り出しから出奔までの一週間と、その後老境に入って過去を回想している現在までの空白とが巧みな語りによって埋められていく。読むほどにアイリーンという主人公像に魅入られ、あっという間に読了してしまった。普通小説だが、謎の牽引力で読者を惹き付ける、ミステリーの要素が強い作品である。（杉）

訳者と作者の組み合わせが意外な一冊や、話題SF作家の邦訳第二作、ノルウェーのミステリー・マスターと、今月もバラエティに富んでいました。来月もまた、この欄でお会いしましょう。（杉）

吉 千 酒 川

そしてミランダを殺す

ピーター・スワンソン／務台夏子訳
創元推理文庫

「人は誰だって死ぬのよ。少数の腐った林檎を神の意志より少し早めに排除したところで、どうってことないでしょう？　あなたの奥さんは、たとえばの話、殺されて当然の人間に思えるわ」。離陸直前の機内でリリーがテッドに向かってこう言い放つのを読んだとき、背筋がぞぞっとした。怖ろしくてじゃない、傑作の予感が確信に変わったからだ。空港で偶然出会った見知らぬ美女リリーに、浮気している妻ミランダを殺したいとこぼしたテッド。二人の殺人計画は順調に進んでいく。だが、しかし、とんでもないことが起きるのだ。この想定外の展開に思わず本を落としそうになった。なんなんだ、この話は！　しかも、それだけで終わらないのだよ。いやこれ以上は書けません。出来るだけ予備知識を入れずに読むことをお薦めします。

一種吹っ切れた爽快感とともに読み終えた後、『００７　ゴールドフィンガー』の有名なエピグラフ「最初は行きずり、二度目は偶然、三回目からは仇同士」を想起した、とぐらいは言ってもいいだろう。

あと、先月の作品ですがアリ・ランド『善いミリー、悪いアニー』（ハヤカワ・ミステリ文庫）もぜひ。連続殺人犯でありわが子をも虐待し続けた母親に対する相反する二つの感情――嫌悪・恐怖・憎悪と憧憬・敬意・愛情――が同居する十五歳の少女の、善と悪との間で揺れる心境を、淡々とした一人称で描ききった筆力に圧倒された。最後まで緊張感が持続し、一瞬たりとも気が抜けない。こういうサスペンスは大好物です。

共感など出来なくても読書は十二分に愉しい、ということを再認識した二月でした。（川）

妻（ミランダ）の浮気に気付いた夫が、殺人を計画する。これだけなら、よくある話でしかない。一応本作には、夫を焚きつける女性リリーが最初からいるので、彼女が《意外性》をもたらすカギになることは容易に予想がつく。というわけで、割と冷めた目で読み進めたのだが、どうもこのリリーが予想以上におかしい。ミランダ殺害計画そっちのけで、自分の少女時代の話を一人称で述懐し始め、徐々に、彼女がサイコパスめいた人格を有していることが判明する。人を殺した実績もあるよ。そしてそれに驚くいとまもあらばこそ、今度はミランダ殺害計画の方で、リリーが与り知らないうちに、とんでもない事態が生じるのだ。これに、特異なキャラクターのリリーがどう対処するかが、作品後半の焦点となる。リリーだけではない、丁寧な登場人物の描写をベースに、ひねりの効いたストーリーが緊迫感に満ちて展開する。緩急も自在であり、いつの間にか夢中にさせられるはずだ。筆致は落ち着いているのに熱中できる。そんなタイプの作品です。（酒）

旅先でたまたま知り合った相手に、浮気をしている妻に対する殺意を打ち明けてしまう……という発端からスタートするミステリといえば、交換殺人ものの古典、パトリシア・ハイスミスの『見知らぬ乗客』を思い出す。そもそもの設定でハイスミスを想起させておきながら、開巻三ページ目で『殺意の迷宮』を「ハイスミスの最高傑作とは言えない」と評しているのだから、ピーター・スワンソン、大した度胸の持ち主である。しかしその後の展開は『見知らぬ乗客』とは全く別の方向へ疾走し、視点の切り替えによる怒濤のどんでん返しで読者を翻弄する。どうやって収拾をつけるのかと不安になった頃に、言われてみればそれしかないという結末を提示してみせる手さばきもお見事。　（千）

今年最初の大収穫として挙げたい傑作。男が空港のバーで知り合った相手に殺人計画を語るという、冒頭こそハイスミスの名作のごとき交換殺人スリラーを匂わせているが、章が変わると、ある語り手の忌まわしい過去が明かされていくなど、一筋縄ではいかず、ぐいぐいと作中に引き込まれてしまう。それどころか……。いや、本作は情報をあまり入れずに無心で読みすすめたほうがより楽しめるに違いない。海外サスペンス好きなら文句なしにお勧め。同じ創元推理文庫の二月刊では、すでに時効が成立した二十五年前の未解決事件を元捜査官が調べ直す警察小説、レイフ・GW・ペーション『許されざる者』も読みごたえがあった。また、夫婦が体験した極地における壮絶なサバイバルとその顛末を綴ったイザベル・オティシエ『孤島の祈り』は、生々しい描写の数々に圧倒され、読み終えたあとも長く忘れられない一冊となった。　（吉）

杉 **北**

サイレント・スクリーム

アンジェラ・マーソンズ／高山真由美訳
ハヤカワ・ミステリ文庫

訳者あとがきを先に読んだら、この著者のオールタイム・ベストに、カリン・スローターの「グラント郡」シリーズの第5作（未訳だ！）があがっていた。おお、素晴らしいじゃないか、と読み始めたら、中身も素晴らしい。

なによりもヒロインの個性が圧巻なのだ。規律を乱し、乱暴で、無軌道に見えるヒロインの行動の裏に、熱い感情が眠っている。この熱さはただごとではない。そうか、だからこの著者はカリン・スローターに惹かれるのか。このヒロインを主人公にしたシリーズは第7作まで書かれているというので、ぜひとも続刊も翻訳してほしい。「グラント郡」シリーズは第1巻だけハヤカワ文庫で出たけれど、結局続刊は出なかった。その轍を踏まないでほしい。　（北）

自分が解説を書いた『許されざる者』を外すと、今月は『そしてミランダを殺す』と『サイレント・スクリーム』の一騎打ちとなった。どちらも、読み出したら止まらなくなったという共通点があって大いに弱る。結局は、先に読んだほう、ということで『サイレント・スクリーム』に決めた。いや、もう一つある。この本、「翻訳メ〜ン」（※）の収録前夜にふと手に取ったら止められなくなって読み切り、そのとき取り上げるつもりだった本と差し替えたという経緯があるのだ。つまり、夢中にさせられた。

一口で言えば刑事が難事件に取り組む話である。このキム・ストーンという主人公の造形が素晴らしく、キャロル・オコンネルのキャシー・マロリーや、スティーグ・ラーソンのリスベット・サランデルを思わせる、周りと協調するのは大の苦手だけど、信念のままに突き進んで誰にも負けない、というキャラクターなのだ。もう、それだけでご飯一杯いける。

もちろん内容も素晴らしく、現在進行形で起きている事件の謎を解くためには十年前に何が起きたかという過去の闇を晴らさなければならないという構造になっており、二つの推理が楽しめる。きちんとした犯人当てになっている点には感心したし、読者を驚かせようという意欲を感じるのもいい。アクションだけでなんとなく解決してしまうような展開ではなく、主人公が推理をしているというのが読者に伝わってくるのである。私が徹夜で読み切ったのはその点に魅了されたのだと思う。キム・ストーン、すてき。女性版のダルジール警視みたいに部下をこき使うところも好き。（杉）

霜

許されざる者

レイフ・GW・ペーション／久山葉子訳
創元推理文庫

脳梗塞でリハビリ中の元敏腕老刑事がすでに時効を迎えた未解決少女殺しの個人的捜査に乗り出す――というスウェーデン産警察小説。多数の賞を受賞した作品であり、また同地の警察小説作家として高名な著者によるとの惹句はあれど、正直この種の欧州型警察小説にはやや食傷気味なので平らかな気持ちで読みはじめたら、心地よいリズム感とエンタメ感がスウィングする快作であった。

何よりユーモアとキャラがいい。すでに主人公が警察を引退しているのでダニエル・フリードマンやL・A・モース『オールド・ディック』を思わせる老人ハードボイルドの気配も漂っているし、老練の人脈を駆使して動員する多彩なキャラたちの活躍の楽しさは探偵チームもののようでもある（僕のお気に入りは屈強なロシア人のマックスくん）。近頃の欧州系警察小説に自分が感じてきた不満の核心はユーモアの欠如だったのだと本書を読んで気づいた。『特捜部Q』並みの注目を受けていいシリーズだと思います。ぜひこの作家のさらなる紹介を。（霜）

三つ巴の闘いとなった月でした。二月からもう年間ベスト級の作品という声が上がるなど、昨年にも増して豊作の予感がします。ますます目が離せませんよ。来月もどうぞお楽しみに。（杉）

※YouTube「杉江松恋」チャンネルの書評番組。

吉 千 酒 川

乗客ナンバー23の消失

セバスチャン・フィツェック／酒寄進一訳
文藝春秋

素晴らしい、素晴らしいよ、セバスチャン・フィツェック！『治療島』で衝撃のデビューを飾りサイコ・スリラーで名を馳せた作者が、〈サイコ〉の三文字を外して発表した『乗客ナンバー23の消失』は、〈閉鎖空間タイムリミット・サスペンス〉としてちょっと類を見ないくらいに面白い。『アイ・コレクター』の翻訳から早六年、待った甲斐がありました。

　舞台は大西洋横断中の豪華クルーズ船〈海のスルタン〉号。文化も社会階層も異なる三千人を超える乗員・乗客が運命を共にするこの〈小都市〉で、五年前に囮捜査官マルティンの妻子が姿を消した。そして今また別の母娘が行方不明となり、八週間後に少女だけが目撃される。彼女はマルティンの息子が大切にしていたテディベアを手にしていた。洋上のクローズド・サークルで一体何が起きているのか？

　待ったなし、逃げ場なし、おまけに警察機構なし。あるのは策謀と欲望、監禁と殺人、そして油断のならない乗員と乗客。騙し絵の中に騙し絵を潜ませ、読者の予測をことごとくかわして、斜め上から驚愕の真相を放つセバスチャン・フィツェックのあざといまでのテクニックとストーリーテリングを思う存分堪能しました。内容に反して、決して暗くないお話に仕上げている点もグッド。もっとも明るいというのともちょっと違って、あっけらかんとしたえげつなさとでもいいますか。本質的にヒューマニストで実は健全な嗜好の持主なんだろうなあ、セバスチャン・フィツェック。

　今月はマルク・パストルによる、《グラン＝ギニョル》のようなビザールかつダークな背徳の犯罪小説『悪女』（創元推理文庫）もお薦め。全知全能の語り手を務める死神の、しれっとした、それでいて不思議な慈悲の漂う語り口がたまりません。（川）

海外版伊坂幸太郎とも言うべき『マイロ・スレイドにうってつけの秘密』も素晴らしかったが、あちらはちょっとミステリ度（事件事故と言ってもいい）が低いので、誰がどう見ても謎と解明があるこちらの作品をチョイスした。

　こちらは、読む前にあまり情報を入れない方がいいタイプの作品である。フィツェックの訳出は久方ぶりな気がするが、心理的な事象の扱いの上手さはそのままに、ミステリ／サスペンスとしての話の盛り上げは随分と熟達した。まず題材が魅力的である。豪華クルーズ船で多発する行方不明客、なんて、これだけで読む気になりませんか。そのうえで、作者は、複数プロットの並行を巧みに手繰って、意外な展開も随所で用意し、蠱惑的な謎、手に汗握る緊張感、鮮やかな解明を華麗に演出してみせる。各種登場人物の「わけあり」設定の有効に活用して、話に深みを持たせているのも◎。読者よ、お楽しみあれ。（酒）

船上という閉鎖空間で事件が続発するミステリといえば、アガサ・クリスティーの『ナイルに死す』、ジョン・ディクスン・カーの『盲目の理髪師』、ヘレン・マクロイの『ひとりで歩く女』など数多くの先例が思い浮かぶけれども、「安心して乗っていられない船ナンバーワン」は、『乗客ナンバー23の消失』の舞台となる〈海のスルタン〉号かも知れない。捜査官の妻と息子は船上から消え、行方不明だった少女は2カ月後に突然姿を現し、船長らはその揉み消しを図り、少女の母親は何者かに監禁され、船員がメイドに暴力を振るっているのを泥棒が目撃する……絶対にこの船にだけは乗りたくないという気分になる。多くの登場人物の視点が目まぐるしく切り替わ

り、章の切れ目ごとに次の章への絶妙の「引き」を用意してサスペンスを盛り上げ、そして結末にはこれでもかと言わんばかりの連続どんでん返し……豪華客船というよりはジェットコースターの乗り心地に近いミステリで、読後ぐったりと疲れるけれども面白さは保証つきだ。（千）

「乗客の失踪があいつぐ豪華客船」で新たに巻き起こる怪事件。この設定だけで面白さの大半は保証されているのではないか。どこまでも油断できない食わせ物である作者フィツェックならではの「お楽しみとおどろき」がつまっている。それも最後の最後まで。これはもうページをめくって、そこにたどり着いた者しか味わえない。そのほかジム・トンプスン『殺意』は、作者の未訳作のなかでも、もっとも読みたかった一作である。なにしろ全十二章の語り手がそれぞれ異なるという試みで書かれているばかりか、舞台となっている町の人口が「1280」人であるなど、トンプスンの代表作に通じる要素、主題をふんだんに読み取ることができるのだ。ほかに、ニューヨーク市警の汚職警官をめぐる一大絵巻ドン・ウィンズロウ『ダ・フォース』は期待どおりの読み応えだ。（吉）

杉 アベルVSホイト

トマス・ペリー／渡辺義久訳
ハヤカワ文庫NV

初めに書いておくが、セバスチャン・フィツェック『乗客ナンバー23の消失』は素晴らしい。今月の作品でも別格だと思う。帯の惹句などを見ると衝撃的な結末のほうにばかり目が行ってしまうが、この作品の良さは各章の切れ場の引っ張り方や重要証言の解釈など、細かい技巧がいちいち優れている点にある。新本格と呼ばれた作品群がお好きな方なら間違いなく嵌まる一作だ。話題のドン・ウィンズロウ『ダ・フォース』も、悪徳警官ものをこの長尺で読ませてしまう筆勢に圧倒される。これまた必読の良作。

個人的に掘り出し物と感じたのはマシュー・ディックス『マイロ・スレイドにうってつけの秘密』で、他人には言えない秘密を抱えた孤独な男が、同じように孤独な女性を救うため一人がんばる話で、ロード・ノヴェルとしてもしみじみおもしろい。「明日に向かって撃て」の結末が変わってくれたらいいのに、と念じながら主人公がビデオを観る場面は、どんな青春小説にも負けない名場面だと思う。あと、遠い町のホテルでネーナの「ロックバルーンは99」をドイツ語で歌うことになる場面も。これだけだとどんな小説だかわからないと思うが、気になったらご一読をお薦めする。

というわけで結局一推しにするのは、懐かしやトマス・ペリーの犯罪小説である。ベテラン探偵と腕利きの殺し屋、どちらも夫婦でペアを組んでいる同士が一つの事件を巡って死闘を繰り広げる、という内容で、これだけだとありきたりなアクション小説に聞こえてしまうと思う。しかし中盤からトマス・ペリーらしい先を読ませぬ展開が待っており、読者はあらぬ方角へと連れ去られてしまうのである。この感覚が何に似ているのかを言い表すのはとても難しく、下手をするとネタばらしをしてしまうことになる。第九を演奏しているから交響楽団の演奏だと思って聴いていたら、実はフランキー堺と

シティ・スリッカーズだった、というような感じか。ちょっと違うか。「サタデー・ナイト・フィーヴァー」だと思って観ていたら「サタデー・ナイト・ライブ」でジョン・ベルーシが出てきました。いや、それも違う。要するに肩すかしが巧く、その後に読者を破顔させずにはいられない一手が待っているのである。好きにならずにはいられない小説であった。2月末の作品だが、あえて推す次第である。（杉）

北　エヴァンズ家の娘

ヘザー・ヤング／宇佐川晶子訳
ハヤカワ・ミステリ

今月は、年間ベスト1級のフィツェック『乗客ナンバー23の消失』（文藝春秋）があり、この面白さは本当に素晴らしいが、ここでの票を集めると思うので、あえてこちらにしたい。

本書の良さは、節度だ。直接的な描写を避けていることに留意。現在の話と、64年前の話を交互に描き、こういうのはどこかで繋がるものだが、どこで繋がるんだろうと思っていると、ラスト近くで呆然。ここで繋がるのか。しかしその割に不快感を覚えずに済んだのは、著者の注意深い節度のためである。（北）

霜　ダ・フォース

ドン・ウィンズロウ／田口俊樹訳
ハーパーBOOKS

ウィンズロウによる本書、もう話題作なのでリー・チャイルドの安定の快作『パーソナル』を推そうかと思いかけていたのだが、読んでしまったら『ダ・フォース』を推さないわけにはいかなくなったのである。『犬の力』『ザ・カルテル』では舞台となったメキシコ／米西海岸の激しい陽光を映すように善と悪とが画然と分かれ、それぞれがメキシカンな香辛料のごとき過激さをみせていたが、本作は迷宮のごときニューヨークの光と影を映して、善と悪と正義と不正は渾然とした灰色をなして主人公の刑事マローンという人物に結実している。その味わいがとてもいい。

仲間への思い、街への思い、刑事としての誇り。それが不正や犯罪としてアウトプットされてしまうマローンの内面にまるで不自然さはない。だから彼が追いつめられてゆく中盤以降は読んでいて胃が痛くなるし、平穏だった頃に刑事たちが悪ガキのように街で浮かれ騒ぐさまが、かけがえのない光とともにこちらの記憶に残るのである。そしてそれゆえに、破滅の恐怖も生々しく浮かび上がる。ニューヨークを描いた都市の小説としても出色の出来であることを付記しておく。（霜）

※この月も編集後記を書き忘れたらしく、前月の文章がそのまま入っていました。すみません。

吉 北 川

弁護士アイゼンベルク

アンドレアス・フェーア／酒寄進一訳
創元推理文庫

いや、驚いた。ドイツ人作家が書いた弁護士を主人公にしたミステリというので、てっきりフェルディナント・フォン・シーラッハの『犯罪』みたいな作品かと思って読み始めたらまるで違っていた。手足を縛られ監禁されている主人公アイゼンベルク。その三カ月前、惨殺された女性の司法解剖に立ち会いシュールかつグロテスクに損壊された死体に言葉を失う上級検事。そして更に三カ月前、一五〇〇キロ彼方の故郷を後に、車を駆り、娘とともに南ドイツの山中をひた走る女性。三つの刺激的なシーンで幕を開けた後、物語はカットバック形式で過去と現在を往還してスピーディーに展開していく。

殺人事件の被疑者となったかつての恋人を救うべく、洞察力と行動力を武器に奮戦するアイゼンベルク。白熱の逆転裁判劇を繰りひろげた果てに立ち上がってくる、あまりに意外な真相とは。これまで紹介されてきたドイツ産ミステリとは明らかに異なる、まるでアメリカのミステリ・ドラマを観ているような読み心地のエンターテインメントだ。しいて似た作品を挙げるとアンドレアス・グルーバーの『夏を殺す少女』でしょうか。

今月は、同じく女性弁護士が、絶体絶命の窮地に陥ったかつての恋人を無罪にすべく法廷で闘うアラフェア・バーク『償いは、今』（ハヤカワ・ミステリ文庫）もお勧め。《幻の女》探しものでもあり、主人公が過去と対峙し、けじめをつける贖罪の物語でもある逸品です。（川）

北欧ミステリーは次々に新たな作家がわが国に紹介され、まだいるのかよと驚いているが、ドイツ・ミステリーも負けていない。また新顔の登場である。いやあ、面白い。冒頭は、ヒロインが手足を超粘着テープで縛られている場面。隣室では二人の男の話し声が聞こえる――というシーンで、こういう場面が物語のどこかに出てくるわけだが、なかなか出てこない。殺人事件の容疑者として逮捕された男が、ヒロインの弁護士の元恋人で、その弁護のために事件を調べ始めるという話だが、ストーリーはどんどん進んでいき、だいたいの決着がつきそうになっても、冒頭の場面は出てこない。ということは、まだまだ何かがあるということだ。というわけで、とてもスリリングであった。登場シーンは少ないが、ヒロインの別れた夫ザーシャが、結構いいかげんなやつで、私好み。早く次作を読みたい。（北）

女性弁護士が、かつての恋人でいまはホームレスである男の事件を依頼された。いったい彼になにがあったのか、女性殺害事件の真犯人はだれか。題名から正統派リーガルものかと思って読み始めたところ、その見込みは大間違い。次々にひねりのある展開と逆転が待ち受けている娯楽サスペンスなのだ。並行して語られるのは、「コソボからドイツに来た女性」の視点による犯罪劇であり、さらにヒロインの周辺に迫る危機の数々という、まことに外連味たっぷりな犯罪ドラマを一気読みした。もう一作、読み逃してはならないのはエイドリアン・マッキンティ『コールド・コールド・グラウンド』だ。北アイルランドが舞台の警察小説で、この時代と土地、そしてヒーロー像だけでぐいぐいと読ませる。ただ、本作はいささか拍子抜けする部分があって残念に感じた。シリーズの今後を愉しみにしたい。（吉）

杉 酒

コールド・コールド・グラウンド

エイドリアン・マッキンティ／武藤陽生訳

ハヤカワ・ミステリ文庫

別の人生を体験するのが小説の醍醐味だとすれば、『コールド・コールド・グラウンド』は、良き例ということになろう。宗教対立で騒乱が日常化した80年代の北アイルランドが、まざまざと描き出されているからだ。主人公の設定も絶妙だ。ショーン・ダフィ刑事は、被支配者のカソリックであり、支配者プロテスタントが多い警察の中では爪弾きにされがちだ。一方で、捜査対象のベルファスト市民（カソリックが多い）からは、裏切り者扱いされる。主人公は、支配／被支配いずれの理不尽も自ら体現できるわけで、本書の舞台を余すことなく活用するには、とてもいいキャラクターだ。

オペラの楽譜が現場に残される殺人事件も、内容がとても濃厚で楽しめる。個人的にとても「時代が違う」っぽくて感心したのは、オペラのレコード（全曲盤）を、登場人物たちがとても大事に扱っていることだ。当時、レコードは高く、複数枚を要するオペラの全曲盤は、更に値が張った。格安音源に慣れきった現代のオペラ・ファン――私だ――は、貴重だなどとは微塵も思わぬまま、本書に登場する録音のソフトを二束三文で買い叩き、通勤電車の中で気軽に聴いている。だが録音市場で価格崩壊が起きる以前、オペラの全曲録音とは、確かにこういうものであり、音楽は自宅に帰って神妙に再生するものだった。マッキンティは、こういう小道具でも、時代の感覚を巧みに醸す。つまりは上手い小説家なのである。（酒）

1981年、北アイルランドの英国からの独立を巡る内戦が激化していたころのベルファストが舞台となる警察小説だ。主人公のショーン・ダフィ部長刑事はカソリックである。これは何を意味するかというと、同じカソリックのテロリスト集団、IRAからすると裏切者と見なされるということだ。いつ殺されてもおかしくない状況、しかも周囲の隣人はプロテスタントばかりという環境でダフィは暮らしている。警察官の中では珍しい大卒というおまけつき。つまりは存在自体が異分子なのである。その彼が、連続殺人事件の捜査を担当する。ただし警察署における優先順位は最低レベル。それはそうだろう。爆弾テロでどんどん無辜の市民が死んでいる状況なのだ。殺しをやりたければどこかの組織に行けばいい、いくらでも殺させてくれる、と警官が自ら言うような状況下でダフィは望まれない捜査に取り

組み、意外な真相を掘り当ててしまう。その一途さ（空気読めなさ、とも言う）がなんとも楽しい。

　同じ警察小説ではヘニング・マンケル『ピラミッド』もお薦めである。初の短篇集であり、クルト・ヴァランダーもの五篇が収められている。シリーズ第一作『殺人者の顔』以前のヴァランダーの活躍が描かれた内容であり、前日譚として、また連作の入門書として、どちらの読み方もできる。表題作は300ページ近い分量があり、捜査小説としても圧巻だ。（杉）

霜

殺意

ジム・トンプスン／田村義進訳
文遊社

　いい意味でドイツ・ミステリとは思えない速度感とドンデン返しの『弁護士アイゼンベルク』もよかったが、一カ月遅れのこちらをどうしても推しておきたい。ジム・トンプスンの「異色作」として、ファンのあいだで知られていた長編の邦訳である。なぜ異色かといえば、人口1280人（POPulation 1280！）の小さな町で起きる殺人事件をめぐって、いつものトンプスンなら視点人物をひとりに絞って彼の脳内の歪みを綴ってゆくだろうところを、女性をふくむ12人の関係者たちが1章ごとに語り手を務める12章構成になっているからだ。トンプスン版『五匹の子豚』とも言えるか。

　ところが読み心地はトンプスン流のノワール以外の何ものでもない。みなトンプスン的に歪みつつ、歪みの角度を違えた12の語りが、歪んだ世界を構築してゆく。なかには犯人も被害者もいて、それこそクリスティー的なフーダニットめいているともいえるけれども、語られていることが真実なのかどうか確証はない。だから犯人探しのゲームには決してならず、「12人の信頼できない語り手」「12人の内なる殺人者」というべき奇怪な犯罪小説なのである。田村義進による弾力に富む訳文が12の語り口をきれいに反映してもいて、やや高価な値段に見合う読書体験が得られます。（霜）

千

償いは、今

アラフェア・バーク／三角和代訳
ハヤカワ・ミステリ文庫

　三人の男女を射殺した容疑で逮捕された元婚約者ジャックを弁護することになった敏腕弁護士オリヴィア。ジャックの主張によれば、一目惚れした女性とのデートのため事件の現場を訪れたというのだが……。ジャックにとってあまりに不利な状況が揃う中、オリヴィアはある理由で彼に負い目があるため、その無実を証明しようと奔走する。物語が進行し、新たな事実が明らかになるにつれて、ジャックに不利な状況が一気に有利に反転したかと思えばまたしても不利に……というシーソーゲーム状態が繰り返され、オリヴィアのみならず読者の心証もジャックへの猜疑と同情の両極端を往還することになる。オリヴィアの生彩あるキャラクター造形、弁護士が主人公なのに法廷シーンが意外と少ないという異色ぶり等々、さまざまな読みどころを具えた作品だ。（千）

　意外なことにリーガル・スリラー人気の高い月でした。前月の傾向からはまったく予想できませんでしたね。これだからおもしろい。来月もどうぞお楽しみに。（杉）

2011
2012
2013
2014
2015
2016
2017
2018
2019
2020
さくいん

吉 千

白墨人形

C・J・チューダー／中谷友紀子訳
文藝春秋

「スティーヴン・キング推薦なのに本当に面白い」と、既に巷で話題になっている小説だが、五月のベストというより年間ベスト候補なので、やはり推さないわけにはいかない。三十年前、仲間たちとともに不穏極まりない一夏を過ごした少年。そして現在、彼の周囲で過去の封印が解かれ、死の舞踏が再びスタートする。

過去と現在のカットバックで構成されている……と言えばありがちに聞こえるかも知れないが、この作品の場合、読者の興味を牽引する情報提供の匙加減がとんでもなく上手い。戦慄と悲哀を織り交ぜ、カタストロフィを予感させながら無慈悲に進行してゆく物語からは、運命の歯車の廻る音さえ聞こえてきそうだ。トマス・H・クックや道尾秀介の最高水準の作品にも匹敵する、美しくも忌まわしい傑作である。（千）

仲間と過ごす幸福な日々を送っていた少年の日常が突然の事件に引き裂かれ、やがていくつもの悲劇が重なり大人になった現在まで重く引きずっていたところに、ふたたび甦える悪夢。なるほど「スティーヴン・キング強力推薦！」も納得の出来映えで堪能した。今月はすでにツイッターなどで評判があがっていた作品を後追いするかたちとなったものが多く、ロバート・ロプレスティ『日曜の午後はミステリ作家とお茶を』もその一作。後味のいい短編を愉しく読んだ。ハーラン・コーベン『偽りの銃弾』もさすがコーベンと言いたくなる「ひねり」の巧さ。そしてもう一冊、百頁ちょいの作品ながらジョナサン・エイムズ『ビューティフル・デイ』、話自体は元海兵隊の主人公による失踪娘の救出劇というよくあるものながら、その独特の世界観に惹きつけられた。あわてて映画化作品も観に行ったほどである。この作家のもうすこし長い小説を読んでみたい。（吉）

霜

インターンズ・ハンドブック

シェイン・クーン／高里ひろ訳
扶桑社ミステリー

殺し屋の小説が好きなひとなら問答無用の必読。プロの犯罪者の小説のファンも、皮肉なユーモアの愛好者も必読であるし、アクション小説好きは無論、青春小説の醍醐味まであるよ！という快作。「殺し屋組織を『定年退職』することになった歴戦の男が、若手のためのマニュアルとして『最後の仕事』を文章にまとめた」という体裁をとる。

しかし主人公は渋い中年男ではない。なんと25歳の青年だ。この組織では殺し屋の定年が25歳なのだ。ゆえに彼の殺しのキャリアと青春時代は一致していて、初期タランティーノ式アクション・ノワールに青春小説の光輝が加わるのである。荒唐無稽ギリギリの設定を才気あふれるユーモアでつなぎとめ、酷薄な世界観と若者のナイーヴさを重ねあわせる。軽薄と真摯の絶妙なブレンドが見事な逸品です。是非。

なお北上次郎氏がフライングしてるんじゃないかという気がするんですが、来月の対象作品であるカリン・スローターの新作『罪人のカルマ』。いま読んでる最中で、「女性を見舞う恐怖とその克服」の主題を切実に響かせて最高の読み心地。来月を待たれよ。（霜）

川

影の子

デイヴィッド・ヤング／北野寿美枝訳
ハヤカワ・ミステリ

いや、今月は悩ましかった。ロバート・ロプレスティの小味で小粋な短篇集『日曜の午後はミステリ作家とお茶を』、巧みなカードさばきでじりじりと緊迫感を高めていくC・J・チューダーのサスペンス『白墨人形』、謎解き・法廷・警察捜査と様々なミステリの面白さを併せ持つデイヴィッド・グラン渾身のノンフィクション『花殺し月の殺人 インディアン連続怪死事件とFBIの誕生』。傑作が目白押しの中から、デイヴィッド・ヤング『影の子』を選んだのは、今もっとも関心のある冷戦時代の共産圏を舞台にしているためだ。

一九七五年二月、東ベルリンの〈壁〉に隣接する墓地で顔面を損壊された少女の遺体が発見され、人民警察のカーリン中尉は、国家保安省（シュタージ）の中佐から、少女の身元を突き止めるとともに「東側に脱出しようとしたところを西側の警備兵に射殺された」という筋書きを裏付ける証拠を見つけるように、と命令される。万一矛盾する場合は、他言無用という釘を刺された上で。青少年労働施設への派遣から復帰後に人が変わってしまった夫との仲がぎくしゃくし、公私ともにトラブルの予感を覚えつつ捜査を進めるカーリンは、徐々に東ドイツの中枢に潜む暗部へと足を踏み入れてしまう。

「この事件には秘密が多すぎる。嘘が多すぎる。なにを信じたものか、だれを信じたものかもわからない」と彼女が述懐するように、冷戦下の共産主義国家という特異な環境下の警察捜査小説として幕を開けた物語は、やがて諜報小説の色合いを強くしていく。その一方で謎解きミステリとしての興趣も盛り込まれた野心的で骨太なミステリだ。

東ドイツの体制に肯定的な主人公という設定も面白い。彼女の信条が、次回作以降変化していくのか、という点も興味深く、ぜひとも続けて訳されて欲しいシリーズだ。一言だけ付け加えると、タイトルは原題通り〝シュタージ・チャイルド〟の方が良かったと思うぞ。（川）

北

罪人のカルマ

カリン・スローター／田辺千幸訳
ハーパーBOOKS

ウィル・トレント・シリーズの最新作だが、今回もすごい。というよりも、前作と今作はこのシリーズの、ある意味でのピークといっていい。

ウィルの上司アマンダと、ウィルの同僚フェイスの母親、ええと、名前は何だっけ。ま、いいや。この二人の女性は前作『血のペナルティ』で大活躍したが、60代半ばは過ぎだというのにどうしてこんなにパワフルなのかととても不思議だった。その謎が今回解ける。

今回は若き日の彼女たちが登場するのだ。性差別が激しい1970年代で、男社会の警察で、逞しく生きる彼女たちの姿が圧巻。

60代半ば過ぎでもあんなにパワフルだったのには理由があったのである。ラストまで激しく動きまわるストーリーも素晴らしいし、どこまで行くんだカリン・スローター！ （北）

酒

空の幻像

アン・クリーヴス／玉木亨訳
創元推理文庫

今月は大豊作だった。こういう時は自分の好みを優先するのが一番だ。というわけでアン・クリーヴスの《ペレス警部》シリーズ第6弾である。このシリーズは毎回雰囲気がとてもよく、おなじみシェトランド諸島の美しくも若干荒涼とした景観が、登場人物の心理に絶妙な陰影を添える。クリーヴスは、登場人物が自分の人生に抱く深い感慨を描くことを、明らかに好んでいる。この創作志向と、島の雰囲気によりもたらされた心理的な影とは、相性抜群である。『空の幻像』もご多分に漏れない。今必ずしも幸せでない人々が、友人の結婚を祝いにやって来た、というシチュエーションからおもむろに始まる物語は、ペレス警部の境遇変化や、幽霊譚という新機軸も併せて、一層の深化を遂げている。読み応えは満点である。一方、真相は意外な所から球が飛んでくる。じっくり描かれる人間ドラマのイメージが先に立ちがちであるが、クリーヴスは、謎解きにおける意外性の演出や伏線配置も、かなり上手い。作家の腕前をぜひ味わっていただきたい。 （酒）

杉

花殺し月の殺人 インディアン連続怪死事件とFBIの誕生

デイヴィッド・グラン／倉田真木訳
早川書房

これ、完全にノンフィクションで小説ではないのだが、ミステリー好きの人は間違いなく大興奮しながら読むはずなので挙げちゃうことにする。過去にはケイト・サマースケイル『最初の刑事』なんかも挙がったことがあると記憶しているし。ネイティヴ・アメリカンのオセージ族20人以上が怪死を遂げるという犯罪史上稀に見る連続殺人事件を扱ったお話なのですよ。

事件が起きたのは一九二〇年代のオクラホマである。合衆国から買い取った土地から石油が出たことにより、当時のオセージ族は世界で最も富裕な人々と言われるほどの財を蓄えていた。その彼らが次々に殺されていくのである。ある者は処刑スタイルで頭を撃ち抜かれ、またある者は一服をもられて衰弱死し、オセージの危機を看過できず声を挙げようとした白人の協力者はリンチ殺人に遭う。本書は三部構成になっており、第一部では事件の経緯が冷徹な筆致で綴られる。第二部で登場するのは発足したての捜査局、後の連邦捜査局FBIで、乗り込んできた捜査官が意外な真相を暴き出す。これが本当に第一部を読んだ後だと天地が引っくり返るほどに意外な犯人なのである。さらに、抵抗勢力がその犯人を支持したことにより、長い法廷闘争までがおまけにつく。

もうこれで十分、おなか一杯です、

と言いたくなるのだが、さらに第三部が残っている。事件解決から数十年後の現在、新たに発見された事実からFBIが到達した以外にもまだ解くべき謎が残っていたことを、作者のデイヴィッド・グラン自身の手で突き止める。ここで示唆される本当の真相は、足元にぽっかり穴ができて墜落していくような絶望感のあるものだ。この二重解決の素晴らしさたるや。謎解き小説が大好きな方であれば嵌まることは請け合いである。5月は本当に秀作が多く、『白墨人形』『影の子』の2作はお好きな方なら年間ベスト級に挙げるだろうし、病膏肓に入った犯罪小説ファンなら絶対に好きになる『インターンズ・ハンドブック』という怪作もあった。その中で本書をベストとしてお薦めしたい。（杉）

スティーヴン・キング激賞作品が最も多くの支持を集めるという事態に。いや、本当にキング推薦だけどおもしろいのです。その他の作品もバラエティに富み、実りある月になりました。来月もどうぞお楽しみに。（杉）

吉 杉

IQ

ジョー・イデ／熊谷千寿訳
ハヤカワ・ミステリ文庫

読み始めて数ページで「え、これって生理的にまったく合わないか、むちゃくちゃ好きでたまらないか、どっちかになる」と直感したが、小児性愛の変態を主人公が追跡する序盤の展開に入った時点で後者と確信した。動きが完璧に大塚康生作監の宮崎駿作品なので翻訳ミステリーにあまり関心ない方もここだけはまず黙って読むよろし。また、主人公が「時にはサツマイモのパイだとか新品のラジアルタイヤとか」といった物納でも近所の人からの依頼ならば引き受ける街の何でも屋的存在である、と冒頭で書かれているため、工藤俊作かよ、ナンシーとかほりが事務所でごろごろしてるのかよ、と思うオールドファンも多いはずだが、その設定にはちゃんと意味があり、なおかつ現在と主人公がハイスクールの生徒だった過去がカットバックで語られる構成にも関わっていることが小説のどこかでは判明するので、思わず画面に向かって「ハードボイルドの夜明けは近いですなあ」とコタカノブミツさんに語り掛けたくなるはずである（ちなみに事務所に押しかけてくるデロンダは、元祖『桃尻娘』として出世を目論んでいる）。いや、これこそ長年求めていた私立探偵小説ではないのか、諸君。

　優れた犯罪小説であることの成立条件には突飛なキャラクターは含まれないが、〈エルモア・レナードの衣鉢を継ぐ〉とか〈カール・ハイアセンもびっくりな〉とかの先人を引き合いに出して評価するのであれば絶対必要である。この小説には出てくる。品種改良して作り出された巨大な魔犬を使って人を殺そうとするイカれたガンマニア、が主人公の敵役だ。レナード及びハイアセンの名前を出したので書いておくとオフビートな展開が待っている。今のところ2018年のベスト・オブ・オフビート犯罪小説はトマス・ペリー『アベルVSホイト』で、あの出鱈目な展開にはさすがに及ばないのだが本書もいい線行っている。『マイアミ欲望海岸』とかあのへんの西部劇的レナード作品を思い出していただきたい。そもそものストーリーが途中でどうでもよくなってとにかく対決場面を作者が書きたくてうずうずしているのが手に取るようにわかる犯罪小説。その要素がある。犬使いとどうやって闘うんだ、動物虐待は駄目だぞ。いやご心配なく。愛犬家をがっかりさせることはない完璧な展開だ。

　まあ、別のところでさんざん書いたので、ストーリーとかはこのくらいにしておく。他の七福神も挙げるだろうし。もしかすると全員『IQ』かも。『IQ』7倍！　チブル星人並！　今月はとにかくこれを読まないと駄目だ。2018年も終わらない。いつまで経っても世の中は平成30年のままだ。今月は先に読んだ『遭難信号』も推したかったのだが仕方ない。さよなら平成。まだ早いけど。（杉）

　新人賞三冠受賞という話題作だが、その評判に違わぬどころか期待の斜め上をいく痛快さで、興奮しつつ一気読みした。独特の語りによる珍妙なエピソードが盛り込まれている一方、ドラマの活劇場面を再現したかのような映像的迫力をはじめ、読みどころが満載。まぁ、多くを語ると野暮になるか。今すぐ読むべし。そのほか、失踪した恋人を追うキャサリン・ライアン・ハワード『遭難信号』は某作との類似点をはじめ、いろいろと驚かされた。さらにはギヨーム・ミュッソ『ブルックリンの少女』もまた、失踪した恋人を追う話で、意外な過去が明らかになり驚かされるという似たような骨格をもったミステリゆえ、併せて読むことを薦めたい。（吉）

千

落ちた花嫁

ニナ・サドウスキー／池田真紀子訳
小学館文庫

　カリブの小国で次々に起きる殺人事件。花婿と花嫁、それぞれが抱えた秘密とは何なのか……。先月の書評七福神で推したチューダー『白墨人形』に続き、本書も過去と現在のカットバックで構成されたタイプのミステリ。「またか」と言われそうだが、本書の場合、過去パートは時系列通りには進まない。前に進むかと思えばいきなり戻るタイムシャッフルによって、ピエール・ルメートル『その女アレックス』ばりに全く先が読めないジェットコースター・サスペンスとなっているのだ。待ち構えているのがハッピーエンドかバッドエンドかは、ラスト数ページまで予測できない。（千）

霜

罪人のカルマ

カリン・スローター／田辺千幸訳
ハーパーBOOKS

北上次郎氏が先月スローターの新作をフライングで紹介してしまったので、頭脳明晰なアフリカ系青年が無免許探偵としてラッパー襲撃（凶器は猛犬）を阻止しようとするドープな快作『IQ』を推そうかと思っていた。舞台はLAのサウスサイド、BGMにラップが鳴り響く私立探偵小説というのは、ありそうでなかったし、書かれるべきなのに書かれていなかったので。これがお好きなひとはチェスター・ハイムズの『リアルでクールな殺し屋』を是非どうぞ。

だけどやっぱりスローターを推すべきだろう。少なからぬミステリ・ファンがそうであるように、昨年からのハーパーBOOKSとマグノリアブックスと北上次郎氏の熱いプッシュをきっかけに私はスローターを読みはじめたが、本作は『三連の殺意』以来のシリーズの総決算にあたる傑作である。「被害者の地位を強いられる女性たち」の痛みと恐怖と、その克服を痛快なスリラーとして描きつづけてきたスローターの総決算と言ってもいい。

物語の半分以上が70年代に起きた連続殺人に割かれ、いま以上に苦闘を強いられた女性警官（女性はクレジットカードすら作れない！）の血みどろの捜査が描かれてゆく。その末に訪れる栄光の瞬間は素晴らしく、私はジェイムズ・エルロイの『LAコンフィデンシャル』を思い出した。ノンシリーズの警察ノワールの傑作『警官の街』の変奏曲のようでもあり、真価を味わうために、できればシリーズを何作か（『砕かれた少女』『ハンティング』あたりかな）読んでから、本書にかかることをおすすめします。（霜）

酒

遭難信号

キャサリン・ライアン・ハワード／法村理絵訳
創元推理文庫

これは年度ベストを狙える作品だろう。失踪した恋人サラの行方を追う主人公アダムが、物語の主軸を織りなす。随所で読者を驚かせてくるタイプの作品なので、事前情報はあまり仕入れずに読んでほしい。とはいえ、プロローグの内容――主人公アダムは、豪華客船から海に落ち、救出されるも、同時（？）に海に落ちた人間が他にもいるにもかかわらず、そのことを救助隊員に伝えない――が、エピローグを除くと物語の最終局面そのものであることは言っておいてもいいだろう。ここまで先出しされても、読中、先の展開や真相がまるで読めない。物語の組み立てがそれほど上手いのである。

この確かな構成力をベースに、作者は、サラに対するアダムの切ない想いを作品の通奏低音に採用する。緊迫感とサプライズを具備して一気に読ませる一方で、全体はしっとりしみじみとした雰囲気に包まれており、読者の心情への訴求力も強い。讃嘆措く能わざる作品である。（酒）

北

接触

クレア・ノース／雨海弘美訳
KADOKAWA／角川文庫

相手のからだに触れるだけでその肉体を乗っ取ることができる男が主人公の物語だ。別の人間に触れた途端、するりと抜け出て乗り移るのである。その連鎖をアクションの只中に持ってくるから素晴らしい。なぜアクションが始まるのかというと、追ってくる者がいるからだ。彼は必死に逃げながら、なぜ自分が追われているかの謎を解かなければな

らない。そのサスペンスの持続がキモ。イメージの喚起力がなによりも鮮やかだ。（北）

川

ブルックリンの少女

ギヨーム・ミュッソ／吉田恒雄訳
集英社文庫

凄い、凄いなギヨーム・ミュッソ。複雑巧遅なプロットと一寸先も予測出来ないストーリー展開、鮮やかな人物造型と深刻かつ現代的なテーマ。ページを繰る手が止まらず一気呵成に読み通した果てに、予想外の真相と得も言われぬ余韻が訪れる。これは傑作だ。

結婚を間近に控えた流行作家ラファエルは、過去をはぐらかしてきた婚約者アンナに秘密を明らかにするよう執拗に迫る。だが覚悟を決めた彼女が「これがわたしのやったこと……」と言って見せた写真に打ちのめされた彼は、あまりの衝撃にアンナを置いて飛びだしてしまう。やがて冷静さを取り戻した彼は貸別荘に戻るが、アンナは姿を消していた。元刑事の友人とともにラファエルは、失踪した婚約者の行方を追って奔走する。それは同時に秘められたアンナの波瀾万丈の半生を遡航する旅でもあった。一体彼女は何者なのか？

終盤、『ブルックリンの少女』La fille de Brooklynという一見何の変哲もないタイトルに込められた想いが明らかになるシーンでは、しばし感慨にふけってしまった。各章の冒頭には、バルザックやフローベールからスティーグ・ラーソンや村上春樹まで多様なエピグラムが置かれているが、中でも「人が真実と呼ぶものは、すなわち、いつでもその人の真実であり、当人にそう見える真実のことである」というプロタゴラスの警句がまさにピッタリとくる入念に作り込まれた謎迷宮のごときサスペンスだ。

同じく、失踪した恋人の行方を追うキャサリン・ライアン・ハワードの、ツイストの利いた恐怖の船旅サスペンスの逸品『遭難信号』と読み比べてみることをお薦めします。（川）

またもや豪華客船ミステリーに私立探偵小説、どんでん返しに驚嘆するサスペンスと、今月も充実しておりました。来月はどうなりますことやら。お楽しみに。（杉）

吉 千 酒 川

あなたを愛してから

デニス・ルヘイン／加賀山卓朗訳
ハヤカワ・ミステリ

「それは愛の歌というより、喪失の歌だった」。タイトルの元となったスタンダード・ナンバーが象徴するように、これは欠如のなかで育ち、それを埋める何かを探し求めて懸命に生きてきた一人の女性レイチェルの波乱に飛んだ半生を描いた物語だ。と同時に不穏な緊張感が漂う予測不能なサスペンス小説でもある。

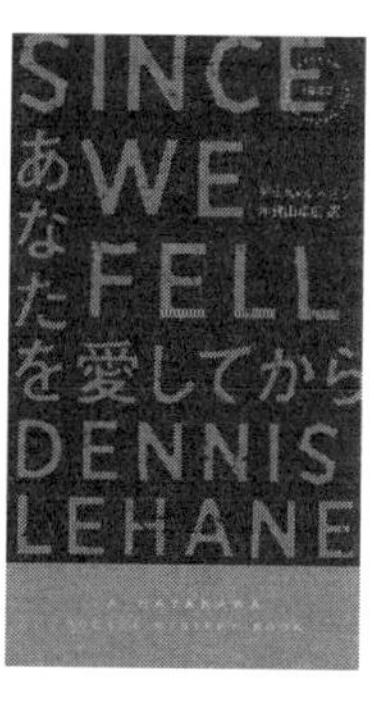

彼女が夫を撃ち殺す衝撃的なシーンで幕を開けた後、時は遡る。大学時代に性格に難のある母親が急死し一人取り残された彼女は、幼い頃に母が家から追い出した、ジェイムズという名しかわからない父を捜し始める。だがこれは始まりに過ぎない。欠片を求めるレイチェルに対して世界は優しくはない。九・一一テロやハイチ大地震。そして全体の四分の一が過ぎて、ようやく一つの解を得て自分の心に折りあいをつけた時に、本当の物語が幕を開けるのだ。いつ彼女はプロローグで描かれた状況に陥るのか、一体、この話はどこに転がっていくのか。大部の物語を読み終えた後にラストの一文がしみじみと胸に響く。良質のミステリにして、救済の物語でもあるデニス・ルヘインの面目躍如たる傑作だ。

今月は、ミステリではないけれどもジョージ・ソーンダーズ『リンカーンとさまよえる霊魂たち』（河出書房新社）も抜群に面白かった。南北戦争中に幼い息子を病で失い悲嘆に暮れ墓地を彷徨うリンカーンの身体に入り込もうとする、情けなくも愛らしい成仏できない霊魂たち。彼らの生前・死後の猥雑でちょっと下品な物語がとにもかくにも面白い。大いに笑い、ちょっとしんみりとし、いいしれぬ満足感に浸り本を閉じる。良いものを読みました。（川）

簡単に言うと、本書は主人公レイチェルの人生を描く物語である。母亡き後の父捜し、パニック障害との闘い、旧友とのロマンスなど、様々な波乱が満ちる。それら全てに、ルヘイン流の感傷と詩情がたっぷりと横溢している。レイチェルのことを、強さと弱さ両面がある人物として描くその筆致は、非常に鮮度良い。

一方で、ハラハラさせる要素もある。本書はプロローグで、レイチェルが夫とされる人物（誰のことかはこの段階では明示されない）を拳銃で撃つ。本編はこのプロローグから時間を遡って始まる。ということで、本編がいずれ、サスペンスめいた展開を迎えることは確定しているのだ。ところがポケミスで優に百ページ（!）進んでも、物語はレイチェルの人生をしっとり描き出すばかり。あまりにも一向に、《そう》なりそうな気配を見せないのである。自分の読んでいる小説はミステリになってくれるのか、ひょっとして最後までこのままなんじゃないか、いやそれはそれで面白いけれど、でもこれポケミスでしたよね、ひょっとして、あのプロローグは自分の幻覚や妄想の類で、これがポケミスだというのも俺の妄想ではないのか、ああ私の精神はとうとうおかしくなってしまったのか、などとハラハラ疑い始める頃合いで、突如として物語はミステリ方面に舵を切る。それ以降は一気呵成、素晴らしいサスペンス／スリラーが盛り上がる。前半で主人公の性格をしっかり読者の頭に叩き込み、十分な感情移入も可能になっているから、より一層手に汗握るし、台詞や独白が心に響く。こういう小説／ミステリは、大好きです。（酒）

レイチェルという女性の半生を描いたこの小説は、冒頭いきなり衝撃的なシーンで始まる。どうやら、これをクライマックスとして物語は進行していくらしい……と誰もが考える筈だが、その予想は半分的中し、半分は外れるだろう。後半、冒頭のシーンどころではない凄まじい事態が、息を抜く暇もなくレイチェルの身に降りかかるからだ。一体レイチェルはこの事態をどうやって切り抜けるのか、そして最後はどうなってしまうのか、読者は彼女が辿る運命の旅路の果てを見届けずにはいられない筈である。厳密にはアンフェアなところがあるミステリだが、それを忘れそうになるほど面白いのも事実だ。（千）

ヒロインの父親捜しからはじまる本作は、もし著者名が隠されていたら、およそルヘイン作品だとは気付かないのではないか思うような幕開けだ。しかし物語は急転直下、彼女の運命は幾度もアップダウンを繰り返し、やがて想像もできない場所へむかっていく。まさかまさかの連続だ。ループしないローラーコースターに乗っているかのごときサスペンスで、なるほどこれはルヘインにしか書けない小説だと読み終えて納得した。（吉）

北

影の歌姫

ルシンダ・ライリー／高橋恭美子訳
創元推理文庫

セブン・シスターズの第2巻。今度の主人公は次女アリー。彼女のルーツ探しだ。このパターンで姉妹を一人ずつ主人公にしていくのなら新鮮さがないと言われるかもしれないが、しかしこれがたっぷりと読ませるのだ。ミステリーの要素よりもロマンス小説の要素が多いという側面があるけれど、ここまで一気読みさせてくれるなら十分だ。ところで七女はいつ出て来るのか！（北）

霜

巨神覚醒

シルヴァン・ヌーヴェル／佐田千織訳
創元SF文庫

ミステリ系では〈デニス・ルヘインが『ゴーン・ガール』系サスペンスを書いてみた〉みたいな『あなたを愛してから』がいいかなと思ったが、おもしろさでは群を抜くこちらに。SFですが骨格は陰謀スリラーや冒険小説というべきものだし、謎で牽引する部分も大きいので。

前作『巨神計画』は地球上のあちこちから巨大ロボットの手や足やら頭部やらが発見されて、それを一体の巨大ロボットに組み上げて動かし……という話だったが、続編たる本書では謎の第二のロボットが突如ロンドンに出現し、大変なことになるのである。前作同様、物語はインタビューや録音記録などの連なりで語られてゆき、この構成ゆえにパズルを組み立ててゆくようなスリルがあるのも楽しく、私は『WORLD WAR Z』や、知る人ぞ知る名品『禁断のクローン人間』、はたまたミステリ者は必読のSF『マン・プラス』を思い出したりした。

本書は三部作のまんなか。ピーター・トライアスや『レディ・プレイヤー・ワン』同様、日本のエンタメに影響を受け、それを独自に変奏することで誕生した快作という意味でも興味深い一気読みのエンタメであります。（霜）

杉

戦時の音楽

レベッカ・マカーイ／藤井光訳
新潮クレスト・ブックス

長篇ではデニス・ルヘイン『あなたを愛してから』がたいへんによかったのだが、別のところでもう散々書いたので、あえて短篇集をご紹介したい。未訳の長篇が二作あり、短篇集の本書が三つ目の著書になったレベッカ・マカーイ『戦時の音楽』である。ジャンル内の小説ではないのだが、ミステリー読者ならば間違いなくお楽しみいただけるはずなのでお薦めする次第。

収録作17篇の大部分に芸術家、特に音楽家が登場する。収録作の一篇「砕け散るピーター・トレリ」で登場人物がこんなことを言う。「だってさ、どうして、演技したいなんて欲求があるんだ？　変な話じゃないか。現代世界には戦争も失恋も飢餓もあって、とにかくひどいことだらけなのに、ぼくらのなかには、それが何かの足しになるみたいに芸術に向うやつもいる。ドリュー。これは病気だよ」。時間の流れから垂直に屹立する芸術という衝動、それが本書の登場人物たちにとっての一大事なのだ。

ミステリー・ファンの気を特に惹くだろうと思われるのが「ブリーフケース」だ。自分の店で客が放埒に語り合うのを放置したばかりに政治犯として逮捕されかけたシェフが、見知らぬ男のブリーフケースを盗み、彼になりきって生きようとする。その男は物理学の教授だった。彼の人生に横滑りして入ったシェフは、見知らぬ町で、ブリーフケースに入っていた自分には解くことのできない天文学の問題について答えを夢想しながら日々を送っていく。読むものは新聞や歴史の本だ。「歴史は報道よりも安全だった。どう終わるのか、疑問の余地はないのだから」。事実として定着した時間の流れである歴史が本書におけるもう一つの大事な要素だ。

作者の祖母イグナーツ・ロージャは、祖国ハンガリーでは著名な女優・作家であり、その祖父母に関するごく短い掌編が途中に置かれている。語り手の祖母はユダヤ系芸術家として、人種差別の弾圧をも経験してきた。過ぎ去った時間の中にはそうした非人間的な出来事も歴史として定着している。つまり「ブリーフケース」のシェフが夢想するほど過去の歴史とは無味乾燥なものではなく、現在に向けて注意を喚起し続けるものなのである。対処しなければならない現実と、絶え間なく聞こえてくる過去の声が交わるところに生まれたものが本書の作品群だ。不穏極まりない雰囲気をぜひ味わってもらいたい。（杉）

デニス・ルヘイン強し、の印象がある真夏月間でした。これから秋に向けて、また話題作がどんどん刊行されてくるはずです。次月もお楽しみに。（杉）

霜　北

暗殺者の潜入

マーク・グリーニー／伏見威蕃訳
ハヤカワ文庫NV

新シリーズの第2弾で、今回はシリアに潜入の巻。もうぐちゃぐちゃなんですね、シリアは。政府軍と反政府軍（これが一枚岩ではない）だけでなく、ロシアとイランだけでなく、犯罪組織までが武装して、誰が敵なのか判然としない混乱の只中に、コート・ジェントリーは飛び込んでいく。その緊迫感あふれるアクショ

ンの連鎖が半端ない。その比類ない迫力にただただひれ伏すのである。（北）

今年の目玉作品刊行のはじまる月である。鉄板の『ローズ・アンダーファイア』『監禁面接』、ジャンル越境だと『ファイアマン』『七人のイヴ』、ジム・トンプスンの『犯罪者』も素晴らしかったし、ダークホース『悪の猿』もあった。フライングしようと思えば『北氷洋』に『元年春之祭』がもう出ているが、キリがないので今月は8月奥付を厳守したい。

これらのどれも月間ベスト級なので、どうせ誰かが挙げるでしょう。僕が推すのは『暗殺者の潜入』。こんなにコンスタントに新作が供給される良質の冒険小説シリーズというのがすでに偉いですが、本作はここ数作でベストなので触れておきたい。最終的なミッションの目的は開巻早々から明確なのに、その実現手段が二転三転して先が読めない。グレイマンの物語と、別の物語が並行して描かれ、それぞれが冒険小説として優れていて、それぞれに色彩の異なるものになっているのも手が込んでいる。

なお最後まで迷ったのが、ノンフィクション『死に山　世界一不気味な遭難事故《ディアトロフ峠事件》の真相』。ソ連時代の雪山で学生登山グループが全員怪死を遂げた事件の謎に挑む力作だが、この種の本には珍しく説得力のある（そして超怖い）「解決」が提示されているのがミステリ・ファン向きです。（霜）

千 酒

監禁面接

ピエール・ルメートル／橘明美訳
文藝春秋

主役の人物造形がすこぶる振るっている。焦って要らんこと——この場合は、貧しくも平穏な生活を57歳なのに振り捨てて自己実現を図る、ということ——をやる愚かさは隠しようもない。しかし学はあって頭も回るので策略ができるし、プライドが高くなるのが納得できる輝かしい経歴も持っている。「なんだこいつ」と「結構頭いいな」のバランスが絶妙で、面接の異様な状況と合わさることで、特に後半は先を読ませない。展開の意外性で読ませる一方、人物像もくっきり描き出した上で主役自身のモノローグ（しかもよく話が飛ぶ）を頻出させるので、じっくり読むにも適している。

つまりは読んでいてとても楽しいということです。（酒）

この作品、とにかく設定があまりにも荒唐無稽すぎて、「これって本当にきちんと着地するのだろうか」と、やや不安な気分で読みはじめたことを告白しておく。だが、読者を自在に手玉に取るような意外極まる展開がひたすら連続、中盤以降は弛緩した部分が少しもなく、しかも結末はこれしかないという鮮やかさで、流石ルメートルと唸った。早い時点で人の道から外れすぎの駄目主人公にいつしか感情移入させてしまう筆致もお見事で、他のルメートル作品の残酷描写が苦手という読者にもお薦めだ。なお、八月の新刊ではJ・D・バーカー『悪の猿』も印象的だった。ジェフリー・ディーヴァーのエピゴーネンだが、模倣もこの水準で達成できれば大したものである。（千）

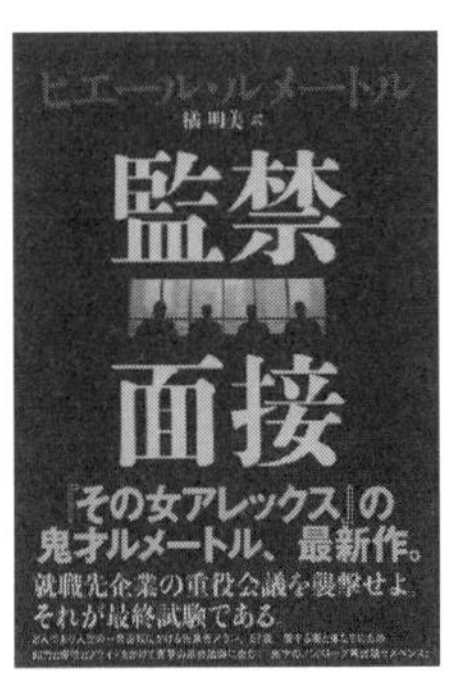

悪の猿

J・D・バーカー／富永和子訳
ハーパーBOOKS

この作品について触れている他の七福神が全員同じことを言っていると思うが、まあ、いい、私も書いておこう。

え、これってジェフリー・ディーヴァーが書いたんじゃないの？

と、言いたくなるような内容、手つきの小説なのである。天才的な犯罪者対刑事たちの戦い。現場に遺された手掛かりを分析する捜査官の推理。ホワイトボードにこれまでの手がかりを整理して書くところまで同じだ。あと、切れ場が妙に巧いところなんかも同じ。切れ場というのはつまり、犯行現場で警官が後ろから突然何者かに襲われたところで章が終わる、何章か後でそれが実は仲間の警官で、単独行動をしている同僚を追いかけて捕まえたところだったことがわかる、というようなあれだ。ちょっとジャック・カーリーみたいな要素も入っている。どこがどう、というのは読めばわかる。主人公の書き方が似ているのである。つまり現在最前線のスリラーを研究して分析し尽くしているのだろう。完璧にコピーできるというのももちろん才能である。あと、言わせてもらえば、謎解きとしてはディーヴァーよりフェアである。ちゃんと手がかりを出すもの。

内容について触れていないが、まあいい。ディーヴァーみたいだと思っていただきたい。冒頭の状況設定が凝っていて、いきなり読者を宙ぶらりんのところに投げ出すのである。え、なんだなんだ、何が起きているんだ、と騒いでいると徐々に状況説明が始まる。情報を一つずつ聞いていって、なるほど、今はそういう状態なのか、と納得したときにはすでに電車が動き出していて、もう後戻りできないところまで運ばれてしまっている。そういう技巧が凄いのである。天性のページターナーだな、この人は。前世はきっと、皇帝の読書係か何かで、本のページをめくる仕事をしていたに違いない。

さらに言うと、途中で物語が進む方向がぱっと変わって、新しい謎が浮上してくる瞬間がある。そこが私はたいへんに好きだ。こういうのが好きなのである。それまでは見えなかった謎が出てきて読者が、えっ、そういう謎解きだったの、聞いてないよ、と慌てふためかされるやつが。その瞬間があるので非常に点を高くつけた。続篇も楽しみである。USAのAmazonで続篇のあらすじも見てしまった。なるほどそういうことになるのか。本篇の結末がある程度わかってしまうので、未読の方は見るの禁止である。

本書以外にもいろいろ好きな作品があった。豊作である。たぶん他の七福神がそういう作品は挙げていると思うので、絶対かぶらないやつを出しておく。ミック・ジャクソン『こうしてイギリスから熊がいなくなりました』だ。『10の奇妙な話』のミック・ジャクソンが綴る、イギリスから消えたいろいろな熊たちのお話である。どの話も最後には熊が消えて終わる。まるで山田風太郎『妖異金瓶梅』である。熊はあるものの隠喩だが、これは言わないでおこう。熊が好きでイギリスの文化が好きな人は絶対に読んで損がない。あと変な話が好きな人。収録作のうち「下水熊」は下水道を強制的に清掃させられる熊たちの話だ。なんだそりゃ、と思うかもしれないがそういう話だ。地下好きな人にもお薦め。ミステリーじゃないので遠慮したが、本当はこの本がいちばん好きだった。

（杉）

吉

通過者

ジャン＝クリストフ・グランジェ／吉田恒雄訳
TAC出版

『クリムゾン・リバー』で有名なグランジェ久々の邦訳。上下二段組み七百頁を超え、四百字詰め原稿用紙換算だと二千枚ほどあるのでは、という分量もさることながら、内容もそれに負けてはいない。ボルドーで発見された記憶喪失者の担当精神科医が、やがて異常な殺人事件に巻き込まれる幕開けで、ここまではありきたりなサイコもの。だが、それから先がおよそ予想不可能な展開なのだ。ここはどこわたしはだれの連続、現れる迷宮がとてつもないほど重層的で込み入り、しかも奇抜な遷移をなしていく。読んでるこちらまでアイデンティティーが崩壊したような気分だ。めったにないです、そんな小説。ルメートル『監禁面接』もよく考えるとヘンな設定ととんでもない展開の再就職サスペンスで、仕組んだ虚構が現実になり、その無残な現実が嘘みたいな結末へと転じていく。さすがルメートル。もう一作、読み逃してはならないのが、J・D・バーカー『悪の猿』。残虐でえぐ味満載のジェフリー・ディヴァーといったところだが、単なるコピーで終わらず、しっかりとした仕掛けと構成で読ませるサイコサスペンスに仕上がっている。そのほか読み切れてない八月刊の中には、まだまだ傑作がありそう。（吉）

川

ローズ・アンダーファイア

エリザベス・ウェイン／吉澤康子訳
創元推理文庫

万感の思いとともに巻を擱く。ナチスの女子強制収容所に収容されたアメリカ人パイロット・ローズが、知恵と詩作と希望を武器に、様々な出自と半生を背負った仲間とともに生き延びるべく抗う姿が胸を打つ。しかも生き残ることがゴールではない。人生は続いていくし、時代も世界もいやおうなく動く。その大きなうねりの中で、いかに自己を取り戻し、折りあいをつけ、先に進んでいくかという問題に取り組んだ柄の大きな物語だ。前作『コードネーム・ヴェリティ』で重要な役割を果たした人々との思わぬ再会も嬉しい。

第二次世界大戦という空前の災禍の中、お互いを信じ闘う女性同士の紐帯を描いたこの二つの冒険物語は、「希望はけっして飛ばない。それでも、あきずに見つめる。空に吹く風を求めて」というローズの作った詩の一節とともに、私の心の深いところにしっかりととどまることだろう。

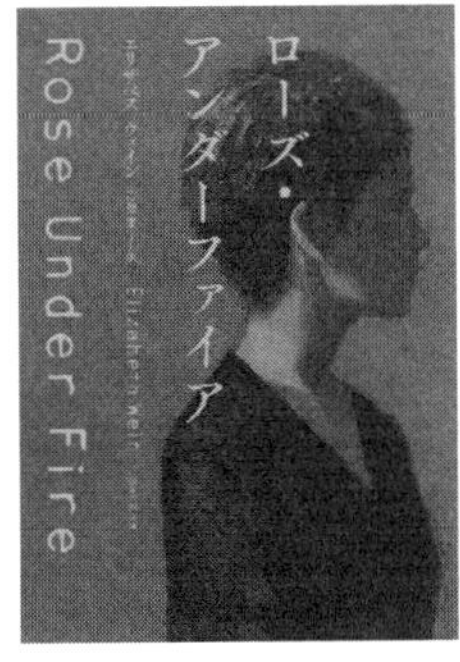

今月は、『狼の帝国』（高岡真訳／創元推理文庫）以来十三年ぶりの翻訳となるジャン＝クリストフ・グランジェ『通過者』（吉田恒雄訳／TAC出版）もお薦め。相変わらずの外連味とビザール感、これでもかとばかりのてんこ盛り展開と濃いキャラクタ造型に、ああ、そうそうこれだよね、彼の持ち味は、と懐かしくも嬉しくなった次第。（川）

さあ、いよいよ盛り上がってまいりました。年末に向けて力作がばんばん出てきます。七福神一同ねじり鉢巻で読んでいきますので、どうぞご期待ください。また来月お会いしましょう。（杉）

2018 10月

カササギ殺人事件

アンソニー・ホロヴィッツ／山田蘭訳
創元推理文庫

謎解き小説を読んだ際の、あの始原的快感をたっぷり味わえる。本書はそんな作品である。特に伏線が素晴らしい。あの上巻の完成度と言ったら！

一方、下巻では、巧みなストーリーテリングで読ませる。正直なところ、上巻は読み返せば舌を巻くけれど、ストーリー自体は古式ゆかしい英国式古典ミステリの範疇なので、ストーリー展開そのものに意外性はそこまでなく、緊張感も強くない。底意地の悪い人間ドラマが味わえるとはいえ、夢中になってページを手繰るタイプの作品にはなっていない。それを下巻で補う点は高く評価したい。こちらも「じわじわ」気味ではあるけれど、古典的な構図からはみ出した展開が、読者を楽しませてくれる。二面性があって、かつ、最後で壮麗にまとまってくれるミステリ、待ってました。（酒）

ミステリの年間ベストを選ぶ時期（所謂「ミステリ年度末」）が近づいているからか、九月は傑作・話題作が集中し、一作だけ選ぶのはもはや拷問に近い状況だった。本格ミステリに限定してさえ、アンソニー・ホロヴィッツ『カササギ殺人事件』、陸秋槎『元年春之祭』、ジョン・ヴァードン『数字を一つ思い浮かべろ』と、年間ベスト級の作品が三冊もあった。その中から選んだ『カササギ殺人事件』は、凝りに凝った構成、巧妙に張りめぐらされた伏線、そして納得度の高い真相と三拍子揃っており、本格ミステリ好きにとっては夢のような読書時間を過ごせる逸品だった。隅々まで磨き抜かれたクリスティー・オマージュであるにとどまらず、ホロヴィッツ自身の世界をきちんと構築している点も高評価の理由。あと、既読の方はたぶん共感していただけると思うのだが、近年これほど「ここは原文では一体どうなっているのかを確認したい」と思ったミステリも珍しい。（千）

年末になれば、各誌ベストテン海外ミステリ部門は、のきなみ「カササギ」が一位に輝いているのではないか、と思わせるほど夢中になって読み終えた。いや、すでに評判なので、これ以上、語るまでもないでしょう。そのほか、ジョン・ヴァードン『数字を一つ思い浮かべろ』もまたアイデアを見事に活かしたミステリだった。『ミスター・メルセデス』に始まる〈退職刑事ビル・ホッジズ三部作〉の最終巻、キング『任務の終わり』は、どう決着をつけるのかと愉しみにしていたら「そうきたか！」という驚きと興奮で一気読み。（吉）

ウーマン・イン・ザ・ウィンドウ

A・J・フィン／池田真紀子訳
早川書房

まさかこんなラストが待っているとは思ってもいなかった。

本当はそこを紹介したいのだが、ラストを割るのは論外なので書けない。家から一歩も出ることがなく、双眼鏡だけで外部とつながっているヒロインが殺人を目撃したらどうなる？　という設定はそれほど珍しくない。問題はそこから物語をどう動かしていくか、ということになるが、この小説の最大のキモは、ラストだと思う。

あんなに激しい〇〇〇〇が待っているとは想像外。それまでのヒロイン像が一変するのは素晴らしい。（北）

兄弟の血　熊と踊れII

アンデシュ・ルースルンド＆ステファン・トゥンベリ／ヘレンハルメ美穂、鵜田良江訳
ハヤカワ・ミステリ文庫

迷った、本当に迷った。英国ミステリに望むもののすべてを備えた、精緻かつ隙のない一読驚嘆必至のダブル・フーダニット『カササギ殺人事件』か。真摯に〈暴力〉と対峙し、熱さと冷たさを併せ持つ兄弟の物語で読む者を圧倒する北欧犯罪小説界の驍将による襲撃小説『兄弟の血　熊と踊れII』か。テーマからスタイル、そしてミステリに対する姿勢まで、まるで対極にある二つの傑作を比較することなどできないのだけれども、それでも敢えて後者を選んだのは、体感の差による。物語に対する没入感の差と言ってもいい。

〈息が詰まる〉というのは緊迫感溢れるサスペンス／スリラーに対する常套句だけれども、実際に〈息が詰まり〉幾度も中断して一呼吸入れてしまう作品に巡り会うことなど、そうそうあるものではない。とりわけ襲撃シーンに漂う空気のなんとひりつくことか！

ほぼ実話をベースにした〈親と子〉の凄絶な対決の物語から、〈兄と弟〉の紐帯に根ざした愛憎と桎梏のフィクションへ。二つの相違によって、犯罪小説として家族小説としてどれだけのドライヴがかかったか、事実という枷を外した結果どこに行き着くのか。ぜひその目で確かめてみて欲しい。（川）

ジャック・オブ・スペード

ジョイス・キャロル・オーツ／栩木玲子訳
河出書房新社

他の七福神が「これぞ年間ベスト級」という話をいっぱいしていると思うので、私は偏愛する作家について書きたい。ジョイス・キャロル・オーツのミステリーである。それも2015年の新作長篇だ。発表時77歳。どうかしちゃったのかと思うほど元気だぜ、オーツ。

魅力的な題名は人の名前である。ホラー・サスペンス作家のアンドリュー・J・ラッシュは「紳士のためのスティーヴン・キング」と称される作家だが、覆面作家としてのもう一つの顔も持っている。それがジャック・オブ・スペードで、ラッシュ名義の作品とはまったく違った、人倫にもとるようなことをばかすか

書いている、という設定だ。この男が盗作の疑いをかけられて民事裁判になるところから話が始まる。原告は電波系としか思えない人物で「アノ男ガウチニシノビコンデ私ノ作品ヲ盗ンデイクノヨー」と大騒ぎするが、予想通りまともな判決が下りて一件落着する。そこまでが第一部で、第二部からあれれ、というような展開になっていくのである。

「紳士のためのスティーヴン・キング」というあたりでファンが目を剝くのが見えるが、当のキングが（出てくる）「そんなもの誰が読むんだHAHAHA」と笑い飛ばすので冷静になると思う。つまりこの作品、政治的に正しい選択だけをしている男の胡散臭さを描く小説なのであり、いくら綺麗事を言ったっておまえってジャック・オブ・スペードなんじゃねえかよ、と思って読んでいると後半でどんどんとんでもないことになっていくのである。明らかにミステリーとして書かれているとはいえ、細部の部品にどういうものを使うかなんてオーツはそれほど気にしないで書いていると思われるので、後半以降は手触りに違和を感じる箇所も多々あるはずだ。そこも新鮮。糞野郎小説であり、後半でちらっとビブリオ・ミステリー的な展開になるところもあって、作者が楽しんで書いていることがよくわかる。年間ベストにはたぶん上がらないと思うが、サスペンス小説好きな方なら絶対に楽しめるはずなので、熱烈にお薦めする。（杉）

霜

北氷洋

イアン・マグワイア／高見浩訳
新潮文庫

驚いたのは『熊と踊れ』続編、『兄弟の血』の文体である。まるでフランス暗黒小説の巨匠ジョゼ・ジョバンニを思わせるスタッカート気味のリズムに満ちているのだ。荒々しく太い焦燥の拍動をスタイリッシュに写してみせる文体のせいで、粗削りだった前作よりも小説らしさを増しているように思った。

のだが、ベストに挙げるのはこちら。19世紀なかば、インドでの凄惨な戦争の記憶を抱えた男が船医として捕鯨船に乗り組み、北氷洋に行って帰ってくるだけの物語、と、言ってしまえばそれだけだ。だが男の好敵手となる銛打ちの男の、まるで野獣のようなありようはどうだ。小説世界を満たす、むせるような臭いはどうだ。この筆力はただものではない。読みながら私が思い返していたのはコーマック・マッカーシーだった。銛打ちの男の自然体の暴力性はまさにマッカーシー直系といっていい。

シンプルな物語だが、それを生々しくも豊穣なディテールで描き切った圧巻の一作。強くおすすめします。（霜）

※この月も前月の文章がそのままでした。疲れていたのかしらん。

杉

消えた子供　トールオークスの秘密

クリス・ウィタカー／峯村利哉訳
集英社文庫

10月は予想通り大量豊作だったわけで、読んでいるときは「あ、これに決まり」と思う作品ばかりで、終わってみればこの一月だけで年間ベストが組めちゃうじゃんという贅沢な結果になった。予想外の一作だったのはムア・ラファティ『六つの航跡』で、閉鎖空間での謎解きを宇宙船内でやるという趣向自体はそんなに珍しいものではないが、クローン技術に法整備がされていて厳格なルールがある、という縛りを加えたことで着想の幅が逆に広がっていて、そこが実におもしろい。個人的なヒットはアウシュヴィッツで人体実験を繰り返したことで知られる殺人医師ヨーゼフ・メンゲレを扱った二冊の小説が出たことで、オリヴィエ・ゲーズ『ヨーゼフ・メンゲレの逃亡』は、「あなたは吉村昭か」と言いたくなるような贅沢な資料の使い方で、歴史小説ファンにもお薦め。そういえば題名も『長英逃亡』みたい。もう一冊のアフィニティ・コナー『パールとスターシャ』のほうは、そのメンゲレの〈動物園〉に収容されたふたごの姉妹の視点からアウシュヴィッツの日々を描く内容で、今年翻訳された『ローズ・アンダーファイア』や『死の泉』をはじめとする皆川博子作品、近くは深緑野分の諸作がお好きな方は必読だと申し上げておきたい。ああ、前置きがまた長くなったけどついでに言っておくと、デイヴィッド・ゴードン『用心棒』はジョー・イデ『ＩＱ』と双璧の、今年のヒーロー小説の傑作です。解説は私。

　というわけでもう一冊解説を担当したクリス・ウィタカー『消えた子供　トールオークスの秘密』をお薦めにしたい。話の構造は単純なようで込み入っている。冒頭で幼児が自宅から消えたという事件が紹介される。その事件の爪痕が消え切らない町で、しかし住民たちは普段通りの生活を送っている。小説の主部では彼らの生活が並行して描かれていくのだが、カメラが端から端に移動して元の場所に戻ると少しずつ登場人物たちの見え方が変わっている。はじめは単なるお気楽バカと見えていた少年も心中の不安を吐露するようになるし、その少年から母親に手を出す嫌なやつ、と忌み嫌われる自動車販売員はなんだかわからない過去の傷口をチラ見せしてくる。そんなことが相次ぐために、ページを繰る手は停まらず、どんどん読まされてしまうのである。そして終盤にやってくる衝撃の展開。読み心地はたぶん、ロールプレイングゲームで街を訪ねたときの感じに似ていると思う。住民たちに何度も話しかけていると言うことが変わってくるというあれね。しかもモブキャラに見えたほとんどの登場人物に語るべき過去が準備されているのである。ユーモアとサスペンスが絶妙な均衡をとってい

る書きぶりもいいし、これは読むべき一冊です。（杉）

北　帰郷戦線　爆走

ニコラス・ペトリ／田村義進訳
ハヤカワ文庫NV

戦場から戻った男が戦友の妻の苦境を助けたら陰謀に巻き込まれるという話は特に目新しいものではない。にもかかわらず、この小説が素晴らしいのは、ここに出てくる犬がそれはもう可愛いからだ。

大きくて汚れていて、平気で屁をするのだ。

近づくと吠えて噛むのだ。噛まれるのが主人公との出会い。それでどうなるのかは、読んでのお楽しみ。

これまで犬が登場する翻訳小説は数限りなくあったけれど、その可愛いさで、ベスト3にランクされるだろう。全国の犬好き読者におすすめ！（北）

霜　これほど昏い場所に

ディーン・クーンツ／松本剛史訳
ハーパーBOOKS

鉄板のディーヴァー『ブラック・スクリーム』かクリス・ウィタカーの『消えた子供』と思いつつ、「こういうのこそエンタメだよね！」という歓びに満ちた本書を推しておきたい。

アメリカで奇妙な自殺が頻発していた。主人公のFBI捜査官ジェーンも、夫を自殺で失った。休職して個人的に調査を開始したジェーンは少しずつ謎の核心に迫ってゆくが……。80年代後半から『戦慄のシャドウファイア』『ライトニング』などで日本の読書界を揺るがせたクーンツ印の疾走エンタメが、円熟の筆でよみがえっている。往年の傑作で近いものを探すなら『邪教集団トワイライトの追撃』あたりか。

復讐者としての容赦のなさを発散する女性主人公もいいが、イーサン・ハントという名のトラック運転手やローラースケートを駆るタフな女性はじめ、脇役の造型もいちいち「そうそう、こうでなくちゃ！」と思わせる匠の技。クーンツはとても倫理的な人なので、残虐描写には踏み込まない安心設計です。『ベストセラー小説の書き方』を書いた作家らしい正統ド真ん中エンタメ。3時間のハラハラドキドキが欲しければ迷わず買い。ていうか早く続編を読ませてください。（霜）

川　誰かが嘘をついている

カレン・M・マクマナス／服部京子訳
創元推理文庫

誰もが顔見知りのスモールタウンでの幼児失踪事件を核とする『消えた子供　トールオークスの秘密』か、典型的なハイスクール内での容疑者が限定された状況下で起きた死を巡る『誰かが嘘をついている』か。どちらも事件をきっかけに小さな共同体で日々を送る人々の秘密や溜め込んできたものが明るみに出て、ある者は積極的に、ある者はいやいやながらこれまで歩んできた人生と向き合い変容していく。

悩んだ末に後者を選んだのは、容疑をかけられた四人の高校生をはじめとする登場人物が皆、生き生きと存在感を持っている上に、WhodunitとしてもWhydunitとしても良く練られていたためだ。SNS

社会を生きる若者が抱える蹉跌や屈託、プレッシャーといった深刻なテーマを扱いながら、苦さと爽やかさが一体となったリアルで瑞々しい青春小説に仕上がっていて読後感もGOOD! 二〇一八年度は現代を舞台にした謎解きミステリに秀作が多かったが、本書は『カササギ殺人事件』に次ぐ逸品です。

謎解きと言えば、今月待望の翻訳が刊行されたマーティン・エドワーズ『探偵小説の黄金時代』は、このジャンルを好きな方は必携の一冊です。（川）

酒

探偵小説の黄金時代

マーティン・エドワーズ／森英俊、白須清美訳
国書刊行会

大戦間の英国探偵作家クラブには、クリスティー、セイヤーズ、バークリーなど綺羅星のごとき作家が所属していた。本書は、その内幕、各作家、そして黄金期ミステリの真実／本質に迫る、評伝兼評論である。

セイヤーズの秘密出産をはじめ、紛れもなく醜聞に属する内容が目白押しである。そしてそれらの一々が、非常に面白い。月並みだが、事実は小説よりも奇なり、と言いたくなる。だが、それらを下世話に楽しもうとする浮かれた雰囲気はない。代わりに、著者は絶えず、作品や作風の多面的な理解を促している。当時起きていたことと、世間やクラブ、作家自身の反応を詳らかにする――それこそが作品／作家を理解する道のひとつだというゆるぎなき信念が、そこに見える。大量の資料に基づく真摯な状況読解は、学術的な価値と読み応えとを両立させている。アメリカ探偵作家クラブ賞を受賞するのも納得の出来栄えである。（酒）

千

六つの航跡

ムア・ラファティ／茂木健訳
創元SF文庫

所謂「ミステリ年度」の最後の月に、創元推理文庫ではなく創元SF文庫から伏兵的な傑作が登場した。宇宙船内で目覚めた六人のクローンが発見したのは自分たちの死体。彼らは二十数年間の記憶を消され、船を制御するAIも停止した状態。果たして船内で何が起きたのか？ 増殖する謎、深まる疑心暗鬼、クローンたちそれぞれが抱えた過去の秘密。クローンが普及して人間の倫理や価値観に激越な変化が生じた未来だからこそ成立する事件を軸とした物語は緻密に練られており、『そして誰もいなくなった』とSFが合体するとこういうことが可能になるのか、と感心した。（千）

吉

用心棒

デイヴィッド・ゴードン／青木千鶴訳
ハヤカワ・ミステリ

『用心棒』、じつは読むまえの期待値をいえば、さほど高くなかった。「ハーバード大学中退、元陸軍特殊部隊、ドストエフスキーを愛読する用心棒ジョー・ブロディー登場」という帯の文句から、インテリくずれで軍隊あがりの男が暴れる活劇小説か、と予想したのだ。しかし、この小説、個性的なキャラクターを前面に押し出したヒーローものというより犯罪小説としてかなり意表をつく展開が幾重もあるなど、さすが『二流小説家』の書き手だけあってどこまでも油断ならない作品。堪能した。そのほか、クリスティン・マンガン『タンジェリン』は、モロッコのタンジールを舞台としたサスペンス。オーツさんのおっしゃるとおり、タートにフリン、ハイスミスやヒッチコックのセンスやムードにあふれており、じわじわ不確かな状況へ向かうストーリーと異郷における不安な心理がますます緊迫感を高め、読ませます。リサ・ガードナー『無痛の子』は『羊たちの沈黙』の強い影響のもとに生まれたサイコものながら、模倣に終わらない凄みをそなえていて、こちらも読みごたえあり。（吉）

豊作に次ぐ豊作で毎月みなさんたいへんだと思いますが、七福神だってたいへんなんです。特に今月みたいな事態になると、どれだけ一冊を選ぶのに苦労することか。年末に向けてますます盛り上がってまいります。では、また来月お会いしましょう。（杉）

2018 12月

鷹の王

霜 北

C・J・ボックス／野口百合子訳
講談社文庫

こういう長いシリーズものは、これまで未読のひとにはすすめにくいが、今回は大丈夫。なぜなら、シリーズの別巻との趣があるからだ。このシリーズの名脇役ネイトが主役となる巻なのである。これまでこのシリーズを読んできた人なら、この男が何を考えているのか、なにから逃げているのか、それらの謎が解ける巻でもあるので必読書だが、もう一つは、80年代の半ばに、ロバート・B・パーカーのスペンサー・シリーズを読んでいた中年以降の読者にもおすすめ。特に、議論をやめてしまったスペンサーに文句を言いたい読者にすすめたい。ヒーロー小説の現在、を考える上でも興味深い書だ。

肝心の本書の内容をまったく紹介していないが、次の一言でいい。戦うネイトは美しい！（北）

毎年この季節はC・J・ボックスの季節である。もともとこのシリーズは「正義漢が苦難に遭うのに冷や冷やさせられながら最後は痛快に着地する」という点でディック・フランシスとも比べられてきたが、僕にとっては「毎年恒例の安心のお楽しみ」という意味でもフランシスと似た位置になってきている。

そういう推しのシリーズなのだが、今回はいつも以上に冒険小説／銃撃スリラーとしての色合いが濃く、それをボックス一流の自然描写のなかで展開してみせる。国際謀略スリラーのような側面もあるのも効いている。荒々しい物語をとりまく苛酷な風景とやりきれなさに、僕は今年公開の秀作映画『ウインド・リバー』を思い出した。今月はなんと村上春樹編訳のジョン・チーヴァーの短編集も出て、これはヒネクレた海外ミステリ・ファンも楽しめる一冊だと思います。（霜）

酒 川

レイチェルが死んでから

フリン・ベリー／田口俊樹訳
ハヤカワ・ミステリ文庫

なんとも心を乱される作品だ。読んでいる間ずっと、ざわざわと胸の内をかき立てられ続けて気持ちが落ちつくことがない。ページをめくる手が止まらないのは、何が起きたのか知りたいという物語に対する興味よりもむしろ、早くこのモヤモヤとした状況から抜け出したいという苛立ちと、そんな感情を抱いてしまう後ろめたさによるところの方が大きい。

それは本書が、姉レイチェルと彼女の愛犬の惨殺死体を発見してしまった主人公ノーラの一人称で進むためだ。ほぼ全編にわたって現在形で綴られる鬼気迫る心理描写に圧倒されつつも、語り手であるノーラが見聞きした情報しか判断材料がない上に、彼女自身の思考や記憶のすべてが明かされるわけではないので、警察を信用せず自身の手で犯人を捜し出すというノーラの言動そのものを信じて良いのだろうかという疑念が湧くのを抑えることが出来ない。その一方で、自身や身内が犯罪被害者となった時、人は何を思い、悔い、怒り、悲しみ、そして何を優先して行動するのかという重いテーマを突きつけられ、いやおうなく考えさせられる。だから途中で読む手を止められないのだ。『東の果て、夜へ』や『ＩＱ』と争ってＭＷＡ賞最優秀新人賞を受賞したのは伊達ではない。一読忘れ難い傑出した心理サスペンスだ。

今月は、世界幻想文学大賞を受賞したアンナ・スメイル『鐘は歌う』（東京創元社）もお薦め。瓦礫の街と化し、記憶を保持する力を失った人々を鐘の音が支配するロンドンを舞台にした謎と冒険の物語は、狭義のミステリではないけれども、ミステリ・ファンの琴線に触れること必至の詩情あふれる読み応え充分な逸品です。　（川）

ジョー・ピケット・シリーズの最新作、Ｃ・Ｊ・ボックス『鷹の王』では、鷹匠でもあるシリーズのレギュラー、ネイトが実質的な主役となって、独特の人生観や死生観そのままに、彼自身の物語に立ち向かう。冒頭の30ページの鮮やかさと言ったらないが、これがネイトの視点からのパートではずっと続くのである。唯一最大の問題は、正直ジョー・ピケットのパートが邪魔だということ。シリーズ全体から見れば、ジョーとネイトの絆を描いている本作は意義深いが、単体の作品としては、ジョーのパートが半分を占めるのはバランスが悪い。スピンオフにした方が完成度は上がったと思います。

というわけで、単体の作品としては『レイチェルが死んでから』を推します。ナラティブの威力が半端ではないからだ。筋立てだけ見れば、姉を殺された妹が主役のサスペンス。それ以上でもそれ以下でもない。だがここに、一人称の主役による、連想や想起があちこち飛びまくる地の文が入ることで、得も言われぬ読み口の小説が仕上がった。たとえば、姉の死体を前にしつつ、姉に後で文句を言われると考えてしまう主人公の痛々しさと言ったらない。ただ決定的なことを隠していそうな、いや考えないようにしていそうな、いやそもそも精神状態がおかしくなって考えられなくなっていそうな、そんな陰の部分が次第に顔を出してくる。ミステリ読みなら、ひょっとして主役が犯人なんじゃないかと疑うようになるはずである。それが合っているかどうかはここではもちろん言わない。ただ、精神状態が明らかに悪い主人公の意識を逐一追う地の文は、想像以上に魅力的であることを、保証しておきたい。（酒）

千

精神病院の殺人

ジョナサン・ラティマー／福森典子訳
論創社

富裕な精神病患者専用のサナトリウムに、患者を装い潜入した私立探偵ビル・クレイン。だが、彼が来て間もなく殺人事件が起きた。医者も職員も患者もみんな怪しい状況下、死体はどんどん増え、クレインにも嫌疑がかけられる。計略を用いて病室にこっそり酒を持ち込むほどの酒びたりで、「自分はオーギュスト・デュパンだ」という演技か本心か不明な宣言で周囲を呆れさせるクレインは、傍目にはどう見ても最も怪しい容疑者だ。至るところに用意された伏線、鮮やかな推理、意外な犯人、そしてラストの怒濤の急展開と読みどころがたっぷりで、ラティマーはデビュー作の時点からこんなに高水準な本格ミステリを書いていたのかと感嘆した。（千）

杉

ホール

ピョン・ヘヨン／カン・バンファ訳
書肆侃侃房

アジアのミステリーが読みたい、中華人民共和国や中華民国、大韓民国といったすぐ隣の国にもミステリーがあるはずなのに、あまり訳されないのがもどかしい、とかねがね思っていて、何か紹介されたらすぐ読もうと思っていた。結果的に「すぐ」ではなかったのだけど（この本が出たのは10月末だ）、内容紹介を見て、これはミステリーだ、と直感して読み始めたのである。当たりだった。福岡県の版元・書肆侃侃房から韓国女性文学シリーズの一冊として刊行された『ホール』、国際的な幻想文学の賞であるシャーリイ・ジャクスン賞を授かったというからちょっと警戒して読んだのだが、大丈夫、これはミステリーである。作者は数々の文学賞に輝く韓国文学界の旗手。不穏な雰囲気の、素晴らしいサスペンスであった。

物語は単純な構造である。主人公は自動車を運転中に事故を起こし、助手席に乗っていた妻を死なせてしまう。自らも全身が動かせないばかりか、顔面損壊のために言葉を発することすらできなくなるのである。他に係累のいない彼は、義母の介護を受けるしかない。早く快復して仕事に戻りたいと焦る主人公だったが、自分が死なせてしまった女性の母親に依存するしかない生活は、やがておかしな方向へとねじれていく。

これだけのお話である。『ホール』という題名の意味は後半でわかるのだが、主人公が落ち込んだ状況を象徴すると共に、一人称の彼の語りの中に点在する穴、意図的にかどうかは不明だが読者にさらけ出していないものを指すようにも見える。とにかく主人公はベッドの上で悶々とするしかないので、若干閉所恐怖症気味のところがある私は冷や汗をかきながら読んだ。作者が気になった

ので、以前に刊行された短篇集『アオイガーデン』も読んだが、こちらに収録されているのは生理的恐怖や嫌悪感を催させるように意図された作品群である。ミステリーではなく、幻想小説やSFの範疇に入る。人間がもののように扱われる局面、もしくは尊厳を奪われて石ころのように自身を感じてしまうような状況を描くために、そうした踏み込んだ表現を用いているのだと思う。腹には堪えたが、おもしろかった。ピョン・ヘヨン、今後も読みたい作家である。そして、もっと読みたいぞ、韓国ミステリー。（杉）

吉

炎の色

ピエール・ルメートル／平岡敦訳
ハヤカワ・ミステリ文庫

これは『天国でまた会おう』に続く三部作の第二巻だが、デュマに捧げたというだけあって、悲劇と陰謀に彩られた人間模様が陰影深く描かれている。あらためてルメートルのストーリーテラーとしての才能に驚かされるばかりだ。第三巻が待ち遠しい。そのほかフリン・ベリー『レイチェルが死んでから』は、どこまでも不安な心理による視点で描かれたスリラーという異色作で印象に残った。（吉）

今年最後の七福神は冒険小説やサスペンス、謎解き小説など、豊作の2018年を象徴するように多彩でした。来年もきっと良作がたくさん刊行されることでしょう。お楽しみに。2019年もよろしくお願いします。（杉）

COLUMN

翻訳ミステリー大賞

杉江松恋

二〇〇九年度から始まったこの賞は、翻訳者による投票で決定するという方式を取っています。過去の受賞作は左記の通り（丸数字は回数）。七福神の評価と見比べてみてください。

①『犬の力』ドン・ウィンズロウ／東江一紀訳（KADOKAWA／角川文庫）②『古書の来歴』ジェラルディン・ブルックス／森嶋マリ訳（RHブックス・プラス）③『忘れられた花園』ケイト・モートン／青木純子訳（創元推理文庫）④『無罪INOCENT』スコット・トゥロー／二宮馨訳（文春文庫）⑤『11／22／63』スティーヴン・キング／白石朗訳（文春文庫）⑥『秘密』ケイト・モートン／青木純子訳（創元推理文庫）⑦『声』アーナルデュル・インドリダソン／柳沢由実子訳（創元推理文庫）⑧『その雪と血を』ジョー・ネスボ／鈴木恵訳（ハヤカワ・ミステリ文庫）⑨『フロスト始末』R・D・ウィングフィールド／芹沢恵訳（創元推理文庫）⑩『カササギ殺人事件』アンソニー・ホロヴィッツ訳（創元推理文庫）⑪『11月に去りし者』ルー・バーニー／加賀山卓朗訳（ハーパーBOOKS）

見逃された10年間のベスト

吉野仁

この十年間における翻訳ミステリのベストはなにか。

本書を手に取るような人たちは、いまさら年末各誌ランキングの常連作家、キング、ディーヴァー、ウィンズロウ、ルメートル、ホロヴィッツらによるヒット作の題名を並べられても困るだろう。おそらくすでに読んでいるか、まったく関心ないかだ。上位にあがった作品、スワンソン『そしてミランダを殺す』、モートン『湖畔荘』、陳浩基『13・67』、ビバリー『東の果て、夜へ』、バーニー『11月に去りし者』あたりも同様。

ここでは、便宜的にジャンルをでっちあげ、ランキングからはほとんど黙殺されながらも、わが年間ベスト級の作品、もしくはそれに準ずる手応えのものを三つずつあげていこう。

まずは、近年多産される〈闘うヒロイン〉のベスト3を。

1『マプチェの女』カリル・フェレ（ハヤカワ・ミステリ文庫）

2『隠れ家の女』ダン・フェスパーマン（集英社文庫）

3『メソッド15／33』シャノン・カーク（ハヤカワ文庫NV）

1の作者はフランス人だが、舞台はアルゼンチン。マプチェ族出身の女ジュナとかつて軍事政権下の弾圧により家族を失った私立探偵ルベンが登場し、ある失踪および殺害事件を追っていく。しかしなんといってもジュナが単身敵地に乗り込む場面が鬼気迫る凄みをたたえており圧巻。半端ない量の熱気をもつ作品なのだ。そんな小説は十年でこれ一作だけである。

2は、冷戦スパイ小説。一九七九年、ベルリンにおけるCIA末端職員だった女性は、工作員の隠れ家で起きた出来事に絡み、やがて組織を追われる身となる。一方、二〇一四年、アメリカの田舎町で夫婦殺人事件が起こり、被害者の娘が真相を追う。この二つの時代が交互に語られ、サスペンスを深めていく。起伏に富んだ展開で、六六〇頁を一気に読ませる快作だ。

3は、監禁された十六歳の少女が自ら脱出するための方法を

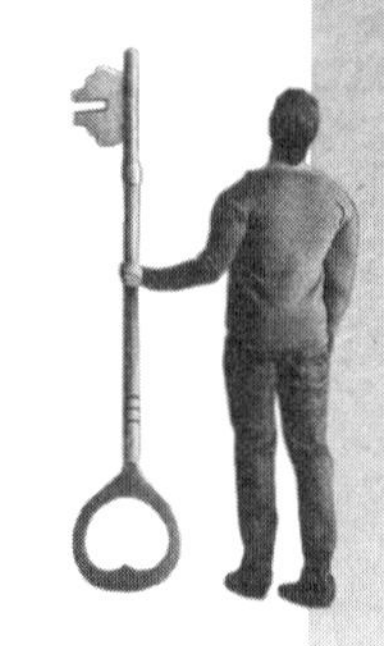

思考し実行するサスペンス。回想記という形式により、強い個性をもつ少女による語りが魅力的だ。彼女の誘拐事件を担当したFBI男性による丹念な捜査報告も読ませる。救出アクションのみならず、ラストの復讐劇も念がいっており、二〇二〇年に発表された続編も気になるところだ。

つぎに〈奇妙な迷宮〉もののベスト3。

1『青鉛筆の女』ゴードン・マカルパイン（創元推理文庫）
2『パインズ―美しい地獄―』（ハヤカワ文庫NV）
3『宙(そら)の地図』フェリクス・J・パルマ（ハヤカワ文庫NV）

1は、ある古い家から発見された本と手紙と謎の原稿が次々に紹介されていく。それは太平洋戦争開戦時にデビューしようとした日系作家の残したものだった。青鉛筆が入って直された虚構をめぐる現実とその創作物からうかがえるのは、「強い現実」だ。まさにシュールで奇なるミステリなのである。

2は、活字で読む「ツイン・ピークス」。芝生で目覚めた男は、自分の名を思い出せず町をさまようが、それは悪夢のはじまりだった。三部作の第一作で『ウェイワード』『ラストタウン』と続く。野暮な粗探し抜きで上手に騙され楽しもう。

3は、全ジャンルの面白さてんこもり世紀の大傑作『時の地図』にはやや劣るものの、『宇宙戦争』の作者H・G・ウエルズが登場し、小説と同じ飛行物体の出現や異星人の死体をめぐる騒動から思いもよらぬ展開をみせる。第三作邦訳はまだか。

最後に、〈新型サイコ警察スリラー〉シリーズのベスト3。

1〈検察官シャツキ三部作〉『もつれ』『一抹の真実』『怒り』
ジグムント・ミウォシェフスキ（小学館文庫）
2〈警部セルヴァズの事件ファイル〉
『氷結』『死者の雨』『魔女の組曲』（ハーパーBOOKS）
3〈ヨーナ・リンナ警部シリーズ〉
『砂男』『つけ狙う者』（扶桑社ミステリー）

いずれも、派手な演出、強烈な個性の主人公、錯綜する謎に怒濤のどんでん返しなど、ディーヴァーの超絶テクニックをはじめ、世界的ヒット作の要素をみな作品にぶちこんだかのようなシリーズだ。食傷するほど出た〈『羊たちの沈黙』の二番煎じ〉ブームから確実な進化を遂げており、読ませる読ませる。

紙数が尽きた。そのほかリンウッド・バークレイ『崩壊家族』（ヴィレッジブックス）なども紹介したかったが、こうした年末恒例の各誌ランキングからもれた傑作はまだまだある。書評七福神が読書の参考になればさいわいだ。

2019年

2019 1月

吉 北

償いの雪が降る

アレン・エスケンス／務台夏子訳
創元推理文庫

　小説は細部だなと改めて思ったのがこれ。14歳の少女をレイプして殺した罪で30年間服役している男がいる。末期の膵臓ガンで余命いくばくもなく、いまは介護施設で死を待っている。そこに現れたのが大学生のジョー・タルバート。インタビューしているうちに、30年以上前の事件に興味を覚え、ジョーが事件を調べていくと、次々に意外なことが明らかになっていく――というストーリーは、これまでに何度も読んできたような既視感がある。つまり、全然新鮮ではない。

　それでも、どんどんこの物語に引き込まれていくのは、細部がいいからだ。どういうふうにいいかはここに書かない。それを読むことが小説を読む楽しみだと思うから。ここに書くことができるのは次の1点だけだ。この世界の辛く、哀しい面を描きながらも、心が少しずつ温かくなってくるのはこの作家のとても得難い美点である、ということだ。早

く次作が読みたい。（北）

大学生の主人公が訪れた介護施設である末期癌患者を紹介され、その男が犯したという少女暴行殺人事件の真相を探る物語。なによりこちらの心まで痛くなるほど、主人公はじめ登場人物それぞれの境遇や過去があまりに辛く、それゆえ放っておけずに先を読みたくなる小説なのだ。そのほか解説を書かせていただいたので読んだのは一カ月まえだけれど、十二月刊のアッティカ・ロック『ブルーバード、ブルーバード』は、南部の小さな田舎町で続けて起きた殺人事件をめぐる物語で、舞台となった土地と歴史の影が重く迫る一作。なるほどアメリカ探偵作家クラブ賞最優秀長篇賞の受賞も納得する重厚なドラマとともに衝撃の真相が最後に待ち受けているのだ。（吉）

千 川

ピクニック・アット・ハンギングロック

ジョーン・リンジー／井上里訳

創元推理文庫

一九〇〇年のバレンタインデーの日に、オーストラリアの寄宿制女学院で催されたハンギングロックへのピクニックの最中に、四人の生徒と引率の教師一人が忽然と姿を消してしまう。ただ一人戻ってきた最年少の少女は半狂乱状態で、何が起きたのかまるで要領を得ない。彼女たちは一体どこに行ってしまったのか。

白昼大自然の中で起きた集団失踪事件という強烈な謎で幕を開ける。ただし真相解明に向けて収斂していく狭義のミステリではない。作中に「綴織のような失踪事件の余波は、黒く静かに広がりつづけていた」とあるように、直接の関係者か否かにかかわらず、事件を契機に変容せざるを得ない人々の姿を俯瞰し、時に未来の視点も交えて彼らの人生を描いていくことにある。若さと老い、美と醜、貴と賤を対置させ、日常の儚さと時の無慈悲を淡々と、されど美しい筆致で綴っていく。

ミステリと思うかどうかは意見が分かれるだろうけれど、例えばガイ・バートの『ソフィー』やクレイ・レイノルズ『消えた娘』、ジェフリー・ユージェニデス『ヘビトンボの季節に自殺した五人姉妹』に惹かれた方には、特に強くお薦めします。ほぼ原作に忠実に作られたピーター・ウィアー監督の映画版と併せて、ぜひ味わってみて欲しい。（川）

何を選ぶか迷ったという意味で、今回は「書評七福神」始まって以来屈指の回だった。ホームズ譚の敵役たちを主人公とするマニアック極まるパスティーシュあり（キム・ニューマン『モリアーティ秘録』）、アメリカの人種問題を背景とした衝撃のミステリあり（アッティカ・ロック『ブルーバード、ブルーバード』）、元アメリカ大統領が自分の経験を活かして書いたノンストップ・サスペンスまであって（ビル・クリントン&ジェイムズ・パタースン『大統領失踪』）、どれも傑作な上、方向性が異なるので比較のしようがない。迷った挙げ句、ピーター・ウィアー監督のカルト映画の原作として知られる幻想ミステリを選んだ。神秘的な岩山で忽然と消えた少女たちと数学教師の身に何が起きたのか。現実と幻想が混線したような雰囲気の中で語られるエピソードのひとつひとつは、背後に途轍もない不穏な暗示を秘めているようでもあり、辻褄を追い求めても意味がない白昼夢のようでもある。そして訳者あとがきに記された本書の成立の由来からして、著者がどこまで事実を語っているのかわからない。確固たる現実が揺らぎ、ひび割れてゆく感覚の怖さと甘美さに満ちた奇書だ。（千）

酒

大統領失踪

ビル・クリントン＆ジェイムズ・パターソン／越前敏弥訳
早川書房

12月は激戦だった。人種差別を描ききったアッティカ・ロック『ブルーバード、ブルーバード』では、そのような地域で生きることを被差別側すらもが能動的に選択していることが、問題の根の深さを決定的に印象付ける。黒人主人公に対して、悪人の白人がわかりやすく暴力や暴言をふるう場面が少ないのもいい。本当の問題は、そっと傍らに忍び寄り、よりナチュラルな形で発現する、ということなのであろう。

アレン・エスケンス『償いの雪が降る』も素晴らしい。授業で年長者の伝記を書くことが課題となり、目立った成果をあげたいがため、殺人の罪で有罪になった老人カール・アイヴァソンに会いに行くことにした浅薄な大学生の主人公が、「僕は十二月の寒気を吸い込んでじっと立ち、自分を取り巻く世界の感触、音、においを味わった。カール・アイヴァソンに出会わなかったら、見過ごしていたであろうすべてを。」の素敵な二文で物語を閉じるに至る物語は、正直言って胸に沁みた。訳もお見事です。

しかし、それ以上にエポックメイキングだったのが、『大統領失踪』である。作者が本物の元大統領であるとか、作中の大統領と今の現職アメリカ大統領との差が激し過ぎてぞっとするとか、その現職大統領が作者の妻を選挙で打ち負かしたんだからこれは意趣返しではと下種の勘繰りができるとか、そういった要素を完全に無視して考えたとしても、本作は歴史的インパクトが強い。既に散々指摘されているとおり、本書は全ての大統領小説を過去にした。大統領の感傷、感情が生々しく、また彼を取り巻く状況も現実感たっぷりだからである。SPに常に囲まれることが日常になって本人もそれに慣れてはいるのだが、ほんのちょっとした単独行動で喜びを感じる辺りは、今までありそうでなかった。また、大統領が決断しなければならない事項（大小さまざま、ではない。出来する事態は全て、見るからに大事そうなことばかりである）が、雲霞の如く主人公に押し寄せる。しかもそれが日常。加えて「ノブレス・オブリージュ」の小説でよくある、国家や大業のために切り捨てなければならない事項の描き方もまた、お涙頂戴を徹底排除している——というよりも、泣く時間と余裕がない——ので、これまた現実感たっぷりなのだ。しかも主役は基本的に自然体であり、元首になると望むと望まざるとにかかわらずこうなってしまうという実感がこもっているように読める。つまり、国のトップであることがどういうことかを、感傷的（＝常套的）な感情論や、わざとらしい使命感、普通に生きたいと泣き叫ぶなどの今更感満載の利己心などに頼らずに、理解し納得させてくれるのだ。それをこんなに高水準に実現されてしまうと、今後、大統領や首相、独裁者、王侯貴族を主役に据えた小説家は大変だろう。特にSF方面とファンタジー方面がやばそう。早速ジョン・スコルジーの新作における《エンペロー》のパートが色褪せて見えてしまったことを告白しておきたい。申し訳ない。なお、読む前は、大統領が失踪した後に、孤独に一人で個人として頑張る展開が来ると予想していたのだが、実際には全然違った。主役は最初から最後まで現代国家のリーダーであり、その権力（権限）を存分に振るう。どんな肩書があっても個人では何ほどのこともできない、元首の力は国家があってこそだ、ということなのだろう。クリントンの立場ではそう書くしかなかったのかもしれないが、個人の力が国家を救う英雄譚を事実上否定している本書は、逆説的に、だからこそ素晴らしい「ノブレス・オブリージュ」ものとなった。（酒）

杉

ブルーバード、ブルーバード

アッティカ・ロック／高山真由美訳
ハヤカワ・ミステリ

他のみなさんも書いているのではないかと思うが、意外なほどの激戦だった2018年12月。何を選ぶか真剣に悩んだのだけど「現役作家」であり「ミステリーとしての美点」がはっきりしていて「文章自体が素晴らしい」ものにしようと決めた。そうなるとこれしかないのである。『ブルーバード、ブルーバード』だ。

先に文章のことを書いてしまうが、これ、かちかちの岩のように密度の高い文章で、読み始めたときは先行きに不安を覚えるほどだった。一口で言えば情報量が多く、読んでも読んでもなかなか先に進めないのである。物語はそんなに複雑な構造ではない。主人公のダレン・マシューズはテキサス・レンジャーで、組織の中でも珍しいアフリカ系アメリカ人だ。ご存じのとおりテキサス州は南部州の中心地で、圧倒的な白人優位である。ダレンが今の職に就いたのも白人によるヘイト・クライムを憎んでいるためだ。ある小さな町で黒人の男性と白人女性が相次いで変死する事件があり、ダレンは人種差別主義者によるヘイト・クライムの可能性があると考えて現場に急行する。案の定、捜査に当たっている保安官は無能そうで、かつ事件をもみ消す気満々に見える。そこでダレンは真実を闇に葬らせないようにしようと使命感に燃えるのである。

この事件捜査が縦筋になるのだが、背景にさまざまなことが見えてきて、それが頭に浸透するまでに時間がかかるのだ。ダレンが現職に就くまでの経緯、理想に燃えるばかりに巻き込まれている面倒事、破綻しかけている結婚生活、アルコール依存症の危機といった事柄が一挙に押し寄せてきて、田舎町の気怠い情景とうだるような熱気の中、それらが濃密な壁をこしらえる。しかし、そこに読者を連れ込んでくれるロックの筆致がいいんですね。さくさくと話を進めるのもいいが、腕を摑んで、さあ、こっちにこい、とじりじり引きずられていく感覚も悪くない。これは一気に読むのは無理な小説だと覚悟を決めて、ゆっくりゆっくりページをめくるしかないのである。

そうすると中盤から物語は急速に展開し始める。案の定、主人公の拙速なやり方は現地からの反感を買って不穏な空気が生じるし、都会人で田舎町の風土になじめない被害者の妻が口を出してくることによりダレンの心中に矛盾した感情を呼び覚ます。彼自身がテキサスの田舎町の生まれであり、大地に根を下ろしていることに誇りを感じている。しかし、凝り固まった因習に怒りを覚えてい

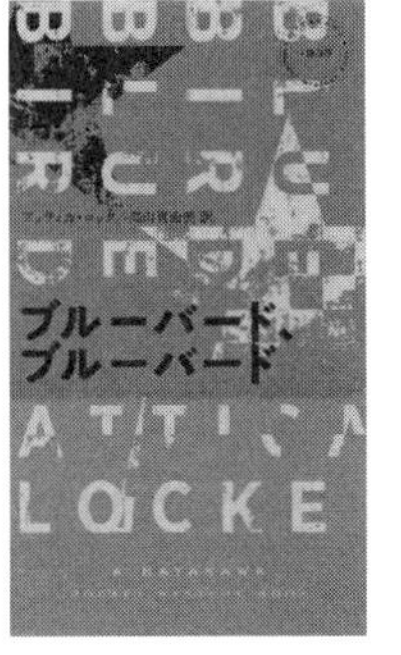

ることも事実なのだ。この二つの要素がぶつかり合うことでダレンの内燃機関は盛んに活動し始める。事態を見極め、物事を正しく進めようという意識が強くなるのだ。現場を見る目が鋭くなり、そこからは彼の推理がどう進んでいくのかという関心が俄然強まるのである。ミステリーとしての興趣は、だから結末に近づくほどどんどん高まっていく。序盤でへこたれずに最後まで読み通して本当によかったと思える作品。力作だからぜひこれは読んでいただきたい。

　それ以外にもお薦めしたい作品は多々あるのだが、省略。一つだけ言わせてもらえれば諸君、ジョン・チーヴァーが出ましたよ、チーヴァーが。「ハヤカワ・ミステリ・マガジン」にも訳載された「泳ぐ人」が、なんと村上春樹訳で読めるのだ。『巨大なラジオ／泳ぐ人』は読まなきゃ絶対損です。（杉）

霜

モリアーティ秘録

キム・ニューマン／北原尚彦訳

創元推理文庫

『ブルーバード、ブルーバード』で決まりかなと思っていた12月が例年以上の豊作でビックリ。カリン・スローターのノンシリーズ『彼女のかけら』は攻めのエッジが凄絶に立った一気読み作品だったし、豪華翻訳陣の『芥川龍之介選　英米怪異・幻想譚』は異色作家短編を先取りしたみたいで面白かった。『ピクニック・アット・ハンギングロック』も読みたかったんですが時間切れとなりました。ごめんなさい。

　で、推すのはこれ。他人のキャラを活用させれば世界一、絶妙なアイデアと博覧強記で「こいつにこういうことをやらせるのか！」と読者から快哉をカツアゲしてみせる史上最強の二次創作エンタテイナー、ニューマンの連作短編集である。題名どおり焦点はモリアーティ教授だが、物語をパワフルな「俺」一人称で語るのは、戦場からロンドンに帰ってきた殺しのプロ（虎狩りモラン）だ！　名スナイパー虎狩りモランが、砂塵のアメリカからやってきた名ガンマンと夜のロンドンで銃撃戦を繰り広げる第一話からして超痛快だし、第二話は「モリアーティ教授は、常に彼女のことを〝あのあばずれ〟と呼ぶ。」というゴキゲンな一文ではじまる。

　モランの活劇の背後に隠されたモリアーティ教授の犯罪仕掛けも毎度気が利いていて（火星人襲来をモチーフにした第三話とか好き）、悪党小説やコンゲーム小説としても素敵な出来栄え。当然ラストは「最後の事件」である。シャーロック・ホームズを読んでいないとアレかもですが、なんならこれを読んだあとにホームズものを読んだっていいでしょう。

教授やモランが誰か知らずに読んでも、アイデアと稚気が満載のクライム・スリラーとして素直に楽しい逸品。是非。（霜）

毎年十二月は無風地帯のように作品数が減るのですが、二〇一八年は違いました。なんという充実ぶり。これはきっと予兆でしょう。二〇一九年もきっと、読むべき作品がどばどば翻訳されるんだぞ、きっと。今年も七福神をぜひよろしくお願いします。（杉）

杉 川

カッコーの歌

フランシス・ハーディング／児玉敦子訳
東京創元社

待ちかねたぞフランシス・ハーディング、堪能したぞ『カッコーの歌』。嗚呼、感動が冷めやらず、高揚が収まらない。二〇一九年度になって早三カ月、年間ベスト・ワン級の作品がついに出た。

オールタイム・ベスト級の前作『嘘の木』が、ファンタジーの要素を核として精緻に作り上げられた謎解きミステリであるのに対して、『カッコーの歌』は、ミステリの手際が随所に光る謎と冒険に満ち満ちたファンタジーだ。ジャンルと手法の比重が逆転しているのだけれど、知性と魂を押し込められた少女がアイデンティティを獲得すべく枷だらけの世界に抗う成長小説という重心は変わらない。今回、謎解き要素を減じて活劇成分を強めた上、七日間という待ったなしのタイムリミットを設けたことで、全編を覆う不穏な空気と横溢するエネルギー、サスペンスフルな展開は『嘘の木』を上回る。

舞台は一九二〇年代初頭のイギリス。主人公は、「土木工学の奇跡」で港町を甦らせた名士ピアスの十一歳になる娘トリス。沼に落ちて以来、彼女の身の周りで不気味で不可思議な現象が立て続けに起きる。破り取られた日記帳、満たされることのない空腹感、口をきく人形、憎悪に満ちた眼でトリスを拒絶する妹ペン、そして「あと七日」と囁く謎の声。一体何が起きているのか。謎また謎の連べ打ちにページを繰る手が止まらない。やがて、その原因が明かされた時、物語は本格的に動き出す。受けから攻めへと。

そして少女は疾駆する、レンガとモルタルで出来た巨大な迷宮の如き町の中を。物語の世界に浸る喜びを十二分に味わわせてくれる間然するところのない傑作だ。（川）

たぶん、どなたか同じことを書いていると思うのだけど、今月は『拳銃使いの娘』と『カッコーの歌』の一騎打ちだった。どちらも大好き。両方ともなんで自分が解説を書いてないのか、と思うぐらい好き。あ、解説の人選は、なるほど、と納得する適材適所です。編集者は正しい。

『拳銃使いの娘』と『カッコーの歌』には複数の共通点がある。逃亡小説であるというのがその一つで、『拳銃使いの娘』では白人優位主義の犯罪集団から死刑宣告を下された父娘が生き残りのためのなりふり構わない逃避行に出る。『カッコーの歌』のほうはちょっと説明しがたい状況が出現して、主人公の少女は何もかも捨てて逃げださなければならなくなる。この逃げ出すまでの陰鬱な展開が本書の肝で、これがあるからこそ物語が静から動に転じたあとに疾走感が出る。これは生存を賭けているだけではなく、自由を摑むための逃走でもあるわけだ。『カッコーの歌』でも主人公は一人で走るのではなく、同伴者がいる。誰と一緒に逃げるのかは、内緒だ。おお、両方とも相棒小説ではないか。ここも共通点である。

どっちの小説も相棒としての契約が結ばれるまでの手順をきちんと踏んでいるのがいい。ここをおろそかにする相棒小説もあるが、ちゃんと書きこまないと駄目だ。『拳銃使いの娘』の場合、刑務所から出てきた父親が有無を言わせず娘を連れて逃げ出すのだが、途中であることが起き、我が子に対して「お前は子供だがきちんと選ばせるべきだった」と詫び、自分と一緒に来るかどうかを考えさせる場面がある。ここがいい。ここに痺れた。そう、血縁のあるなしに関係なく、一緒に歩く相手は自分で選ばなくちゃ駄目なのである。『カッコーの歌』は、主人公の相棒が誰なのか書けないのだが、契約の言葉を口にする前に事態が急変して二人は逃げ出さずにいられなくなる。しかしその後でやはり胸の熱くなる場面がある。相棒が口にした言葉から、それまで反目ばかりで敵視さえされていたと思う相手が、自分のことを信頼してくれていると主人公は知るのである。ここもしっかり言葉にしているところがいい。そして相棒の言葉は後に主人公の運命を決する大事なものになっていく。

ほら、やっぱり互角に好きだ。本来なら順位を決めることなど無理なのだが、イメージの豊かさを取って『カッコーの歌』を採る。ごめん、『拳銃使いの娘』。犯罪小説としては君のほうが好きだ。途中でリチャード・スターク『悪党パーカー／犯罪組織』みたいになるところとか。主人公ポリーの乱暴な言葉遣いが『がんばれベアーズ』のアマンダとか、『ペーパー・ムーン』のアディを思わせるところとか。あ、両方ともテイタム・オニールじゃん。他にはディック・ロクティ『眠れる犬』とかも思い出した。セレンディピティ。『カッコーの歌』のほうも読んでいるとどんどん連想が広がっていく小説で、子供のころ学校の図書室で貪り読んだ諸作が脳裏に去来し、とても幸福な時間を過ごすことができた。この二冊、大人はもちろんローティーンのうちに読むことにとても意義のある小説だと思う。すべての小中学校の図書室に入りますように。（杉）

霜 吉

拳銃使いの娘

ジョーダン・ハーパー／鈴木恵訳
ハヤカワ・ミステリ

親も他の大人たちと同じく弱さも限界もある普通の人間なんだ——と気づく瞬間が誰にもある。これは子ども心にショッキングな啓示で、でもそこを境に僕たちは大人になってゆく。これは大いなる瞬間なのだ。その瞬間を描いた傑作が1月には二冊も出てしまった。まだどちらをベストに推すか決められないままこれを書いている。年明け早々に年間ベスト級の作品を二作も出されると困るんである。

一つは傑作『嘘の木』のフランシス・ハーディングの『カッコーの歌』、もう一つは新人ジョーダン・ハーパーのデビュー作『拳銃使いの娘』である。前者はある少女と家族を見舞うマジカルな危機をめぐるファンタスティックなサスペンス／冒険活劇で、後者は強大な犯罪組織の標的となってしまった元犯罪者とその娘の逃亡／反撃を描くクライム・ノワール。リアリズムの程度も、筆致の質感も、属するサブジャンルもまるで違う。しかしこの二作は不思議に重なり合う。小学校高学年くらいの少女を主人公としていること。その親（主に父）が冷酷な「世界」との戦いで敗北者の地位に置かれること。主人公がそんな父に対して失望し、しかし、そんな父と同じ地平に立って——父＝娘の関係ではなく自立した人間同士の関係に立って——自分の尊厳のために戦おうとすること。いまの私は、強い人間が敵を倒す物語より、弱い人間が自分の尊厳のために戦おうとする物語を買うが、どちらもそういう小説なのだ。困る。

あとは好みだ。完成度が高いのは『カッコーの歌』で間違いない。だが『拳銃使いの娘』で中盤に突如はさみこまれて完成度を損ねている挿話は、ごろりと投げ出すような酷薄さで見事な短編のような趣を放って忘れがたい。どちらも心理描写は精細で、『カッコー』の主人公の苦悩は胸に迫るが、『拳銃使いの娘』も苦悩や苦痛の描き方で負けていない。それぞれの主人公の相棒の「妹」（カッコー）と「熊」（拳銃使い）、どちらも魅力的だ。どちらも記憶に残る傑作で、どちらも必読だ。さあ困った。

クライマックスで少女自身が演じる死闘のすごさで『拳銃使いの娘』に軍配をあげよう。奇妙に「伝説」めいた物語が立ち上がるラストもいい。そしてもちろん熊の貢献のせいでもある。熊に名前がないのがまたいい。（霜）

ムショ帰りの父とその娘が、追いかけてくるギャング団に立ち向かい闘っていくという単純な設定ながら、キャラクターよし細部よしでテンポよく痛快に読ませる犯罪アクションものだ。ドゥエイン・スウィアジンスキー『カナリアはさえずる』も同じく個性的なヒロインが登場するクライムノヴェルで、お薦め。麻薬取引にまきこまれた女子大生が、秘密情報提供者として捜査に協力する羽目になるというストーリーだが、こちらは凝ったプロットによる意外な展開で上下巻たっぷりと愉しませてくれる。また、スティーヴン・キング『心霊電流』は、語り手の主人公が幸福だった若き日のエピソード、とくにギターとロックにのめり込んでいくあたりの場面が個人的にはたまらない。そこで時が永遠にとまってくれと願わずにおれない、のだけれども、そうはいかないどころか、以下略の恐怖譚だ。（吉）

酒

カナリアはさえずる

ドゥエイン・スウィアジンスキー／公手成幸訳
扶桑社ミステリー

女子大生の主人公サリーは、ひょんなことから、半ば偶発的に麻薬取引に関与してしまう。しかもそれを麻薬捜査官に勘付かれ、目を付けられてしまった。捜査官はサリーを脅迫して、情報提供者になることを強要する。結果、サリーは犯罪組織に潜り込まざるを得なくなるのだ。と、ここまでは、サリーは受動的である。しかしながら潜入が本格化するにつれ、サリーは徐々に、自分の損得を考えて、自分で判断し思い切った行動をとるようになる。

この物語を通して、サリーは受動的で周囲に振り回される人物から、能動的で周囲を振り回す人物に変貌していく。主体的な言動が目立つようになってくる。終盤は主体的な言動しかとっていないとすら言えるわけで、《巻き込まれ》状態だった冒頭とは全く状況が違う。こういう変化を見ると、彼女が若者ということもあって「本書は成長小説なのだ!」と断じてしまいそうになるが、実際にはそうとも言い切れないのである。頑として麻薬捜査官にも口を割らない事柄があるなど、サリーの我の強さは最初から明らかだからだ。では何が変化したのかというと——サリーの側の心理的な準備(事態の見極め)だったのだろうなあ。そして、このような変容を生み出した、一筋縄では行かないストーリー展開も特筆大書されるべきである。『メアリー-ケイト』や『解雇手当』に比べたらだいぶマトモなクライムノベルだが、個性的なことは間違いない。この作家、もっと訳して欲しいなあ。(酒)

北

種の起源

チョン・ユジョン/カン・バンファ訳
ハヤカワ・ミステリ

馳星周『不夜城』を読んだときを思い出す。こういう小説は好きではない、と思いながらも、この才能は認めざるを得ない——との読後感を思い出す。この長編もそれに近いところがある。帯に大きく「悪人の誕生記」とあるが、ようするにそういう話である。『不夜城』に似た読後感ということは、こういう話は苦手なのだ。読みたくないのだ。しかし、徐々に明らかになっていく構成がうまいのである。だから、読みふけってしまうのである。困った話だ。(北)

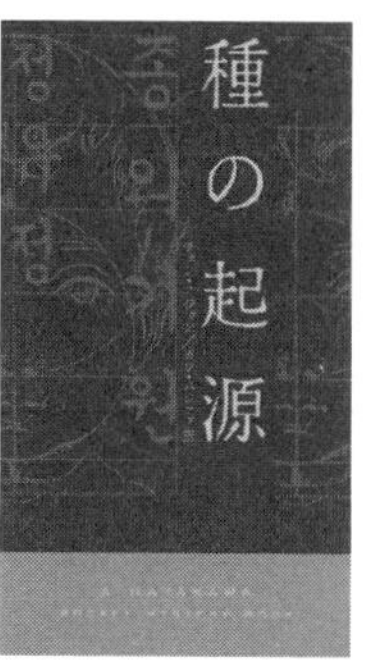

千

心霊電流

スティーヴン・キング/峯村利哉訳
文藝春秋

主人公が子供時代に出会った若き牧師は、ある悲劇に見舞われたのをきっかけに神を信じなくなり、異様な説教を残して町を去った。その後、ギタリストになった主人公は、人生のあいだに幾度もこの元牧師と再会するのだが……。「恐怖の帝王、久々の絶対恐怖の物語」というのが本作の上巻の惹句だけれども、凄惨なシーンや不吉なシーンはところどころにあるにせよ、この上巻の時点では恐怖を感じさせるほどのシーンは存在しない。しかし「絶対恐怖」と銘打っているからには必ず怖くなる筈だ……と思って下巻を読み進めてもなかなか怖くならない。キングの作品としても珍しいほどの長い長い助走の果て、その「恐怖」は突然訪れる。それまでのノスタルジックで哀しくて不穏で長大な物語こそが、主人公と読者をゆっくりと搦め捕る罠そのものだったのだと、読者は悟るだろう——もはや逃げ場はこの世にもあの世にもないという絶望とともに。(千)

12月に続き、豊作揃いの1月でした。点数はそれほど多くないけど粒ぞろい。この調子でいくと、2019年も豊かな読書生活が楽しめそうです。では、また来月お会いしましょう。(杉)

霜 北

黒き微睡みの囚人

ラヴィ・ティドハー／押野慎吾訳
竹書房文庫

シュンド文学、というのがあるとは知らなかった。訳者あとがきから引く。

「シュンドとは、格調を重んじ、厳格な内容の作品が多かったイディッシュ語文学において、通俗的な内容を積極的に取り入れた画期的な作品群とされ、アメリカを中心に広まったパルプフィクションに通じるとされています。本作も暴力や売春、SMといった要素が盛り込まれており、シュンド文学を強く意識していると言えるでしょう」

そういう通俗的な小説を書いていた作家が強制収容所で見た幻想的な世界が、ヒトラーがロンドンで私立探偵になっているという本書だ。だから、狭義のミステリーではないが、シュンド文学というものに猛烈に好奇心を刺激されたので、今月印象に残った本としてあげておきたい。

（北）

あらすじも何も見ないで読みはじめていただきたい。可能であればカバー絵も見ずに読むほうがいいと思う。別にあらすじやカバーで致命的なネタバレをしているわけではないのだが、じわじわと「それ」が明かされる妙味も、この小説にはあるからである。

ミステリか？　と言われるとためらうところもある。しかし明らかにcrime fictionという物語が援用されているのは確かだ。ティドハーは、『完璧な夏の日』でスーパーヒーロー物語を援用したように、C級パルプ・フィクションの道具立てを駆使して、この怪作を織り上げている。1939年、混沌としたロンドンで動乱のドイツから逃れてきた私立探偵ウルフが失踪したユダヤ人女性を追う物語は過剰に紋切り型で露悪的であり、まるでフリッツ・ラングとタランティーノをまぜたような按配であり、そして何より面白いのである。最後には不思議に感動的な場面にたどりつくのも面白い。

パルプ・ハードボイルドの流儀による『黒い時計の旅』へのオマージュ、みたいな趣もある怪著。なお、どうせ誰かが挙げているだろう圧巻のルースルンド＆ヘルストレム『地下道の少女』、『拳銃使いの娘』に続きまたもや少女による「父殺し」の秀作『沼の王の娘』、韓国スリラー『あの子はもういない』『種の起源』と、2月もたいへん豊作でした。

（霜）

酒

種の起源

チョン・ユジョン／カン・バンファ訳
ハヤカワ・ミステリ

2月も大激戦だった。ホーカン・ネッセル『悪意』の深沈たる奥行、カリーヌ・ジエベル『無垢なる者たちの煉獄』の漆黒、イ・ドゥオン『あの子はもういない』の苛烈。捨てがたいそれらを差し置き、今日のところは『種の起源』をチョイスしたい。

　予備知識なしで読み始めるべき作品なので、粗筋等をあまり紹介したくないのだが、物語は、目覚めた主人公が自宅で母の死体と二人きりで、昨夜何があったのかはっきり覚えていない、というスタートを切る。主人公の意識の流れがそのまま小説になっており、主人公の想念があっちへふらふら、こっちへふらふらする度に、物語は過去と現在を行き来する。過去が時系列順に思い返されず、ほぼランダムにエピソードが断片的に紹介されていくので、読者は大いに惑乱させられるはずだ。今現在のパートで、主人公が母の死体を前にしていることもあり――逆に言うと、そんな状況にもかかわらず悠長に過去のフラッシュバックを何度も繰り返しているわけである――異様な感覚が常に付きまとう。主人公による一人称の語り口が常に落ち着き払っていることもあり、読者はやがて、本書が不気味な物語であることに気付かされるはずである。圧巻としか言いようがない語り口に酩酊すべし。（酒）

川

地下道の少女

アンデシュ・ルースルンド&ベリエ・ヘルストレム／ヘレンハルメ美穂訳
ハヤカワ・ミステリ文庫

　第三作『死刑囚』から八年と一カ月。第五作『三秒間の死角』から五年と四カ月。版元倒産による危機から、多くの人々の尽力によるシリーズ移籍と復刊という今の出版状況において奇跡にも近い経緯を経て、ついについに未訳だった〈エーヴェルト・グレーンス警部〉シリーズ第四作『地下道の少女』が刊行されたのだから、これを喜ばずしてなんとしよう。しかもシリーズ屈指のサスペンスフルな展開に、ページを繰る手が止まりません。

　作中ある人物が、「地下の世界では、みんなそれぞれに物語があり、誰もが語るのを避けている」と述懐するように、高福祉国家の病巣をテーマにし続けてきた作者は、今回ふたつの都市の二重の意味での〈地下世界（アンダーワールド）〉に焦点を当てた。ある理由からいつ臨界点を突破してもおかしくない状態で捜査に没頭していくエーヴェルトと、地下世界に安らぎを見出した少女の視点を切り替え、過去と現在を往還して緩急自在に物語を展開していく手際のなんと巧みなことか。

　遺棄された四十三人の外国人の子供と、病院の地下通路で発見された顔を損壊された女性の死体。ふたつの難事件に奮い立つエーヴェルトは、ストックホルムの地下に広がるもはやだれも全容を把握していない錯綜したトンネル網へと分け入っていく。過去が現在に追いついたときに立ち現れる真相には、二重の意味で息を呑む。

　ちなみに作者は、前三作のネタばらしを巧妙に避けており、シリーズ未体験の方が初めて手にとってもまったく問題ないので、ぜひこれを機会に手にとって欲しい。（川）

千

ついには誰もがすべてを忘れる

フェリシア・ヤップ／山北めぐみ訳
ハーパーBOOKS

　被害者、容疑者、その妻、そして刑事。主要登場人物四人の視点で語られる物語だが、読み進めるうちに誰の言うことも信用できなくなってくる。というのも、作中の世界は、今日と昨日の記憶しかない「モノ」と、一昨日までの記憶を持つ「デュオ」という二種類の人類がおり、家柄や階級ではなく記憶の日数による格差が形成されたパラレルワールドとなっているからだ。記憶喪失といえばミステリにおいて数えきれないほど繰り返し使われてきた設定だが、SFの要素を取り入れることでこんなに斬新な印象を演出できるというのは新発見だった。少数に絞られた主要登場人物と、視点の切り替えを巧みに利用した怒濤の連続どんでん返しは、昨年の話題作だったピーター・スワンソンの『そしてミランダを殺す』を想起させるものがある。（千）

杉

沼の王の娘

カレン・ディオンヌ／林啓恵訳
ハーパーBOOKS

今月もまた一冊に絞るのが大変であった。というか本当にこれが全部2月に出たのか。2019年って2月が50日ぐらいあったんじゃないのか。そんな疑いさえ抱いてしまうほどに読むべき本がたくさんあった28日間でありました。

『沼の王の娘』は怪物の父親と、その怪物によって生み出された娘とが原生林の中で一騎打ちをするという物語で、設定を書いただけで胸が熱くなる。この小説が好きなのは単純な善悪二元論で書かれていないところで、主人公にとって自身の源である父親と闘うことは壮絶な痛みを伴う行為なのである。だからこそすべての始まりである小屋からの出来事を回想し、過去を反芻しながら現在の事態に対応している。かといって現在を脅かすものを許すわけはないので、自分と家族の未来を守るという鋼鉄の意志はいささかも揺るがない。過去と闘って未来を掴み取る話なので、これが嫌いになれるわけはないのであった。まったく風合いは違うのだけど、韓国ミステリーの二作品、チョン・ユジョン『種の起源』とイ・ドゥオン『あの子はもういない』も、自身の一部となってしまっている過去といかに切り結んでいくかという話になっていて、そうか、2月はこういう話が心に迫ったのだな、とこの原稿を書きながらしみじみ思い返した。

最後まで迷ったのがホーカン・ネッセル『悪意』で、この短篇集だっていつもの月なら躊躇なく選ぶところである。中断された過去が突如動き出して主人公たちの現在を脅かすという構造が似ている作品が集められているのだが、そのうちの「サマリアのタンポポ」という一篇にネッセルの創作論めいたことが書かれていて、ここを読むだけでも本にお金を払うだけの価値はあるのではないかと思う。せっかくなので引用はしない。実際に読んでもらいたい。収録作の中で最も驚いたのは「親愛なるアグネスへ」という一篇で、あ、まだこんな手が残っていたのか、と感心させられた。某古典名作を連想する読者は多いはずだ。ホーカン・ネッセル、なんだか奥行のありそうな作家だ。できればもっと訳してもらえないものだろうか。（杉）

吉

無垢なる者たちの煉獄

カリーヌ・ジエベル／坂田雪子監訳・吉野さやか訳
竹書房文庫

『無垢なる者たちの煉獄』か、それとも『沼の王の娘』か、大いに迷った今月で、どちらもけっして広く支持される作風ではないかもしれないが、黙殺されてしまうのはもったいない傑作。あえて選んだフランス作家カリーヌ・ジエベルの本邦初紹介長編作は、この手の小説をわりと読み慣れている自分でさえ、おぞましさを感じるほどの衝撃的な展開が待ち構えている。前半を読んでいるかぎり、すっかり話を舐めていた。なぜなら、もうこれまで何度も読んだことがある凡庸な設定なのだ。刑期を終えた男が、出所してすぐ仲間とともにパリで宝石強盗を働き、警察と銃撃戦のすえ逃走、田舎の民家へ逃げこむ。その家には夫の帰りを待つ妻がひとり。男たちはしばらくそこを隠れ家にしようとした……。それがまさかジャック・ケッチャム作品を思わせるほどの激しい場面が容赦なく描写されていくとは。一方のカレン・ディオンヌ『沼の王の娘』は、少女を拉致監禁した男とその被害者女性のあいだに生まれた娘がヒロインをつとめ、その親子が闘う物語。こちらも描かれる獣性や残虐性に容赦はない。個人的にはサイコサスペンスの部分よりも、一種の大自然サバイバル冒険スリラー、娘と父による〈もっとも危険なゲーム〉といえる活劇場面に心奪われた。親子、家族がテーマといえば、話題の韓国スリラー、『種の起源』『あの子はもういない』の二作は、どちらも濃い血縁の暗部が生々しく描かれ、心がおしつぶされそうになるほど息苦しい読書となった。それでも話の先を知りたくてページをめくらせる物語だ。（吉）

またもや粒ぞろいの二月でした。韓国ミステリーの刊行が始まるなど新しい潮流もありますし、もはや定番になってきた感もある北欧作品もあり、フランス発の犯罪小説もおもしろそう、と目移りしてしまう読者も多いのでは。次回のこのコーナーも期待してください。（杉）

2019 4月

吉 酒

座席ナンバー7Aの恐怖

セバスチャン・フィツェック／酒寄進一訳
文藝春秋

所用で乗った国内便の往路で、私はこの本を読んだのだが、座席ナンバーは7Kであった。そして、その復路の座席ナンバーは7Aであった。惜しいことをした。

……という私的に過ぎる後悔はさておき、本書は非常に良質のスリラーである。旅客機という、恐らく他のどのクローズド・サークルよりも行動半径の小さい環境下で、タイムリミットも付した強烈なサスペンスが生み出される。加えて、最初から最後までひっきりなしに、意想外の展開がつるべ打ちに続き、飽きる暇がない。はるか離れた地上での誘拐劇が同時並行で描かれており、様々な事情が絡み合って、一寸先は闇の手に汗握る展開が貫徹されている。伏線も巧みに張っているので、再読すれば構造美を堪能することも可能である。そして全体通して見れば、いかにも手慣れた名手が、手を抜かずしっかりした仕事をして

くれたという手応えがある。セバスチャン・フィッツェックは、今や完全に「読めば面白い」数少ない作家の仲間入りを果たしたと言えるだろう。練達のサスペンス、まずはお楽しみあれ。（酒）

昨年の『乗客ナンバー23の消失』は豪華客船だったが今度は旅客機ときた。例によってフィッツェックは、主要人物をこれでもかとどこまでも追いつめていく。全編を貫いているのは、いったい出口はどこにあるのか、という強烈なサスペンス。そこへいくつもの謎と追跡劇が加わり、もう読みながら興奮が収まらない。ひねりの効いた展開が最後の最後まで続き、今回も文句なしの面白さだ。そのほか、スペインものなのに、まさか日本刀や武士道が出てくるとは思わなかった、ビクトル・デル・アルボル『終焉の日』は、現代史の陰に蠢く者たちの血と復讐の物語が濃密な筆致で描かれた大河ミステリ。女性弁護士が一人の悪徳警官を刑務所に送ったものの、その背後に陰謀が隠されていたことを知り再調査をはじめると、スペイン内戦後に起きた40年まえの事件につながっていく。確かな読みごたえを感じる一冊だ。（吉）

杉

火星無期懲役

S・J・モーデン／金子浩訳
ハヤカワ文庫SF

題名に気をそそられて読み始めたら、なんとこれがアガサ・クリスティー『そして誰もいなくなった』型の孤島ミステリーなのであった。新手だ。地球外空間の謎解きに挑んだ作品では昨年もムア・ラファティ『六つの航跡』という良作があったが、そっちより好みだった。基本設定がおもしろくて、主人公は刑期120年を宣告されて入所している服役囚である。息子を麻薬付けにした売人を射殺してしまったのだ。その彼に意外な提案が持ち掛けられる。NASAと民間企業が提携して火星に基地を建設する。その企業が刑務所を委託運営しているのである。正規の宇宙飛行士がやってくる前に先乗りして、施設を作っておく役目として、娑婆に出られる見込みのない服役囚に白羽の矢が立てられたのだ。火星行きを断れば一生光の射さない独房入り決定、と脅され、また火星基地運営がうまくいけば余禄があるかも、と飴も貰って主人公は決意するのである。ご想像通り、火星行きになった服役囚たちが、一人、また一人と死んでいくわけだ。『そして誰もいなくなった』パターンの作品って、最初っから原型が透けて見えることが多いが、本書の場合はかなり話が進展してから謎解きの展開になる。その溜めが効いているのである。最初のうちは完全なサバイバル・スリラーで、そこから知的な謎解きの趣向が浮かび上がってきた瞬間に、お、来たな、と嬉しくなってしまったのであった。SF設定だけど、謎解きは科学知識なしでも十分楽しめる。レーベルがSF文庫だから、読み逃しなきようにご注意を。

これと悩んだのが『座席ナンバー7Aの恐怖』と『終焉の日』であった。どちらも他の誰かが挙げていると思うのでつべこべ書かないが、後者は駄目男にNOをつきつける女性たちの話としても読めるので、そういう意味でもお薦めしておきたいです。（杉）

川

ゴーストライター

キャロル・オコンネル／務台夏子訳
創元推理文庫

セバスチャン・フィツェック『座席ナンバー7Aの恐怖』が素晴らしい。プロローグから12章まで常に

「疑問」か「衝撃」で幕を引き、目まぐるしく視点を変えてページを繰らせ、気がついたら七十ページを一気読み。"?"か"!"が連発される厭な予兆しかしない離陸に始まり、一瞬も気を抜けないまま最終到達点へと突き進む仕掛け満載の〈閉鎖空間タイムリミット・サスペンス〉に、今月はこれで決まりかと思っていたのだけれど、キャロル・オコンネル『ゴーストライター』が待ったをかけた。

〈氷の天使〉ことキャシー・マロリーが不夜城（グレート・ホワイトウェイ）ことブロードウェイに棲息する奇人変人たちの間で起きる連続死に挑む本書は、謎解きと外連、幻想味と現実感、狂おしき愛憎と充たされない想いが醸成する絶望と狂気という作者の持ち味に満ち満ちた傑作だ。

舞台はニューヨークの劇場。観客席では初日・二日目と連続して人が死に、舞台裏ではゴーストライターによって日々脚本が書き替えられていく。曲者揃いの登場人物を揃え限定された世界の中で入り組んだフーダニット＆ホワイダニットを構築する作者の手腕は今回も健在。謎解きミステリとしての徹底度という点で、魑魅魍魎が跋扈するＮＹの美術界を舞台にした『死のオブジェ』や、マンハッタンに棲息する由緒正しい一族の間で起きた過去と現在の虐殺事件に挑む『ウィンター家の少女』と並ぶ現代本格ミステリの収穫だ。煌びやかであると同時にどこまでも暗く、残酷なれど一筋の光明と優しさを忘れないキャロル・オコンネルの世界を堪能あれ。（川）

千

終焉の日

ビクトル・デル・アルボル／宮﨑真紀訳

創元推理文庫

一九八一年二月、スペインで一部の軍人がクーデターを起こそうと下院に乱入した……という史実をもとにした大河ミステリ。弁護士マリアが刑務所送りにした悪徳警官セサルは、実は陰謀の犠牲者だったのか？　セサルに会見し真実を探ろうとするマリアに、三十年前の事件に関わったある人物の魔の手が迫る。マリアの父、別れた夫とその上司、セサルの行方不明の娘、政界の黒幕、母親を殺害された兄弟……ぶつかり合う数多くの人間の思惑、二重三重に入り乱れる復讐、増えてゆく新たな犠牲者の屍。親の因果が子に報い、登場人物の誰も幸せになれない悲劇的展開から、権力にしがみつく者の妄執が人間の運命を狂わせる恐ろしさ、おぞましさが滲み出す。深淵のように暗い物語だが、ずしりと重い手応えが感じられる。（千）

北

戦場のアリス

ケイト・クイン／加藤洋子訳

ハーパーBOOKS

読み始めたらやめられない一気読みの傑作。ドイツ占領下の北部フランスに潜入した女性スパイの物語だが、いやあ、面白い。人の心を救うのは何か、というテーマは、横山秀夫の6年ぶりの新作『ノースライト』に通底するものがある。（北）

霜

脱落者

ジム・トンプスン／田村義進訳

文遊社

一気読みの強度なら『座席ナンバー7Aの恐怖』だが、誰かがきっと挙げるだろうし、読んでてヤバかったのはデイヴィッド・ピース『Xと云う患者　龍之介幻想』だが、これはどうみてもミステリーとは言いがたい（ぎりぎりノワールとは言えるか？）ので、本書に決めた。

トンプスンらしい歪んだ登場人物たちが「普通の倒叙ミステリ」を演じたらどうなるか、という実験をしたみたいな作品である。石油採掘業者に私怨を抱くソシオパス風の保安官助手が殺人を犯し、そこに被害者の妻や上司の保安官やギャングがからんでくる。

物語の進行は『死の接吻』後半のような倒叙ミステリなのに、ときどき登場人物たちが奇怪な動きをするせいで進行方向がふらつく。そこがいい。抑圧された性衝動が見え隠れしたり、主人公の内面はまったく描かれなかったりするせいで、お話自体はオーソドックスなのに最初から最後まで得体の知れない不安感がつきまとうのである。

ひねくれたジャズ・ミュージシャンがスタンダード・ナンバーを演奏しているみたいな危なっかしいスリル。他に類をみないクライム・フィクションを書かせたら、やはりジム・トンプスンの右に出る者はいない。（霜）

挙げられた書名はやや少なめですが、少数精鋭の感がある三月でした。ドイツ、スペインとお国も多岐にわたり、SFも紹介されるなど幅もありましたね。この調子でどんどん行け。また来月、お会いいたしましょう。（杉）

2019 5月

北川

生物学探偵セオ・クレイ 森の捕食者

アンドリュー・メイン／唐木田みゆき訳
ハヤカワ・ミステリ文庫

ぶっ飛んでるなあ、セオ・クレイ。久々に出会ったよ、こんな浮世離れした天才タイプの名探偵に。「余計な口は閉じておくべきだ。わたしにはそれができない」という述懐はいわゆるハードボイルド型私立探偵の常套句だけれども、それに続くのが

「論理的な説明をしたいという欲求をどうにも抑えられない」となると、謎解きミステリ好きとしては、おっ、これはとわくわくしてしまう。

モンタナ州の森でフィールドワーク中の生物情報工学者セオは、たまたま近くで調査活動をしていたかつての教え子が惨殺死体で発見されたために容疑者と見なされるも、被害者は熊に襲われたという検死結果により釈放され、件の熊も射殺される。だが違和感を覚えたセオは、自作プログラムを駆使してカオスの中に秩序を見出す手法で独自捜査に乗り出す。ただしそのきっかけとなる彼自

身説明がつけられない行動には、思わず、ちょっと待ったと突っこみたくなってしまう。いやいや、それって違法だろう。大丈夫か、という心配半分、よし行け、という期待半分。自責の念と謎を解明したいという強烈な欲求に突き動かされるセオの八面六臂の活躍ぶりを、一人称現在進行形による語り口に乗せられて、堪能していると次々とんでもない事態が発生する。イリュージョニストとして名をなした作者の面目躍如たる外連に満ちた謎とアクションは、よくよく考えると突っ込みどころに事欠かず賛否両論だろうが、私は次作が待ち遠しい。だから続きを出してね。

今月はジョン・グリーン『どこまでも亀』（岩波書店）も強烈に推したい。失踪した大富豪の行方を突きとめて懸賞金を貰おうとする親友デイジーの計画に巻き込まれた十六歳の少女アーザ。強迫性障害に悩む彼女の物語は痛く切ない。同じ症状で苦しむ作者は、安易な解決策や救いを与えることはしない。にもかかわらず、悲観に溺れることなく、辛い現実を見据えて煩悶しながら日々を生きているアーザの姿が胸を打つ。これは、〝届くべき人に届いて欲しい物語〟だ。

（川）

あのリンカーン・ライムは幸せだったんだなと思わざるを得ない。こちらのセオ・クレイは大変なのだ。この名探偵は、事件が表面化する前に、先に死体を発見してしまうのである。するとどうなるか。警察は信じてくれないのだ。推理があまり鋭すぎると周囲は誰も信じてくれないという真実がここにある。

脇役が活写されていることも、激しいアクションも、なにからなにまで私好み。このシリーズ、売れてくれないと続刊が翻訳されないだろうから、ぜひ売れてほしい。いまそれを熱烈に願っている。

（北）

千 酒

ディオゲネス変奏曲

陳浩基／稲村文吾訳
ハヤカワ・ミステリ

本短篇集には、読者を驚かせようとする作者の企みが満ちている。しかも概ね成功しているのだから凄い。各篇が短いこともあり、コンセプトやアイデア、もっと言えば作品の核となるネタが、そのまま作品の価値と評価に直結している感が強い。もちろん肉付けが下手というわけではなく、敢えてこうして、作品を純化したのだろう。こういう作品は、日本の本格ミステリのファンであれば馴染みの読み口であるが、それが中国でかくも高水準に達成されたのは驚きである。極東本格ミステリ圏の最前線は、ここにある。

（酒）

未訳長篇の紹介に目を通すと、邦訳のある『世界を売った男』『13・67』の二作品からは想像がつかないくらい作風の幅が広いらしい陳浩基だが、ノン・シリーズ短篇集である本書を読むと、その多才さはこちらの想像を遥かに凌駕していた。切れ味鋭いどんでん返しが用意されたクールな犯罪小説の「藍を見つめる藍」や「いとしのエリー」、自分の人生から好きなだけ時間を売ることができるようになった社会を舞台にしたSF「時は金なり」、デビューしたければ実際に殺人を犯せと編集者にけしかけられた男が密室殺人を実行する「作家デビュー殺人事件」、ショッカーみたいな悪の軍団を舞台にしたコミカルなフーダニット「悪魔団殺（怪）人事件」等々ユニーク

な作品が多いが、中でも、講義に紛れ込んだ謎の人物を暴くため学生たちの推理合戦が繰り広げられる「見えないX」の濃密極まる本格テイストは傑出している。全篇にちりばめられた日本のサブカルチャーへの言及も効果的だし、軽快さとシニカルさが混淆した味わいも好み。「そう、こういう短篇集が読みたかったんだ!」と膝を叩いた極上の一冊。（千）

吉

イタリアン・シューズ

ヘニング・マンケル／柳沢由実子訳
東京創元社

読みはじめたところ、たちまち物語に没頭してしまい、ページをめくる手がとめられなくなった。そんな小説は年に何作もない。一行一行、ひと文字ひと文字をじっくり追いかけ、咀嚼するように読んでいった。男のもとにむかし別れた恋人が訪ねてくるという話のはじまりはたいしたケレンもないものだが、穏やかなサスペンスの先にちょっとしたツイストがあり、さらに重さをともなうショックが待ち受けている。そこから次々と立ちあがってくる情感がもう主人公のものなのか、読んでいる自分自身のものなのか区別がつかなくなるほど引きこまれてしまった。毎日なにかしら本を読んでいるが、きのうまでの読書とはあきらかに異なる姿勢となった。もう「格」がちがうのだ。そのほか、アンドリュー・メイン『生物学探偵セオ・クレイ——森の捕食者』個性派探偵スリラーの典型的な形式で書かれ

たものとして愉しんだ。また陳浩基『ディオゲネス変奏曲』は『13・67』が気に入った読者ならば、ぜったいに読み逃してはならない短編集。とうぜん単にバラエティに富んでいたり趣向が奇抜だったりするにとどまってはおらず、「ああ、そう来るのか」と拍手したくなる作品がつまっている。（吉）

杉

トリック

エマヌエル・ベルクマン／浅井晶子訳
新潮クレスト・ブックス

ん、『トリック』ってついているし、なんかマジシャンみたいな男が表紙に描いてあるから奇術小説なのかしらん。と、そんな軽い気持ちで手に取った一冊である。読んでみたら、これがもうおもしろうておもしろうてかなわぬ。喜劇風味で笑わせてくれる部分と深刻になる箇所との配分が絶妙であり、あっという間に引き込まれてしまったのであった。新潮クレスト・ブックスということもあって読み逃している人も多いと思うので、強くお薦めしておきたい。

物語は過去と現代の二つのパートで成り立っている。過去のほうは20世紀初頭のプラハから話が始まる。貧しいラビを父親に持つユダヤ人の少年、モシュ・ゴルデンヒルシュは、母を喪ったあとの空隙が堪えきれずに家出し、サーカスで見かけた美少女に一目惚れして、座頭の奇術師に弟子入りする。一方の現代パートでは、ある夫婦の結婚生活が終わりかけていることが冒頭で描かれる。被害者は、一人息子のマックスだ。ダディとマムが別れてしまうなんて絶対嫌だ。悲嘆にくれる彼が発見したのは、古いレコードだった。ザバティーニというマジシャンが魔法の呪文を吹き込んだもので、その中には恋愛の秘術も含まれているのだと

いう。残念ながらレコードには傷が入っていて、肝腎の呪文は聴けなかった。しかし、そこでマックスは閃いたのである。このザバティーニさんを見つけ出して、ダディとマムにもう一度恋をしてもらえばいいんじゃないの。こうして少年の冒険が始まるのである。

ご賢察のとおり、現代と過去の物語は一点で交わる。一方がもう一方を補うような形で進んでいく話は、終盤において驚くべき全貌を露わにするのである。もちろんミステリーの範疇には入らない小説だが、このへんの伏線の敷き方に魅了される読者は多いはずだ。20世紀ヨーロッパという時代背景、主人公がユダヤ人であるということから明確だが、本書はホロコーストを題材にした作品でもある。作中では不可避の残酷な現実が描かれる。しかしその中でも作者は、人間の結びつきを信じ、希望を見出そうとする明るい物の見方を貫いていくのである。スラップスティックで、少々下品なところさえある前半のお話が、よもやこんなところに着地するとは。笑いを撒き餌に使って、素晴らしい風景が見られる場所に読者を誘導してくれる小説であり、読後には家族のありようについて思いを馳せたくなる。とてもいい小説です。（杉）

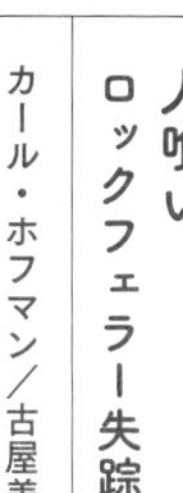

霜

人喰い　ロックフェラー失踪事件

カール・ホフマン／古屋美登里訳
亜紀書房

題名そのまんま。アメリカの名家ロックフェラー一族の御曹司がニューギニアで原住民に捕らわれ、（おそらくは）殺害されて喰われてしまったという事件のノンフィクションである。昨年大いに話題になった傑作『死に山』と同じカテゴリに属する一冊といっていい。

『死に山』同様に、過去のできごとを取材によって再構成したパートと、著者が取材に赴く現在のパートとで構成されている。単に閲覧注意なグロい事件を煽情的に描いただけの本ではない（「閲覧注意」は事実だけど）。射程は深く、スリリングだ。原住民のコミュニティ間の慣習や政治、ニューギニアをとりまく植民地主義やオランダによる統治の実際、御曹司を結果的に死に追いやったロックフェラー（父）の野心と、ロックフェラー美術館が火をつけたプリミティヴ・アートのブーム……ひとりの死を入り口に、世界規模の対立や不幸や誤解の構造が暴かれてゆくのである。

ケレンの利き具合では『死に山』に負けるかもしれないが、語られているもののスケールと深みではこちらに軍配が上がるか。重心の低い語り口に捕らえられたら最後、静かに一気読みしてしまうはずだ。（霜）

十連休の影響か、普段に比べて刊行点数が絞られている印象のあった四月でした。しかし中国ミステリーから北欧小説、変わり種の探偵ものからノンフィクションまで、多彩な作品が揃いました。さて、五月はどんな作品が刊行されるのか。次回もお楽しみに。（杉）

吉 北 緋い空の下で

マーク・サリヴァン／霜月桂訳
扶桑社ミステリー

第二次大戦末期のイタリアを舞台にした長編小説。主人公は17歳のピノ。だから青春冒険小説の趣がある。というのは、ナチスを逃れるユダヤ人をアルプス越えでスイスに逃がす活動に従事するからだ。ドイツ軍に、パルチザンを騙る山賊団、さらには雪崩とも闘わなければならないから、それだけでも充分に面白い。ところが、それだけではないのだ。後半になると物語は意外な方向に転換していく。それが本書の最大のキモ。（北）

これは第二次大戦末期、イタリアにおけるレジスタンスの活躍を描いた小説だ。ヒトラー政権下におけるドイツの物語ならばこれまでも何作か読んできたが、イタリアとなると珍しい。だが、主人公がユダヤ人を山越えでスイスへ逃がしたり、ナチス高官のもとでスパイとして働いたりするなど戦時冒険小説としての読みどころがつまっている。実話をもとにしたとあるが重厚さはなく、十代後半の青年が主人公のせいかYA（ヤングアダルト）小説のようで、すごく読みやすい。大河ロマンの趣きも感じられる傑作だ。そのほか、ソフィー・エナフ『パリ警視庁迷宮捜査班』は、落ちこぼれ刑事が大集合のひたすら愉しい警察小説で、早くも続編が待ち遠しい。（吉）

霜 愛なんてセックスの書き間違い

ハーラン・エリスン／若島正、渡辺佐智江訳
国書刊行会

ハーラン・エリスンはつねに都会と暴力のギザギザを身にまとっていた。その傑作の多くでSFとしての華麗なヴィジョンを載せていたプラットフォームは、都会らしい冷淡さと暴力性でできた非情なノワールだったと私は考えている。彼の短篇小説としてのキレ味は、50年代にミステリとSFの短編が共有していた「あの味わい」でもあった。

そんなエリスンの非SFを集めた本書は、したがって都会の孤独とデスペレーションを基調とした犯罪小説ばかりで、すなわち良質のノワールでありハードボイルドのコレクションなのである。孤独と諧謔と自虐と狂気と妄想をないまぜに、言葉が堰を切ったように噴出する味わいは、ジム・トンプスンを思わせることも。さすが「鞭打たれた犬たちのうめき」と「ソフト・モンキー」でMWA賞をとっただけのことはあります。傑作。（霜）

官僚謀殺シリーズ 知能犯之罠

紫金陳／阿井幸作訳
行舟文化

中国では東野圭吾の小説が広く読まれており、「中国の東野圭吾」と呼ばれる作家も複数いると聞く。本書も、東野の『容疑者Xの献身』を想起する日本の読者は多いだろう。主人公は「十五人の局長を殺し、局長が足りなければ課長も殺す」というメッセージを堂々と現場に残し、無数の監視カメラをかいくぐって官僚たちの命を次々と狙う挑発的な知能犯。彼と対峙するのは、その旧友である市公安局の腕利き捜査官だ。倒叙ミステリのパターンを踏襲しつつ、知能犯対捜査官の頭脳戦が繰り広げられる。ところが後半になると、物語は『容疑者Xの献身』とは似ても似つかないユニークな展開に突入するのだ。随所で描かれる犯人の意図不明の行動が、すべて伏線として収斂するラストの決着には茫然とした。（千）

国語教師

ユーディト・W・タシュラー／浅井晶子訳
集英社

「物語（フィクション）には力がある」という言いまわしは好意的な意味で使われることが多いけれども、実はその力が諸刃の剣であることを忘れてしまうと思わぬしっぺ返しを食らうことになる。『国語教師』を読み進めている間、ずっとそんな思いが頭から離れなかった。これは、読む者を捕らえ、虚実の間を危うくしかねないサスペンス漂う、愛と憎悪、選択と悔恨、喪失と救済の物語だ。

十六年つきあった後に別れ、十六年ぶりに偶然再会した作家と国語教師。ともに苛酷な人生を歩み、50代半ばにさしかかった二人は、お互いに物語を語り合う。辛く思い通りに行かない現実を忘れさせてくれる〈物語〉。選択を誤り人生を台無しにしてしまったのではないかという後悔を慰撫してくれる〈物語〉。真相を解明することで新たな一歩を踏み出したいと訴える〈物語〉。

二人の生い立ちから、出会い別れるまでの過去の話、再会が決まってから実際に会うまでのメールのやりとり、再会した二人が交わす現在の会話、そして作家が語る執筆中の物語と、国語教師が語る男と女の歪んだ愛の物語。四つの場面を頻繁に切り替えて過去と現在を往還し、二人の視点から元恋人たちの数奇な人生を徐々に再構築していく力量に圧倒された。フリードリヒ・グラウザー賞（ドイツ推理作家協会賞）を受賞した本書で初紹介となるユーディト・W・タシュラーの次作をじっくりと待ちたい。（川）

金時計

ポール・アルテ／平岡敦訳
行舟文化

「雪の密室」を扱った本格ミステリである。不可能興味と称されるであろうケレンに満ちており、アルテらしい仕上がりである。しかし、今回はそれ以上に、怪談の雰囲気が強くて読み応えがあった。何せ、探偵役が1911年のパートに登場しているのに、1991年を舞台にしたパートもあるのである。そちらは、いくつかのシーンを鮮明に覚えているが、題名は思い出せない映画を再び見たい、という男とその妻の話が主になる。80年も経てば、1911年の名探偵は死んでいるか、生きているとしても探偵活動は流石に無理であろう老いを迎えているのは想像に難くなく、従ってこの物語の全てが探偵役によって解き明かされることはあり得ない。では話はどう転がっていくのか？　先行きは全く予断を許さないのだ。小道具やヒントの出し方、使い方も綺麗に決まっている。宝飾品に対する職人芸を見るような逸品。（酒）

杉

指名手配

ロバート・クレイス／高橋恭美子訳

創元推理文庫

例月以上に多種多彩な作品が刊行されて目移りしてしまった5月なのだけど、ここは基本に立ち返るしかない、と老舗ブランドを選択した。『モンキーズ・レインコート』以来のお付き合いになる私立探偵エルヴィス・コールと寡黙で頼れる相棒ジョー・パイクがひさびさの登場となる『指名手配』だ。

『容疑者』『約束』のスコット・ジェイムズ&マギーものもいいが、四半世紀を超えて今なお現役の私立探偵小説シリーズというのはそれだけで読む価値がある。今回コールが受けた依頼は、タイソン・コナーという少年が母親に隠れて何をやっているのか調べるという内容で、探偵が動くとたちまち彼が連続窃盗団の一員になってしまっていることが判明する。悲しむ母親のために一刻も早くタイソンをとっ捕まえてきて自首させなければならない。しかもその窃盗団の周辺で次々に人死にが出ているらしく、タイソンの命も風前の灯火なのである。筋立てはこれだけで、あとはタイソンの身柄を押さえるための争奪戦になる。後半に入ってからの加速が素晴らしく、どなたにもお薦めできる娯楽小説となっている。コールの大人の魅力はもちろんなのだが、タイソンを追ってくる謎の二人組がよくて、厭なブルース・ブラザースとでもいうべきキャラクターの立ち方をしている。悪役がこうでないと活劇は盛り上がらないのだ。

『指名手配』は母と子の関係を描いた非行少年小説の要素もあるので、もちろんお好きな方はハーラン・エリスン『愛なんてセックスの書き間違い』と併読されるといいと思う。

今月のお薦めもう一冊はユーディト・W・タシュラー『国語教師』で、単なる駄目男小説かと思って読み始めると意外に構成が入り組んでいて、物語によって塗り替えられる現実という主題が重い。（杉）

中国ミステリーにカー・マニアのフランス人作家が書いた不可能犯罪ミステリー、ドイツ・ミステリーに伝説のSF作家による短篇集と、いつも以上にバラエティに富んだ5月でした。来月はどのような作品が顔を出しますでしょうか。今から楽しみです。（杉）

杉

IQ2

ジョー・イデ／熊谷千寿訳
ハヤカワ・ミステリ文庫

短篇集ならシーラッハ『刑罰』、長篇ならイデ『IQ2』の二択だった6月である。別のところにも書いたのだが、現在の犯罪小説が向かおうとしている先に何があるのかということをおぼろげながらも示しているのがこのシリーズだろうという気がして、本作を選んだ。一口で言えば、フェアネスの物語。自分とは違う他人との間でいかに対等かつ公平な関係を結ぶことができるかに腐心する。そういう感覚が土台になっている犯罪小説がきっとこれからの指針になっていくんじゃないのかな。

さて、『IQ2』だ。街の探偵としてネイバーフッドからの依頼であれば金にならなくても引き受けるアイゼイア・クインターベイがどのような過去を持つ人物で、なぜ今の職業を選んだのかという前史にあたる部分は『IQ』ですでに紹介されているのだが、今回はそこで語られなかった部分に光が当てられる。つまり兄マーカスの死の謎である。証拠を元にアイゼイアは兄の死が事故ではなく殺人であったという結論に達し、ひそかに犯人捜しを始める。同時に兄の恋人であったサリタから窮地に陥った妹を救ってもらいたいという依頼を受け、中国系犯罪組織である〈三合会〉の絡む事件に首を突っ込むのである。二つの仕事をつなぎとめている、扇の要になっているのがサリタで、実は彼女はアイゼイアの初恋の人でもあるのだ。密かな恋心を成就させるために彼はがんばるわけで、前作とはまた違った内面をアイゼイアは覗かせる。鼻がいけてなくて女の子にモテる顔じゃないという劣等感を抱いているとか、鬱屈した部分がどんどん出てくるわけで、そういう部分に共感を抱く読者も多いはずだ。

帯にある通りアイゼイアは〈暗黒街のホームズ〉に喩えられるような切れ者キャラクターなのだが、若者らしい傷つきやすい内面をしばしば覗かせるあたりがかの名探偵とはまったく違う。理知的な側面とまだ雑念や煩悩もあるはずの若者らしい本音とがこのあとどうバランスを取っていくか、という興味でも読みたくなるシリーズなのである。日本もので言うと、初期の〈IWGP〉シリーズってこんな感じだったと思う。すでに第三作が発表されているが、次はどんな顔を見せてくれるのだろうか。ものすごく楽しみである。

（杉）

千

刑罰

フェルディナント・フォン・シーラッハ／酒寄進一訳
東京創元社

罪に対して、それに相応しい罰が下される。それが理想の社会のありようだろうし、罪と罰の均衡はいかにあるべきかという人間の思索の試行錯誤から生じたのが法律である。

しかし社会は、そして法律は、その理想から限りなく程遠い事態を往々にして生んでしまう。さしたる罪も犯していないのに罰そのものとしか思えないほど不条理な人生を歩む者もいれば、大罪を犯しながら罰を免れて余生を送る者もいる——だが、罰を免れることが幸運とも限らない。本書に収録されているのは、そんな人の世のままならなさを描いた話ばかりだ。当事者の内面に踏み込まず、淡々と事実だけを綴っているのに、これほど深く激しく感情を揺り動かされる作品集もない。「奉仕活動」の主人公の最後の一言や「友人」の語り手の友人の最後の言葉には、どれほどの絶望が籠められているのだろう。その短い言葉しか発することの出来なかった彼らの心境を思うだにやるせない気分になる。（千）

吉

死者の国

ジャン＝クリストフ・グランジェ／高野優監訳・伊禮規与美訳
ハヤカワ・ミステリ

パリの路地裏で発見されたストリッパーの異様な死体という猟奇殺人にはじまる物語。主人公はパリ警視庁警視だが、連続殺人を追う警察小説にとどまらない複雑で壮大な展開を見せていく。舞台もパリやフランス国内のみならず、スペイン、イギリス、オーストリアと移り変わったかと思えば、画家ゴヤ、SMプレイに緊縛とさまざまな怪しい要素が絡みつつ、異様な事件の真相をめぐって二転三転する大がかりなストーリー。さすがグランジェ、ただ分厚いだけじゃない。文字通り、凶器となる一冊で、脳天に突き刺さる結末だ。（吉）

川

1793

ニクラス・ナット・オ・ダーグ／ヘレンハルメ美穂訳
小学館

『1793』が素晴らしい。18世紀末のストックホルムで、無残に損壊された男の死体が発見されるシーンで幕を開ける、強烈な謎と独創的かつ意外な動機を備えた凝った構成のミステリだ。と同時に、フランス革命の余波に揺れるスウェーデンを舞台にした歴史小説である本書は、腐敗と暴力と貧困と不衛生の中で生きる人々を活写した都市小説でもある。その上、暴利を貪ることしか考えない狼の跋扈する世界にあって、正義と理性を守り抜こうとする病身の法律家と、戦場で九死に一生を得た隻腕の荒くれ者の活躍を描いたバディものとして抜群に面白い。

２０１８年２月にスウェーデン大使館で開催された読書会で広報文化担当官の方が、今、スウェーデンで話題の歴史ミステリと紹介されてからずっと気になっていた本書が、よもや日本語で読める日が来ようとは思いませんでした。ありがとう、小学館。本国で今年九月に刊行される次作『１７９４』の翻訳も待ってます。（川）

北

血の郷愁

ダリオ・コッレンティ／安野亜矢子訳
ハーパーBOOKS

　イタリアを舞台にした新聞記者小説だ。事件そのものや、その周辺が薄気味悪く、そういうものを苦手とする私の好きな小説ではないが、定年間近のマルコとコンビを組む新人イラリアがぶっ飛んでいて、その圧倒的な個性にヤられた。シリーズ第一作だが、次作も無事に翻訳されることを熱望する。（北）

霜

ブラック＆ホワイト

カリン・スローター／鈴木美朋訳
ハーパーBOOKS

　各出版社から話題作ががんがん出てきた初夏。とくに感銘を受けたのはフェルディナント・フォン・シーラッハ『刑罰』で、必要最低限の言葉で犯罪にいたるドラマを語りつつ、どの物語にも、因果や論理や心理の流れのなかに一点だけ「断線」があるのが読む者を不安にさせる。フィクションの条理を破壊する蟻の一穴とでも呼ぶべきこの断線が、底知れぬ闇を垣間見せている。

　という傑作もあるが、きっと誰かが挙げるだろうから、ここはスローターのシリーズ新作を推しておく。最近の二作は番外編的な作品（いずれも傑作）だったが、本書はシリーズの定型に回帰して、謎の大物麻薬密売人の正体を割り出す潜入捜査と、警察官襲撃事件を同時並行で語ってゆく。何よりレナ・アダムズという共感しづらい人物を軸にしながら、最終的には読者をして彼女に一定の理解を持つようにしてしまうスローターの人物描写／物語演出の見事さに唸らされた。謎の大物ビッグ・ホワイティの謎と、終盤に一気に伏線を回収する手際など、ミステリとしてはシリーズ中でベストではあるまいか。

「潜入捜査」というテーマが、サスペンスをブーストしているだけでなく、スローターが追いつづけている「被害の痛み」を新たな角度から深掘りしているのも注目すべきだろう。本書を楽しむにはレナという人物を知っておいたほうがいいので『サイレント』を読んでおく必要があるが、このシリーズの充実度を考えれば、それも楽しい回り道である。（霜）

酒

ホープは突然現れる

クレア・ノース／雨海弘美訳
KADOKAWA／角川文庫

　人に記憶されない、という特異体質（?）の女性泥棒ホープが、人に画一的な幸福を提供するポイント制アプリ《パーフェクション》と因縁を持つ。正確に言うと、ホープによるダイヤモンド盗難が《パーフェクション》の開発元企業を怒らせ、ホープが追われる羽目になり、結果として、《パーフェクション》にまつわる陰謀に巻き込まれてしまう。

　もうこの時点で面白そうですが、主役の特異体質を外面的（手口だの対処法だの人との会話の続け方だの）のみならず、内面的にも活かしているのが素晴らしい。

　内面的な要素とはすなわち、「世界に忘れられる自分の人生の意味は何か?」という問いであり、これが本書を貫く幹となる。

　語り口も極めて魅力的。世界が自分を忘れるという孤独が常にほんのり乗ったそれは、味わい深いのでじっくり読みたくなるんだよなあ。それでいて、要所でのサスペンスフルな展開、緊迫感溢れる描写も完璧です。世界幻想文学大賞受賞は伊達ではないのです。最後に告白を。ラスト1ページで泣いちゃったよ。（酒）

ドイツにフランス、そして新顔の作家に安定のシリーズもあり、と比較的犯罪小説側に収穫が多かった月ということになるでしょうか。七月はヘヴィー級の作品がいくつも刊行予定なので、各七福神の評価が気になります。ではまた次回、お会いしましょう。（杉）

2019 8月

千 酒 北

ケイトが恐れるすべて

ピーター・スワンソン／務台夏子訳
創元推理文庫

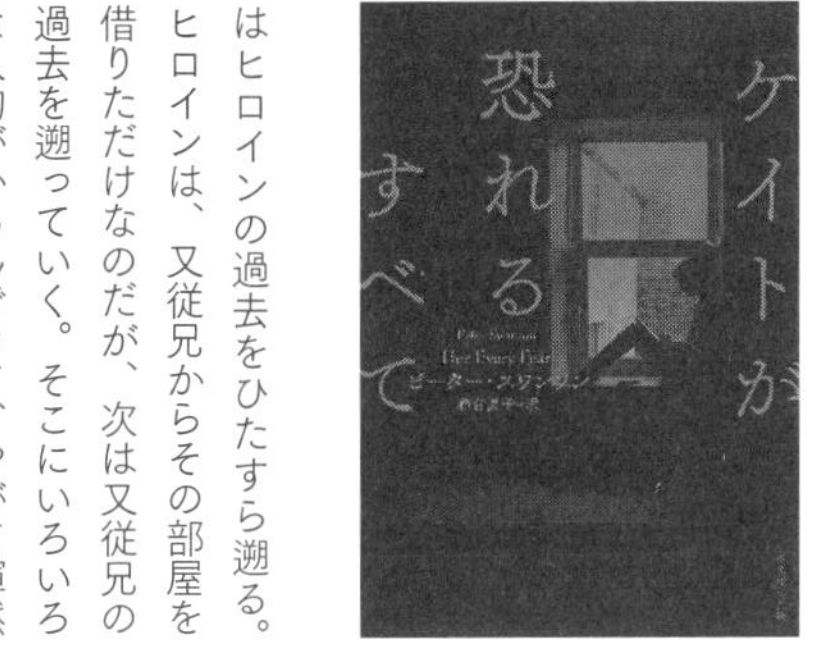

前作『そしてミランダを殺す』のときにも、ヘンな小説だなあとハイスミスを想起したものだが、どうもそれはこの作者の持ち味のようだ。ハイスミスの小説がまっすぐに進まないように、この長編もまっすぐには進まない。アパートの隣室で女性の死体が発見されても、その犯人探しはなかなか始まらないのだ。物語はヒロインの過去をひたすら遡る。ヒロインは、又従兄からその部屋を借りただけなのだが、次は又従兄の過去を遡っていく。そこにいろいろな人物がからんできて、やがて渾然一体となっていく。つまり通常のミステリーのパターンを取らない。この構成がすこぶる新鮮だ。未読の第1作『時計仕掛けの恋人』を急いで買い求めたのである。（北）

複数の登場人物が、それぞれの視点から一つの事件を語る。この順番と切り替えのタイミング、更には全体のタイムスケジューリングが実によく考えられており、非常に魅力的な「五里霧中」の状況が実現している。物語が急転する瞬間がそれほど多くないのもポイントで、事件はじわじわとその様相を変えて来るのである。この点では前作『そしてミランダを殺す』よりも地味、という印象を読者に与えるかもしれない。しかしながら、よく練られている点では同水準にある。しかも心憎いことに、各登場人物の心情が丁寧に、染み渡るように描き込まれており、「比較的地味」で「じわじわ」な展開と親和性が強い。あ、地味ってのは比較的であって、「妙な事態になりつつはあるが、具体的に何が起きているのかなかなか見えてこない」というセンスオブワンダーは強烈ですらあります。おススメ。（酒）

タイトル通り、ケイトというヒロインがとにかくすべてを恐れる話である（原題もHER EVERY FEAR）。最初のページからして、まだ何も起きていないのに彼女は又従兄との住まいの交換を、過去最悪のアイデアであるかのように感じているのだ。彼女はもともと何事にも最悪の事態を想定するタイプであり、実際にとんでもない事件を体験してからはその傾向に拍車がかかっている。本書は、そんな彼女が殺人事件に巻き込まれるという内容だ。ただでさえ恐ろしい事態なのに、何事にも怯える女性が主人公なので不安感は倍増する。展開の意外性もさることながら、マーガレット・ミラーやジョン・フランクリン・バーディンの小説を想起させるようなケイトの不穏な心理描写が最大の読みどころと言えよう。果たして彼女が想定しているより真実は最悪なのか、そして彼女の恐怖は解消されるのか、最後まで一気読みせずにはいられない。（千）

吉

カルカッタの殺人

アビール・ムカジー／田村義進訳
ハヤカワ・ミステリ

インドのカルカッタ、それも英国領時代の一九一九年が舞台設定となる歴史ミステリ。まずはその時代と場所の魅力に惹かれてしまった。妻を流行病で失った戦争がえりの男がインドへ赴任し、現地のインド人刑事とともに奮闘するという展開で読ませる。「お約束」といえる部分が目立つものの、最後まで飽きることなく愉しんだ。作者の次作以降にも期待ができる。そのほか、個人的に気に入ったのは、ショーン・プレスコット『穴の町』。ミステリではない小説ながら、「消えゆく町々」やら「突如としてできた大穴」をめぐる奇想な話のなかに、なんともいえないもの悲しさや寂しさが感じられ、深く心に残った。あと、話題の劉慈欣『三体』、残り二作が待ち遠しい。（吉）

霜

三体

劉慈欣／大森望、光吉さくら、ワン・チャイ訳、立原透耶監修
早川書房

無理だ。今月1冊だけ選ぶのは無理。ここはそういう欄だが無理な月もあるのだ。上記を今月の1冊に選んだのは、たまたま今そういう気分なだけにすぎない。以下の作品も昼飯を抜くとかして、ぜひ読まれたい。ドン・ウィンズロウ『ザ・ボーダー』（世界の問題について作家が怒りを燃やしたときに生じる恐るべき熱が全編を埋め尽つくす人間のブルータリティの交響楽）、マイクル・コナリー『訣別』（傑作『シティ・オブ・ボーンズ』以来の私立探偵小説のスタイル。律儀なフーダニットとしても◎）、ピーター・スワンソン『ケイトが恐れるすべて』（古典的なファム・ファタルものだった前作よりも、いったいどういう物語かわからない進行のこちらのほうが個人的に好み）。

さてイチオシは話題の『三体』である。現代ハードSFではないことがSFの分野でどう評価されるのかわからないが、不吉でパラノイアじみた陰謀スリラーの空気感が僕にはきわめて魅力的だった。SFとスリラーは一個の小説内で共存できるということの新たな証が本作である。とくに異様な謎の連続で語りはじめる序盤は、『継ぐのは誰か?』などの小松左京のSFスリラーを思い出させる。

文化大革命と、その後の中国の支配体制をめぐる挿話は、中国作家だからこそかくも説得的な感情とディテールをともなって書けたのだろうし、これまでの海外スリラーが逃れられなかった「非＝欧米諸国は『異文化の敵』という見方から解放された展開もあり、新たなスリラーのありようを見せてくれた。見たことのない風景や人物を見せてくれたこと、何よりも一気読みのスリラーであったことで本作を推す。（霜）

杉 ザ・ボーダー

ドン・ウィンズロウ／田口俊樹訳
ハーパーBOOKS

　自分が解説を担当した本なのでやや躊躇ってしまうが、これだけの力作を推さないわけにはいくまい。アート・ケラー三部作の掉尾を飾る本作では、メキシコ・カルテルと麻薬取締局の闘いを巡る物語がさらに深度を増して語られる。何がすごいかというと第三作にしてケラーが、自分の過去をすべて否定しているところである。メキシコからの麻薬流入を止めるために生涯をささげてきた男が、本当の敵はそこにはいない、と気づくところから『ザ・ボーダー』は出発する。本当の敵は麻薬ビジネスを求めるアメリカ国内にこそいるのだと考えたケラーは、金の流れの元を断とうとするのである。国外に敵を求めようとするのは誤りだ、というケラーの視点は言うまでもなく現政権の施策を痛烈に批判するものでもある。題名からして国境に壁を作るという大統領の公約を想起させる。ウィンズロウは怒っているのだ。その怒りを、理性によって統御し、これだけの大作を書き上げた。『犬の力』『ザ・カルテル』と過去の二作もたいへんなものであったが、はっきり言ってそれよりも上である。『犬の力』のひりひりするような対立構造と『ザ・カルテル』の戦慄するしかない無政府状態を共に備え、さらに弱者への眼差しをも備えた全体小説に仕上がっている。現時点におけるウィンズロウの最高傑作であり、犯罪小説の頂点と言うべきである。（杉）

川 マンハッタン・ビーチ

ジェニファー・イーガン／中谷友紀子訳
早川書房

　凄い本を読んだ！「不思議で、荒々しく、美しい海」の如き『マンハッタン・ビーチ』は、二〇一九年のMust Read本だ。舞台は第二次世界大戦下のニューヨーク、ブルックリン海軍工廠で働く海に魅せられた十九歳のアナは、女性初の潜水士を目差す。禁酒法廃止の翌年に始まる本書は、男社会の中で闘い生き抜き自立する女性の物語であり同時に、アイルランド系とイタリア系の犯罪組織の対立を軸に移民国家アメリカの光と影を活写した作品でもある。その上、失踪した父親捜しのミステリであり、さらにハモンド・イネスばりの戦争海洋冒険小説でもあるのだ。

　なんという豊穣さ。主人公のアナが犯罪ものの映画と読書が好きで、当時人気を博していたエラリー・クイーン作品を愛読しているという設定に思わずニヤリとしてしまう。差別と偏見、貧富の断絶、支配と被支配といった根深い問題に正面から向き合い、複数の視点を用いて狂騒の二〇年代から大恐慌を経て第二次世界大戦参戦へと至るアメリカの諸相を多面的に描いた力強くも詩情溢れる読後に勇気の湧く物語だ。

　今月は、筋金入りのミステリ・マニア、ピーター・スワンソンによる所謂〈イヤミス〉とは一線を画す懐かしくも新しいサスペンス・ルネサンスの逸品『ケイトが恐れるすべて』と、ミッシング・リンクの謎をひねりにひねって連続殺人ものに新機軸を打ち出したジョー・ネスボの『レパード　闇にひそむ獣』も、年間ベスト級として強烈にお薦めします。（川）

『ケイトが恐れるすべて』がややリードした感のある7月でしたが、それにしても粒ぞろい。このまま10月の投票月間にまで雪崩れ込んでいくのかと思うと恐ろしくさえあります。さあ、来月はどんな作品が登場するのでしょうか。また次回、お会いしましょう。（杉）

2019 9月

酒 川

イヴリン嬢は七回殺される

スチュアート・タートン／三角和代訳
文藝春秋

好みの本が立て続けに訳された八月、悩みました。三つの掟に縛られた者たちの哀しみと憎しみと諦念の連鎖を詩の型式で綴ったジェイソン・レナルズ『エレベーター』。「作家の技量は独立短編集を読めば分かる」という持論を証明してくれる、ロバート・ロプレスティの小味でひねりの利いた短編集『休日はコーヒーショップで謎解きを』。最終節が澱のように胸に残る、移民問題と多文化社会に真摯に対峙したアーナルデュル・インドリダソン『厳寒の町』。

そんなまったく異なる読み心地の中から『イヴリン嬢は七回殺される』を一押しに選ぶのは、伝統的英国謎解きミステリの結構を、タイムループと人格転移というSF設定を用いて「理解」「分解」「再構築」した錬金術師スチュアート・タートンの手腕に唸ってしまったためだ。

何よりも感心したのは、主人公が人格転移することで殺人事件当日を繰り返し体験するという設定により、〈一人称多視点＝一人称一視点〉という通常であれば成り立たない状況を可能にしてしまった点だ。主人公は殺人事件を巡る状況を文字通り多様な視点から立体的に分析し繰り返し推理できるので、通常の一人称多視点と異なり、主人公と読者が知っていることが完全に一致する点がミソ。派手な飛び道具が、虚仮威しや雰囲気作りではなく謎解きミステリとしての練度と強度を高めるのに直結している点がなんとも素晴らしい。

何一つ見落とすまい忘れまいと思いつつ四〇〇ページ超の上下二段組を読み通し、読後、久々に頭をフル回転させて運動したぜ、という充実した疲労感と満足感に浸ってしまう謎解きミステリでした。（川）

田舎にある格式高い一族の豪華な屋敷で、令嬢が殺害（?）される……という話に、「意識を失うたびに時間を遡って、別の人間を宿主として目を覚ます」主人公を配置した作品である。タイトルだけ見ると西澤保彦っぽい。しかしながら、いかにも「クラシックな英国本格ミステリ」めいた舞台とは裏腹に、物語は主人公が常に焦燥感に駆られており、登場人物もほぼ全員が腹に一物、暴力や狂気も散見され、さらには怪物めいた存在すら主人公を追い詰めるので、不気味とすら言える。そしてサスペンス／スリラーと言ってもまだ足りないぐらいの、どす黒い人間ドラマの渦の中、論理的にかなりしっかりした推理が展開される。異色だが読み応えたっぷりです。（酒）

北

暗殺者の追跡

マーク・グリーニー／伏見威蕃訳
ハヤカワ文庫NV

グレイマンの新シリーズ3巻目だが、空港で襲われる冒頭のアクションからスコットランドの古城で繰り広げられるラストの闘いまで、相変わらず迫力満点。したがって何一つとして不満はない。不満ではなく、気になることを一つ。元SVRのゾーヤが再登場する作品でもあるのだが、彼女に依存しすぎていないか。もともとグレイマンは老人と子供に弱い「眠狂四郎的ヒーロー」であったのだが（第1作『暗殺者グレイマン』のラストを見よ）、それが物語の味付けの範囲を超えてきているように思えるのだ。いや、これからどんどん超えていくように思えるのだ。これが私の杞憂で終わればいいのだが。（北）

千

エレベーター

ジェイソン・レナルズ／青木千鶴訳
早川書房

今回は、『エレベーター』、スチュアート・タートン『イヴリン嬢は七回殺される』、ロバート・ロプレスティ『休日はコーヒーショップで謎解きを』の三冊のうちどれにするか最後まで迷った。自分の好みを優先するなら『イヴリン嬢は七回殺される』、人にお薦めしやすいのは『休日はコーヒーショップで謎解きを』ということになるだろう。ただ、この二作が「××のような小説」といったタイプの紹介が可能なのに対し、『エレベーター』は、私がこれまでに読んだどの小説とも全く似ていない。殺された兄の復讐を果たそうとする少年がエレベーターで八階から降りる、そのごく短い時間と狭い場所を舞台にした話を三百数ページで描いたという点からして驚きだが、最後まで読んで、小説は詩と結びつくことでこのような表現も可能になるのかと心底驚嘆した。狭義のミステリに含まれるかどうかは意見が分かれるだろうが、これまでにない読書体験を求める方は是非どうぞ。（千）

杉

休日はコーヒーショップで謎解きを

ロバート・ロプレスティ／高山真由美訳
創元推理文庫

散々諸氏が、今月は選ぶのに迷ったという話を書いていると思うので繰り返さない。はい、私もそうでした。みなさんと同じものを読んでどれにしようか迷いました。なので単刀直入になぜロプレスティにしたかということだけを書く。短篇集だから。シリーズキャラクターに頼らない、独立した短篇だけが入っている作品集だから。これ好き。前作より好き。もしかするとここ数年出た短篇集の中でいちばん好きかも。ジェフリー・ディーヴァー『クリスマス・プレゼント』以来で、しかもあっちより好きかも。

　翻訳ミステリーの短篇が読みにくくなっている現在、非常に得がたい一冊である。しかもセンスがいい。収録作はバラエティに富んでいて、「ローズヴィルのピザショップ」のような舞台がピザショップの店内だけに限定される作品があれば、「消防士を撃つ」のようなアメリカの恥部ともいえる現代史を題材にした柄の大きな話もある。「残酷」はドナルド・E・ウエストレイクのドートマンダーものみたいなコメディで基本に忠実な犯罪小説だが、「宇宙の中心」では実験的な筆法に挑戦と、作風まで多岐に亘っている。巻末の「赤い封筒」は、一九五〇年代のグリニッジ・ヴィレッジを舞台にした謎解き小説で、ビートニク詩人とクルーカットでスクエアなコーヒーショップ経営者とが探偵コンビを組む、馴れ初めの話にもなっている。いきなり前言と矛盾するようなことを書いてしまうが、この二人はいいなあ。ぜひシリーズキャラクターにしてもらいたい。少なくとも二点、名探偵のキャラクターとして斬新なところを持っている。ちょっと驚くほど独創的だった。前作『日曜の午後はミステリ作家とお茶を』の主人公、作家探偵シャンクス以上に化けるかも。いや、もしかするとすでに本国では大化け中なのかも。

　この他、やや残念だったのはクリス・マクジョージ『名探偵の密室』で、密室の中に映画「ソウ」よろしく囚われたタレント探偵が謎解きを迫られるという物語自体はいいし、どんでん返し以降のスリルの盛り上がり方にも興奮させられたのだが、やや蛇足気味なんだよなあ。暴論を言うけど、昔のハヤカワ・ミステリだったら、要らないところはぶった切って出版していたかもしれない。デビュー作だからまあ仕方ない。次作に期待しますよ、私は。　（杉）

吉

ひとり旅立つ少年よ

ボストン・テラン／田口俊樹訳
文春文庫

　十九世紀のアメリカを舞台に、詐欺師の息子がたどるロード・ノヴェル。舞台、キャラクター、テーマ、筋立てといった骨格がしっかりしているのは当然だが、迫る追っ手から抜け出すための機転を利かせた仕掛け、一難去ってまた一難という起伏ある展開など、章立てや視点の変化といった構成づくりが巧みなため、もう読み出すとやめられない。どこまでも愉しませ、どこまでも心をゆさぶる良質な小説のつくりは、さすがボストン・テランである。もう一作、やはり一種の犯罪ロードノヴェルだが、こちらは少年ではなく少女。マイケル・フィーゲル『ブラックバード』は、殺し屋と彼に誘拐された少女が長い逃避行を続けていく物語。とくに異色なのは、殺し屋が請け負うのは仲間とのテロ殺人であり、彼の精神は壊れているというところだ。二人の行方がどうなるのかという興味で、こちらも一気読み。そのほかジム・トンプスンの自伝的小説『バッドボーイ』は、創作の背景を知る上でも興味がつきない一冊だった。　（吉）

霜 ブラックバード

マイケル・フィーゲル／高橋恭美子訳
ハーパーBOOKS

前月以上に一作選ぶのに煩悶する月だったので、以下の作品も、先月同様、お昼ごはんを抜くなりコンビニで済ますなりして読みましょう。

前作『渇きと祈り』の美点に遭難スリラーの要素を加えて一気読み効果を高めた『潤みと翳り』（J・ハーパー／ハヤカワ・ミステリ文庫）、めまいのしそうな複雑怪奇さがストンと意外な犯人に収束するフーダニットパンク『イヴリン嬢は七回殺される』（S・タートン／文藝春秋）、安定のFPS的スピード感&活劇の『暗殺者の追跡』（M・グリーニー／ハヤカワ文庫NV）。ボストン・テランが「少女」「犬」ときて「少年」を描く『ひとり旅立つ少年よ』（文春文庫）は、分断の現在に読むと味わい深い。

そんな激戦を勝ち抜いたのが『ブラックバード』である。殺し屋と少女がアメリカを流れてゆくロードノベルで、主人公のとりあわせは『レオン』を思わせるが、ドライな暴力性とインモラルなユーモアと独特の感傷が交錯するあたり、むしろ『ナチュラル・ボーン・キラーズ』や『トゥルー・ロマンス』などの初期タランティーノを思い出させる。

犯罪小説の枠組みで少女による「（父）殺し」を主題としているという点で、『拳銃使いの娘』『沼の王の娘』といった今年の必読作たちの列にも連なる。これら二作同様、犯罪者と少女のコンビを美化していないのも重要で、近年のYA（例えばやはり8月の新作『エレベーター』のような）への一般クライム・フィクションからの回答ではないかとも思う。やがて「父=殺し屋」と同じ目線に立ち、それを乗り越えてゆく終盤は、すぐれた青春小説のそれである。

その意味で、本書と同じく大人と少女が一人称で交互に綴る語り口による青春ハードボイルドの名作『眠れる犬』（ディック・ロクティ）を、僕は思い出しつつ読んだ。大人にも年少の読者にもぜひ読んでいただきたい。人がたくさん死ぬけど。（霜）

恐るべき八月、魔の八月。これだけ年間ベスト級の作品が刊行されて、しかもそれを読んで過ごしてきたのだなあ。密度の濃い一カ月でございました。さて、次月はどのような作品が翻訳されることやら。乞うご期待です。（杉）

吉 杉 11月に去りし者

ルー・バーニー／加賀山卓朗訳
ハーパーBOOKS

うわっ、どうすっかなあ、とひさしぶりに頭を抱えている。いや、『メインテーマは殺人』は、間違いなく1年を代表する謎解き小説であって、その緊密な仕上がりには感嘆してしまう。私は章ごとにチェック表を作りながら読んだのだけど、手がかり呈示の仕方が抜群にいいのだ。特に中盤の某章の処理などは惚れ惚れしてしまった。こういうの、きっと実作者ならみんな書きたいだろうな、と思うのである。情報がまんべんなく散りばめられていて、無駄な章がないところもいい。まったく方向性は異なるが、『堕落刑事』もいい。こちらは刑事による潜入捜査を描いた小説なのだが、主人公が情に搦め捕られてどんどん深間に嵌まっていくところがいい。『草枕』じゃないけど、「智に働けば角が立つ。情に掉させば流される」というやつだ。そうなのである。勘違いされているようだけど、単に荒っぽいことをしたり、人を無情に殺したりすれば暗黒小説になるのではない。大事なのは理と情の相克だ。情のゆえに理に反した行いをしたり、理に徹して情を犠牲にしたり、その究極の二択をつきつけられる場面があるからこそ胸に迫るものがあるんじゃないか。本来ならこの二作のどちらかで決まりなのだが、一つ問題がある。9月刊の小説だけど、私はこの二作とも8月のうちに読んでしまっていたのだ。原稿書きの都合上、フライングしていたわけで、他に選ぶものがないならともかく、綺羅、星の如く佳作が出た九月はなんとなく申し訳ない。涙を呑んで見送ることにする。

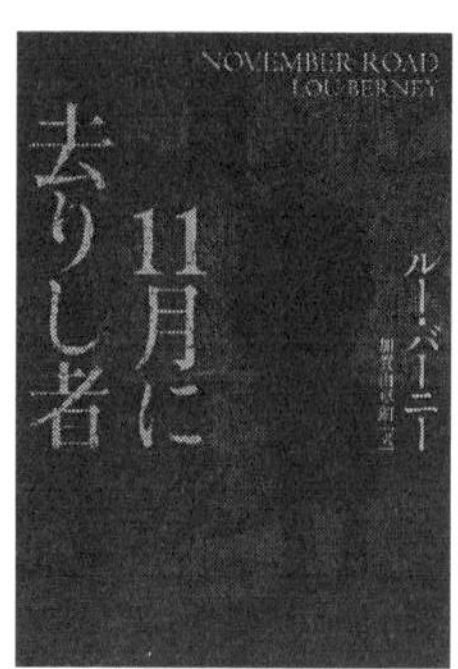

他にももちろん候補がある。なんといってもオンダーチェだ。オンダーチェ『戦下の淡き光』。これは戦時下のロンドンを舞台にした教養小説で、終わらない夏休みのような祝祭の時間が書かれる第一部で早くも心を掴まれる。おっと、また『ビューティフルドリーマー』か。10代の主人公がアルバイト先の少女と深い仲になって、二人で空き家にもぐりこんで一夜を過ごす。その空き家の番地がアグネス・ストリートだから彼女がアグネスと名乗り始める、というくだりなんてもう、たまらないものがある。そういう青春小説かと思いきや、第二部でミステリー的な要素が浮上してきて、その展開と語り口でさらに打ちのめされる、という奥行が深いにも程があるという小説だ。大好き。仕事で忙しいのに『ビリー・ザ・キッド全仕事』を読み返したくなったじゃないかオンダーチェ。

これでもう決まりでいいのだが、さらにもう一冊候補が。『11月に去りし者』だ。作者はなんとルー・バーニー。あの『ガットショット・ストレート』のルー・バーニーだ。前作が出てからあまりにも長い年月が経ち、もう二度と日本語で読めないものと覚悟をしていただけに嬉しさも一入。おお、遅かりしルー・バーニー。待ちかねたぞルー・バーニー。しかも読んでみたら話運びの巧さにがつんと心を持っていかれる。何もかも思い通りにならない登場人物たちが、気まぐれな運命の車輪によって、右往左往させられる。誰がどこで命を落とすかわからない油断大敵の物語だ。『堕落刑事』が暗黒小説のお手本なら、こっちはオフビート犯罪小説の見本と言ってもいいだろう。これを読まずにどうする、というものである。オンダーチェは本当に大好きで未練が残るのだが、『堕落刑事』がスタンドになってルー・バーニーに力を貸したと思っていただきたい。今月の一推しは『11月に去りし者』にします。これを選ぶだけで三日寿命が縮むくらい悩んだ気がする。(杉)

文句なしに今年最高のクライム・

ノヴェルである。ケネディ大統領暗殺事件が起きたとき、ニューオリンズで犯罪組織の若手幹部だったギドリーは、身の危険を感じて西へと逃走する。同じころ、オクラホマの田舎町に暮らすシャーロットは、二人の子供を連れ、カリフォルニアへと向かった。やがて二人の人生は交差し、思わぬ運命をたどっていく。てなあらすじだけ見ると、単なる逃亡ロード・ノヴェルだが、登場人物の描き方が達者なせいか、それぞれの運命をたどらずにおれない物語で、しかもまったく予断を許さない展開にしびれる。もっと読みたい、この作家。そのほか、アンソニー・ホロヴィッツ『メインテーマは殺人』も元刑事ホーソーンが活躍するシリーズの今後がたのしみだ。しっかりした謎ときもさることながら、小説や映画などに関するマニアックな会話の部分、すなわちメインテーマから脱線したところなども、よし。(吉)

川

戦下の淡き光

マイケル・オンダーチェ／田栗美奈子訳
作品社

前作『名もなき人たちのテーブル』から早七年、待ち焦がれたオンダーチェの新作『戦下の淡き光』に読み耽ってしまった。「一九四五年、うちの両親は、犯罪者かもしれない男ふたりの手に僕らをゆだねて姿を消した」という一文で幕を開ける本書は、戦後間もない混沌たるロンドンで、いやおうなく大人の世界に組み込まれた十四歳の少年ナサニエルが、家族の外に広がる現実に触れ、愛を知り、成長していく物語だ。

と同時に、唐突に断ち切られてしまった瑞々しくも猥雑な青春期の謎に満ちた体験をあらためて目撃するために、過去へと遡航する青年の物語だ。二十八歳になったナサニエルは、「赤の他人でにぎわっていたあのテーブルが忘れられなかった。彼らは、姿を消した実の親よりも、レイチェルと僕を変えたのだった」と回想する。そして第二次世界大戦の最中に始まり、戦後も終わることのなかった母と彼女を取り巻く人々が果たした決して明かされることのない役割に光を当てていく。

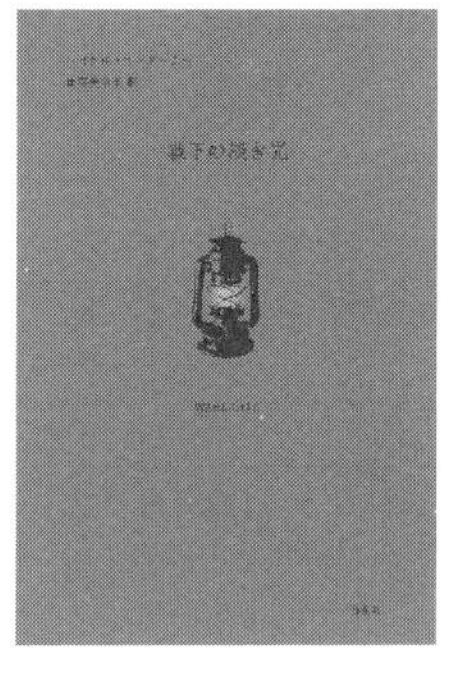

事実と空想が渾然一体となり、寓話にも通じる複数の視点からありえたと思われる人生を解き明かしていくオンダーチェの文章のなんと美しいことか。

ストイックな戦争文学であり、きらきらと輝く青春小説であり、秘密と謀計のベールを剥がしていく探索の物語でもあるこの本を、ぜひとも二度読んで欲しい。そして第一部でいかに周到に伏線が張られていたか、第二部でそれらを回収し徐々に謎が解きほぐされていく手際の見事さを味わってみて欲しい。（川）

霜

堕落刑事 マンチェスター市警 エイダン・ウェイツ

ジョセフ・ノックス／池田真紀子訳
新潮文庫

暗い語り口が魅力的な暗黒小説の登場である。とある事件で「表には出しにくい」立場となった主人公が、麻薬密売の大物のもとに身を寄せている大臣の娘を見守るよう命じられ、芯まで腐りきった刑事を装って潜入捜査を命じられることからはじまる。つまり主人公は見かけほど腐敗してはおらず、ボロボロに荒んだ姿ではあっても、正しくあろうという意志を捨ててはいない。その意志のせいで、彼は街の地獄を眼にする羽目になり、さらにはその地獄の底の底まで潜らされて、無数の死にまぎれたたったひとつの無辜の死の真実を探ることになるのである。

　ジョイ・ディヴィジョンのポスト・パンクの暗く厭世的な音にのせて紡がれるダークな語りは、ときおりデイヴィッド・ピースからの影響を匂わせるが、僕にはむしろ馳星周の『不夜城』や『ブルー・ローズ』を思い出させた。最後のページで古典的なハードボイルドの流儀を踏襲して記される「関係者のその後」の悲痛さと、それを語る文体のそっけなさが、こちらの胸に傷をつけかねない最後の一撃となる。ニルヴァーナの1stか3rd、あるいはビリー・アイリッシュを聴きながら読んでもいいかもしれない。純然たるノワール小説でいえば、ここ数年のベストのひとつなのは間違いないだろう。次作の刊行を切に望む。（霜）

北

マンハッタンの狙撃手

ロバート・ポビ／山中朝晶訳
ハヤカワ文庫NV

どうせ「二流のアクション小説」だろうと思って（失礼！）手に取った。二流でもいいから、とにかくアクション小説を読みたくなるときが、私にはある。

　ところがどっこい、すぐに襟を正した。

　ニューヨークのど真ん中で、男の頭部が吹っ飛ぶ冒頭シーンを読むと、あとは一気読みなのである。10年前の事故で片足、片手、片目を失った主人公（その事故の詳細はまだ語られない）を始め、人物造形がいいので、どんどん物語の中に引きずり込まれていく。まだここでは明かされていないことも少なくないので、ぜひ続刊を期待したい。今月の拾いものだ。（北）

酒

メインテーマは殺人

アンソニー・ホロヴィッツ／山田蘭訳
創元推理文庫

この作品の目覚ましいフェアプレイっぷりは数カ月以内に語り尽くされるだろうから詳しく述べない。

　たいへん気に入ったのは、探偵役とワトソン役の関係性である。信頼関係があるとはいえない、腐れ縁ともまだ化していない。探偵役がワトソン役の上位者然とは振る舞わないが、だからと言って仲間でも友人でもなく、むしろ敵対する。「ワトソン役が探偵役の欠点をカバーする」あるいはその逆でもない。正直なところ、お互いオルタナティブ（他人と交換可能）な間柄ですらあると感じた。だが何某かの心理的交流はある。若者の空気は二人とも引きずっておらず、中年になって知り合った者同士の空気感が、非常に絶妙に描かれていると思うのだ。そして、何がどうなっても、ストーリーが淀みなく流れていくのもいい。ホーソー

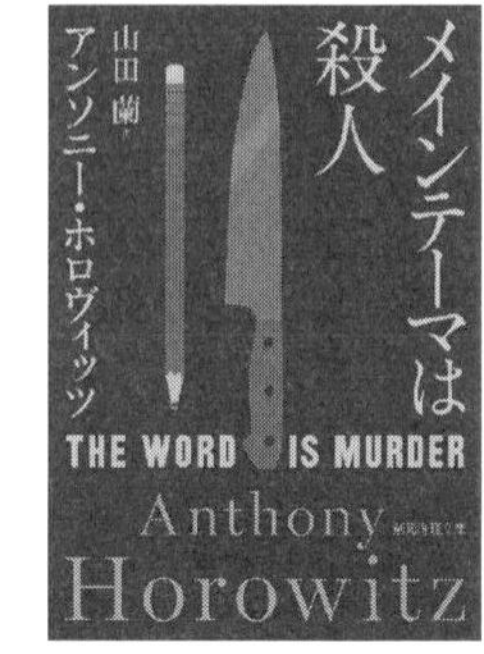

ンとホロヴィッツの関係性は事件捜査を邪魔しない。事件捜査は二人の中年男性の描写を邪魔しない。もちろんプロットの線は複数あるのだが、物語の雰囲気は骨太に一本でまとめられている。最後までそれは変わらず、感服いたしました。（酒）

千

わが母なるロージー

ピエール・ルメートル／橘明美訳
文春文庫

『悲しみのイレーヌ』『その女アレックス』『傷だらけのカミーユ』の三部作で完結したカミーユ・ヴェルーヴェン警部シリーズが、本書でただ一度きりの復活を遂げた。パリの街中で第一次世界大戦当時の砲弾が爆発し、警察に出頭してきた青年は、残り六つの砲弾を一日に一つずつ爆発させると告げる。青年とヴェルーヴェン警部の駆け引きの結末は？　分量的にはかなり短めの長篇といったところで、タイトルにあるロージーというキャラクターをもっと掘り下げてほしかったという不満もないではないが、容疑者の真意をめぐる謎解き、意表を衝くひねりが仕掛けられたタイムリミット・サスペンスの構図、鮮烈なラスト……と、幾重にも趣向を凝らしたミステリになっている。短いながらも単なる骨格だけの小説にはなっておらず、これまでのシリーズ作品とはやや異なる語り口により余裕を感じさせるのも評価すべき部分だ。（千）

先月「恐るべき八月」と書きましたが、それに輪をかけて選ぶのがたいへんだった九月でした。しかもまだ終わりじゃなくて、十月もきっととんでもないことになりそう。おののきつつ次月へ。（杉）

千　酒　川

ネプチューンの影

フレッド・ヴァルガス／田中千春訳
創元推理文庫

星の数ほどある〈連続殺人もの〉の中でも、こんなにも奇妙奇天烈なミッシング・リンクに出会ったのは初めてだ。凶器が変わっているのも、被害者が多種多様なのも、すべてこの動機ゆえだったとは。『ネプチューンの影』は、〈アダムスベルグ警視自身の事件〉だ。〃一風変わった夢見る署長〃の過去を語ることで、現在あるアダムスベルグがいかにして形づくられたのかを明らかにし、あわせて未来の彼の姿を示唆する。天才名探偵の活躍譚に警察捜査小説の興趣が加わり物語に厚みが増したシリーズの要石となる作品です。前作『裏返しの男』から七年、待った甲斐がありました。CWA賞インターナショナル・ダガー賞を四度受賞したフレッド・ヴァルガスの面目躍如たる逸品です。今月はもう一冊、「暗号クロスワードのどこが面白いかというと、嘘をつくと同時に、まったく正直でもあるところです。誤導がすべてということで

すよ」という作中の台詞がぴったりとくるジェフリー・ディーヴァーの『カッティング・エッジ』もお薦め。次々と予想外の扉を開けて突き進む追う者と追われる者――名探偵と犯罪者と目撃者――の虚々実々のノンストップ遁走曲が予想外の結末へと収斂する。『ボーン・コレクター』や『バーニング・ワイヤー』路線の〝ディーヴァー流必勝フォーマット〟に則った流石の逸品です。（川）

ネレ・ノイハウス『生者と死者に告ぐ』では、捜査が事件の核心にじわじわ迫り続けるので停滞感は全くないのに、真相の全貌は終盤になるまで判明せず、ために犯人が警察に先行し続ける。そのバランスが絶妙で、読んでいてとても楽しい。エイダン・トルーヘン『七人の暗殺者』は、主人公の、饒舌に饒舌を重ねた語り口が暴威を振るう。他の登場人物から鍵括弧「」付きの台詞を根こそぎ奪って、地の文で語り倒すスタイルは、暗殺者集団との戦い方のえげつなさと相俟って、主役の強烈な個性を否応なく読者に突き付ける。続篇もあるようなので楽しみです。

でも今月は『ネプチューンの影』を選びます。こちらの主役アダムスベルグ署長も個性豊かなうえに、今回は彼自身の私生活にも深く関与している連続殺人が扱われる。弟を失う契機となった事件に、アダムスベルグの力のこもるのもむべなるかな。……などと通り一遍の書評をフレッド・ヴァルガスが書評家に書かせると思ったか、と言わんばかりに、130ページ過ぎにアダムスベルグらは、カナダで研修を受けるため海外出張してしまうのだ。もちろんそこで受ける研修やらエピソードやらは、フランスでの連続殺人とは何の関係もなさそうだ。いやいや何してんのこの作家?! 翻訳者もカナダのフランス語を九州弁で訳してんじゃねーよ! 楽しいからいいけど! でも捜査は?! などと思っていると、そこでとんでもないことが起きるのである。このオフビートな展開にはびっくりしました。そしてこれを受けての、アダムスベルグ達レギュラー陣の行動がまたいいんですよね。いやあいい小説を読んだ。（酒）

お久しぶりのフレッド・ヴァルガスである。今回は「夢見る署長」アダムスベルグ自身の事件とも言うべき内容。三十年前に弟に着せられた冤罪を晴らそうとするアダムスベルグは、その前からずっと続いてきた同じ手口の連続殺人事件の真犯人をある人物だと睨んでいた。だが、その人物には犯行を続けられない強固な理由があった。果たしてアダムスベルグの推理は的中しているのか、それとも思い込みか? このシリーズの過去の作品も奇天烈な事件を扱っていたけれども、本書もそれらに劣らない。いや、ミッシングリンクの種明かしのとんでもなさは旧作をも凌駕しているのではないか。ジャン=クリストフ・グランジェの『死者の国』といい本書といい、今年は「フランス新本格」と呼びたくなるタイプの作品の当たり年だ。（千）

吉 カッティング・エッジ

ジェフリー・ディーヴァー／池田真紀子訳
文藝春秋

圧倒的なサスペンスを体感した。事件や題材をめぐる妙、主要登場人物へ迫る危機、章ごとのクリフハンガー、中盤以降に見せるツィストの連続技など、すでにディーヴァーの凄さもシリーズのパターンも十分に分かっている第十四作目でありながら、それでもなお夢中で読ませる仕上がりには驚くしかない。ほかでは味わえない面白さだ。そのほか、今月のベストで遜色ない二作があった。まずひとつは、行方不明の子ども専門の探偵ナオミが主人公の、レネ・デンフェルド『チャイルド・ファインダー　雪の少女』。ひところ、都会ではなく山林地帯や田舎の町を舞台にした作品に対し、カントリー（もしくはルーラル）・ノワールというレッテルが貼られていた。ウッドレル『ウィンターズ・ボーン』がその代表作か。『雪の少女』もまたその系列にあるとともに、いわゆる「卑しい街を歩く騎士」私立探偵小説の現代女性版であるようにも感じられた。消えた少女探しの過程にとどまらず、厳しい雪山の環境をめぐる現実味あふれる筆致も読みごたえがあった。もう一作、カサンドラ・モンターグ『終の航路』は、地球の陸地がみな海に沈んだ近未来が舞台で、生き別れた娘を追いつづける母親を主人公にした冒険小説。設定こそ大胆なフィクションだが、場面ごとに臨場感あふれており、容赦ない困難の連続と生きのびるための闘いが生々しく描かれている。親子の関係だけではなく男女の恋愛シーンも多く、ヒロインの心の声が聞こえてくるような物語だ。　（吉）

霜

11月に去りし者

ルー・バーニー／加賀山卓朗訳
ハーパーBOOKS

反則である。知ってる。先月の七福神で吉野氏と杉江氏が挙げていた。話題作が続々と刊行された9月だったから、あのとき僕はこれをまだ読めていなかったのだ。10月はジェフリー・ディーヴァーの『カッティング・エッジ』が「いかにもディーヴァー」という感じで楽しかったし、日本のミステリに範をとりつつ、やけに嫋嫋たる叙情がたゆたう陸秋槎『雪が白いとき、かつ、そのときに限り』の空気感にも好感を抱いた。でも『11月に去りし者』を推さないわけにはいかんのです。

舞台は60年代、組織に追われるクールな殺し屋の逃亡劇、という昔ながらの枠組みに、著者は明らかに現在の感覚を持ちこんでいて、お約束のノワールなリリシズムを供しながらも、清新な物語を編み出している。その象徴が、殺し屋と出会う田舎町の主婦シャーロットである。暴力者である主人公と出会うことで彼女に何が起きるか。本書が重要なのはそこである。思えば今年は犯罪を触媒にして立ち上がる女性たちの名編がいくつもあった。『拳銃使いの娘』『沼の王の娘』『ブラックバード』、どれも2019年を代表する傑作であり、本書もこの列に連なる。そもそもルー・バーニーは『ガットショット・ストレート』でも素晴らしく食えないイカした女性を登場させていて、その感覚は本書にも流れている。

とにかく僕はこの作品の最終章が痛快で痛快で大好きなんですよ。この痛快さは今年ベストじゃないかな。これを最後に入れたってことは、本書が「シャーロットのドラマ」であることの証といっていいと思う。あ、あと、主人公を追ってくる第二の殺し屋、この男と黒人の少年をめぐるエピソードが悪党パーカーみたいに酷薄で、これまた素晴らしいんですよね。　（霜）

杉

生者と死者に告ぐ

ネレ・ノイハウス／酒寄進一訳
創元推理文庫

短篇集だと『短編ミステリの二百年1』で、なにしろあの大乱歩の『世界推理短編傑作集』に対抗するアンソロジーを作り上げる、しかも各巻に短篇ミステリー通史となる評論を書き、すべてを読むと探偵小説を「本格」と呼ぶ王道のミステリー観のカウンターになる評価軸が完成するという趣向なのである。小森収の評論こそが主役というべきアンソロジーであり、彼が過労で倒れてもいいから一刻も早く次を、という気分にさせられる。まあ、必読です。

で、長篇でシリーズものの七作目にあたるネレ・ノイハウスを選ぶことにした。罪のない市民が次々に狙撃されていき、〈仕置き人〉を名乗る（おお、訳語はできれば仕置人にしてほしかった）犯人からの声明文が届く。これだけだと普通のミッシング・リンクものなのだけど、『生者と死者に告ぐ』にはその先があるのね。犠牲者を結ぶ環は比較的簡単に発見されて、その後で犯人捜しが始まるのである。ホワイじゃなくてフーダニットなのだ。これがまた容疑者が多くて絞り切れない。あいつかと思ったら別のやつが疑わしくなったりして、捜査陣は最後まで引っ掻き回されるのである。そのおもしろさですね。最後の最後まで誰が犯人か絞り切れないフーダニット。私はそういうのが好きなんだなあ。犯人はちゃんと手がかりになるシグナルも出しているし、そういう意味ではフェアだ。そうだよ、こういう警察小説を読みたいんだよ、と頷きながら読んだのでした。いいよ、ノイハウス。（杉）

北

短編ミステリの二百年 1

小森収編／サマセット・モーム他／深町眞理子・他訳
創元推理文庫

こんなに刺激的で面白いアンソロジーを読んだことがない。巻末の小森収の評論（なんと160ページもある！）を読みながら、収録の短編を読んでいくと、ミステリーがこれだけ面白く、奥行きのあるジャンルであることがわかってくる。

この労作に深く敬意を表したい。（北）

警察小説強めの十月でした。これから年末に向けて、どんな作品が出てくるのでしょうか。また十二月には川出・杉江のベストテンイベント（※）もありますので、そちらもぜひご期待ください。（杉）

※前出 YouTube「杉江松恋」チャンネル参照。

吉 千 杉 酒 川

パリのアパルトマン

ギヨーム・ミュッソ／吉田恒雄訳
集英社文庫

昨年、入念に作り込まれた謎迷宮のごときサスペンス小説『ブルックリンの少女』で、文字通り最終ページまで読み手の鼻糜を取って引き回し、予想外の真相とえも言われぬ余韻でミステリ・ファンを唸らせたギヨーム・ミュッソがまたまたやってくれました。

舞台はクリスマス間近のパリ。厭

世的で人間嫌いの劇作家の男と心身ともに傷ついた元刑事の女が、心ならずも同じアパルトマンで暮らすことになってしまう。そこは天才画家が遺したアトリエ。はじめは反発し合う二人だがやがて……、という幕開けは、まるでロマンティック・コメディのようだけれども、そこは、あのギヨーム・ミュッソだ。一筋縄でいくわけがない。初手から読者の意表を突いてくる。凄いぞ、今回も。

　急逝したコンテンポラリー・アート界の寵児が遺した未発見の遺作三点を巡る、美と愛と創造と破壊の物語であると同時に、父性と母性の物語でもある本書は、登場人物の屈託と罪悪感、そして自己救済を望む心が事態を動かし、邪悪な存在を暴き出し、思いもよらない結末へと到る。

　重めのテーマを核としながら、あくまでも愛とユーモアとエスプリに富んだ、ハラハラドキドキさせてくれる読後感の良いエンターテインメントに仕上げている点がギヨーム・ミュッソ作品の特徴だ。本国フランスでは、『その女アレックス』の作者ピエール・ルメートルをも凌ぐ人気を博す作者が紡ぎ上げた愛と奇跡に彩られた、クリスマス・シーズンにぴったりのノンストップ・サスペンスを堪能あれ。（川）

過去に色々あったらしい男女が、アパルトマンの予約をダブルブッキングされてしまう。パリで一人静かに過ごしたかった二人は当初反目し合うが、お互いの事情を知るにつれて……というロマンス小説のような展開をたどる。一方で、そのアパルトマンをアトリエとして利用していた天才画家の「謎」もまたクローズアップされる。意外な展開が次から次へと繰り出されるのが本書の特徴であり、その性質上、未読者相手に内容を詳しく紹介するのはご法度だ。よって紹介者たるこちらは隔靴掻痒の思いに駆られるのだが、終わってみれば紛れもなく「ミステリ」になっていることは固く保証したい。いやあ冒頭からは、こんな話になるなんて思いもよりませんでした。しかし一方で、序盤の各要素はある意味では最後まで完全に維持もされるわけです。どういうことかって？　読んでください。それしか言えることはないのです。（酒）

今月はこれでいいな、と思っていた本が11月刊行どころか、まだ世に出ていないことに気づいて慌てている杉江松恋です。みなさま、寒くなってきましたがお変わりありませんでしょうか。

　というわけで今月は『パリのアパルトマン』を推さざるをえなくなった。昨年の『ブルックリンの少女』も、ん、フランス・ミステリーなのになんでブルックリン、と戸惑っているうちにあれよあれよという間に明後日の方向に連れ去られてしまい、最初のページを開いたときにはまったく予想もしなかった場所で大団円を迎えるというお話であったが、今回は雨降るパリの街角で物語が始まり、やはり、ちょ、ちょっと待ってくださいよう、という感じで読者は引き回されていく。パリの貸し部屋で偶然に出会った二人がいやいやながら一つの目的のために協力することになるというのが骨子で、男女二人の視点で並行して話が進んでいくので、自然と複線構造になる。ここが巧くて、謎の天才画家ショーン・ローレンツについての記述も、一方が関係者に会って話を聞いているかと思えば、もう一方が資料にあたって同じことを別の角度から確認する、という具合で、読者に情報開示をするやり方が抜群にいい。この足場固めがあるから、思い切り遠くまで飛べるのだな、と納得した次第である。好き放題やっているように見えて一つのモチーフが全体を貫く構造になっているのもよく考えられている。先の見えないスリラーのお手本というべき作品だ。観光小説の色合いもあって華やかなので、年末年始の旅行時などにお薦めしたい。（杉）

『パリのアパルトマン』（原題そのまま）とは、内容の見当がつかないにも程がある即物的なタイトルだが、中身は情感豊かなミステリだ。業者の手違いが原因で、自分こそ住む予定だった家にもうひとり住むつもりの人間がいると知った男女。最初は互いに反目しつつ、天才画家の遺作をめぐる謎を協力して探ることに……という冒頭から想像される通りの予定調和的な展開で中盤までは進む。しかし、そこから終盤にかけての展開は「そっちに行くの?」と呆気にとられること必至で、フランス・ミステリらしい技巧と情感が融合した作品に仕上がっている。ところで、今年は日本の「キンバク（緊縛）」が紹介されるフランス・ミステリを二作も読んだのだが（ジャン＝クリストフ・グランジェの『死者の国』と本書）、流行っているのだろうか。（千）

元刑事の女と劇作家の男はもともと見知らぬ他人同士だった。しかし、はからずもパリで同じアパルトマンに暮らす羽目となる。そこは急逝した天才画家の家で、二人はその画家による未発見の遺作を探しはじめた。という冒頭の展開は、巻末解説で川出正樹さんが指摘しているとおり、往年のロマンチックコメディ映画そのもの。事件や謎の妙、それを探っていくスリラーの面白さもさることながら、次から次へと主人公たちに襲いかかるトラブルやおかしな状況そのものがユニークで先を読まずにおられなくなるのだ。さらに、最後の最後まで意表をついてくる。たっぷりと愉しませてもらいました。そのほか、ジェイムズ・A・マクラフリン『熊の皮』は、アパラチア山脈の麓で自然保護管理の仕事をする男が主人公ゆえ、土地の自然を描く筆致が濃厚で迫力があった。（吉）

霜

流れは、いつか海へと

ウォルター・モズリイ／田村義進訳
ハヤカワ・ミステリ

なんと心地よい読み心地か。読み終えたくなかった。正統の形式を守りながらも現在の空気を呼吸しているタイムレスな逸品を、アメリカン・ミステリの古豪が見事に書き上げたという気がする。

身の覚えのない罪で投獄され、警察をクビになって私立探偵を開業した主人公が、自分の過去の事件と現在進行形の事件に取り組むというスタンダードなテーマを、モズリイは自分の声で鮮やかに演奏してみせる。過去の物語の挿入具合、主人公と家族や友人知人とのエピソードも唸るほど巧く、ただこの主人公がいろいろな人々と出会い、ニューヨークを歩き回る場面だけを永遠に読んでいたいと思わせるほどだ。おまけに近年のアメリカン・ミステリが文芸的なリアリズムと引き換えに失ったキャラ立ちが素晴らしく、とくに

主人公に借りがあると言って共に行動する冷酷な元犯罪者メルカルトと、心の苦しみに耐えられなくなった主人公の泣き言を受け止めるエフィがいい。

ハードボイルド・ミステリないし私立探偵小説がミステリの前線から退いて随分経つから、ハードボイルドとはどういう物語なのかわかりづらくなっている。「ハードボイルドってどういう小説なの?」と問われたら、本書を差し出せばいいのではないか。（霜）

翡翠城市

フォンダ・リー／大谷真弓訳
新☆ハヤカワ・SF・シリーズ

SF叢書の一冊なので、本来なら対象外だろうが、ミステリーのファンも十分に楽しめると思うので、取り上げておきたい。特に、アクション小説をお好きな方ならおすすめだ。SF的な細かな設定については省略する。翡翠を身につければ超人的な能力を持つことができる一族がいると思っていただければいい。そういう翡翠の戦士たちが闘う物語だ。

とにかくカッコいい。ラストの壮絶なアクションまで一気読み。船戸与一「山猫の夏」と、香港ギャング映画のカッコ良さがここにはぎっしりと詰まっている。これが売れてくれないと続編が翻訳されないだろうから、ただいま私、必死なのである。続編が読みたい！（北）

フランス・ミステリー強し、の11月でした。今年もあと残り僅かになってきましたが、元気に読んでいきたいと思います。みなさま、ちょっと早めですがどうぞよいお年を。（杉）

COLUMN

翻訳ミステリー大賞シンジケート

杉江松恋

翻訳ミステリー大賞を主催する事務局のサイトだから、『翻訳ミステリー大賞シンジケート』でいいんじゃないか」

誰かがそう言ったのが名前の由来で、あまり意味はありません。今となっては発言者が誰だったかも曖昧になっています。

翻訳ミステリーに関する情報の発信源がネット上にも必要なのではないか、ということで大賞と同時にシンジケート・サイトも創設しました。毎日更新が基本であり、この「書評七福神」コーナーもコンテンツの一つです。他には「NYTimesベストセラー速報」などの貴重な情報や全国の読書会告知なども掲載しているので、ぜひ読書の参考にご活用ください。

ここからの書籍化第一号である霜月蒼『アガサ・クリスティー完全攻略』（現・クリスティー文庫）は、日本推理作家協会賞と本格ミステリ大賞を同時受賞しました。現在もさまざまに注目すべきは作家の瀬名秀明「【毎月更新】シムノンを読む」で、未訳も含めた全作品読破という壮大な企画です。完結すれば、間違いなくミステリー史に残る偉業となるでしょう。

2020年

2020 1月

贖いのリミット

霜 北

カリン・スローター／田辺千幸訳
ハーパーBOOKS

ウィルの別居中の妻アンジーがついに登場する。これまでもちらりと出てはいたのだが、今回はアンジーの側から描かれるのだ。全編をアンジーの視点で埋めて欲しかったという気がしないではないが、この「悪女」が何を考えてきたのか、いま何を考えているのか、それが明らかになるだけでも十分だ。内容紹介はあえてしない。来月はいよいよ「開かれた瞳孔」の復刊だ。2020年もカリン・スローターなのである!（北）

迷いなくこれを推す。「またスローターかよ」と言わないように。これはスローター作品中でも一、二を争う傑作だからである。スローターが容赦ない犯罪の描写を通じて書き続けているのは、「女性に向けられる暴力」であり、「被害の痛み」だった。本作ではそのテーマがギリギリまで研ぎ澄まされ、シリーズ初期傑作『砕かれた少女』を凌駕する。

主人公の男性捜査官ウィルの妻で、恋愛関係を逆手にとってウィルを傷つけ支配してきた女性アンジーが、犯罪にまきこまれて重傷を負い、行方をくらます。大量の血痕とともに死体で発見された元悪徳刑事は、アンジーに殺されたのか。この現場で何があったのか。血痕は誰のものか。そしてアンジーは生きているのか。

　愛と暴力と支配をめぐる幾つものエピソードが互いにからみあい、互いに傷つけあって、主要人物全員が心に傷を刻まれて血を流す。構成などに瑕がないとは言わない。その意味では『砕かれた少女』のほうが完成度は高いかもしれない。しかし、端正さを犠牲にしても描きたかったものが確かにここにはあり、その苦痛の脈動は読む者の心拍を同じ痛みで揺するだろう。スローターを読むのは痛みの経験である。（霜）

川　酒

雲

エリック・マコーマック／柴田元幸訳
東京創元社

　古びた書物にまつわる謎を探索する中で主人公が自分自身の数奇な人生を振り返り、親しい人々や一族、そして自身に纏わる秘められた事実を知ることになる。そんな〈物語〉と〈人生〉が渾然一体となったミステリアスで幻想的かつ猟奇的な二冊の小説を堪能した年の瀬だった。

　一冊はエリカ・スワイラー『魔法のサーカスと奇跡の本』、もう一冊はエリック・マコーマック『雲』だ。語り手の人生を大きく変えることになる運命の書――前者は十八世紀末から十九世紀初頭にかけて綴られたサーカス団の日誌、後者は十九世紀に製本された異常気象現象に関する『黒曜石雲』という報告書――との巡り合いで幕を開ける波瀾に富んだ二つの物語は、どちらも所謂狭義のミステリではない。けれども不穏な空気とサスペンスが覆う中にもユーモアと明るさが垣間見える謎と冒険の物語を、ぜひミステリ・ファンにも味わって欲しい。

　出来れば今月は二冊押しにしたいのだけれどルールはルールだ。悩みに悩んだ末、エリック・マコーマック『雲』にします。詳細は語りません。スコットランドの寒村から中南米、そしてカナダへと舞台を移し、現在と過去を往還して遁走曲のように幻想曲のように語られる物語をじっくりと味わってみてください。（川）

　これをミステリとして挙げていいかどうか少々迷ったのですが、謎めいた出来事があり、解き明かされる秘密があるのだから問題ないだろう、ということで『雲』で行きます。特に大袈裟な書きぶりではないのに、読んでいるだけでそくそくと胸に迫る文章が素晴らしい。ワクワクする物語が始まり、続くことを常に読者に確信させ続けるとともに、時折、ハッとするような表現に胸を衝かれる。正直なところこれだけで十分なんですが、これに加えて、次々と予想できない展開が繰り出されており、ストーリーを追うだけでも楽しめる。この「予想できない」は、もちろんマコーマックだから「現実的にあり得る展開のみ出て来る」という軛から解放されているんですが、今回はマコーマック作品としては比較的

「現実」に即しているので、幻想小説が嫌いな人（いるんでしょうか?･）にとっても読みやすいと思います。

で、広義のミステリと言える要素もふんだんに含まれています。それが何かを書くと展開を明かすことになるので言いません。いいからとりあえず読み始めてください。ミステリっぽい要素が帯やら訳者あとがきやら粗筋やらに明示されていないからと言って、これを読み逃すのは本当に勿体ないです。（酒）

千

55

ジェイムズ・デラーギー／田畑あや子訳
ハヤカワ・ミステリ文庫

最近の翻訳ミステリは登場人物が多すぎて憶えにくい……とお嘆きの方にお薦めしたい一冊だ。なにしろ、登場人物表に名前がある人物のうち、容疑者候補は二人だけ。そのどちらかが犯人なのは確実である。ならば犯人を簡単に当てられるのか……といえば、そうは行かない。二人の容疑者はいずれも自分は被害者で相手こそが大勢の人間を手に掛けた殺人鬼だと言い張り、しかも二人ともあからさまに挙動が怪しいのだ。警察側が一枚岩ではないせいもあって捜査は迷走。容疑者二人の言動に翻弄されながら読み進めると、読者は賛否両論必至のとんでもない結末へと到達する。とにかく、忘れ難い作品であることは確かだ。（千）

吉

砂男

ラーシュ・ケプレル／瑞木さやこ、鍋倉僚介訳
扶桑社ミステリー

閉鎖病棟に収用された史上最狂のシリアルキラーと誘拐事件をめぐるサスペンス。なんの予備知識もなく、なんだ『羊沈』の二番煎じかと思いつつ読み進めていたら、ある場面から一気に加速した。大胆な趣向、意外な仕掛けに外連味のあるアクションと娯楽性を凝らしたつくりに圧倒された。読み終えて気がついたのだが帯の紹介や表4のあらすじは内容をばらしすぎなので注意。そのほかジェイムズ・デラーギー『55』は、出だしがすごい。ふたりの男が相次いで「自分はシリアルキラーから逃げてきた被害者だ」と訴え、片方の男こそ殺人鬼だと主張する。全体に荒っぽいが、この新奇な挑戦を買いたい。ラグナル・ヨナソン『闇という名の娘』もしみじみと読まされた。三部作ゆえ残り二作が愉しみ。そして、巻末解説を書かせてもらったエリオット・チェイズ『天使は黒い翼をもつ』は五〇年代ペイパーバックオリジナルによるクライム・ノヴェルの名品で、その手の小説、ケイパーもの、黒い天使が墜ちる系を好む読者ならマストリードです。（吉）

杉

闇という名の娘

ラグナル・ヨナソン／吉田薫訳
小学館文庫

今月はこれでいいな、と思っていた本が12月刊行どころか、まだ世に出ていないことに気づいて慌てている杉江松恋です。同じことを書いた記憶が先月もあるが、コピー&ペーストのミスではない。いくらなんでも12月には出るだろうと思っていたら、まだ本が出ていなかったのである。あの〆切はどれくらい早かったんだ、という愚痴はまあ、どうでもいい。1月分として紹介できればいいのだが。

いろいろ迷ったのだが、12月の一推しはアイスランド・ミステリーのこの作品ということにした。ヨナソンは別のシリーズが三冊訳されているがこれは別物で、フルダ・ヘルマンスドッティルというベテランの女性警察官を主人公にした三部作の最初にあたる作品だ。三部作はおもしろい趣向になっており、彼女の人生をだんだん遡っていくのだという。

本作でのフルダは、65歳での定年があと数カ月に迫っており、しかも年下の上司から早めに辞めて自分の部屋を後継者に渡すように命じられた状況にある。刑事の仕事以外、人生に生きがいのないフルダはそれを受け入れられず、せめてもの抵抗として未解決事件の再捜査を始める。ロシアからやってきた女性が不審死を遂げた事件だ。無能な同僚はそれを自殺として片付けたが、当時その女性は難民申請が間もなく通る予定であって、死ぬ理由などなかったのだ。フルダは事件の背景に犯罪の影があると睨む。海外から女性を連れてきて売春を強制する業者が絡んでいる可能性もあり、彼女は義憤に燃える。

警察小説として十分におもしろい始まり方なのだが、中盤からこの小説は奇妙な方向にねじれていく。もう、絶対に予想不可能な方向に。それがどんなたぐいのものかは書けない。書けないがちょっとだけヒントを出すと、ヨナソンは主人公以外に複数の視点人物を登場させ、それらが合流したときに最大の効果を挙げる、といった形の驚きの演出を得意としている。『雪盲』を始めとするシリーズで披露済みなのだが、既刊よりもはるかにびっくりする、とだけ書いておく。今気づいたが、そう書いてもまったくヒントにはなっていなかった。まあいい。とにかくびっくりする。そして最大の驚きは終盤に訪れる。ネタばらしにならずにうまく喩える言葉を私は持っていない。溶暗、としか言いようがない。溶暗なのですよ。題名も『闇という名の娘』だし、そういうことにしておいてもらいたい。この終わり方にびっくりしない人は相当肝が太いと思う。とにかくあまり見ない終わり方をするのだ。三部作、全部読みたい気になるよね。（杉）

境界的な作品あり、シリーズものあり、北欧ミステリーありと、綺麗に分かれた月になりました。さて、年が改まって来月はどのような作品が出てきますことか。またお会いしましょう。（杉）

吉 千 酒 川

魔女の組曲

ベルナール・ミニエ／坂田雪子訳
ハーパーBOOKS

デビュー作『氷結』で、厳寒のピレネー山脈を舞台に、ロープウェイに吊された馬の首無し死体で幕を開ける連続殺人事件の謎をアウトドア派の美しき女性憲兵隊大尉とともに追ったセルヴァズ警部が還ってきた！　探偵自身の事件である二作目『死者の雨』の後を引くラストから待つこと二年と四カ月。いそいそと

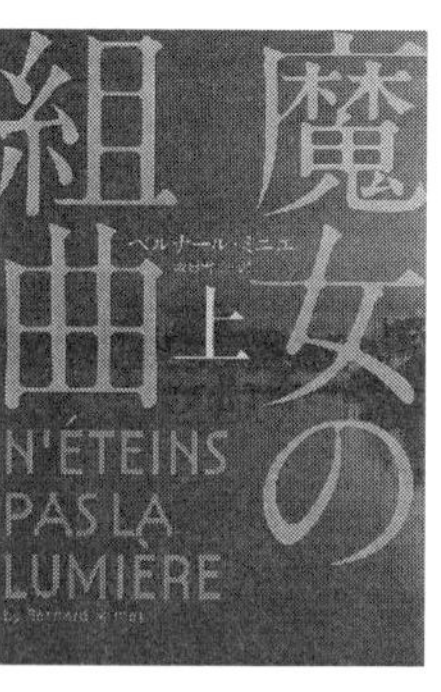

ページを開いた『魔女の組曲』ですが、よもやセルヴァズが、こんなにも苛酷な目に遭うシーンで幕を開けるとは思わなかったよ。容赦ないなベルナール・ミニエ。しかも今回セルヴァズとともに主役を務めるラジオ・パーソナリティのクリスティーヌを襲う生き地獄のような状況ときたら、ここまで徹底するのかと感心してしまう。

クリスマス・イヴの夜に差出人不明の自殺予告状が送られてきたときから、平穏に思えていたクリスティーヌの人生は狂い始める。脅迫と中傷、疎外と孤立、そして殺人。誰が、何のために、彼女を破滅させようとするのか？

徐々にどん底から復帰していくセルヴァズ警部と、瞬く間におちていくクリスティーヌ。二人の物語がどこで交わるのか気になってページを繰っていくと、後半、エッという転調が。なるほど、こういう世界の話だったのか。ぞくぞくする猟奇性と謎解きミステリ・ファンのツボを的確に押さえつつ、テンポ良くスピーディーに展開するストーリーで、『蝶々夫人』を始めいくつものオペラを周到に配した構成が結実するクライマックスまで一気に読ませる。シリーズ三作目ですが、巧妙にネタばらしを回避しているので本書から読んでも大丈夫。〈ジャン=クリストフ・グランジェ・チルドレン〉の中でも、一、二を争うミステリ巧者の技を堪能してみてください。（川）

複主人公制（シリーズの主役セルヴァズ警部と、本作単体の登場と思われる、ラジオパーソナリティーのクリスティーヌ）を採る本作は、とにもかくにも、クリスティーヌへの謎のストーキング行為が圧巻である。脅迫、家宅侵入、ハッキング、なりすまし、流言飛語、名誉棄損、器物損壊などなど手を変え品を変え、クリスティーヌを追い詰める。しかもクリスティーヌがどんなに愁訴しても、警官含めた誰もが彼女の自作自演や妄想障害を疑うように、手口は常に巧妙なのである。さらには、全900ページ近くの中で700ページが過ぎる辺りまでエスカレート一辺倒だ。セルヴァズ警部のパートは一見クリスティーヌとは全く違う事件を冷静に追っているように見えるので、そこで息抜きは可能とはいえ、この間ずっと《主人公であるクリスティーヌはストレスに晒され倒し》《気が休まる時がない》のである。こういう作品は通常私は好まない。しつこく感じられるうえに、正直よく単調になるからである。しかし本書では全く退屈せず、最初から最後まで一気に読んでしまった。理由は色々考えられるが、クリスティーヌのこれまでの人生であるとか、彼女周辺の人物の性格や会話が丁寧かつ鮮やかに描き込まれているのが大きい（注：もちろん、その描写内容がすべて真実とは限らない。ミステリですもの、一部に欺瞞が紛れ込んでいる）。要は読んでいて楽しいのだ。この種のストーリーで、「読んでいて楽しい」と思えたのはほぼ初めてである。そしてセルヴァズ警部のパートも、加速度的にとんでもないことになっていく。いやあ楽しかった。終盤の逆転劇や決着の付け方も見事である。もちろん何がどう見事かは書けませんが。ということで、強くおススメします。（酒）

ラジオの人気パーソナリティー、

クリスティーヌに襲いかかる罠、罠、罠。婚約者との仲を断たれ、職場での信用を奪われ、やがて直接的な危害が彼女の身に及ぶ。およそミステリ史上、これほどまでに執念深くあの手この手でひとりの人間を追いつめる悪意も珍しいのではないか。あまりの悪辣さに読者は怒り、恐怖し、読み進めるのが耐え難く感じるかも知れない。だが、膨大な字数を費やして読者の中に掻き立てられたその感情こそが、真相から目を逸らさせるミスディレクションの役割を果たすのだ。読者を引っかけるためならミステリ作家とはここまでやるのだ、という意味でも畏怖に値する小説である。なお、下巻の登場人物紹介欄はややネタばらし気味なので先に見ないこと。（千）

まずは、何者かの巧妙な手口により、ヒロインがどんどんと悪者に仕立て上げられていく展開がつづく。自身の運命を大きく狂わされてしまうのだ。もっとも前半の途中くらいまでのこうした展開は、サスペンスとしてめずらしいものではない。しかし、今月いちばんに推したいほど、ぐっと面白くなるのはその先。詳しくは書けないが、なんと宇宙スケールの話にまで広がるとは驚きで、シリーズの主役であるセルヴァズ警部の視点によるもう一方の捜査展開と相まって、ミニエならではの外連味がどんどんと発揮されていく。ホリデーシーズンに連発される派手な打ち上げ花火のごときフランスミステリだ。そのほかアンドリュー・メイン『生物学探偵セオ・クレイ　街の狩人』は、第一作目とは舞台の風景を大きく変えつつも、専門である生物学だけではなく最新科学の知識と論理を総動員して事件を解決していく物語の面白さは健在で、今後も楽しみなシリーズのひとつとなった。（吉）

杉

怪物

ディーノ・ブッツァーティ／長野徹訳
東宣出版

先月、先々月言っていた作品が実は2月刊行で、いったいどれだけ解説の〆切が早かったのか、と感心している。来月もしかすると気が変わって別の作品を挙げてしまうかもしれないので書名だけ書いておくと、ヨルン・リーエル・ホルスト『カタリーナ・コード』なのである。これは本当にいい小説なので読んでください。

で、本題なのだが、先月は『魔女の組曲』を措いて他にはないと思う。長篇ならば、の話だ。短篇集ではもうディーノ・ブッツァーティ『怪物』を力いっぱい推したい。『魔法にかかった男』『現代の地獄への旅』に続く未訳短篇集の三冊目だ。いちおうこれで企画は終了なのだが、ぜひ続けて訳してもらいたい。ブッツァーティはイタリアを代表する幻想作家の一人であり、読者を不安にさせる名人である。それまで当たり前に甘受していた日常の平和がぶった切られて、突如おかしなものが顔を覗かせる。読者の中には、あまりのことに笑ってしまう、という体験をしたことがある人がいるかもしれないが、ブッツァーティが提供するのはまさにそれだ。表題作は、見てはならないものを目撃してしまったために元の暮らしを失ってしまうという物語である。それが恐怖ではなくて笑いの方に転がる場合もあって、

「エッフェル塔」という短篇などはとんでもない法螺話で呆れるしかない。この唖然とするような読書体験を、ぜひ多くの人に味わってもらいたいのである。本当、口がぽっかり開いて魂が出て行っちゃうような気分にさせられるから。（杉）

北

生物学探偵セオ・クレイ 街の狩人

アンドリュー・メイン／唐木田みゆき訳
ハヤカワ・ミステリ文庫

最初に気になることを書いておく。このまま行くと、アンドリュー・ヴァクスの探偵バークになりはしないか。ひらたく言えば、自警団ヒーローへの道だ。

シリーズ第1作の、前作のラインを出来れば守ってもらいたい。

その危惧はあるものの、これはギリギリでセーフ、というのが、私の判断だ。

次作がとても心配だけど。（北）

霜

天使は黒い翼をもつ

エリオット・チェイズ／浜野アキオ訳
扶桑社ミステリー

名のみ聞く伝説の名作は、伝説ほどの傑作ではないことが多い。しかし本書はまぎれもない傑作である。刑務所から脱走した男が女と出会い、現金輸送車襲撃計画に着手する、という話であり、「運命の女（ファム・ファタル）」ものの常として、この男女が破滅するだろうことは容易にわかる。

しかし小説というものは、何が起こるかよりも、どう書くかが重要なのであり、その点で『天使は黒い翼をもつ』は唯一無二の不穏な傑作となっている。右記のプロットは主人公の意識の奇妙な歪みによって、ひしゃげたレンズ越しに投映されたように異様な像となる。主人公は酷薄な犯罪者のように見えつつ、いくつもの罪悪感にさいなまれており、それが彼というレンズをひずませている。それはエルロイの『ホワイト・ジャズ』における「ジョニーは懇願する」のフラッシュバックに似たオブセッションの病臭を濃厚に匂わせ、ジム・トンプスンの奇怪なヴィジョンと共振するものだ。トンプスンの系譜に連なるノワール作家はきわめて稀だが、本書は、ジェイソン・スターの諸作やケント・ハリントン『死者の日』を超えるトンプスン式フィーヴァードリーム・ノワールの傑作だと思う。必読。

なお「ありがちなトリビア系ミステリ」だろうと舐めていた「生物学探偵セオ・クレイ」シリーズがとびきりヘンなスリラー・ミステリだったことに遅まきながら気づいたので、ここでクレイ博士にお詫びしたい。新刊『生物学探偵セオ・クレイ 街の狩人』が前作の内容を無造作にばらしているので、シリーズ順に読むのをおすすめする。（霜）

フレンチ・スリラーが大人気の一月でした。それも含めてシリーズものが強かったような印象がありますが、新しいブランドとして育っていくといいですね。さて、二月はどんな作品が翻訳されるのでしょうか。また来月お会いしましょう。（杉）

千 杉 川

警部ヴィスティング カタリーナ・コード

ヨルン・リーエル・ホルスト／中谷友紀子訳
小学館文庫

二月は小学館文庫から刊行された二冊の中、どちらにするか悩んだ。いずれも失踪事件ものの秀作だ。忽然と姿を消したまま杳として行方の知れない女性の身に一体何が起きたのか？ 長い年月を経た後に新たに見つかった思わぬ手掛かりが、失意と悔恨の日々を送っていた関係者の人生をいやおうなしに動かし始める。

片や日本初登場となるポーランドのベストセラー作家レミギウシュ・ムルスによる『あの日に消えたエヴァ』。片や『猟犬』で〈ガラスの鍵賞〉を始め三冠に輝いたノルウェー人作家ヨルン・リーエル・ホルストによる『警部ヴィスティング カタリーナ・コード』。前者は、シンプルな謎と複雑な計画が表裏一体となった、走りながら考えるノンストップ・サスペンス——ただし、あまりに意外な展開に思わずつんのめりそうになることしばし。後者は、外連を廃したシンプルな謎を噛みしめるように味わいたい警察小説で、関係者を限り、大きな仕掛けを施さず、真相に向かって地道に歩みを進めていく。

迷った末に後者を一押しにするのは、この地道な捜査部分が圧倒的に読ませるからだ。主人公のヴィスティング警部は、二十四年間にわたって、失踪したカタリーナの夫と親交を持ち続けてきた。ある種の友情にも似た思いを抱いてきた相手を被疑者とし、真意を隠したまま真相を探らなくてはならなくなったヴィスティング。静かに、されど徐々に緊迫感を増す展開から目を離せず、じっくりと読み耽ってしまった。ミステリ的には、タイトルにもなっている失踪当時にカタリーナが残していった暗号を解明するためのさり気なくも大胆な伏線の張り方が見事。北欧の警察小説全般に言えることですが、ヒラリー・ウォーの妙味を取りわけ強く味わえる逸品だ。（川）

やっとこの小説のことが書ける。初めて言及したのは三カ月前だ。文庫解説を担当したので、厳密に言うと読んだのは三カ月前なのである。どうしてあんなに〆切が早かったんだろう。もしかして乙すぎるサバを読まれたんだろうか。初読が三カ月前だから「その月に読んだ中から」という七福神のルールからは外れていると思われるかもしれないが、大丈夫だ。本が出てからまた先月読んだのである。これで三度目だ。読んでよかった。やっぱりこの小説が好きだと認識を新たにしたからである。そうだよ、こういう小説が好きなの。

話はものすごく単純で、いくつかの二択があるだけの構造になっている。やったのか、やらなかったのか。その人物なのか、違うのか。本当に単純。途中でコマンド入力が一回しか出てこないゲームノヴェルみたいというか。それまで、ふんふんと読んでいると、ある瞬間に一回だけ驚くような選択肢が呈示されるのである。え、その選択肢が出てくるとは思わなかった、とびっくりして、あまりに驚いたからその周辺の十数ページだけ何回かまた読んだ。こういう書き方をすると読者は驚くのか。というか、私はこういう書き方をされると驚くのか。勉強になった。すべてのミステリー作家がこういう風に書いてくれればいいのにな、と思った。お願いします。

　ここまでまったくあらすじについて書いてないが、きっと誰かが挙げてくれていると思うからもういいことにする。しかしあまりにも不親切だという気がするので、要素だけは書いておく。警察小説で、過去の事件を扱っていて、変な暗号が出てくる。あと、刑事の娘がジャーナリストで活躍する。そのくらい。あらすじになっていないが、気にしない。もうちょっと説明すると、私はこういう風にミステリーとしての肝の部分が一口で言えてしまう（しかしそれを言うと一発でネタばらしになってしまう）小説が好きなのだと思う。決して地味だから好きなのではないですよ。いや、地味な部分も滋味があって好きだけど。淡々と進めておいてあそこであれがくるからなあ、と感慨に耽りつつ、もう一回当該箇所に目を通してくることにする。ちなみに次点はエイドリアン・マッキンティ『ザ・チェーン　連鎖誘拐』だ。こちらも解説を担当した本なのだが、本当にいい犯罪小説なので許してもらいたい。語り口が無責任すぎて中原昌也をちょっと連想した『チェリー』は時間切れで読み終えられなかった。これもすごく好きなのではないかという気がする。　（杉）

　現代ミステリらしいスピーディーな展開、アクション、派手などんでん返し……そういったものをこの作品に求めてはいけない。主人公ヴィスティング警部は猟犬をけしかけて犯人を狩り立てるのではなく、静まり返った水面に釣り糸を下ろし、獲物が引っかかるのを気長に待つタイプだ（20年以上前に起きた事件だからということもあるが）。容疑者との腹の探り合いも展開されるけれども、名探偵対天才犯罪者の丁々発止と火花を散らす心理戦という印象ではなく、むしろ警部と容疑者のあいだには共感めいたものさえある。にもかかわらず、静かな緊迫感は途切れることがない。年間ベスト候補として騒がれるタイプの作品ではないと思うが、とても滋味に溢れた、いい小説を読んだという余韻が残る。（千）

吉 北

ザ・チェーン　連鎖誘拐

エイドリアン・マッキンティ／鈴木恵訳
ハヤカワ・ミステリ文庫

あまり好きじゃない話だ。たとえば、物語の後半に、船の上のくだりが出てくる。物語の背景が見えてきて、途端に不気味さがなくなって、なんだかなあと思っていたところなので、つい油断してしまった。そこにあの場面だ。未読の方がいるといけないので、これ以上詳しくは書かないが、淡々と描いているだけに余計に不気味さが際立つ。勘弁して欲しいのだ、こういうの。ただし、読ませる力は認めなければいけないので、今月の推薦作にしておく。（北）

　やはり今月はこれしかない。誘拐犯罪ものの新機軸にとどまらず、序盤から興奮を覚え、その先は一気に読むしか選択のない展開の面白さ。強烈なサスペンスを生み出すための凝った仕掛けやプロットの練り込みが入念になされているのだ。最後の方でわずかな不自然さも感じたものの、これだけ愉しませてくれれば申し分ない。そのほか、ジャニーン・カミンズ『夕陽の道を北へゆけ』も読みごたえたっぷりのロード・ノヴェル。メキシコを舞台とし、母が息子を連れてアメリカまで必死の逃亡とサバイバルを続ける大作で、神に祈りたくなるような場面の連続だった。ニコ・ウォーカー『チェリー』は、とくにイラクの戦地における場面の描き方――なにか人ごとのように出来事を見ていたり、正しく記憶できていなかったりする描写――が強く印象に残った。耐えきれない現実に直面し、心がまともに働かない主人公がそこにおり、形容の難しい感情がいくつも胸に残る青春小説なのだ。（吉）

霜

チェリー

ニコ・ウォーカー／黒原敏行訳
文藝春秋

ぎりぎりまで『ザ・チェーン 連鎖誘拐』と迷った。饒舌気味なアイルランドの警察小説を書いていたエイドリアン・マッキンティがアメリカ式のアドレナリン駆動型ジェットコースター・スリラーを見事に書いてみせたのには驚いた。疾走感がすばらしく、犯罪のアイデアと手口のおもしろさは、この種のスリラーの中でも抜群だと思う。必読。

だけど『チェリー』を推す。こちらはプロットで目をみはらせるような小説ではない。大学生が兵士になってイラクに行って帰ってきてドン底の生活に落ちて銀行強盗になる、というのを軽薄な一人称と会話で語るだけだ。だけなのだけれど、軽薄な皮膜の下にある何か切実なものが、このダメ男を切り捨てられない心持ちを僕に抱かせてしまう。ふわっとした悲しみみたいなものを抱かせてしまう。エドワード・バンカーの『ストレートタイム』を思い出したが、あちらと違うのは、「中学のとき割と仲がよかった気のいいあいつ」が強盗になってしまったことを聞かされるみたいな身近感がこちらにはあることだろう。今どきの小利口な小説の対局にある粗野さも魅力だった。（霜）

酒

夕陽の道を北へゆけ

ジャーニン・カミンズ／宇佐川晶子訳
早川書房

ロード・ノベルである。ロード・ノベルというと、未来への希望とか、精神的な癒しや解放をイメージしてしまうが、この物語で描かれるのは「現実」だ。冒頭で家族16人を皆殺しにされて、ただ二人たまたま助かった主人公母子は、マフィアから逃げるため、アメリカを目指す。要は移民・難民となることを決めたわけであり、その道中はマフィアの影に怯える緊張感や不安感の強いものだ。

本書が通常のロード・ノベルと決定的に異なるのは、道中で出会う主要人物もまた、難民・移民となるべくアメリカ国境を目指す人だ、という点である。彼らもまた、救い難き現実を背負っており、社会の暗部に直面させられている。母国を捨てて逃げるしかなくなった人々の過酷な現実が、瑞々しい筆致で鮮やかに描かれている。心理描写が極めて繊細なのも効果を倍加。本書のカバーそでには、「（前略）者たちの希望を描いた」との一節がある。まあ確かに間違いではない。希望はあるし、それが後味の意外な良さにも繋がっている。だが、希望がなくても、私が本書に抱いた印象にはあまり影響がなかったようにも思う。素晴らしい小説。じっくり読むべき小説。おすすめです。（酒）

思いのほか言及された作品が集中した二月でした。小味な警察小説と派手な誘拐小説、そしてロード・ノヴェルという組み合わせはなかなかバラエティがあっていいですね。さて、次月はどんな結果になりますことか。（杉）

2020 4月

千 吉

隠れ家の女

ダン・フェスパーマン／東野さやか訳

集英社文庫

一九七九年、CIAベルリン支局の末端職員ヘレンは、幹部による性的暴行を目撃し、それを上層部に告発しようとするが、組織は揉み消しを図る。二〇一四年、アメリカでウィラードという男が両親を殺害した。ウィラードの姉アンナは、家族の身に何故このようなことが起こったのかを知ろうとするが……。時代を異にする二つの物語がパラレルに進行し、冷戦期と今世紀にまたがる巨大な悪が浮上してくる。ヘレンとアンナを取り巻く多くの関係者の、誰が敵で誰が味方なのか。本心を隠した人間ばかりが集まったスパイの世界で、二人のヒロインは真実と虚構が交錯する迷宮へと敢えて踏み込んでゆく。過去パートの後半、諜報組織の女性たちが共闘するくだりは、時代も舞台設定も異なるもののイギリス製のドラマ『ブレッチリー・サークル』（別題『暗号探偵クラブ〜女たちの殺人捜査』）をちょっと想起させる趣がある。（千）

まず、オーエンズ『ザリガニの鳴くところ』は、その圧倒的な評判どおりで、ページをめくるとたちまちアメリカ南部を舞台にしたこの小説世界に引き込まれてしまい、孤独なヒロインの少女に感情移入し続け、ともに半生を生きているような感覚を味わった。今月は、もうこれ一作でいいのではないかと思うほどだった。『隠れ家の女』を読むまでは。題名はやや地味な感じがするかもしれないが、これは久々に出会った傑作スパイスリラーだ。一九七九年、冷戦下のベルリンにおけるCIA女性職員を主人公にした物語と二〇一四年のアメリカで起きた殺人事件めぐる物語が交互に語られていくという構成である。スパイものとはいえ、ル・カレともフリーマントルとも異なるタッチで、末端の女性CIA職員を主人公にしたところが

大きな鍵となっている。ベルリンやパリにおける、さまざまな工作、接触、逃走といった場面の迫力も十分だし、細部もよく描かれており、現代アメリカの探偵行の章にしても、謎が謎を呼ぶうえに意外なひねりがあるなど、六百数十頁を一気に読ませる面白さだ。スパイスリラーはほとんど読んだことがない（あまり興味がない）という人なら『ザリガニ』を薦めるが、もう『ザリガニ』読みました、という方は、ぜひこちらもどうぞ。（吉）

杉 霜

七つの墓碑

イーゴル・デ・アミーチス／清水由貴子訳
ハヤカワ文庫NV

　霧雨に煙る墓地に並ぶ七つの墓碑。そのひとつの足元には喉を切り裂かれた死体が横たわり、犠牲者をふくむ七人の名が墓碑には刻まれていた——という幕開けは連続殺人鬼ものかイタリア産だけに陰惨なジャッロ風グランギニョールかと思わせるが、次のページでいきなり殺伐とした刑務所内の話がスタートするから驚く。殺人を予告された七人はマフィアの構成員ばかりだったのだ。つまり本書、影なき殺人鬼とムショ帰りの荒くれ者の対決の物語——ダリオ・アルジェントvs深作欣二みたいな怪作だったのだ！

　むき出しの拳みたいな剛毅なストーリーテリングは力強く、とことん動物的な暴力者かと思えば、『闇の奥』とか『夜の果てへの旅』などの古典文学の愛好者でもある主人公像もおもしろい。主人公の回想場面にはプリズンものの面白さまである結構な拾い物。ありふれたサイコ・キラーものかと思って読むのを後回しにしてごめん。

　なお品のない小説は苦手という方は話題作『ザリガニの鳴くところ』を、悠然と進む物語がお好みなら読みやすいル・カレみたいな趣の『隠れ家の女』（ダン・フェスパーマン）をどうぞ。（霜）

　総合点では間違いなく『ザリガニの鳴くところ』なのだが、他の方も言及すると思うので偏愛する作品をあえて挙げておきたい。『七つの墓碑』、もしかすると今まで読んだイタリア・ミステリの中でいちばん好きかも。

　構成は錯綜しているように見えて実は単純で、過去に何かがあったことが匂わされ、その関係者七人が次々に殺されていくという『喪服のランデブー』形式である。そのうちの一人が出所した主人公で、おとなしく殺されるようなタマではなく、暴力をふるいながら自らの目的のために驀進していく。この主人公の内面が読者に明かされないのが語りの上のポイントで、過去の事件について何か秘密を抱えているのはたしかだが、それがどういうことなのかはわからない、ということが引っ掛かりとなって、キャラクターに惹かれていく。うまいやり方だ。余計なことは言わないが無口というわけでもない。この程良い感じが好ましく、作者のセンスを感じる。

　とにかく派手に人が殺されるし、残忍な場面も多い。決して万人向けの小説ではないのだけど、どうしても好きになってしまう要素がある。というのも、これは本の小説でもあるのだ。各章の頭に『モンテ・クリスト伯』など有名な小説からの引用が置かれていて、それが全部主人公のいた刑務所図書館の所蔵だということになっている。この男、もともとはまったく本など読まなかったのに、服役中に先輩ギャングから読書の悦びを教えられたのである。そのことによって狂犬のようだった内面に変化が生まれて、奥行ができた。作者はそこまで書いていないが、出所後の彼の行動は、もし本を読まない人間のままだったら違っていたはずだ。本を読むようになったために弱点が生じたのである。読みながら中国神話に出てくる混沌を思い出した。混沌は目が見えず耳も聞こえなかったが、気の毒に思う人が体に感覚器官となる穴を穿ってやると、そのために死んでしまったという。理性のない犯罪者が本を読んだらどうなるかという小説でもあって、そんな趣向のある小説、好きになるに決まっているではないか。（杉）

川

ザリガニの鳴くところ

ディーリア・オーエンズ／友廣純訳
早川書房

『ザリガニの鳴くところ』は、二〇二〇年を代表する翻訳小説だ。プルーフ版を読み終えて、静かな余韻に浸りつつ、瑞々しい物語を噛みしめるように思い起こしていたのが早2カ月前。苛烈なれど美しく荒々しくも繊細な一人の女性の、孤独と自立、愛と憎しみ、偏見と羞恥とがないまぜとなった半生記を、ようやくここで取りあげることが出来、ホッとしている。

ノース・カロライナの湿地地帯を舞台にした自然文学として、六歳にして一人で生き延びなくてはならなくなった少女の成長譚として、そしてスモール・タウンを舞台にした『アラバマ物語』に列なるアメリカン・ミステリの伝統に則した骨太なドラマとして心から堪能。交互に語られる少女の成長譚と若者の不審死の行く末が気になりつつも、じっくりと味わいながら読んだ。

幾度もの拒絶によって自分の人生が決められてきた〝湿地の少女〟カイアの、「なぜ傷つけられた側が、いまだに血を流している側が、許す責任まで背負わされるのだろう」という述懐が胸に刺さって抜けない。これは、Must buy!（川）

北

深層地下4階

デヴィッド・コープ／伊賀由宇介訳
ハーパーBOOKS

地下深くで眠っていた菌が蘇り、地上に蔓延して人を襲うバイオホラーだが、純粋な水に初めて触れるシーンが鮮やかだ。歓喜に震えるような爆発場面が臨場感あふれる筆致で描かれているのだ。こういうディテールが素晴らしい。ラストがやや駆け足だが、それは許されたい。（北）

酒

嗤う猿

J・D・バーカー／富永和子訳
ハーパーBOOKS

エンターテインメントに徹した作品で、シリーズ探偵ならぬシリーズ犯人《四猿（4MK）》を徹底的に有効活用している。派手でケレンたっぷりの猟奇殺人が、シリーズ前作の《四猿（4MK）》の再来と騒がれ、次第に本当に前作のあれやこれやと繋がっていく。しかも一々がドラマティック、ダイナミックで緊張感たっぷり。本書後半で味わえる、ストーリーに振り回される感覚は、この種のミステリを読む醍醐味そのものである。作者がジェフリー・ディーヴァーの正統後継者と目されるのもむべなるかな。そしてこれはディーヴァーには意外とない要素だが、シリーズ二作目の本書の幕切れが強烈で、続きがめちゃくちゃ気になるのである。主人公の刑事サミュエル・ポーターの心理描写もなかなかスリリングで読ませる。ディーヴァーよりも血と肉を掘り下げてる感じがします。本年秋には続篇の翻訳刊行されるとのことで、待ち遠しい！

……でも今月は、『ザリガニの鳴くところ』も捨てがたいんだよなあ。（酒）

緊急事態宣言が発令されて、落ち着かぬ日々をお過ごしの方も多いと思います。外出せずに自宅で過ごすことが奨励されています。ぜひ翻訳ミステリーを。七福神がそのための参考になれば幸いです。（杉）

2020 5月

千 酒

カメレオンの影

ミネット・ウォルターズ／成川裕子訳
創元推理文庫

頭部に大けがを負い、容貌も性格も変わってしまった傷痍軍人の主人公の心理描写が、とてつもなく精緻におこなわれている。彼の心の動き、わかる、わかるぞ……！と読み進めていくわけですが、しかし肝心なところはぼかして、さりげなく誤魔化してくる。だから真相は皆目見当が付かないまま、内的緊張が高まっていくのである。よって、倒叙ミステリとはかけ離れた作品に仕上がっており、序盤は曖昧模糊で方向性は見えず、中盤は予想外の方向性に話が転んで、終盤は驚愕の真実のつるべ打ち。でも（繰り返すが）心理描写は精密極まる。脇役もしっかり描き込まれていて、魅力的な人物が目白押しなのも素晴らしい。今年の新刊ミステリの中では、最も「完璧」「理想」に近いんじゃないかなこれは。（酒）

ミネット・ウォルターズは作家としての実力と知名度のわりに日本への紹介はスローペースで、この『カメレオンの影』も原書の刊行は二〇〇七年だ。そのため、作中で扱われる時事トピックにタイムラグが生じているのはやむを得ないところだが、それでも「古い」と感じさせないのがこの作家の実力だろう。本書には著者の旧作のいくつかを想起させる要素が見られるけれども、読み方によってはそうした自身の作風をミスディレクションに用いたとも取れる試みが秘められていて、ある境地にとどまることを潔しとしないこの作家のタフさを改めて思い知らされた。（千）

霜 北

レッド・メタル作戦発動

マーク・グリーニー＆H・リプリー・ローリングス四世／伏見威蕃訳
ハヤカワ文庫NV

トム・クランシー『レッド・ス

トーム作戦発動』と、構成が驚くほど似ている小説なので、同じジャンルの作品として受け取られかねないが、そういう誤解から本書を解放したい。33年前に翻訳されたクランシーの小説は、シベリアの石油精製施設がイスラムの過激派組織の襲撃により、壊滅的な打撃を受けたソ連が、ペルシャ湾沿岸の油田を強奪する作戦を描いたものであった。その石油をレアメタルに変え、ソ連をロシアに変えたのが、今回のグリーニーだ。

じゃあ、やっぱり同じじゃん、と言われるかもしれないが、待ってくれ。いちばん違うのが、陽動作戦なのである。クランシーのアイスランドと、グリーニーのポーランドだ。この違いが、クランシーとグリーニーを決定的に分ける。では、どう違うのか。

その詳細は5月末発売のミステリマガジン7月号に書いたので、そちらをご覧ください。いや、ものすごく長くなるので、ここに書けないのだ。ここでは、グリーニーはこの作品で大きく進化したと、書くにとどめておく。（北）

いまどきのトレンドでいえば『あの本は読まれているか』が正解だとわかってるんですがね、でも僕はこういうの好きなので、こっちにしました。何かの拍子で『あの本は～』を誰も推してなかったら読みましょうね皆さん。

さて本書は〈グレイマン〉シリーズのグリーニーと、海兵隊のエキスパートとの共著だが、書いたのは主にグリーニーで間違いないだろう。グリーニーの巧さは近年の海外の作家には珍しくなった「ケレン味」である。それが本作には横溢し、クランシー風の巨視的なスリラーになりそうなところを引き留めている。つまり軍事スリラーと冒険小説の境界線上の作品で、近いのはスティーヴン・ハンターの初期の名作『真夜中のデッドリミット』だろう。映画評論家でもあるハンターは映画的なケレンを得意としたが、グリーニーはFPSゲーム的なケレンの持ち主で、戦闘やアクションのかなめになる舞台の設定（上巻には見取り図も出てくる！）の巧みさには、シューティングゲームの「マップ」の感覚がある。

一方で優れた軍事スリラーの特に前半には陰謀小説の面白さが宿るものであり、また「問題の解決」を物語の軸とするという意味で、すぐれた謀略スリラーにはミステリと同質の快楽も宿るものだ。本書も例外ではなく、個人的にはフランスの老スパイの活躍と、ギーク系の軍人の出世なんざクソくらえ系の暴れぶりが気に入った。（霜）

川 あの本は読まれているか

ラーラ・プレスコット／吉澤康子訳
東京創元社

今月は迷わずラーラ・プレスコット『あの本は読まれているか』を推す。東西冷戦期真っ只中の一九五〇年代末に、CIAにより実行された〈ドクトル・ジバゴ作戦〉に材を取り、かの書に運命を左右された男女の半生と諜報戦の内幕を、多種多様な視点から描いたエスピオナージュであり青春小説であり恋愛小説でもある大型エンターテインメントだ。

何より特筆すべきは、ソ連側もアメリカ側も女性が主人公である点。これまでほとんど語られることのなかった冷戦期の諜報戦での彼女らの活動と人生を、現在の視座からしっかりと見据え、愛と憎しみ、野心と挫折、希望と絶望、欲求と献身、そして彼女らに対する偏見と抑圧を瑞々しい筆致で紡いでゆく。

要所要所で〝タイピストたち〟の一人称複数視点による俯瞰的な描写が挿入される構成も面白い。圧倒的な男性優位社会であった当時の諜報機関で働く女性職員を取り巻く空気を、冷徹に皮肉を効かせつつもユーモアを漂わせて活写し甦らせる手腕は見事。前月の『ザリガニが鳴くところ』ともども、ミステリの枠を広げてくれる今年の大きな収穫だ。（川）

吉

コックファイター

チャールズ・ウィルフォード／齋藤浩太訳
扶桑社ミステリー

これは事件や謎をめぐるミステリでも犯罪者が主役のクライムノヴェルでもなく、プロの闘鶏家を主人公にすえて描いた渾身の闘鶏小説である。むろんギャンブル小説の要素も含んでいるが、個人的には何かもっと大きなジャンルでくくりたくなる作品だ。断っておくが、暗く歪んだ情念だの陰惨な社会の闇だのといった面はないので、そのあたり（ある種の?）ノワール嫌いの方にも十分薦められる物語だと強調したい。いやどこまでも闘鶏に傾倒する男のまっすぐな姿は世間から見れば歪んでいるのかもしれないが、そのあとを追わずにおれない魅力が感じられるのだ。加えて、ある驚きの趣向が作品内に潜んでいるものの詳しくは語れない。そのほか、表紙のイメージから気楽に愉しく読めると思って手に取ったヴィクター・メソス『弁護士ダニエル・ローリンズ』は、知的障害のある少年の事件を扱っているため、読んでいるといろいろと辛いものがあった。ミネット・ウォルターズ『カメレオンの影』でもイラクの戦地で重傷を負って帰国した青年のふるまいにやりきれないものを感じた。二作ともお薦めの傑作だが、楽しみのための読書なのに登場人物の不遇や不幸に過敏になり息苦しいのは、コロナ禍のせいか。（吉）

杉

弁護士ダニエル・ローリンズ

ヴィクター・メソス／関麻衣子訳
ハヤカワ・ミステリ文庫

他に大作感のある小説がいくつか訳されているのだが、たぶんこれを推す人は他にいないだろうと思うので『弁護士ダニエル・ローリンズ』を。一九八〇年代にサンケイ文庫あたりでひょっこり出ていたような、小味な弁護士小説である。

ダニエルという名前はどちらの性にも使われるが、主人公は女性だ。離婚経験ありで、原因は自分が浮気をしたせい。しかも元夫に未練たらたらで、新しい女と付き合っているのが許せなくて、その恋人のことを悪口言いまくり。酔っ払うと新居に押しかけていってしまいそうになるくらいで、自分で自分を持て余している。そんな駄目駄目な彼女が絶体絶命の刑事裁判で戦うお話なのだ。その裁判というのがひどくて、間もなく十八歳という知的障害のある少年が麻薬売買という重罪で告訴されたのである。会って話してみればわかるが、被告は子供同然で、どう見ても自分の判断でそんな罪を犯せたはずがない。検察官と判事がぐるになって、彼を生け贄にしようとしているのだ。最初は腰が引け気味だったダニエルも少年を見捨てておけなくて裁判にのめりこんでいく。状況は不利になる一方だわ、事情があって少年を自分の家に住まわせてやらなくちゃいけなくなるわ、別れた夫は気になるわでぐちゃぐちゃのままどんどん彼女は追いこまれていく。あまりに理不尽なことが続くので読むのが辛くなってくるが、ちゃんとエンターテインメントとして着地するのでご安心を。法を悪用しようとする連中の顔が現実のあの人やあの人に重なってしまうのがちょっと玉に瑕ではある。できれば法の正義は信じたいんだけどね。年間ベストというような小説ではないが、読んだら絶対に主人公に好感を持つだろうと思う。そうそう、こういうのが毎月一本くらいは読めたら嬉しいの。

（杉）

思った以上に票が分かれた4月でした。さて、明日はいよいよ第11回翻訳ミステリー大賞開票式です。残念ながらイベントは行えませんが、お知らせしたとおりYouTube上で開票の模様は中継いたします。それに先立ち、順位予想もtwitter上で受け付けております。1位から5位までの順位をつけてハッシュタグ「#hmaw11」（前後に半角空けを忘れずに）でツイートしてください。全順位的中者が出た場合はその中から何名かに、完全正解が出なかった場合は最も惜しかった方に、何か賞品を差し上げます。よろしくお願いします（※）。

（杉）

※というイベントがありました。もちろん現在終了。

COLUMN

翻訳と演奏と

酒井貞道

常々思っているのだが、文芸における翻訳は。音楽における演奏に似ている。私がよく聴いているクラシック音楽の場合、作曲家が書いた楽譜を、演奏家が見て演奏する。同じ曲であれば楽譜も同じなので、誰が演奏しても同じ音楽になる――はずなのだが、事はそう簡単に運ばない。楽譜は結局のところ記号の集合に過ぎず、作曲家の頭の中で鳴った音を確定するには情報が足りない。たとえば楽譜で「フォルテで弾け」と指示されていたとして、何デシベルの音を出すべきかまでは大半の曲で記載されていない。また、たとえ記載されていても、演奏会場の大きさやアコースティックによって、音が聴き手に与えるインパクトが違ってくるわけだから、指示に機械的に従うのが正解とは限らない。結局、演奏家が、楽曲全体の中でその「フォルテ」の意味を考えて、その意味を活かす具体的方法を自分で探り答えを出すことが不可欠となる。これが解釈である。

　翻訳も同じである。海外小説をどのような日本語にするかは翻訳者の判断によるところが非常に大きいのだ。たとえば主人公がI・my・meの一人称で独白する英語小説があったとしよう。この場合、翻訳者はその訳語として「私」「僕」「俺」「儂」「吾輩」「小生」「余」「拙者」「おいら」「わい」「うち」等々のいずれにするかを判断することになる。ここでどの言葉が採用されるかによって、作品全体の雰囲気は全く違ってくる。翻訳者は原語で作品を読み込み、作品の性格を判断したうえで、主人公の人称を決定する。これは解釈に他ならない。またミステリの場合、人称を故意に曖昧に訳して、原語版にはない《犯人の正体を隠す》効果を追加することもあるようだ。デイナ・ヘインズ『クラッシャーズ 墜落事故調査班』は、実際にそのような仕掛けが翻訳時に付与されている。なかなか面白い効果を上げているので、一読をすすめたい。

　このように、翻訳は人称だけでも奥が深い。だが実際の翻訳時に問題となるのは、それだけではなく、全てである。一つの物語の全文全要素を解釈し、文章表現を細部に至るまで、翻訳者自身が決めなければならないのだ。しかも日本ではない別の国、場合によって別の時代の物語である以上、現代日本語話者にも理解できるように訳す必要もある。そのためには当然、知識も大量に必要だ。翻訳家の役割は、本当に大きいのである。

あとがき

われわれは「翻訳ミステリー春の時代」に生きている

読んでも読んでも読み切れない！

七福神各位の気持ちを勝手に代弁するとそんなことになるのではないかと思う。本当におもしろい作品ばかり出るんだもの。「書評七福神の今月の一冊」連載が更新されるたびに、「前月の分が読み終わってないのにもう次が来た」「また積読が増える」という声をSNSで拝見する。お気持ちはわれわれも同じなのだ。他の執筆者が挙げた題名を見て、慌てて書店に走ることもしばしばある。

すでに本文を読んでいただいた方にはおわかりのとおり、同じ翻訳ミステリー好きといっても好みはバラバラ。よくこれだけ気の合わない七人で十年以上連載続いているとも思うが、逆に言えば、それだけ幅が広いということでもある。

本格、サスペンス、冒険小説、ハードボイルドといった形にすべてが分類できたのははるか昔の話だ。現在の翻訳ミステリーはジャンル分け自体が難しいものや、SFや主流文学といった隣接ジャンルとの融合を果たした小説が当たり前のように出ている。紹介される国も、かつてはほとんどが英語圏の作品でちょっとフランスものがあったくらいだった。それが今ではどうだ。北欧ブームがきたと思ったら、ドイツ・ミステリーが続き、近隣国なのにあまり翻訳がされなかった東アジアの作品も翻訳されるようになった。文字通り世界のミステリーが読めるようになってきたのである。これまた以前は紹介の少なかったヤングアダルト作家も増えてきたし、量的というよりも質的増大がはなはだしい。

ああ、こりゃ全部読めるはずがないよね。

本連載の母体サイト「翻訳ミステリー大賞シンジケート」設立目的の一つは、翻訳ミステリー読者の減少を食い止めることである。いや、翻訳ミステリーを読みたいという方は当時も多かったと思う。だが、何がおもしろいのかという情報が少なすぎて、みんな手が出せずにいるのではないか、という意見があったのだ。だったらご提供しましょう、おもしろい本の情報はどんどん出すので、ぜひ読んでください、ということである。

当時ひそかに囁かれた「翻訳ミステリー冬の時代」なる説が的を射たものだったのかという判断は措くことにする。措くのだが、これだけは言わせてもらいたい。かつて冬が来たのだとしたら。

今は絶対に「翻訳ミステリー春の時代」である。

だって、これだけジャンルが豊穣で、読み切れないほどにおもしろい作品が出ているのだから。毎月の七福神だって、刊行ペースに置いていかれないよう、必死こいて頑張っているのだ。こんな状況が「冬の時代」であるわけがないではないか。

今は春。生命力にあふれた春なのである。

「翻訳ミステリー大賞シンジケート」が一つのきっかけになったら関わったものとして嬉しいのだが、全国で読書会も開催されるようになった。多くの方が翻訳ミステリーを楽しみ、もっともっと、と叫ぶ声が聞こえてくる。幻聴では、ないと思う。

内情をちょっとだけお話しすると、本書の企画持ち込みの際、第一候補に考えていたのが福岡県の出版社である書肆侃侃房だった。翻訳ミステリーが大好きという方が全国にいて、地方の読書会も盛んに行われている現状を反映したかったというのがその理由である。地方発でも元気に情報発信している出版社で本を出したいと思った。まったくの飛び込みでお願いしたのだが、快諾してもらえた。実にありがたいことである。福岡県と書肆侃侃房は偉い。

本来であれば、単行本刊行を記念して全国の書店や読書会と連動し、さらに翻訳ミステリー春の時代をアピールしたいと考えていたのだが、二〇二〇年に始まった新型コロナウイルス感染流行がまったく収束の気配もなく、自重せざるをえなくなった。それだけが残念である。われわれ七人がいかに本を薦めるのが好きかを、うんざりするくらい直に聴いてもらいたかったのに。

いつの日かきっと、翻訳ミステリーについて語り合いましょう。
それまでは、冬ごもりならぬ春ごもりで自宅待機。
コロナには絶対負けませんように。

杉江松恋拝

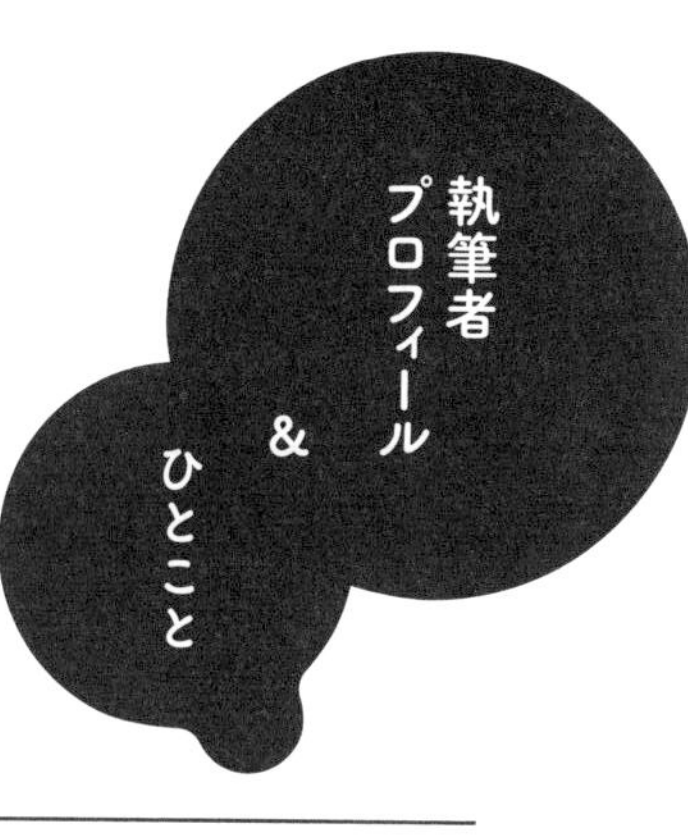

川出正樹（かわで・まさき）

1963年、愛知県生まれ

書評家。翻訳ミステリを中心に書評・解説を執筆。共著に『ミステリ・ベスト201』『ミステリ絶対名作201』（ともに新書館）などがある。本のサイト〈bookaholic〉の「翻訳メ～ン」コーナにて翻訳マン1号として翻訳マン2号・杉江松恋と翻訳小説お勧め本紹介対談を実施。

現在、雑誌「ミステリーズ！」誌上にて連載した評論「ミステリ・ライブラリ・インヴェスティゲーション——魅惑の翻訳ミステリ叢書探訪記」の単行本化に奮闘中。

戦後刊行された翻訳ミステリの蒐集・研究がライフワークで、『絶景本棚』（本の雑誌社）に掲載された蔵書の一部は、最近共演したNHK・Eテレ〈ネコメンタリー　猫も杓子も。〉の「深緑野分としおりとこぐち」にも映っています。

北上次郎（きたがみ・じろう）

1946年東京生まれ。明治大学卒。1978年1月号から小説推理でミステリー時評を連載。著書に、『冒険小説論』『エンターテインメント作家ファイル108国内編』『極私的ミステリー年代記』『感情の法則』『情痴小説の研究』『書評稼業四十年』『阿佐田哲也はこう読め！』など。

若いころからミステリーとSFが好きだったが、イギリスからニューウェーブが上陸したのを境にSFがわからなくなり、以降SFから離れる。

ミステリーの中では冒険小説が好きで、中でもアクション・シーンの多いものが好み。若いころに『気分は活劇』という本を上梓したことがあるくらい、ずっと活劇（アクション）を愛している。この手のものが各種のベスト10の対象外になっているのも気にいっている。

酒井貞道（さかい・さだみち）

一九七九年兵庫県生まれ。二〇〇二年頃より書評家として活動開始。新刊の時評や文庫解説などを主に手掛けています。本業は一般企業のサラリーマンですが、勤務先や業務内容にひっかけた文章は絶対に書かないと決心しています。偏愛する作家はピーター・ディキンスンとアントニー・バークリーです。

読書以外の趣味はクラシック音楽の鑑賞で、二〇一九年までは首都圏のコンサート会場によく出没していました。しかし二〇二〇年以降は、ご存知COVID-19の影響で、海外アーティストが出演する演奏会が中止・延期・変更三昧。開催されても感染リスクがなあ、ということで目下は録音中心の鑑賞に切り替えました。結果、自分の再生環境に不満を持ち、イヤホン沼にはまりかけています。

2011
2012
2013
2014
2015
2016
2017
2018
2019
2020
さくいん

霜月蒼（しもつき・あおい）

1971年、東京都生まれ。ミステリー評論家。2009年、翻訳ミステリー大賞シンジケートのサイト立ち上げに際し、杉江松恋氏の求めで「アガサ・クリスティー攻略作戦」を隔週連載開始。同連載は2013年に終了、翌2014年に『アガサ・クリスティー完全攻略』として書籍化され、第68回日本推理作家協会賞、第15回本格ミステリ大賞を受賞。したがって同シンジケートと杉江松恋氏には足を向けて寝られません。

エルロイ『ホワイト・ジャズ』とル・カレ『ティンカー、テイラー、ソルジャー、スパイ』を年一回読み直す他、近年ではカリン・スローター作品ほか、『拳銃使いの娘』『カッコーの歌』『蝶のいた庭』『父を撃った12の銃弾』など、己の尊厳のために戦う女性の物語に注目しています。

杉江松恋（すぎえ・まつこい）

1968年、東京都生まれ。書評家。ミステリー関連の主要な著書に『路地裏の迷宮踏査』、『読みだしたら止まらない！　海外ミステリー・マストリード100』。落語・講談・浪曲などの演芸に関心を持っています。その方面でも『桃月庵白酒と落語十三夜』（桃月庵白酒との共著）、『絶滅危惧職、講談師を生きる』（六代神田伯山との共著）などの著書があります。残る一つのジャンルについても、現在著書を準備中。その他、公立小学校で3年間PTA会長を務めた経験を『ある日うっかりPTA』として書きました。

偏愛する翻訳ミステリーはリチャード・スターク『悪党パーカー／人狩り』とドミニック・ルーレ『寂しすぎるレディ』。翻訳ミステリー大賞シンジケート事務局の一人です。

千街晶之（せんがい・あきゆき）

一九七〇年、北海道生まれ。一九九五年、「終わらない伝言ゲーム――ゴシック・ミステリの系譜」で第二回創元推理評論賞を受賞。二〇〇四年、『水面の星座　水底の宝石』（光文社）で第四回本格ミステリ大賞評論研究部門、第五十七回日本推理作家協会賞評論その他の部門を受賞。著書に『幻視者のリアル』『原作と映像の交叉光線』（ともに東京創元社）、『読み出したら止まらない！　国内ミステリー　マストリード100』（日経文芸文庫）など。共著に『21世紀本格ミステリ映像大全』（原書房）などがある。「朝日新聞夕刊」「週刊文春」「ミステリマガジン」「SFマガジン」「小説すばる」などで書評欄を担当中。今年はアンソロジーの編者としての仕事が増える予定。

吉野仁（よしの・じん）

1958年東京生まれ。書評家。内外のミステリを中心に雑誌・新聞などで書評を担当するほか、文庫解説などを多数執筆。ほかにミステリやエンターテインメント系小説新人賞などの予選委員をつとめている。共著として『ミステリベスト201日本篇』（新書館）『海外ミステリー事典』（新潮社）がある。

個人的に探究しているのは、ペイパーバックオリジナルで発表されたアメリカの大衆小説、およびフランス〈セリノワール〉をはじめとする各叢書のミステリだが、なかでもとりわけ犯罪小説を偏愛し耽溺している。最近は、ウェスタン小説の知識がほんの少しだけ深まっており、それはジャンルの源の部分でつながっているためだ。もちろん〈ヘン〉なミステリ〈奇〉なる小説も大好物。

や行

わ行

な行

は行

ま行

さ行

た行

2011
2012
2013
2014
2015
2016
2017
2018
2019
2020
さくいん

訳者名さくいん

あ行

か行

ヤ行

ラ行

その他

マ行

ナ行

ハ行

サ行

タ行

著者名さくいん

ア行

カ行

2011
2012
2013
2014
2015
2016
2017
2018
2019
2020
さくいん

や行

ら行

わ行

原稿執筆から時間が経っているため、取りあげた本によっては品切・絶版になっているものもありますが、個別表記は行いませんでした。各出版社や書店にお問い合わせください。

（杉江松恋）

ま行

な行

は行

た行

さ行

か行

2011
2012
2013
2014
2015
2016
2017
2018
2019
2020
さくいん

書名さくいん

数字

アルファベット

あ行

書評七福神が選ぶ、絶対読み逃せない
翻訳ミステリベスト2011–2020

2021年5月26日　第1刷発行

著者　書評七福神／杉江松恋, 川出正樹, 北上次郎,
酒井貞道, 霜月蒼, 千街晶之, 吉野仁
発行者　田島安江
発行所　株式会社 書肆侃侃房（しょしかんかんぼう）
〒810-0041福岡市中央区大名2-8-18-501
TEL 092-735-2802FAX 092-735-2792
http://www.kankanbou.com
info@kankanbou.com

編集　田島安江
ブックデザイン　成原亜美（成原デザイン事務所）
DTP　門前工房
印刷・製本　モリモト印刷株式会社

ISBN978-4-86385-462-8 C0095